PEARSON CUSTOM LIBRARY
SPANISH

¡Anda! Curso elemental
Custom Edition for
North Shore Community College

PEARSON

Senior Vice President, Editorial: Patrick F. Boles
Senior Sponsoring Editor: Natalie Danner
Development Editor: Jill Johnson
Operations Manager: Eric Kenney
Production Manager: Jennifer Berry
Art Director: Renée Sartell
Cover Designers: Kristen Kiley, Tess Mattern, Josh Read, Melissa Meinhold, Chrissy Kurpeski & Jenna Cutruzulla

Cover Art: Young Hispanic Family In Urban City; Women's room sign; Confident, Young Businessmen; Latino Lifestyle—Expressions; Casual couple; Spanish/english menu; Lemons at Market; Stop; Girl—success on the internet; Dribbling the ball; Group of students; Spanish tiles; Ancient ethnic decorative background Paper; Gaudi; Spanish Fan—All courtesy of iStockphoto LP; "Classic guitar" courtesy of Jose Antonio Sánchez Reyes/Shutterstock; "Spanish Icon Montage" courtesy of Theresa Tibbetts/iStockphoto; "Mexican Icon Montage" courtesy of Theresa Tibbetts/iStockphoto.

Printed in the United States of America
V092
Please visit our website at *www.pearsonlearningsolutions.com*.

Attention Bookstores: For permission to return any unsold stock, contact us at *pe-uscustomreturns@pearson.com*.

Pearson Learning Solutions, 501 Boylston Street, Suite 900, Boston, MA 02116
A Pearson Education Company
www.pearsoned.com

ISBN 10: 1-256-57647-6
ISBN 13: 978-1-256-57647-1

A GUIDE TO THE IN-TEXT ICONS

ACTIVITY TYPES

	Pair Activity	Indicates that the activity is designed to be done by students working in pairs.
	Group Activity	Indicates that the activity is designed to be done by students working in small groups.
	Audio	Indicates that related audio material is available in MySpanishLab as well as on CDs and on the Companion Website.
	World Wide Web	Includes helpful links and activities found on the Companion Website and in MySpanishLab.
	Video	Indicates that the video resources are available on a DVD or in MySpanishLab.
	Student Activities Manual	Indicates that additional practice activities are available in the Student Activities Manual. The manual is available in MySpanishLab as well as in printed form.
¡Hola!	MySpanishLab	Indicates that additional resources are available in MySpanishLab. For example, in MySpanishLab you will find a pronunciation guide, a mnemonic dictionary with tips to help you learn each chapter's vocabulary, and specialized information related to professions and careers.

Note to Students:

Your text has been customized to fit your course exactly. For this reason, you'll notice that your book includes two sets of page numbers. The Table of Contents and Index of your custom book refer to the sequential page numbers that are centered in the bottom margin of each page. The second set of page numbers are the original page numbers of the parent text(s) from which your custom text is derived; use these page numbers when referencing MySpanishLab or other in-text references in your text.

Table of Contents

Capítulo Preliminar A: Para empezar

Para empezar

You are about to begin the exciting journey of studying the Spanish language and learning about Hispanic culture. Learning a language is a skill much like learning to ski or playing an instrument. Developing these skills takes practice and in the beginning, perfection is not expected. Research has shown that successful language learners are willing to take risks and experiment with the language.

What is essential in learning Spanish is to keep trying and be willing to risk making mistakes, knowing that the practice will garner results. *¡Anda! Curso elemental* will be your guide and provide you with key essentials for becoming a successful language learner.

Why should you study Spanish, or for that matter, any language other than English? For some of you, the answer may be quite frankly, "because it is a graduation requirement!" Bear in mind, however, that Spanish is one of the most widely spoken languages in the world. You may find that knowledge of the Spanish language is a useful professional and personal tool.

If you have never studied Spanish before, this preliminary chapter will provide you with some basic words and expressions you will need to begin to use the language in meaningful ways. If you have already learned or studied some Spanish, this preliminary chapter can serve as a quick review.

PREGUNTAS

1 Why is it important to study Spanish?

2 How might Spanish play a role in your future?

Jack Hollingsworth/Photodisc/Thinkstock

3

Comunicación

1 VOCABULARIO

A-01 to A-04

Saludos, despedidas y presentaciones
Greeting, saying good-bye, and introducing someone

Los saludos	Greetings
¡Hola!	Hi! Hello!
Buenos días.	Good morning.
Buenas tardes.	Good afternoon.
Buenas noches.	Good evening; Good night.
¿Cómo estás?	How are you? (familiar)
¿Cómo está usted?	How are you? (formal)
¿Qué tal?	How's it going?
Más o menos.	So-so.
Regular.	Okay.
Bien, gracias.	Fine, thanks.
Bastante bien.	Just fine.
Muy bien.	Really well.
¿Y tú?	And you? (familiar)
¿Y usted?	And you? (formal)

Las despedidas	Farewells
Adiós.	Good-bye.
Chao.	Bye.
Hasta luego.	See you later.
Hasta mañana.	See you tomorrow.
Hasta pronto.	See you soon.

Demetrio Carrasco/Dorling Kindersley

—¿Qué tal?
—Bien.

Jupiterimages/Comstock/Thinkstock

—¿Cómo estás?
—Bien, gracias.

Digital Vision/Thinkstock

—Hasta mañana.
—Adiós.

Las presentaciones	*Introductions*
¿Cómo te llamas?	*What is your name?* (familiar)
¿Cómo se llama usted?	*What is your name?* (formal)
Me llamo…	*My name is . . .*
Soy…	*I am . . .*
Mucho gusto.	*Nice to meet you.*
Encantado/Encantada.	*Pleased to meet you.*
Igualmente.	*Likewise.*
Quiero presentarte a…	*I would like to introduce you to . . .* (familiar)
Quiero presentarle a…	*I would like to introduce you to . . .* (formal)

- The expressions **¿Cómo te llamas?** and **¿Cómo se llama usted?** both mean *What is your name?* but the former is used among students and other peers (referred to as *familiar*). You will learn about the differences between these *familiar* and *formal* forms later in this chapter. Note that **Encantado** is said by a male, and **Encantada** is said by a female.
- Spanish uses special punctuation to signal a question or an exclamation. An upside-down question mark begins a question and an upside-down exclamation mark begins an exclamation, as in **¿Cómo te llamas?** and **¡Hola!**

 A-1 **Saludos y despedidas** Match each greeting or farewell with its logical response. Compare your answers with those of a classmate. ■

1. _____ ¿Qué tal?
2. _____ Hasta luego.
3. _____ ¿Cómo te llamas?
4. _____ Encantada.

a. Me llamo Julia.
b. Bastante bien.
c. Igualmente.
d. Hasta pronto.

A-2 **¡Hola! ¿Qué tal?** Greet five classmates, and ask how each is doing. After you are comfortable with one greeting, try a different one. ■

MODELO E1: *¡Hola! ¿Cómo estás?*
         E2: *Bien, gracias. ¿Y tú?*
         E1: *Muy bien.*

 A-3 **¿Cómo te llamas?** Introduce yourself to three classmates. ■

MODELO E1: *¡Hola! Soy... ¿Cómo te llamas?*
         E2: *Me llamo... Mucho gusto.*
         E1: *Encantado/a.*
         E2: *Igualmente.*

 A-4 **Quiero presentarte a...** Now, introduce one person you have just met to another classmate. ■

MODELO E1:   *John, quiero presentarte a Mike.*
         MIKE: *Mucho gusto.*
         JOHN: *Igualmente.*

 A-5 **Una fiesta** Imagine that you are at a party. In groups of five, introduce yourselves to each other. Use the model as a guide. ■

MODELO AMY: *Hola, ¿qué tal? Soy Amy.*
         ORLANDO: *Hola, Amy. Soy Orlando. ¿Cómo estás?*
         AMY: *Muy bien, Orlando. ¿Y tú?*
         ORLANDO: *Bien, gracias. Amy, quiero presentarte a Tom.*
         TOM: *Encantado.*
         E4:   *...*

Cómo se saluda la gente

A-05 to A-07

How do you generally greet acquaintances? Do you use different greetings for different people?

When native speakers of Spanish meet, they greet each other, ask each other how they are doing, and respond using phrases like the ones you just learned. In most of the Spanish-speaking world, men usually shake hands when greeting each other, although close male friends may greet each other with an **abrazo** (*hug*). Between female friends, the usual greeting is a **besito** (*little kiss*) on one or both cheeks (depending on the country) and a gentle hug. The **besito** is a gentle air kiss. When men and women greet each other, depending on their ages, how well they know each other, and what country they are in, they either simply shake hands and/or greet with a **besito**. While conversing, Spanish speakers may stand quite close to each other.

Stockbyte/Getty Images

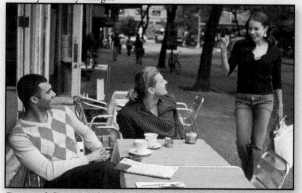

Comstock Images/Thinkstock

Preguntas

1. How do people in the Spanish-speaking world greet each other?
2. How do your male friends generally greet each other? And your female friends?
3. In general, how much distance is there between you and the person(s) with whom you are speaking?

2 VOCABULARIO

A-08 to A-10

Expresiones útiles para la clase   Understanding and
responding appropriately to basic classroom expressions and requests

The following list provides useful expressions that you and your instructor will use frequently.

Preguntas y respuestas	Questions and answers
¿Cómo?	What? How?
¿Cómo se dice... en español?	How do you say . . . in Spanish?
¿Cómo se escribe... en español?	How do you write . . . in Spanish?
¿Qué significa?	What does it mean?
¿Quién?	Who?
¿Qué es esto?	What is this?
Comprendo.	I understand.
No comprendo.	I don't understand.
Lo sé.	I know.
No lo sé.	I don't know.
Sí.	Yes.
No.	No.

Expresiones de cortesía	Polite expressions
De nada.	You're welcome.
Gracias.	Thank you.
Por favor.	Please.

Mandatos para la clase	Classroom instructions (commands)
Abra(n) el libro en la página...	Open your book to page . . .
Cierre(n) el/los libro/s.	Close your book/s.
Conteste(n).	Answer.
Escriba(n).	Write.
Escuche(n).	Listen.
Lea(n).	Read.
Repita(n).	Repeat.
Vaya(n) a la pizarra.	Go to the board.

In Spanish, commands can have two forms. The singular form (**abra, cierre, conteste,** etc.) is directed to one person, while the plural form (those ending in **-n: abran, cierren, contesten,** etc.) is used with more than one person.

A-6 **Práctica** Take turns saying which expressions or commands would be used in the following situations. ■

1. You don't know the Spanish word for something.
2. Your teacher wants everyone to listen.
3. You need your teacher to repeat what he/she has said.
4. You don't know what something means.
5. Your teacher wants students to turn to a certain page.
6. You don't understand something.

A-7 **Más práctica** Play the roles of instructor (**I**) and student (**estudiante / E**). The instructor either tells the student to do something or asks a question; the student responds appropriately. Practice with at least **five** sentences or questions, using the expressions that you have just learned; then change roles. ■

MODELO
I: *Abra el libro.*
E: (Student opens the book.)
I: *¿Cómo se dice* "hello"?
E: *Se dice "hola".*

El alfabeto Spelling in Spanish

A-11 to A-16

The Spanish alphabet is quite similar to the English alphabet except in the ways the letters are pronounced. Learning the proper pronunciation of the individual letters in Spanish will help you pronounce new words and phrases.

LETTER	LETTER NAME	EXAMPLES	LETTER	LETTER NAME	EXAMPLES
a	a	adiós	ñ	eñe	mañana
b	be	buenos	o	o	cómo
c	ce	clase	p	pe	por favor
d	de	día	q	cu	qué
e	e	español	r	ere	señora
f	efe	por favor	s	ese	saludos
g	ge	luego	t	te	tarde
h	hache	hola	u	u	usted
i	i	señorita	v	uve	nueve
j	jota	julio	w	doble ve o uve doble	Washington
k	ka	kilómetro	x	equis	examen
l	ele	luego	y	ye o i griega	yo
m	eme	madre	z	zeta	pizarra
n	ene	noche			

3 GRAMÁTICA

A-8 **En español** Take turns saying the following abbreviations in Spanish, helping each other with pronunciation if necessary. ■

1. CD-RW	3. CNN	5. MCI	7. WWW	9. CBS
2. IBM	4. MTV	6. UPS	8. QVC	10. ABC

 A-9 **¿Qué es esto?** Complete the following steps. ■

Paso 1 Take turns spelling the following words for a partner, who will write what you spell. Then pronounce each word.

1. hola	3. usted	5. que
2. mañana	4. igualmente	6. noches

Paso 2 Now spell your name for your partner as he/she writes it down. Your partner will pronounce your name, based on your spelling. Use **otra palabra** (*another word*) to indicate the beginning of a new word.

MODELO E1: *de, a, uve, i, de, otra palabra, ese, eme, i, te, hache*

E2: (escribe y repite) *D-a-v-i-d S-m-i-t-h*

---

4 VOCABULARIO

A-17 to A-19

Los cognados Identifying cognates

Cognados, or *cognates,* are words that are similar in form and meaning to their English equivalents. As you learn Spanish you will discover many cognates. Can you guess the meanings of the following words?

inteligente	septiembre	familia	universidad

 A-10 **Práctica** Take turns giving the English equivalents for the following words. ■

1. importante	3. programa	5. atractivo	7. especial	9. famoso
2. animal	4. mapa	6. favorito	8. fantástico	10. diferente

A-11 **¿Hablas español?**

Read the classified ad and make a list of all of the cognates; then answer the following questions. ■

1. What job is advertised?
2. What are the requirements?
3. How much does it pay?
4. How can you get more information?

> **Administrador/a**
> Departamento de Servicio Público.
> Hospital General de Mesa Grande, AR.
> Experiencia necesaria.
> Fluidez en inglés y español.
> $45,000–$60,000.
> Teléfono: 480-555-2347

5 GRAMÁTICA

 ¡Hola!
A-20 to A-21 Spanish/English Tutorials

Los pronombres personales
Expressing the subject pronouns

Can you list the subject pronouns in English? When are they used? The following chart lists the subject pronouns in Spanish and their equivalents in English. As you will note, Spanish has several equivalents for *you*.

yo	*I*	**nosotros/as**	*we*
tú	*you* (familiar)	**vosotros/as**	*you* (plural, Spain)
usted	*you* (formal)	**ustedes**	*you* (plural)
él	*he*	**ellos**	*they* (masculine)
ella	*she*	**ellas**	*they* (feminine)

Tú

Usted

Generally speaking, **tú** (you, singular) is used for people with whom you are on a first-name basis, such as family members and friends.

Usted, abbreviated **Ud.,** is used with people you do not know well, or with people with whom you are not on a first-name basis. **Usted** is also used with older people, or with those to whom you want to show respect.

Spanish shows gender more clearly than English. **Nosotros** and **ellos** are used to refer to either all males or to a mixed group of males and females. **Nosotras** and **ellas** refer to an all-female group.

NOTA CULTURAL

¿Tú o usted?

A-22 to A-25

Languages are constantly evolving. Words are added and deleted, they change in meaning, and the use of language in certain situations may change as well. For example, the use of **tú** and **usted (Ud.)** is changing dramatically in Spanish. **Tú** may now be used more freely in situations where **usted** was previously used. In some Spanish-speaking countries, it has become acceptable for a shopper to address a young store clerk

Yuri Arcurs/Shutterstock

with **tú.** Just a few years ago, only **usted** would have been appropriate in that context. Nevertheless, the traditional use of **tú** and **usted** still exists. Regarding your choice between **tú** and **usted,** a good rule of thumb is: *When in doubt, be more formal.*

There are a few regional differences in the use of pronouns. Spanish speakers in Spain use **vosotros** ("you all") when addressing more than one person with whom they are on a first-name basis. Elsewhere in the Spanish-speaking world, **ustedes,** abbreviated **Uds.,** is used when addressing more than one person on a formal or informal basis. In Costa Rica, Argentina, and other parts of Latin America, **vos** replaces **tú,** but **tú** would be perfectly understood in these countries.

Preguntas

1. When in doubt, do you use **tú** or **usted**?
2. What new words have been added to the English language in the past twenty years?
3. What are some words and expressions that we do not use in English anymore?

 A-12 ¿**Cómo se dice?** Take turns expressing the following in Spanish. ■

1. we (all men)
2. I
3. you (speaking to a friend)
4. they (just women)
5. we (all women)

6. you (speaking to a professor)
7. they (just men)
8. they (fifty women and one man)
9. we (men and women)
10. they (men or women)

A-13 ¿**Tú o usted?** Determine whether you would most likely address the following people with **tú** or **usted.** State your reasons, using the categories below. ■

A respect	**C** someone with whom you are on a first-name basis
B family member	**D** someone you do not know well

1. your sister
2. your mom
3. your Spanish professor
4. your grandfather
5. your best friend's father

6. a clerk in a department store
7. your doctor
8. someone you've just met who is older
9. someone you've just met who is your age
10. a child you've just met

6 GRAMÁTICA

A-26 to A-31 Spanish Tutorial

El verbo *ser* Using *to be*

You have already learned the subject pronouns in Spanish. It is time to put them together with a verb. First, consider the verb *to be* in English. The *to* form of a verb, as in *to be* or *to see*, is called an *infinitive*. Note that *to be* has different forms for different subjects.

to be			
I	am	we	are
you	are	you (all)	are
he, she, it	is	they	are

Verbs in Spanish also have different forms for different subjects.

ser (*to be*)							
Singular				**Plural**			
yo	soy	*I am*		nosotros/as	somos	*we are*	
tú	eres	*you are*		vosotros/as	sois	*you are*	
Ud.	es	*you are*		Uds.	son	*you are*	
él, ella	es	*he/she is*		ellos/as	son	*they are*	

- In Spanish, subject pronouns are not required, but rather used for clarification or emphasis. Pronouns are indicated by the verb ending. For example:

  Soy means *I am.*

  Es means either *he is, she is,* or *you* (formal) *are.*

- If you are using a subject pronoun, it will appear first, followed by the form of the verb that corresponds to the subject pronoun, and then the rest of the sentence, as in the examples:

  Yo **soy** Mark.   **Soy** Mark.

  Él **es** inteligente.   **Es** inteligente.

As you continue to progress in *¡Anda! Curso elemental,* you will learn to form and respond to questions, both orally and in writing, and you will have the opportunity to create longer sentences.

 A-14 Vamos a practicar Take turns saying the forms of the verb **ser** that you would use with the following pronouns. Correct your partner's answers as necessary. ■

1. nosotras
2. usted
3. yo
4. él

5. ellas
6. tú
7. ustedes
8. ella

A-15 **"Ser o no ser... "** Take turns changing these forms of **ser** to the plural if they are singular, and vice versa. Listen to your partner for accuracy and help him/her if necessary. ■

MODELO   E1: yo soy
             E2: *nosotros somos*

1. usted es   2. nosotros somos   3. ella es   4. ellos son   5. tú eres

7 VOCABULARIO

A-32 to A-34

Los adjetivos de nacionalidad Stating nationalities

Nacionalidad	Estudiantes		
alemán	Hans	**francés**	Jean-Paul
alemana	Ingrid	**francesa**	Brigitte
canadiense	Jacques/Alice	**inglés**	James
chino	Tsong	**inglesa**	Diana
china	Xue Lan	**japonés**	Tabo
cubano	Javier	**japonesa**	Yasu
cubana	Pilar	**mexicano**	Manuel
español	Rodrigo	**mexicana**	Milagros
española	Guadalupe	**nigeriano**	Yena
estadounidense	John/Kate	**nigeriana**	Ngidaha
(norteamericano/a)		**puertorriqueño**	Ernesto
		puertorriqueña	Sonia

In Spanish:

- adjectives of nationality are not capitalized unless one is the first word in a sentence.
- most adjectives of nationality have a form for males, and a slightly different one for females. (You will learn more about this in **Capítulo 1.** For now, simply note the differences.)
- when referring to more than one individual, you make the adjectives plural by adding either an **-s** or an **-es.** (Again, in **Capítulo 1** you will formally learn more about forming plural words.)
- some adjectives of nationality have a written accent mark in the masculine form, but not in the feminine, like **inglés/inglesa** and **francés/francesa.** For example: **Mi papá es** *inglés* **y mi mamá es** *francesa.*

 A-16 ## ¿Cuál es tu nacionalidad?
Describe the nationalities of the students listed on page 14. Form complete sentences using either **es** or **son,** following the model. Then practice spelling the nationalities in Spanish with your partner. ■

Jupiterimages/Comstock/Thinkstock

MODELO	E1:	china
	E2:	*Xue Lan es china.*
	E1:	chinos
	E2:	*Xue Lan y Tsong son chinos.*

1. francesa
2. japonés
3. estadounidenses
4. canadiense
5. mexicanos
6. alemán

 A-17 ## ¿Qué son? Take turns naming the nationalities of the people listed.
Make sure you use the correct form of **ser** in each sentence. Follow the model. ■

MODELO	E1:	Yena
	E2:	*Yena es nigeriano.*
	E1:	Yena y Ngidaha
	E2:	*Yena y Ngidaha son nigerianos.*

1. Jacques
2. Xue Lan y Tsong
3. Ingrid
4. Brigitte
5. Kate

6. Hans
7. Javier y Pilar
8. Jean-Paul
9. yo
10. mi familia y yo

Los hispanos

A-35

Many terms are associated with people from the Spanish-speaking world, most commonly *Hispanic* and *Latino*. While there is some controversy regarding the use of these terms, typically *Hispanic* refers to all people who come from a Spanish-speaking background. *Latino,* on the other hand, implies a specific connection to Latin America. Whichever term is used, the people denoted are far from homogeneous. Some are racially diverse, most are culturally diverse, and some do not even speak Spanish.

George Doyle/Stockbyte/Thinkstock

Preguntas
1. Briefly explain the terms *Latino* and *Hispanic*.
2. Name two people who are of Spanish-speaking heritage, and state how they are similar, and how they are different.

A-36 to A-39

Los números 0–30 Counting from 0–30

0	cero	7	siete	13	trece	19	diecinueve	25	veinticinco
1	uno	8	ocho	14	catorce	20	veinte	26	veintiséis
2	dos	9	nueve	15	quince	21	veintiuno	27	veintisiete
3	tres	10	diez	16	dieciséis	22	veintidós	28	veintiocho
4	cuatro	11	once	17	diecisiete	23	veintitrés	29	veintinueve
5	cinco	12	doce	18	dieciocho	24	veinticuatro	30	treinta
6	seis								

 A-18 **¿Qué número?** Take turns saying what number comes before and after each of the numbers below. Your partner will check your accuracy. ■

MODELO   1 *cero, dos*

1. 2	3. 8	5. 15	7. 20	9. 24
2. 5	4. 11	6. 17	8. 23	10. 26

 A-19 **¿Cuál es la secuencia?** Take turns reading the number patterns aloud while filling in the missing numbers. ■

1. 1, 3, 5, _____, 9, _____, 13, _____, _____
2. 2, 4, _____, 8, _____, 12, _____, 16, _____, 20, _____
3. 3, _____, 9, _____, 15, _____, 21, _____, 27, _____
4. 1, 3, 6, _____, 15, _____, 28

NOTA CULTURAL

El mundo hispano

A-40 to A-41

PAÍS	POBLACIÓN
ARGENTINA	41.343.201
BOLIVIA	9.947.418
CHILE	16.746.491
COLOMBIA	44.205.293
COSTA RICA	4.516.220
CUBA	11.477.459
ECUADOR	14.790.608
EL SALVADOR	6.052.064
ESPAÑA	46.505.963
GUATEMALA	13.550.440
GUINEA ECUATORIAL	650.702
HONDURAS	7.989.415
MÉXICO	112.468.855
NICARAGUA	5.995.928
PANAMÁ	3.410.676
PARAGUAY	6.375.830
PERÚ	29.907.003
PUERTO RICO	3.978.702
LA REPÚBLICA DOMINICANA	9.823.821
URUGUAY	3.510.386
VENEZUELA	27.223.228

*CIA World Fact Book, 2010

Fíjate

Spanish uses a period to indicate thousands and millions, rather than the comma used in English.

(continued)

Preguntas

Use the map and chart of the Spanish-speaking world to answer the following questions in Spanish. Then, compare your answers with your partner's.

Workbooklet

1. Fill in the chart with the names of the Spanish-speaking countries in the appropriate columns. How many such countries are there in each of these areas? How many are there in the world?

AMÉRICA DEL NORTE	CENTROAMÉRICA	EL CARIBE	AMÉRICA DEL SUR	EUROPA	ÁFRICA

2. How many continents contain Spanish-speaking countries? What are they?
3. How many countries have a Spanish-speaking population of 25,000,000 or more? Name them and their continents.

A-42 to A-44

La hora Stating the time

Es (la) medianoche.

Es (el) mediodía.

Es la una.

Son las diez y cinco.

Son las tres y cuarto.

Son las seis y media.

Son las nueve menos cuarto.

Son las diez menos veinticinco.

La hora	*Telling time*		
¿Qué hora es?	*What time is it?*	**...de la noche**	*. . . in the evening, at night*
Es la una. / Son las...	*It's one o'clock. / It's . . . o'clock.*	**la medianoche**	*midnight*
¿A qué hora... ?	*At what time . . . ?*	**el mediodía**	*noon*
A la... / A las...	*At . . . o'clock.*	**menos cinco**	*five minutes to the hour*
...de la mañana	*. . . in the morning*	**y cinco**	*five minutes after the hour*
...de la tarde	*. . . in the afternoon, early evening*		

When telling time in Spanish:

- use **Es la...** to say times between 1:00 and 1:59.
- use **Son las...** to say times *except* between 1:00 and 1:59.
- use **A la...** or **A las...** to say *at* what time.
- use **la** with **una** (**a la una**) for hours between 1:00 and 1:59.
- use **las** for hours greater than *one* (**a las ocho**).
- use the expressions **mediodía** and **medianoche** to say *noon* and *midnight*.
- **de la tarde** tends to mean from noon until 7:00 or 8:00 P.M.
- **cuarto** and **media** are equivalent to the English expressions *quarter* (fifteen minutes) and *half* (thirty minutes). **Cuarto** and **media** are interchangeable with the numbers **quince** and **treinta**.
- use **y** for times that are before and up to the half-hour mark.
- use **menos** for times that are beyond the half-hour mark.

 A-20 **¿Qué hora es?** Look at the clocks, and take turns asking and responding to **¿Qué hora es?** ■

MODELO E1: *¿Qué hora es?*
          E2: *Son las nueve de la mañana.*

1.

2.

3.

4.

5.

6.

7.

8.

A-21 **Tu horario** Think about your daily schedule. Then, take turns asking and telling your partner at what times you do the following activities. ■

MODELO E1: *¿A qué hora?*
E2: *a la una y media*

Stockbyte/Thinkstock

1.
Jupiterimages/Photos.com/
Thinkstock

2.
Jupiterimages/Comstock/
Thinkstock

3.
Pete Saloutos/Shutterstock

4.
BananaStock/Thinkstock

5.
James Woodson/
Photodisc/Thinkstock

6.
BananaStock/Thinkstock

7.
Jupiterimages/Brand X
Pictures/Thinkstock

8.
BananaStock/Thinkstock

 A-22 **¿Y el fin de semana?** What is your schedule for the weekend? Take turns telling your partner at what times you plan to do the activities from **A-21** this coming weekend. ■

10 VOCABULARIO

A-45 to A-51

Los días, los meses y las estaciones
Eliciting the date and season

Los meses y las estaciones (*Months and seasons*)

la primavera

el verano

marzo, abril y mayo

junio, julio y agosto

el otoño

septiembre, octubre y noviembre

el invierno

diciembre, enero y febrero

Los días de la semana	*Days of the week*		Expresiones útiles	*Useful expressions*
lunes	*Monday*		¿Qué día es hoy?	*What day is today?*
martes	*Tuesday*		¿Cuál es la fecha de hoy?	*What is today's date?*
miércoles	*Wednesday*		Hoy es lunes.	*Today is Monday.*
jueves	*Thursday*		Hoy es el 1° (primero)	*Today is September first.*
viernes	*Friday*		de septiembre.	
sábado	*Saturday*		Mañana es el 2 (dos)	*Tomorrow is September second.*
domingo	*Sunday*		de septiembre.	

Unlike in English, the days of the week and the months of the year are not capitalized in Spanish. Also, in the Spanish-speaking world, in some countries, Monday is considered the first day of the week. On calendars the days are listed from Monday through Sunday.

 A-23 **Antes y después** Which days come directly before and after the ones listed? Take turns saying the days in Spanish. ■

1. sábado
2. lunes

3. viernes
4. domingo

5. jueves
6. miércoles

 A-24 **Y los meses** Which months come directly before and after the ones listed? Take turns saying the months in Spanish. ■

1. octubre
2. febrero
3. mayo
4. agosto
5. diciembre

6. junio
7. septiembre
8. enero
9. octubre
10. marzo

Samot/Shutterstock

A-25 **¿Cuándo es?** Look at the activities included in the **Guía del ocio.** Take turns determining what activity takes place and at what time on the following days. ■

GUÍA DEL OCIO MADRID

MÚSICA

Sábado 4
- XVI Festival de Jazz:
  Joe Henderson
  La Riviera. 21 h.
  - **Alonso y Williams**
    La Madriguera. 24 h.

Domingo 5
- **Pedro Iturralde**
  Clamores. Pases: 22.45 y 0.45 h. Libre.

Lunes 6
- **Moreiras Jazztet**
  Café Central. 22 h.

CINE

Las vidas de Celia
(2005, España)****
Género: Drama
Director: Antonio Chavarrías
Interpretación: Najwa Nimri, Luis Tosar...
Najwa Nimri da vida a una mujer que intenta suicidarse la misma noche que otra joven es asesinada.

Mujeres en el parque
(2006, España)*****
Género: Drama
Director: Felipe Vega
Interpretación: Adolfo Fernández, Blanca Apilánez...
Una película llena de pequeños misterios, donde los personajes se enfrentan a lo difícil de las relaciones personales.

Volver (2006, España)*****
Género: Comedia dramática
Director: Pedro Almodóvar
Interpretación: Penélope Cruz, Carmen Maura...
Se basa en la vida y los recuerdos del director sobre su madre y el lugar donde se crió.

EXPOSICIONES

- **Museo Nacional Centro de Arte Reina Sofía**
  Santa Isabel, 52.
  Metro Atocha
  Tel. 91 4675062
  Horario: de 10 a 21 h. Domingo de 10 a 14.30 h.
  Martes cerrado.

Un recorrido del arte del siglo XX, desde Picasso. Salas dedicadas a los comienzos de la vanguardia. Además, exposiciones temporales.

David Kay/ Shutterstock

- **Museo del Prado**
  Paseo del Prado, s/n. Metro Banco de España.
  Tel. 91 420 36 62 y 91 420 37 68
  Horario: martes a sábado de 9 a 19 h. Domingo de 9 a 14 h.
  Lunes cerrado.

Todas las escuelas españolas, desde los frescos románicos hasta el siglo XVIII. Grandes colecciones de Velázquez, Goya, Murillo, etc. Importante representación de las escuelas europeas (Rubens, Tiziano, Durero, etc.). Escultura clásica griega y romana y Tesoro del Delfín.

Medioimages/ Photodisc/Thinkstock

Eddie Gerald/Rough Guides/DK Images

Fijate

In Spanish, **h** is the abbreviation for **hora.**

MODELO   E1: el lunes por la noche
               E2: *El Moreiras Jazztet es a las veintidós horas / a las diez.*

1. el sábado por la noche
2. el miércoles por la mañana
3. el domingo
4. el sábado por la noche
5. el martes por la tarde

11 VOCABULARIO

El tiempo Reporting the weather

A-52 to A-56

¿Qué tiempo hace? (*What's the weather like?*)

el sol
Hace sol.
Hace buen tiempo.

la lluvia
Llueve.
Hace mal tiempo.

la nube
Está nublado.

el viento
Hace viento.

la nieve
Nieva.

la temperatura

99 °F/37 °C
Hace calor.

14 °F/-10 °C
Hace frío.

 A-26 ¿Qué tiempo hace? Take turns asking and answering what the most typical weather is during the following seasons where you go to school. ■

MODELO E1: ¿Qué tiempo hace… en (el) verano?

E2: *En (el) verano hace sol.*

¿Qué tiempo hace…?

1. en (el) otoño
2. en (el) invierno
3. en (la) primavera
4. en (el) verano

A-27 **España** Take turns answering the question **¿Qué tiempo hace?** based on the map of Spain. ■

MODELO   E1: ¿Qué tiempo hace en Sevilla?

              E2: *Hace calor.*

1. ¿Qué tiempo hace en Mallorca?
2. ¿Qué tiempo hace en Pamplona?
3. ¿Qué tiempo hace en Barcelona?
4. ¿Qué tiempo hace en Madrid?
5. ¿Qué tiempo hace en Córdoba?

 A-28 **Y América del Sur** Take turns making statements about the weather based on the map of South America. You can say what the weather is like, and also what it is not like. Follow the model. ■

MODELO   E1: *Llueve en Bogotá.*

              E2: *No hace frío en Venezuela.*

Fíjate

To make a negative statement, simply place the word no before the verb: *No llueve en Caracas. No nieva en Buenos Aires. No hace calor en Punta Arenas.*

12 GRAMÁTICA

A-57 to A-59

Gustar   Sharing personal likes and dislikes

To express likes and dislikes, you say the following:

Me gusta la primavera.

No me gusta el invierno.

Me gustan los viernes.

No me gustan los lunes.

¡Explícalo tú!

1. To say you like or dislike one thing, what form of **gustar** do you use?
2. To say you like or dislike more than one thing, what form of **gustar** do you use?

✓ Check your answers to the preceding questions at the end of this chapter.

A-29 **¿Qué te gusta?** Ask your partner whether he/she likes or dislikes the following things. ■

MODELO   la primavera

E1: *¿Te gusta la primavera?*

E2: *Sí, me gusta la primavera.*

1. el otoño
2. el invierno
3. el verano
4. los lunes

5. los sábados
6. los domingos
7. los viernes
8. la clase de español

 A-30 **¿Qué más te gusta?** Take turns asking your partner about the following places and things. ■

MODELO   E1: *¿Te gustan las hamburguesas?*

E2: *No, no me gustan las hamburguesas.*

Andi Berger/Shutterstock

1.

Las Vegas, Nevada
iofoto/Shutterstock

2.

las guitarras
Resnak/Shutterstock

3.

las camionetas
Brad Remy/Shutterstock

4.

la pizza
Jupiterimages/Comstock/Thinkstock

5.

San Antonio, Texas
Brandon Seidel/Shutterstock

6.

los teléfonos celulares
Saleeee/Shutterstock

7.

el béisbol
Paul Yates/Shutterstock

8.

el fútbol
olly/Shutterstock

Y por fin, ¿cómo andas?

Each of the coming chapters of *¡Anda! Curso elemental* will have three self-check sections for you to assess your progress. A **¿Cómo andas? I** (*How are you doing?*) section will appear one third of the way through each chapter, another, **¿Cómo andas? II,** will appear at the two-thirds point, and a third and final one will appear at the end of the chapter called **Y por fin, ¿cómo andas?** (*Finally, how are you doing?*) Use the checklists to measure what you have learned in the chapter. Place a check in the *Feel confident* column of the topics you feel you know, and a check in the *Need to review* column of those that you need to practice more. Be sure to go back and practice because it is the key to your success!

Having completed this chapter, I now can . . .

	Feel confident	Need to review
Comunicación		
• greet, say good-bye, and introduce someone (p. 4)	☐	☐
• understand and respond appropriately to basic classroom expressions and requests (p. 8)	☐	☐
• spell in Spanish (p. 9)	☐	☐
• identify cognates (p. 10)	☐	☐
• express the subject pronouns (p. 11)	☐	☐
• use *to be* (p. 13)	☐	☐
• state nationalities (p. 14)	☐	☐
• count from 0 to 30 (p. 16)	☐	☐
• state the time (p. 18)	☐	☐
• elicit the date and season (p. 20)	☐	☐
• report the weather (p. 23)	☐	☐
• share personal likes and dislikes (p. 25)	☐	☐
Cultura		
• compare and contrast greetings in the Spanish-speaking world and in the United States (p. 7)	☐	☐
• explain when to use the familiar and formal *you* (p. 12)	☐	☐
• summarize the diversity of the Spanish-speaking world (p. 16)	☐	☐
• name the continents and countries where Spanish is spoken (p. 17)	☐	☐
Comunidades		
• use Spanish in real-life contexts (SAM)	☐	☐

Estrategia

The *¿Cómo andas?* and *Por fin, ¿cómo andas?* sections are designed to help you assess your understanding of specific concepts. In *Capítulo Preliminar A*, there is one opportunity for you to reflect on how well you understand the concepts. Beginning with *Capítulo 1* there will be three opportunities per chapter for you to stop and reflect on what you have learned. These checklists help you become accountable for your own learning, and help you determine what you need to review. Use the checklist as a way to communicate with your instructor about any concepts you still need to review. Additionally, you might also use your checklist as a way to study with a peer group or peer tutor. If you need to review a particular concept, more practice is available on MySpanishLab.

VOCABULARIO ACTIVO

Los saludos — *Greetings*

Bastante bien.	*Just fine.*
Bien, gracias.	*Fine, thanks.*
Buenos días.	*Good morning.*
Buenas noches.	*Good evening; Good night.*
Buenas tardes.	*Good afternoon.*
¿Cómo está usted?	*How are you? (formal)*
¿Cómo estás?	*How are you? (familiar)*
¡Hola!	*Hi! Hello!*
Más o menos.	*So-so.*
Muy bien.	*Really well.*
¿Qué tal?	*How's it going?*
Regular.	*Okay.*
¿Y tú?	*And you? (familiar)*
¿Y usted?	*And you? (formal)*

Las despedidas — *Farewells*

Adiós.	*Good-bye.*
Chao.	*Bye.*
Hasta luego.	*See you later.*
Hasta mañana.	*See you tomorrow.*
Hasta pronto.	*See you soon.*

Las presentaciones — *Introductions*

¿Cómo te llamas?	*What is your name? (familiar)*
¿Cómo se llama usted?	*What is your name? (formal)*
Encantado/a.	*Pleased to meet you.*
Igualmente.	*Likewise.*
Me llamo…	*My name is . . .*
Mucho gusto.	*Nice to meet you.*
Quiero presentarte a…	*I would like to introduce you to . . . (familiar)*
Quiero presentarle a…	*I would like to introduce you to . . . (formal)*
Soy…	*I am . . .*

Expresiones útiles para la clase — *Useful classroom expressions*

Preguntas y respuestas	*Questions and answers*
¿Cómo?	*What? How?*
¿Cómo se dice… en español?	*How do you say . . . in Spanish?*
¿Cómo se escribe… en español?	*How do you write . . . in Spanish?*
Comprendo.	*I understand.*
Lo sé.	*I know.*
No.	*No.*
No comprendo.	*I don't understand.*
No lo sé.	*I don't know.*
Sí.	*Yes.*
¿Qué es esto?	*What is this?*
¿Qué significa?	*What does it mean?*
¿Quién?	*Who?*

Expresiones de cortesía	*Polite expressions*
De nada.	*You're welcome.*
Gracias.	*Thank you.*
Por favor.	*Please.*

Mandatos para la clase	*Classroom instructions (commands)*
Abra(n) el libro en la página…	*Open your book to page . . .*
Cierre(n) el/los libro/s.	*Close your book/s.*
Conteste(n).	*Answer.*
Escriba(n).	*Write.*
Escuche(n).	*Listen.*
Lea(n).	*Read.*
Repita(n).	*Repeat.*
Vaya(n) a la pizarra.	*Go to the board.*

Las nacionalidades	Nationalities
alemán/alemana	German
canadiense	Canadian
chino/a	Chinese
cubano/a	Cuban
español/a	Spanish
estadounidense	
(norteamericano/a)	American
francés/francesa	French
inglés/inglesa	English
japonés/japonesa	Japanese
mexicano/a	Mexican
nigeriano/a	Nigerian
puertorriqueño/a	Puerto Rican

Los números 0–30	Numbers 0–30
See page 16.	

La hora	Telling time
A la... / A las...	At . . . o'clock.
¿A qué hora... ?	At what time . . . ?
...de la mañana	. . . in the morning
...de la noche	. . . in the evening, at night
...de la tarde	. . . in the afternoon, early evening
¿Cuál es la fecha de hoy?	What is today's date?
Es la... / Son las...	It's . . . o'clock.
Hoy es...	Today is . . .
Mañana es...	Tomorrow is . . .
la medianoche	midnight
el mediodía	noon
menos cinco	five minutes to the hour
¿Qué día es hoy?	What day is today?
¿Qué hora es?	What time is it?
y cinco	five minutes after the hour

Los días de la semana	Days of the week
lunes	Monday
martes	Tuesday
miércoles	Wednesday
jueves	Thursday
viernes	Friday
sábado	Saturday
domingo	Sunday

Los meses del año	Months of the year
enero	January
febrero	February
marzo	March
abril	April
mayo	May
junio	June
julio	July
agosto	August
septiembre	September
octubre	October
noviembre	November
diciembre	December

Las estaciones	Seasons
el invierno	winter
la primavera	spring
el otoño	autumn; fall
el verano	summer

Expresiones del tiempo	Weather expressions
Está nublado.	It's cloudy.
Hace buen tiempo.	The weather is nice.
Hace calor.	It's hot.
Hace frío.	It's cold.
Hace mal tiempo.	The weather is bad.
Hace sol.	It's sunny.
Hace viento.	It's windy.
Llueve.	It's raining.
la lluvia	rain
Nieva.	It's snowing.
la nieve	snow
la nube	cloud
¿Qué tiempo hace?	What's the weather like?
el sol	sun
la temperatura	temperature
el viento	wind

Algunos verbos	Some verbs
gustar	to like
ser	to be

Answers to *¡Explícalo tú!* (Inductive Grammar Answers)

12. Gustar

1. To say you like or dislike one thing, what form of **gustar** do you use?
   gusta
2. To say you like or dislike more than one thing, what form of **gustar** do you use?
   gustan

También se dice…

Los saludos/*Greetings*

¿Cómo andas? *How are you doing?*
¿Cómo vas? *How are you doing?*
El gusto es mío. *Pleased to meet you; The pleasure is all mine.*
Hasta entonces. *Until then.*
¿Qué hubo? *How's it going? What's happening? What's new?*
¿Qué pasa? *How's it going? What's happening? What's new?*
¿Qué pasó? *How's it going? What's happening? What's new?*

Las despedidas/*Farewells*

Nos vemos. *See you.*
Que te vaya bien. *Hope everything goes well.*
Que tenga(s) un buen día. *Have a nice day.*
Vaya con Dios. *Go with God.*

Las presentaciones/*Introductions*

Me gustaría presentarle a… *I would like to introduce you to . . . (formal)*
Me gustaría presentarte a… *I would like to introduce you to . . . (familiar)*

Expresiones útiles para la clase/*Useful classroom expressions*

Preguntas y respuestas/*Questions and answers*

(No) entiendo. *I (don't) understand.*
¿Puede repetir, por favor? *Could you repeat, please?*

Expresiones de cortesía/*Polite expressions*

Muchas gracias. *Thank you very much.*
No hay de qué. *Not at all.*

Mandato para la clase/*Instruction for class*

Saque(n) un bolígrafo/papel/lápiz. *Take out a pen/a piece of paper/a pencil.*

Las nacionalidades/*Nationalities*

argentino/a *Argentinian*
boliviano/a *Bolivian*
chileno/a *Chilean*
colombiano/a *Colombian*
costarricense *Costa Rican*
dominicano/a *Dominican*
ecuatoriano/a *Ecuadorian*
guatemalteco/a *Guatemalan*
hondureño/a *Honduran*
nicaragüense *Nicaraguan*
panameño/a *Panamanian*
peruano/a *Peruvian*
uruguayo/a *Uruguayan*
venezolano/a *Venezuelan*

Expresiones del tiempo/*Weather expressions*

el arco iris *rainbow*
el chirimiri *drizzle (Spain)*
Está despejado. *It's clear.*
Hace fresco. *It's cool.*
Hay neblina/niebla. *It's foggy.*
la humedad *humidity*
los copos de nieve *snowflakes*
las gotas de lluvia *raindrops*
el granizo *hail*
el hielo *ice*
el huracán *hurricane*
la llovizna *drizzle*
el pronóstico *weather forecast*
el/los rayo/s, el relámpago *lightning*
la tormenta *storm*
el tornado *tornado*
el/los trueno/s *thunder*

Capítulo 1: ¿Quiénes somos?

1

¿Quiénes somos?

What makes us who we are? What makes each of us unique? We may come from different geographical locations and represent different cultures, races, and religions, yet in many respects we are much the same. We have the same basic needs, share common likes and dislikes, and possess similar hopes and dreams.

PREGUNTAS

1. List the personal characteristics that make you unique. Which of the characteristics do you share with members of your family? Whom do you resemble most in your family?

2. How does where people live affect who they are?

3. What are some different nationalities and cultures you encounter on a regular basis in your community? What do you have in common with them?

Andresr/Shutterstock

30

31

Comunicación I

La familia Describing families

01-01 to 01-05

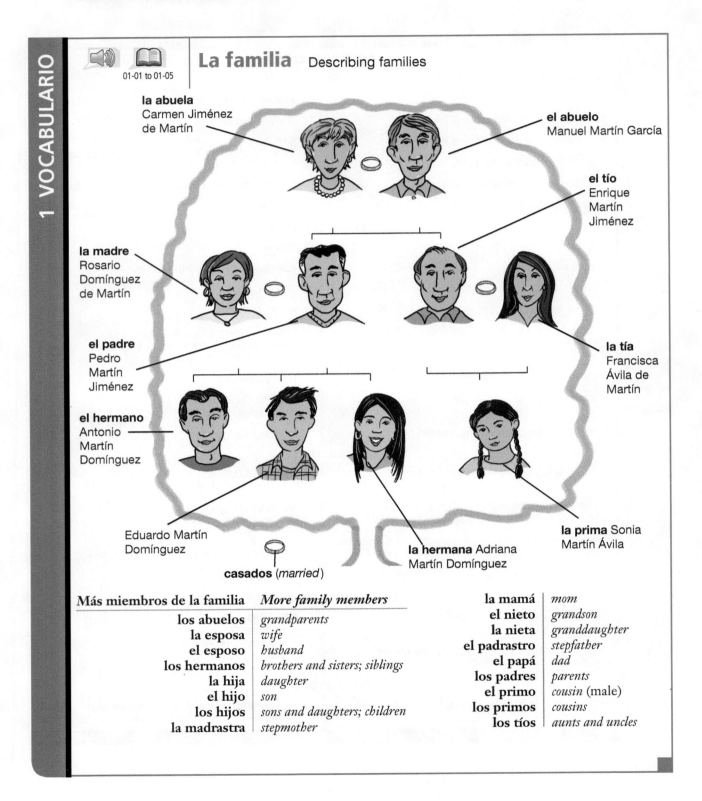

la abuela Carmen Jiménez de Martín

el abuelo Manuel Martín García

el tío Enrique Martín Jiménez

la madre Rosario Domínguez de Martín

la tía Francisca Ávila de Martín

el padre Pedro Martín Jiménez

el hermano Antonio Martín Domínguez

Eduardo Martín Domínguez

casados (*married*)

la hermana Adriana Martín Domínguez

la prima Sonia Martín Ávila

Más miembros de la familia	More family members
los abuelos	*grandparents*
la esposa	*wife*
el esposo	*husband*
los hermanos	*brothers and sisters; siblings*
la hija	*daughter*
el hijo	*son*
los hijos	*sons and daughters; children*
la madrastra	*stepmother*

la mamá	*mom*
el nieto	*grandson*
la nieta	*granddaughter*
el padrastro	*stepfather*
el papá	*dad*
los padres	*parents*
el primo	*cousin* (male)
los primos	*cousins*
los tíos	*aunts and uncles*

PRONUNCIACIÓN

¡Hola!

01-06 to 01-08

Vowels

Go to MySpanishLab / Student Activities Manual to learn about the pronunciation of vowels.

Capítulo Preliminar A.
El verbo *ser,* pág. 13.

Estrategia

¡Anda! Curso elemental has provided you with recycling references to help guide your continuous review of previously learned material. Make sure to consult the indicated pages if you need to refresh your memory about the topic.

1-1 **La familia de Eduardo** Look at Eduardo's family tree and state how the following people are related to him. Share your answers with a partner. ■

MODELO   E1: *¿Quién es* (Who is) *Antonio?*

E2: *Es su* (his) *hermano.*

1. Francisca   3. Enrique   5. Pedro   7. Sonia
2. Carmen   4. Manuel   6. Rosario   8. Adriana

1-2 **Mi familia**

Estrategia

For additional vocabulary choices, consult at the end of this chapter, *También se dice...*

Paso 1   Draw and label **three** generations of your own family tree, or create a fictitious one. Share your information with a partner, following the model. Please save your drawing! You will need it for **1-6.**

MODELO   E1: *Mary es mi* (my) *hermana.*

E2: *George es mi papá.*

Paso 2   Write **five** of the sentences that you shared orally with your partner, or **five** different sentences about your family members. Follow the **modelo** in **Paso 1.**

MODELO   _____ _____ mi _____. ■
            (Subject)   *(verb)*   *(family member)*

NOTA CULTURAL

Los apellidos en el mundo hispano

01-09 to 01-11

In Spanish-speaking countries, it is customary for people to use both paternal and maternal last names (surnames). For example, Eduardo's father is **Pedro Martín Jiménez** and his mother's maiden name is **Rosario Domínguez Montalvo.** Eduardo's first last name is his father's first last name (**Martín**); Eduardo's second last name is his mother's first last name (**Domínguez**). Therefore, Eduardo's full name is **Eduardo Martín Domínguez.** In most informal situations, though, Eduardo would use only his first last name, so he would call himself **Eduardo Martín.**

In most Spanish-speaking countries, a woman usually retains the surname of her father upon marriage, while giving up her mother's surname. She takes her husband's last name, preceded by the preposition **de** (*of*). For example, when Eduardo's mother married his father, her name became **Rosario Domínguez de Martín.** Therefore, if a woman named **Carmen Torres López** married **Ricardo Colón Montoya,** her name would become **Carmen Torres de Colón.**

(continued)

Preguntas

1. It may seem unusual to use more than one last name at a time, but this custom is not unique to Spanish-speaking contexts. Are there any equivalents in the United States or in other countries?

2. Can you think of any advantages to using both the mother's and the father's last names?

Sr. Pablo Valenzuela Domínguez   Sr. Roberto Rebolledo Sánchez
Sra. Alicia Ochoa de Valenzuela   Sra. Rosario Menéndez de Rebolledo

Tienen el gusto de invitarles al matrimonio de sus hijos

José Luis   y   María Luisa

que se celebrará el sábado, día 14 de junio de 2008,
a las 3:00 de la tarde,
en la Iglesia Santa Margarita

Iglesia Santa Margarita
Avenida Juárez, nº 32
Colonia Escobar
Cholula

Recepción:
Hotel Los Galgos
Salón Primavera
5:00 de la tarde

Fíjate

Below are some common Spanish first names and nicknames.

Hombres

Antonio	Toño, Toni
Francisco	Paco, Pancho, Cisco
Guillermo	Memo, Guillo, Guille
Jesús	Chu, Chuito, Chucho, Chus
José	Pepe
Manuel	Manolo, Mani
Ramón	Moncho, Monchi

Mujeres

Antonia	Toñín, Toña, Toñi(ta)
Concepción	Concha, Conchita
Guadalupe	Lupe, Lupita
María Soledad	Marisol
María Teresa	Maite, Marité, Maritere
Pilar	Pili
Rosario	Charo

2 GRAMÁTICA

01-12 to 01-16   Spanish Tutorial

El verbo *tener* Expressing what someone has

Tengo una hermana y un hermano.

In **Capítulo Preliminar A** you learned the present tense of **ser**. Another very common verb in Spanish is **tener** (*to have*). The present tense forms of the verb **tener** follow.

tener (*to have*)

Singular			Plural		
yo	**tengo**	*I have*	nosotros/as	**tenemos**	*we have*
tú	**tienes**	*you have*	vosotros/as	**tenéis**	*you all have*
Ud.	**tiene**	*you have*	Uds.	**tienen**	*you all have*
él, ella	**tiene**	*he/she has*	ellos/as	**tienen**	*they have*

1-3 **¿Quién tiene familia?** Take turns giving the correct form of the verb **tener** for each subject listed. ■

MODELO   E1: la prima
           E2: *tiene*

1. tú
2. los padres

3. nosotros
4. Pedro, Carmen y Rosario

5. yo
6. el tío

Capítulo Preliminar A.
El verbo *ser*, pág. 13.

 1-4 **¡Apúrate!** One person makes a ball out of a piece of paper, says a subject pronoun, and tosses the ball to someone in the group. That person catches it, gives the corresponding form of **tener**, then says another pronoun and tosses the ball to someone else. After finishing **tener**, repeat the game with **ser**. ■

MODELO   E1: *yo*
           E2: *tengo; ellas*
           E3: *tienen; usted*
           E4: *tiene;…*

monbibi/Shutterstock

 1-5 **La familia de José** Complete the paragraph with the correct forms of **tener**. Then share your answers with a partner. Finally, based on what you learned in the previous culture presentation regarding last names, what is José's father's last name? What is José's mother's maiden name? ■

Yo soy el primo de José. Él (1) _____ una familia grande. (2) _____ tres hermanos, Pepe, Alonso y Tina. Su hermano Pepe está casado (*is married*) y (3) _____ dos hijos. También José y sus hermanos (4) _____ muchos tíos, siete en total. La madre de José (5) _____ tres hermanos y dos están casados. El padre de José (6) _____ una hermana y ella está casada con mi padre: ¡es mi madre! Nosotros (7) _____ una familia grande. ¿Y tú?, ¿(8) _____ una familia grande?

José Olivo Peralta y su familia

David Sacks/Lifesize/Thinkstock

 1-6 **De tal palo, tal astilla** Create **three** sentences with **tener** based on the family tree that you sketched for **1-2**, page 33. Tell them to your partner, who will then share what you said with another classmate. ■

Fíjate

The word *un* in the *modelo* for **1-6** is the shortened form of the number *uno*. It is used before a masculine noun—a concept that will be explained later in this chapter.

MODELO   E1 (ALICE):   *Tengo un hermano, Scott. Tengo dos tíos, George y David. No tengo abuelos.*

           E2 (JEFF):   *Alice tiene un hermano, Scott. Tiene dos tíos, George y David. No tiene abuelos.*

Raúl tiene dos primas y
Jorge tiene una prima.

Sustantivos singulares y plurales
Using singular and plural nouns

01-17 to 01-20 Spanish/English Tutorials

To pluralize singular nouns and adjectives in Spanish, follow these simple guidelines.

1. If the word ends in a vowel, add -s.

| hermana | → | hermanas | abuelo | → | abuelos |
| día | → | días | mi | → | mis |

2. If the word ends in a consonant, add -es.

| mes | → | meses | ciudad | → | ciudades |
| televisión | → | televisiones | joven | → | jóvenes |

3. If the word ends in a -z, change the z to c, and add -es.

| lápiz | → | lápices | feliz | → | felices |

Fíjate

Note that *televisión* loses its accent mark in the plural. Also, note the plural of *joven* is *jóvenes*. You will learn about accent marks in *Capítulo 2*.

 1-7 **Te toca a ti** Take turns making the following singular nouns plural. ■

MODELO   E1:   primo
         E2:   *primos*

1. padre
2. tía
3. taxi
4. francés
5. nieto

6. alemán
7. abuela
8. sol
9. emoción
10. favor

 1-8 **De nuevo** Now take turns making the following plural nouns singular. ■

MODELO   E1:   primos
         E2:   *primo*

1. hijos
2. días
3. discusiones
4. madres
5. lápices

6. jóvenes
7. familias
8. libertades
9. nietos
10. meses

El masculino y el femenino
Identifying masculine and feminine nouns

El abuelo y las tías.

In Spanish, all nouns (people, places, and things) have gender; they are either masculine or feminine. Use the following rules to help you determine the gender of nouns. If a noun does not belong to any of the following categories, you must memorize the gender as you learn that noun.

1. Most words ending in -a are feminine.

   la hermana**, la hij**a**, la mam**á**, la tí**a
   *Some exceptions: **el día, el papá,** and words of Greek origin ending in -ma, such as **el proble**ma and **el progra**ma.

2. Most words ending in -o are masculine.

   el abuelo**, el herman**o**, el hij**o**, el niet**o
   *Some exceptions: **la fot**o (*photo*), **la man**o (*hand*), **la mot**o (*motorcycle*)
   *Note: **la foto** and **la moto** are shortened forms for **la fotografía** and **la motocicleta.**

3. Words ending in -ción and -sión are feminine.

   la discusión**, la recep**ción**, la televi**sión
   *Note: The suffix -ción is equivalent to the English -*tion*.

4. Words ending in -dad or -tad are feminine.

   la ciudad (*city*), **la liber**tad**, la universi**dad
   *Note: these suffixes are equivalent to the English -*ty*.

> **Estrategia**
>
> Making educated guesses about the meanings of unknown words will help to make you a successful Spanish learner!

As you learned in **Capítulo Preliminar A,** words that look alike and have the same meaning in both English and Spanish, such as **discusión** and **universidad,** are known as *cognates.* Use them to help you decipher meaning and to form words. For example, **prosperidad** looks like what English word? What is its gender?

1-9 **¿Recuerdas?** Take turns determining which of the following nouns are masculine **(M)** and which are feminine **(F).** ■

1. _____ hijas
2. _____ discusión
3. _____ mapa
4. _____ nacionalidad
5. _____ hermano
6. _____ manos
7. _____ mamá
8. _____ abuelos

1-10 **Para practicar** Take turns deciding whether these cognates are masculine or feminine. Can you guess their English equivalents? ■

1. guitarra
2. teléfono
3. computadora
4. drama
5. cafetería
6. educación

5 GRAMÁTICA

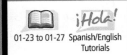

01-23 to 01-27 Spanish/English Tutorials

Los artículos definidos e indefinidos
Conveying *the, a, one,* and *some*

Eduardo tiene una hermana. La hermana de Eduardo se llama Adriana.

Like English, Spanish has two kinds of articles, definite and indefinite. The definite article in English is *the;* the indefinite articles are *a, an,* and *some.*

In Spanish, articles and other adjectives mirror the gender (masculine or feminine) and number (singular or plural) of the nouns to which they refer. For example, an article referring to a singular masculine noun must also be singular and masculine. Note the forms of the articles in the following charts.

Fíjate
Note that *el* means "the," and *él* means "he."

Los artículos definidos

| el hermano | *the brother* | los hermanos | *the brothers/the brothers and sisters* |
| la hermana | *the sister* | las hermanas | *the sisters* |

Los artículos indefinidos

| un hermano | *a/one brother* | unos hermanos | *some brothers/some brothers and sisters* |
| una hermana | *a/one sister* | unas hermanas | *some sisters* |

1. *Definite articles* are used to refer to **the** person, place, or thing.
2. *Indefinite articles* are used to refer to **a** or **some** person, place, or thing.

Adriana es **la** hermana de Eduardo y **los** abuelos de él se llaman Carmen y Manuel.
Jorge tiene **una** tía y **unos** tíos.

Adriana is Eduardo's sister, and his grandparents' names are Carmen and Manuel.
Jorge has an aunt and some uncles.

 1-11 **Vamos a practicar** Complete the following steps. ■

Paso 1 Take turns giving the correct form of the *definite* article for each of the following nouns.

MODELO E1: tías
E2: *las tías*

1. tío
2. padres
3. mamá
4. papá
5. hermanas
6. hijo
7. abuela
8. primo

Paso 2 This time provide the correct form of the *indefinite* article.

MODELO E1: tías
E2: *unas tías*

1-12 Una concordancia

Take turns matching the family members with the corresponding articles. Each family member will have **two** articles: one definite and one indefinite. ■

1. _____ hijo
2. _____ hermanas
3. _____ tía
4. _____ primas
5. _____ abuelos
6. _____ nieta
7. _____ padres
8. _____ madre

a. el
b. la
c. los
d. las
e. un
f. una
g. unos
h. unas

1-13 ¿Quiénes son?

Fill in the blanks with the correct form of either the definite or indefinite article. Then take turns sharing your answers and explaining your choices. You may want to refer to the family tree on page 32. ■

Estrategia

To say "Eduardo's sister" or "Eduardo's grandparents," you add *de Eduardo* to each of your sentences: *Es la hermana de Eduardo. Son los abuelos de Eduardo.*

MODELO   Adriana es *la* hermana de Eduardo.

(1) _____ abuelos se llaman Manuel y Carmen. Eduardo tiene (2) _____ tío.
(3) _____ tío se llama Enrique. Eduardo tiene (4) _____ prima; se llama Sonia.
(5) _____ hermano de Eduardo se llama Antonio.

¿Cómo andas? I

Each chapter has three places at which you will be asked to assess your progress. This first assessment comes as you have completed approximately one third of the chapter. How confident are you with your progress to date?

	Feel confident	Need to review
Having completed **Comunicación I,** I now can . . .		
• describe families (p. 32)	☐	☐
• pronounce vowels (MSL / SAM)	☐	☐
• illustrate formation of Hispanic last names (p. 33)	☐	☐
• express what someone has (p. 34)	☐	☐
• use singular and plural nouns (p. 36)	☐	☐
• identify masculine and feminine nouns (p. 37)	☐	☐
• convey *the, a, one,* and *some* (p. 38)	☐	☐

Comunicación II

6 VOCABULARIO

01-28 to 1-31

Gente Giving details about yourself and others

Miguelito/Clarita

el niño/la niña

Daniel/Mariela

**el chico, el muchacho/
la chica, la muchacha**

Javier/Ana

el joven/la joven

Manuel/Manuela

el hombre/la mujer

la Sra. Torres/
la Srta. Sánchez/
el Sr. Martín

**la señora/
la señorita/el señor**

Manolo/Pilar

el amigo/la amiga

Roberto/Pepita

el novio/la novia

El hombre and **la mujer** are terms for *man* and *woman*. **Señor, señora,**
and **señorita** are often used as titles of address; in that case, they may also
be abbreviated as **Sr., Sra.,** and **Srta.,** respectively.

> **Fíjate**
>
> The abbreviations *Sr., Sra.,* and *Srta.* are always capitalized, just like their equivalents in English.

—Buenos días, **Sr.** Martín.　　　　*Good morning, Mr. Martín.*
—¿Cómo está Ud., **Sra.** Sánchez?　*How are you, Mrs. Sánchez?*

 1-14　Los opuestos Take turns giving the gender opposites for the
following words. Include the appropriate articles. ■

MODELO　　E1:　el novio

　　　　　　　E2:　*la novia*

1. el chico
2. un hombre

3. la joven
4. un señor

5. una amiga
6. la niña

Capítulo Preliminar A.
Saludos, despedidas y presentaciones, pág. 4.

1-15 ¿Cómo se llama? Take turns answering the following questions, based on the drawings on page 40. ■

MODELO E1: ¿Cómo se llama el hombre?
E2: *El hombre se llama Manuel.*

1. ¿Cómo se llama la joven?
2. ¿Cómo se llama el niño?
3. ¿Cómo se llaman los novios?
4. ¿Cómo se llama la señora?

7 GRAMÁTICA

01-32 to 01-36 Spanish/English Tutorials

Los adjetivos posesivos Stating possession

Mis padres se llaman Juan y María. ¿Cómo se llaman tus padres?

You have already used the possessive adjective **mi** (*my*). Other forms of possessive adjectives are also useful in conversation.

Look at the following chart to see how to personalize talk about your family (*our* dad, *his* sister, *our* cousins, etc.) using possessive adjectives.

Fíjate
Vuestro/a/os/as is only used in Spain.

Fíjate
Note that *tu* means "your," and *tú* means "you."

Los adjetivos posesivos

mi, mis	*my*	nuestro/a/os/as	*our*
tu, tus	*your*	vuestro/a/os/as	*your*
su, sus	*your*	su, sus	*your*
su, sus	*his, her, its*	su, sus	*their*

Note:

1. Possessive adjectives agree in form with the person, place, or thing possessed, *not with the possessor.*
2. Possessive adjectives agree in number (singular or plural), and in addition, **nuestro** and **vuestro** indicate gender (masculine or feminine).
3. The possessive adjectives **tu/tus** (*your*) refer to someone with whom you are familiar and/or on a first name basis. **Su/sus** (*your*) is used when you are referring to people to whom you refer with *usted* and *ustedes*: that is, more formally and perhaps not on a first-name basis. **Su/sus** (*your* plural or *their*) is used when referring to individuals whom you are addressing with *ustedes* or when expressing possession with *ellos* and *ellas*.

mi hermano	*my brother*	**mis** hermanos	*my brothers/siblings*
tu primo	*your cousin*	**tus** primos	*your cousins*
su tía	*her/his/your/their aunt*	**sus** tías	*her/his/your/their aunts*
nuestra familia	*our family*	**nuestras** familias	*our families*
vuestra mamá	*your mom*	**vuestras** mamás	*your moms*
su hija	*her/his/your/their daughter*	**sus** hijas	*his/her/your/their daughters*

(continued)

Eduardo tiene una novia.   *Eduardo has a girlfriend.*
Su novia se llama Julia.   *His girlfriend's name is Julia.*

Nuestros padres tienen dos amigos.   *Our parents have two friends.*
Sus amigos son Jorge y Marta.   *Their friends are Jorge and Marta.*

 1-16 **¿De quién es?** Take turns supplying the correct possessive adjectives for the family members listed. ■

MODELO   E1:   (*our*) papás

           E2:   *nuestros papás*

1. (*your*/familiar) novia
2. (*my*) hermanos
3. (*our*) mamá
4. (*your*/formal) tío
5. (*her*) amiga
6. (*his*) hermanas

 1-17 **Relaciones familiares** Take turns completing the paragraph about Eduardo's family relationships, from Sonia's point of view. You may want to refer to the family tree on page 32. ■

Yo soy Sonia. Eduardo es (1) _____ primo. Antonio y Adriana son (2) _____ primos también (*also*). (3) _____ padres, Pedro y Rosario, son (4) _____ tíos. (5) _____ padres se llaman Enrique y Francisca. (6) Además (*Furthermore*), _____ amiga Pilar es como (*like*) parte de (7) (*our*) _____ familia.

Estrategia

Using your own friends and family will help you remember the vocabulary. Write the names of your immediate family or your best friends. Then write a description of how those people are connected to each other. E.g., *Karen es la madre de Brian* or *Brian es el hijo de Karen.*

 1-18 **Tu familia** Using at least **three** different possessive adjectives, talk to your partner about your family. You may want to refer to the family tree you drew for **1-2**. ■

MODELO   En mi familia somos cinco personas. Mi padre se llama John y mi madre es Marie. Sus amigos son Mary y Dennis. Tengo dos hermanos, Clark y Blake. Nuestros tíos son Alice y Ralph y nuestras primas se llaman Gina y Glynis.

8 GRAMÁTICA

01-37 to 01-42   English Tutorial

Los adjetivos descriptivos

Supplying details about people, places, and things

Descriptive adjectives are words that describe people, places, and things.

1. In English, adjectives usually come before the words they describe (e.g., **the *red* car**), but in Spanish, they usually follow the words (e.g., **el coche *rojo***).

2. Adjectives in Spanish agree with the nouns they modify in number (singular or plural) and in gender (masculine or feminine).

Carlos es un **chico** simpátic**o**.	*Carlos is a nice boy.*
Adela es una **chica** simpátic**a**.	*Adela is a nice girl.*
Carlos y Adela son (unos) **chicos** simpátic**os**.	*Carlos and Adela are (some) nice children.*

3. A descriptive adjective can also follow the verb **ser** directly. When it does, it still agrees with the noun to which it refers, which is the subject in this case.

Carlos es simpátic**o**.	*Carlos is nice.*
Adela es simpátic**a**.	*Adela is nice.*
Carlos y Adela son simpátic**os**.	*Carlos and Adela are nice.*

Las características físicas, la personalidad y otros rasgos

alto   alta   bajo   baja

guapo   guapa

delgado delgada   gordo gorda

débil   fuerte

inteligente

joven   mayor

pobre   rico rica

(continued)

La personalidad	*Personality*
aburrido/a	*boring*
antipático/a	*unpleasant*
bueno/a	*good*
cómico/a	*funny; comical*
interesante	*interesting*
malo/a	*bad*
paciente	*patient*
perezoso/a	*lazy*
responsable	*responsible*
simpático/a	*nice*
tonto/a	*silly; dumb*
trabajador/a	*hard-working*

Las características físicas	*Physical characteristics*
bonito/a	*pretty*
feo/a	*ugly*
grande	*big; large*
pequeño/a	*small*

Otras palabras útiles	*Other useful words*
muy	*very*
(un) poco	*(a) little*

 Capítulo Preliminar A.
El verbo *ser*, pág. 13.

 1-19 ¿**Cómo son?** Take turns describing the following people to a classmate. ■

Estrategia

Review *Los adjetivos de nacionalidad* in *Capítulo Preliminar A* in order to describe people in more detail.

MODELO   E1: Jorge
             E2: *Jorge es débil.*

Jorge

1. Juan

2. María

3. Lupe y Marco

4. Roberto

5. Beatriz

6. yo

Workbooklet

1-20 **¿Cómo los describes?** Circulate among your classmates, asking for descriptions of the following people. Write what each person says, along with his/her name. ■

MODELO
E1: *¿Cómo es Jon Stewart?*
E2: *Jon Stewart es cómico, inteligente y muy trabajador.*
E1: *¿Cómo te llamas?*
E2: *Mi nombre es Rubén.*

PERSONA(S)	DESCRIPCIÓN	NOMBRE DEL ESTUDIANTE
Jon Stewart	Es cómico, inteligente y muy trabajador.	Rubén
1. Justin Bieber		
2. tus padres		
3. tu mejor (*best*) amigo/a y tú		
4. Shakira		
5. los estudiantes en la clase de español		

 1-21 **Al contrario** Student 1 creates a sentence using the cues provided, and Student 2 expresses the opposite. Pay special attention to adjective agreement. ■

MODELO   los hermanos González/guapo
E1: *Los hermanos González son guapos.*
E2: *¡Ay no, son muy feos!*

Capítulo Preliminar
A. El verbo *ser*,
pág. 13.

1. los abuelos / pobre
2. la señora López / muy antipático
3. Jaime / delgado

4. la tía Claudia / mayor
5. Tomás y Antonia / alto
6. nosotros / perezoso

 1-22 **¿Cómo eres?** Imagine you are applying to a dating service. ■

Paso 1   Describe yourself to your partner using at least **three** adjectives, and then describe your ideal date.

MODELO   *Me llamo Julie. Soy joven, muy inteligente y alta. Mi hombre ideal es inteligente, paciente y cómico.*

Paso 2   How similar are you and your partner and how similar are your ideal mates?

MODELO   *Rebeca y yo somos jóvenes, altas y muy inteligentes. Nuestros hombres ideales son cómicos y pacientes.*

matchideal.com

Soy inteligente,
cómico y responsable.
No soy muy rico pero
soy trabajador.
¿Eres inteligente,
simpática y cómica?

Contacta con
matchideal.com/chucho.

Rido/Shutterstock

1-23 **¿Es cierto o falso?** Describe **five** famous (or infamous!) people or characters. Your partner can react by saying **Es verdad** (*It's true*) or **No es verdad** (*It's not true*). If your partner disagrees with you, he/she must correct your statement. ◼

Estrategia

Being an "active listener" is an important skill in any language. *Active listening* means that you hear and understand what someone is saying. Being able to repeat what someone says helps you practice and perfect the skill of active listening.

MODELO   E1: *Santa Claus es gordo y un poco feo.*

                 E2: *No es verdad. Sí, es gordo pero no es feo. Es guapo.*

 1-24 **¿Cuáles son sus cualidades?** Think of the qualities of your best friend and those of someone you do not particularly like (**una persona que no me gusta**). Using adjectives that you know in Spanish, write at least **three** sentences that describe each of these people. Share your list with a partner. ◼

MODELO   **MI MEJOR (*BEST*) AMIGO/A**   **UNA PERSONA QUE NO ME GUSTA**

              1. Es trabajador/a.   1. Es antipático/a.

              2. Es inteligente.   2. No es paciente.

              3. …   3. …

Capítulo Preliminar A. *Los pronombres personales*, pág. 11.

 1-25 **Describe a una familia** Bring family photos (personal ones or some taken from the Internet or a magazine) to class and describe the family members to a classmate, using at least **five** sentences. ◼

Knotsmaster/Shutterstock

MODELO   *Tengo dos hermanas, Kate y Ana. Ellas son simpáticas y bonitas. Mi papá no es aburrido y es muy trabajador. Tengo seis primos…*

NOTA CULTURAL

El español, lengua diversa

  01-43 to 01-44

The title of this chapter, **¿Quiénes somos?**, suggests that we are all a varied combination of many factors, one of which is language. As you know, the English language is rich in state, regional, and national variations. For example, what word do you use when referring to soft drinks? Some people in the United States say *soda*, others say *pop*, and still others use *Coke* as a generic term for all brands and flavors of soft drinks.

Grigory Kubatyan/Shutterstock

The Spanish language also has many variations. For example, to describe someone as *funny* you could say **cómico/a** in many Latin American countries, but **divertido/a** or **gracioso/a** in Spain. Similarly, there are multiple ways to say the word *bus*: in Mexico,

(continued)

camión; in Puerto Rico and Cuba, **guagua;** in Spain, **autobús.** In *¡Anda! Curso elemental,* such variants will appear in the **También se dice...** section at the end of this chapter.

The pronunciation of English also varies in different parts of the United States and throughout the rest of the English-speaking world, and so it is with Spanish across the Spanish-speaking world. Nevertheless, wherever you go you will find that Spanish is still Spanish, despite regional and national differences. You should have little trouble understanding native speakers from different countries or making yourself understood. You may have to attune your ears to local vocabulary or pronunciation, but that's part of the intrigue of communicating in another language.

Preguntas

1. What are some characteristics of the English spoken in other countries, such as Canada, Great Britain, Australia, and India?
2. What are some English words that are used where you live that are not necessarily used in other parts of the country?

---

9 VOCABULARIO

01-45 to 01-48

Los números 31–100 Counting from 31 to 100

The numbers 31–100 function in much the same way as the numbers 0–30. Note how the numbers 30–39 are formed. This pattern will repeat itself up to 100.

31	**treinta y uno**	37	**treinta y siete**	51	**cincuenta y uno...**
32	**treinta y dos**	38	**treinta y ocho**	60	**sesenta**
33	**treinta y tres**	39	**treinta y nueve**	70	**setenta**
34	**treinta y cuatro**	40	**cuarenta**	80	**ochenta**
35	**treinta y cinco**	41	**cuarenta y uno...**	90	**noventa**
36	**treinta y seis**	50	**cincuenta**	100	**cien**

Estrategia

Practice the numbers in Spanish by reading and pronouncing any numbers you see in your daily routine (e.g., highway signs, prices on your shopping receipts, room numbers on campus, phone numbers, etc.).

 1-26 **Examen de matemáticas**

Are you ready to test your math skills? Take turns reading and solving the problems aloud. Then create your own math problems to test your partner. ■

Vocabulario útil	
más	*plus*
menos	*minus*
son	*equals*
por	*times; by*
dividido por	*divided by*

MODELO   E1: $97 - 53 =$

E2: *Noventa y siete menos cincuenta y tres son cuarenta y cuatro.*

1. $81 + 13 =$ 3. $24 + 76 =$ 5. $12 \times 8 =$ 7. $65 \div 5 =$

2. $65 - 26 =$ 4. $99 - 52 =$ 6. $8 \times 7 =$ 8. $100 \div 2 =$

1-27 **¿Qué número es?** Look at the pages from the telephone book. Say **five** phone numbers and have your partner tell you whose numbers they are. Then switch roles. ∎

MODELO   E1: *Ochenta y ocho, sesenta y ocho, setenta y cinco*
             E2: *Adelaida Santoyo*

 1-28 **¿Quiere dejar un recado?** Imagine that you work in a busy office. You take messages with the following phone numbers. Say the numbers to a partner who will write them down. Then switch roles, mixing the order of the numbers. ∎

MODELO   E1: 223-7256
             E2: *dos, veintitrés, setenta y dos, cincuenta y seis*

1. 962-2136
2. 615-9563

3. 871-4954
4. 414-4415

5. 761-7920
6. 270-2325

```
SANTOS JAIME-SIERRA 12I 12 SM 3 CP 77500....84-0661
SANTOS JAVIER L1 Y 12 M10 SM43 PEDREGAL CP
77500.......................................................80-5138
SANTOS SEGOVIA FREDDY CALLE 45 NTE MANZ 34
LTE 3 COL 77528...................................80-2242
SANTOS SEGURA ALBA ROSA COL LEONA VICARIO
M 8 L SM 74 77500.................................80-0861
SANTOS SOLIS FELIPE CALLE 20 OTE NO 181 SM 68
M 12 L 28 CP 77500................................80-1330
SANTOS VELÁZQUEZ MARÍA JESÚS CALLE 3 NO 181
77537......................................................86-6949
SANTOS VILLANUEVA ARMINDA CALLE 46 PTE
MANZ 20 77510.......................................88-3999
SANTOS JOSÉ E CALLE 33 OTE 171 L 14 M 25 CP
77500......................................................80-1175
SANTOSCOY LAGUNES ELIZABETH CERRADA
FLAMBOYANES                                      2
SM23.......................................87-6204
SANTOYO ADELAIDA CALLE 75 NTE DEPTO 7 EDIF 2
SM 92 CP 77500......................................88-6875
SANTOYO BETANCOURT PEDRO ARIEL HDA NUM 12
NABZ 61 77517........................................88-7941
SANTOYO CORTEZ LIGIA EDIFICIO QUETZAL DEPTO
C-1 SM 32 77500.....................................87-4676
SANTOYO MARTÍN AIDA MARÍA NANCE DEP 4 MZA
12 NUM 13...............................................87-3799
```

Capítulo Preliminar A.
Los números 0–30,
pág. 16.

Fíjate

In most of the Spanish-speaking world, commas are used where the English-speaking world uses decimal points, and vice versa. For example, in English one says "six point four percent," in Spanish, *seis coma cuatro por ciento*.

 1-29 **Los hispanos en los EE.UU.** Use the information from the pie chart to answer the following questions in Spanish. ∎

Vocabulario útil	
por ciento	*percent*

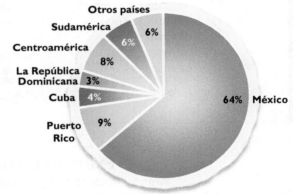

Source: US Census Bureau State & County Quick Facts

1. What percentage of U.S. Hispanics is from Cuba?
2. What percentage of U.S. Hispanics is from Puerto Rico?
3. What percentage of U.S. Hispanics is from Mexico?
4. What percentage of U.S. Hispanics is from South America?
5. What percentage of U.S. Hispanics comes from countries other than Mexico?

ESCUCHA

01-49 to 01-50

Presentaciones

Estrategia

Determining the topic and listening for words you know

The first steps to becoming a successful listener are to determine the topic and then listen for words that you know. If you are in a social situation, you can determine the topic by looking for visual cues (body language, pictures, etc.) or by asking the speaker(s) for clarification.

When listening to passages in *¡Anda! Curso elemental,* look at the activities or questions connected with the passage to help you determine the topic. Remember that words that you know include *cognates* which are words that look and sound like words in English.

Aural comprehension is critical in learning to communicate in Spanish. You are working on developing your listening skills every time your instructor speaks or when you work in pairs or groups in class. You will also practice this skill when you watch the video episodes of *Ambiciones siniestras,* the mystery story that accompanies *¡Anda! Curso elemental.*

In *¡Anda! Curso elemental* you will have the opportunity to learn and practice strategies to assist you in developing listening skills in Spanish. Let's begin with listening for words you know, including cognates.

1-30 Antes de escuchar In the following segment, Alejandra, one of the characters from **Ambiciones siniestras,** introduces her family. Write down two things that you expect to hear. ■

 1-31 A escuchar Listen as Alejandra introduces her family. Use the following steps to help you. ■

a. First, look at the incomplete sentences in c. They will give you an idea about the topic of the passage.
b. Listen to the passage, concentrating on the words you know. Make a list of those words.
c. Listen one more time and complete the following sentences.

   1. La familia de Alejandra es _____.
   2. Los nombres de sus padres son _____.
   3. Alejandra tiene _____ hermanos y _____ hermanas.

 1-32 Después de escuchar Take turns saying **three** sentences about you and your family to a partner. Your partner will tell you the words he/she knows. ■

¡CONVERSEMOS!

01-51

 1-33 **Jefe nuevo** With a partner, imagine that your new boss came to your office today to introduce himself/herself. Call your best friend, and describe your new boss in at least **four** sentences. ■

Goodshoot/Thinkstock

Comstock Images/Thinkstock

 1-34 **Mucho gusto** You have just met a new neighbor. Imagine that your partner is your new neighbor, and describe yourself and your family to him/her. Use at least **six** sentences. In addition to **ser** and **tener,** create sentences using *Me gusta / No me gusta,* etc. ■

ESCRIBE

 Un poema

01-52

Estrategia	Whether you are writing informally or formally, organizing your ideas before you write is important. The advance preparation	will help you express yourself clearly and concisely. Jotting down notes or ideas helps in the organizational process.
Organizing ideas / Preparing to Write		

1-35 **Antes de escribir** Write down all the Spanish nouns and adjectives you can think of that describe you. Start by reviewing the vocabulary lists for **Capítulo 1** and **También se dice...,** at the end of this chapter. ■

1-36 **A escribir** Complete the following steps in order to write your first poem in Spanish. ■

Paso 1 Using either your first, middle, or last name, match a noun or descriptive adjective with each letter of that name. For example:

"Sarah": **S** = *simpática*, **a** = *alta*, **r** = *responsable*, **a** = *amiga*, **h** = *hermana*

With these words, create what is known as an *acrostic* poem.

Paso 2 Now build phrases or sentences around your letters, using **tener, ser,** possessive adjectives, and numbers.

MODELO

Simpática	*SARAH*
Alta	*es Simpática*
Responsable	*no es baja; es Alta*
Amiga	*es Responsable*
Hermana	*tiene cien Amigas*
	es mi Hermana.

1-37 **Después de escribir** Read your poem to a classmate. ■

¿Cómo andas? II

This is your second self-assessment. You have now completed two thirds of the chapter. How confident are you with the following topics and concepts?

	Feel confident	Need to review
Having completed Comunicación II, I now can . . .		
• give details about myself and others (p. 40)	☐	☐
• state possession (p. 41)	☐	☐
• supply details about people, places, and things (p. 43)	☐	☐
• compare and contrast several regional and national differences in the English and Spanish languages (p. 46)	☐	☐
• count from 31 to 100 (p. 47)	☐	☐
• determine the topic and listen for known words (p. 49)	☐	☐
• communicate about people I know (p. 50)	☐	☐
• organize ideas to write a poem (p. 50)	☐	☐

Los Estados Unidos

01-53 to 01-54

Les presento mi país

Rafael Sánchez
Martínez

Mi nombre es Rafael Sánchez Martínez y soy de San Diego, California. Soy bilingüe: hablo inglés y español. Soy estadounidense y tengo herencia hispana. Mi abuelo es mexicano y mi abuela es puertorriqueña. Hay muchos hispanohablantes (*Spanish speakers*) en los Estados Unidos. **¿Puedes (*Can you*) identificar otras cuatro o cinco ciudades en el mapa con grandes poblaciones hispanohablantes?** Hay hispanohablantes famosos de muchas carreras diferentes, como Soledad O'Brien y Aarón Sánchez. **¿Por qué son famosas estas personas?** También se nota la influencia hispana en los restaurantes y en los supermercados donde se ofrecen productos hispanos de compañías como Goya, Ortega, Corona, Marinela y Tecate. Mi restaurante favorito se llama Café Coyote. **¿Cuál es tu restaurante favorito?**

Los Estados Unidos

Cristina Saralegui es una de las hispanas más influyentes de los Estados Unidos.

Jeffery Allan Salter/Corbis SABA/
Corbis Entertainment/Corbis

Albert Pujols es un famoso beisbolista dominicano.

St. Augustine es la primera ciudad europea en los Estados Unidos, fundada en el año 1565 por los españoles.

Celebrando la herencia puertorriqueña con un desfile en la Quinta Avenida de Nueva York.

52

ESTADO

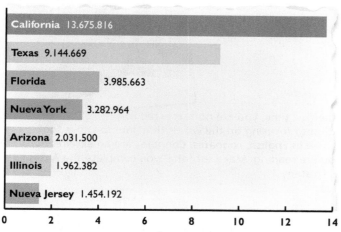

POBLACIÓN HISPANA
Source: US Census Bureau State & County Quick Facts

CIUDAD

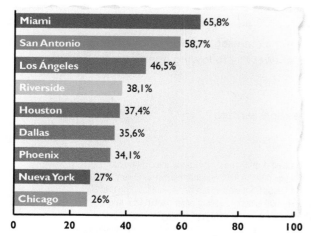

PORCENTAJE DE POBLACIÓN HISPANA
Source: Brookings Institution

ALMANAQUE

Nombre oficial: Estados Unidos de América

Gobierno: República constitucional y federal

Población: 307.006.550 (2010)

Población de origen hispano: 15.8% (2010)

Moneda: el dólar ($)

¿Sabías que...?

- Para el año 2050, una de cada cuatro personas en los Estados Unidos va a ser de origen hispano.
- En los Estados Unidos se celebra el mes de la herencia hispana entre el 15 de septiembre y el 15 de octubre.

Preguntas

1. ¿Qué importancia tiene St. Augustine, Florida?
2. ¿Qué estados tienen la mayor (*the largest*) población hispana?
3. ¿Quiénes son algunos (*some*) hispanos famosos en los Estados Unidos? ¿Cuál es tu favorito?

Learn more about Hispanics in the United States in MySpanishLab.

53

Ambiciones siniestras

EPISODIO 1

01-57

Lectura

Three students from different universities are writing e-mail messages to friends or family members. What can you learn about the three students from their e-mails? What can you learn about the person to whom or about whom each one is writing?

Estrategia   Recognizing Cognates

When you read something for the first time, you are not expected to understand every word. In addition to focusing on the words that you *do* know, look for words similar to those you know in English, *cognates*. Cognates are an excellent way to help you understand what you are reading. Make sure that you complete the **Antes de leer** activities to practice this strategy.

1-38   **Antes de leer**   You are about to discover what happens to a group of college students as they unwittingly become involved in a sinister international plot. Before you read the first episode of **Ambiciones siniestras,** answer the following questions. ■

1. How much time do you spend on the computer composing, reading, and answering e-mails?
2. To whom do you write most frequently? For what purpose(s)?
3. With a partner, list as many reasons as you can for sending e-mails.

1-39   **A leer**   Read through the e-mail messages quickly, underlining all cognates. Share your list with a classmate. Then, answer the following questions. ■

1. How many messages are there?
2. Who wrote each message?
3. To whom or for whom were the messages written?

Estrategia

When writing or reading e-mails, note what parts are common to all of them. Usually you find the following information: who sent the message and the address from where it came, the subject line that indicates what the e-mail is about, a list of other people who might have received it, etc. Use your knowledge of writing and receiving e-mails in English to see whether you can understand the additional information presented in this episode of *Ambiciones siniestras*.

54

Conexiones

Para: Mamá
De: Alejandra
Asunto: Un amigo nuevo

Querida mamá:

¿Cómo estás? Yo estoy muy bien. Mis clases van° bien... con mucho trabajo, pero son interesantes. Y tengo un amigo nuevo. Se llama Manolo. Tenemos las mismas clases. Es simpático y muy cómico. También es inteligente y guapo... ¡como un actor! Tiene dos hermanas como yo.

¿Cómo está papá? ¿Y mis hermanas?
Bueno, es todo por el momento. Mañana te escribo° más.

Besos,
Alejandra

are going

write

Para: Cisco
De: Eduardo
Asunto: Clase de macro

Cisco:

¿Qué tal? Mira°, no comprendo el trabajo que tenemos en la clase de macroeconomía tan bien como° tú. Ya que° tú eres tan inteligente y trabajador, dime°: ¿qué es «la política fiscal»?

La clase es difícil y aburrida, ¿no? Yo soy una persona responsable, pero ¡tengo cinco clases completamente diferentes este semestre!

¡Gracias, amigo!
Eduardo

Look
as well as / Since
tell me

Para: Ligia
De: Marisol
Asunto: Un email loco

Querida prima:

Mira este anuncio que acabo de recibir°:

> Hombre de 23 años, inteligente, interesante y rico, busca° una mujer guapa, simpática y joven. Prefiere una estudiante de la Universidad del Noreste. elrico@neu.edu

¡Qué cómico!, ¿no? El tal «elrico» menciona las características guapa, simpática y joven. Y la inteligencia, ¿qué? ¿No es importante?

¡Todos los hombres son iguales! ¡Este hombre debe° ser gordo, feo y perezoso! Sería° interesante contestar, ¿no? ¿Qué opinas?

Marisol

that I just received
is looking for

must
It would be

1-40 **Después de leer** Answer the following questions. ∎

1. What was the purpose of each message? Was it friendly communication? Did the person need something from someone else?
2. Of the senders, recipients, and others mentioned in the messages, which person is most like you? Which one would you most like to meet? Why?

01-58 to
01-62

Video

In the first reading episode you were introduced briefly to some of the characters of the mystery story **Ambiciones siniestras.** The next episode in video format will provide a further glimpse into the lives of the characters on their respective campuses.

1-41 **Antes del video** Let's think about you and your campus experiences for a minute. Do you take classes on a traditional college campus? What courses are you currently taking? Are your classes large or small? Are you friends with any of your classmates? What are your professors like? ■

Cisco y Eduardo en su clase de macroeconomía.

La familia de Lupe es hispana y la familia de Marisol es hispana también.

Alejandra y Manolo en su clase de literatura española.

¿Quiénes son?

Episodio 1

Relax and watch the video, more than once if you choose; then complete the following activity.

1-42 **Después del video** Identify the person(s) who fit(s) each description below. ■

Lupe   Cisco   Eduardo   Marisol   Manolo   Alejandra

This character . . .

1. has grandparents who are Hispanic and speaks Spanish with siblings.
2. seems to like Phillip Jones and introduces him to her friend.
3. likes afternoon classes.
4. helps Eduardo prepare for class.
5. are students in a Spanish literature class.
6. needs help with his economics class.

> **Estrategia**
>
> In this video episode, you get to place the names of the characters with their faces. Using the information in your textbook, focus on the specific items you will need to answer questions about after watching the video. For **1-42** (*Después del video*), you see the characters' names. While you are listening and watching, jot down the name of the character that fits each description.

56

Y por fin, ¿cómo andas?

Each chapter will end with a checklist like the one that follows. This is the third time in the chapter that you are given the opportunity to check your progress. Use the checklist to measure what you have learned in the chapter. Place a check in the *Feel confident* column for the topics you feel you know, and a check in the *Need to review* column for the topics that you need to practice more.

	Feel confident	Need to review
Having completed this chapter, I now can . . .		
Comunicación I		
• describe families (p. 32)	☐	☐
• pronounce vowels (MSL / SAM)	☐	☐
• express what someone has (p. 34)	☐	☐
• use singular and plural nouns (p. 36)	☐	☐
• identify masculine and feminine nouns (p. 37)	☐	☐
• convey *the, a, one,* and *some* (p. 38)	☐	☐
Comunicación II		
• give details about myself and others (p. 40)	☐	☐
• state possession (p. 41)	☐	☐
• supply details about people, places, and things (p. 43)	☐	☐
• count from 31 to 100 (p. 47)	☐	☐
• determine the topic and listen for known words (p. 49)	☐	☐
• communicate about people I know (p. 50)	☐	☐
• organize ideas to write a poem (p. 50)	☐	☐
Cultura		
• illustrate formation of Hispanic last names (p. 33)	☐	☐
• compare and contrast several regional and national differences in the English and Spanish languages (p. 46)	☐	☐
• discuss the size, location, and makeup of the Hispanic population in the United States (p. 52)	☐	☐
Ambiciones siniestras		
• recognize cognates when reading and meet the six protagonists (p. 54)	☐	☐
• discover more about the protagonists' classes and their lives (p. 55)	☐	☐
Comunidades		
• use Spanish in real-life contexts (SAM)	☐	☐

VOCABULARIO ACTIVO

La familia	Family
el/la abuelo/a	grandfather/grandmother
los abuelos	grandparents
el/la esposo/a	husband/wife
el/la hermano/a	brother/sister
los hermanos	brothers and sisters; siblings
el/la hijo/a	son/daughter
los hijos	sons and daughters; children
la madrastra	stepmother
la madre/la mamá	mother/mom
el/la nieto/a	grandson/granddaughter
el padrastro	stepfather
el padre/el papá	father/dad
los padres	parents
el/la primo/a	cousin
los primos	cousins
el/la tío/a	uncle/aunt
los tíos	aunts and uncles

La gente	People
el/la amigo/a	friend
el/la chico/a	boy/girl
el hombre	man
el/la joven	young man/young woman
el/la muchacho/a	boy/girl
la mujer	woman
el/la niño/a	little boy/little girl
el/la novio/a	boyfriend/girlfriend
el señor (Sr.)	man; gentleman; Mr.
la señora (Sra.)	woman; lady; Mrs.
la señorita (Srta.)	young woman; Miss

Los adjetivos	Adjectives
La personalidad y otros rasgos	*Personality and other characteristics*
aburrido/a	boring
antipático/a	unpleasant
bueno/a	good
cómico/a	funny; comical
inteligente	intelligent
interesante	interesting
malo/a	bad
paciente	patient
perezoso/a	lazy
pobre	poor
responsable	responsible
rico/a	rich
simpático/a	nice
tonto/a	silly; dumb
trabajador/a	hard-working

Las características físicas	Physical characteristics
alto/a	tall
bajo/a	short
bonito/a	pretty
débil	weak
delgado/a	thin
feo/a	ugly
fuerte	strong
gordo/a	fat
grande	big; large
guapo/a	handsome/pretty
joven	young
mayor	old
pequeño/a	small

Los números 31–100	Numbers 31–100
treinta y uno	thirty-one
treinta y dos	thirty-two
treinta y tres	thirty-three
treinta y cuatro	thirty-four
treinta y cinco	thirty-five
treinta y seis	thirty-six
treinta y siete	thirty-seven
treinta y ocho	thirty-eight
treinta y nueve	thirty-nine
cuarenta	forty
cuarenta y uno	forty-one
cincuenta	fifty
cincuenta y uno	fifty-one
sesenta	sixty
setenta	seventy
ochenta	eighty
noventa	ninety
cien	one hundred

Un verbo	Verb
tener	to have
Otras palabras útiles	Other useful words
muy	very
(un) poco	(a) little

Vocabulario útil	Useful vocabulary
más	plus
menos	minus
son	equals
por ciento	percent
por	times; by
dividido por	divided by

If you are interested in discovering additional vocabulary for the topics studied in each chapter, consult the end of this chapter, **También se dice…**, for additional words. It contains expanded vocabulary that you may need for your own personal expression, including regionally used words and slang. Enjoy!

También se dice...

La familia/*Family*

el/la ahijado/a *godchild*
el bisabuelo *great-grandfather*
la bisabuela *great-grandmother*
el/la cuñado/a *brother-in-law/sister-in-law*
la familia política *in-laws*
el/la hermanastro/a *stepbrother/stepsister*
el /la hijastro/a *stepson/stepdaughter*
el/la hijo/a único/a *only child*
la madrina *godmother*
el/la medio/a hermano/a *half brother/half sister*
los medios hermanos *half brothers and sisters*
la mami *Mommy; Mom (Latin America)*
el marido *husband*
la mujer *wife*
los nietos *grandchildren*
la nuera *daughter-in-law*
el padrino *godfather*
el papi *Daddy; Dad (Latin America)*
el pariente *relative*
el/la prometido/a *fiancé(e)*
los sobrinos *nieces and nephews*
el/la suegro/a *father-in-law/mother-in-law*
los suegros *in-laws*
la tatarabuela *great-great-grandmother*
el tatarabuelo *great-great-grandfather*
la tía abuela *great-aunt*
el tío abuelo *great-uncle*
el/la viudo/a *widower/widow*
el yerno *son-in-law*

Otra palabra útil/*Another useful word*

divorciado/a *divorced*

La gente/*People*

el bato *friend; guy (in SE USA slang)*
el/la chaval/a *young man/young woman (Spain)*
el chamaco *young man (Cuba, Honduras, Mexico, El Salvador)*
el/la fulano/a *unknown man/woman*

Los adjetivos/*Adjectives*

La personalidad y otros rasgos/*Personality and other characteristics*

amable *nice; kind*
bobo/a *stupid; silly*

el/la bromista *person who likes to play jokes*
cariñoso/a *loving; affectionate*
chistoso/a *funny*
cursi *pretentious; affected*
divertido/a *funny*
educado/a *well mannered; polite*
elegante *elegant*
empollón/ona *bookworm; nerd*
encantador/a *charming; lovely*
espabilado/a *smart; vivacious; alert (Latin America)*
frustrado/a *frustrated*
gracioso/a *funny*
grosero/a *unpleasant*
histérico/a *crazed*
impaciente *impatient*
indiferente *indifferent*
irresponsable *irresponsible*
malvado/a *evil; wicked*
majo/a *pretty; nice (Spain)*
mono/a *pretty; nice (Spain, Caribbean)*
odioso/a *unpleasant*
pesado/a *annoying person*
pijo/a *posh; snooty (Spain)*
progre *liberal; progressive (Spain)*
sabelotodo *know-it-all*
viejo/a *old*

Las características físicas/*Physical characteristics*

atlético/a *athletic*
bello/a *beautiful (Latin America)*
blando/a *soft*
esbelto/a *slender*
flaco/a *thin*
frágil *fragile*
hermoso/a *beautiful; lovely*
musculoso/a *muscular*
robusto/a *sturdy*

Otras palabras útiles/*Other useful words*

demasiado/a *too much*
suficiente *enough*

Capítulo 2: La vida universitaria

From *¡Anda! Curso elemental*, Second Edition. Audrey L. Heining-Boynton, Glynis S. Cowell, with Jean LeLoup, María del Carmen Caña Jiménez. Copyright © 2013 by Pearson Education, Inc. All rights reserved.

La vida universitaria

The majority of universities throughout the Spanish-speaking world tend to be public, with vast student enrollments. They usually charge minimal tuition, if any, and students must pass rigorous admission exams in order to attend. In many countries, the exams they take, or the scores they receive, determine the careers they may choose. In their first year, college students begin to take courses in their major area.

PREGUNTAS

1 How large is your college or university? What are the advantages of studying at a college or university of this size? Are there any disadvantages?

2 What are some possible advantages and disadvantages of the large universities of some Spanish-speaking countries?

3 Why do many colleges and universities require general education courses prior to entering courses for majors? Why do many colleges and universities have language requirements?

La universidad de Guanajuato, México

Bill Perry/Shutterstock

60

Comunicación I

02-01 to 02-05

Las materias y las especialidades
Sharing information about courses and majors

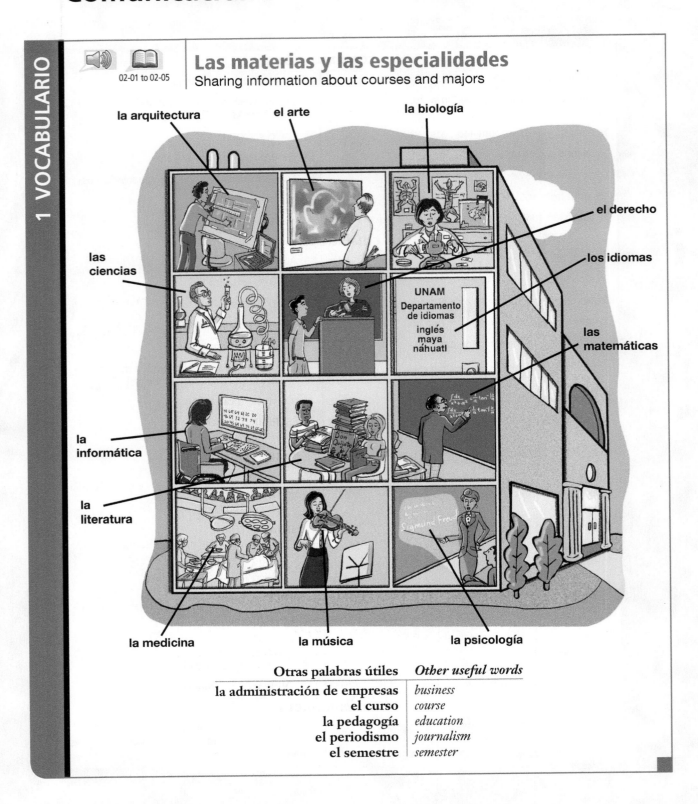

la arquitectura

el arte

la biología

el derecho

los idiomas

las ciencias

UNAM
Departamento de idiomas

inglés
maya
náhuatl

las matemáticas

la informática

la literatura

la medicina

la música

la psicología

Otras palabras útiles	*Other useful words*
la administración de empresas	*business*
el curso	*course*
la pedagogía	*education*
el periodismo	*journalism*
el semestre	*semester*

PRONUNCIACIÓN

PRONUNCIACIÓN

¡Hola!

02-06 to 02-08

Word stress and accent marks

Go to MySpanishLab / Student Activities Manual to learn about word stress and accent marks.

 2-1 **¿Cuál es su especialidad?** Complete the following steps. ■

Paso 1 Take turns matching the following famous people with the majors they may have studied in college.

1. _____ Pablo Picasso
2. _____ Maya Angelou
3. _____ Marie Curie
4. _____ Sigmund Freud
5. _____ el presidente de Coca-Cola
6. _____ Supreme Court Justice Sonia Sotomayor
7. _____ Taylor Swift
8. _____ Bill Gates

a. la música
b. el arte
c. la psicología
d. la informática
e. la literatura
f. las ciencias
g. el derecho
h. la administración de empresas

Paso 2 Now, can you name the majors the following famous Hispanics may have studied in college?

1. Ellen Ochoa (astronauta)
2. Jorge Ramos (periodista *[journalist]*)
3. Isabel Allende (autora)
4. Carlos Santana (músico)

Workbooklet

 2-2 **¿Qué clases tienes?** Complete the following chart, then share your schedule with a partner. ■

Capítulo Preliminar A.
La hora, pág. 18; Los
días de la semana,
pág. 20.

HORARIO DE CLASES

CLASES	DÍAS DE LA SEMANA	HORA
matemáticas	martes y jueves	1:30

MODELO *Este semestre tengo cinco cursos. Tengo la clase de matemáticas los martes y jueves a la una y media... ¿Y tú?*

Estrategia

If the meaning of any of the vocabulary words is not clear, verify the definition in the *Vocabulario activo* at the end of this chapter.

Capítulo 1. El verbo *tener*, pág. 34; Los adjetivos descriptivos, pág. 43.

Estrategia

Go to the end of this chapter, *También se dice…*, for an expanded list of college majors. *También se dice…* includes additional vocabulary and regional expressions for all chapters. Although not exhaustive, the list will give you an idea of the variety and richness of the Spanish language.

2-3 Unos estereotipos Do you think stereotypes exist just at your university? In your opinion, the following characteristics are stereotypically associated with students majoring in which fields? Share your responses with your group of three or four students, then report the group findings to the class. ∎

MODELO   Los estudiantes de _____ son ricos.

E1:   *Tengo "Los estudiantes de administración de empresas son ricos". ¿Qué tienes tú?*

E2:   *También tengo "Los estudiantes de administración de empresas son ricos".*

E3:   *Tengo "Los estudiantes de informática son ricos".*

GRUPO: *Tenemos "Los estudiantes de administración de empresas y los estudiantes de informática son ricos".*

Los estudiantes de…

1. _____ son ricos.
2. _____ son simpáticos.
3. _____ son trabajadores.
4. _____ son cómicos.

5. _____ son responsables.
6. _____ son pacientes.
7. _____ son interesantes.
8. _____ son muy inteligentes.

NOTA CULTURAL

Las universidades hispanas

02-09

There are many similarities and differences between the system of higher education in the United States and that of the Spanish-speaking world. For example, students in universities across the Spanish-speaking world usually begin their career courses immediately, as opposed to having several years of liberal arts courses. Also, although many universities have student housing, it is common for students to live at home or rent apartments with other students.

La Universidad Nacional Autónoma de México (UNAM)

With regard to collegiate sports and pastimes, there are usually varieties of extracurricular activities available in the form of clubs. For example, clubs can be sports-related, or they can be centered around other organized activities such as socially conscious volunteerism groups.

Technology permeates Hispanic universities. As in the United States, it is not uncommon for students to take online courses or have opportunities for some type of distance learning.

Preguntas

1. What are similarities between your life as a college student and that of a student in the Spanish-speaking world?
2. Where in the Spanish-speaking world would you like to study? Find the university's web site and share with the class the programs and opportunities that the school has to offer.

2 VOCABULARIO

02-10 to 02-13

La sala de clase Describing your classroom and classmates

el libro

el mapa

la mesa

la puerta

el profesor

la pizarra

la ventana

la pared

la tiza

el borrador

la silla

el cuaderno

el escritorio

el estudiante

el bolígrafo

la estudiante

el lápiz

la mochila

Otras palabras útiles	Other useful words
los apuntes (*pl.*)	*notes*
la compañera de clase	*female classmate*
el compañero de clase	*male classmate*
la composición	*composition*
el examen	*exam*
el papel	*paper*
la profesora	*female professor*
la tarea	*homework*

Capítulo Preliminar A. Los
números 0–30, pág. 16.

 2-4 **¿Cómo es tu sala de clase?** Using the numbers 0–30, take turns indicating how many there are in your classroom of each of the items presented in **La sala de clase.** You and your partner should each create at least **five** sentences following the model. ■

MODELO E1: *Hay veinticinco mochilas y tres ventanas.*
            E2: *Sí, y también hay diecinueve cuadernos.*

Fíjate

Hay is a little word that carries a lot of meaning. It can be both singular and plural, and it means both "there is" and "there are."

Vocabulario útil	
hay	*there is; there are*
pero	*but*
también	*too; also*
y	*and*

Capítulo 1. El verbo
tener, pág. 34.

 2-5 **¿Qué tiene Chucho?** Chucho is running late for class again. He has remembered some things and forgotten others. Make a list of **five** things he possibly has and does not have for class, using the verb **tener.** Share your list with a classmate. ■

Fíjate

To make a negative statement, simply place the word *no* before the verb: *Chucho tiene los apuntes. Chucho no tiene los apuntes.*

MODELO *Chucho tiene los apuntes, pero no tiene el libro de matemáticas. También tiene…*

Workbooklet

2-6 ¿Qué tienen tus compañeros?

Randomly choose three students and complete the chart below. Then take turns having your partner identify the classmates as you state **five** things each one has or does not have for class. ■

Fíjate

As in English, when listing a series of things, the word *y* (*and*) is placed just before the last item. In Spanish, however, note that you do not place a comma before *y*.

MODELO
E1: *La estudiante 1 tiene dos cuadernos, un libro, un bolígrafo y dos lápices. ¡No tiene la tarea!*
E2: *¿Es Sarah?*
E1: *Sí, es Sarah. / No, no es Sarah.*

ESTUDIANTE 1 _____	ESTUDIANTE 2 _____	ESTUDIANTE 3 _____
(NO) TIENE...	(NO) TIENE...	(NO) TIENE...
1.	1.	1.
2.	2.	2.
3.	3.	3.
4.	4.	4.
5.	5.	5.

02-14 to 02-18   Spanish/English Tutorials

3 GRAMÁTICA

Presente indicativo de verbos regulares
Relating daily activities

Mario es un estudiante de derecho. ¿Qué hace (*does he do*) todos los días?

Llega a la clase a las nueve de la mañana.

Lee en la biblioteca.

Habla con sus compañeros.

Trabaja dos horas como tutor.

Come en la cafetería con amigos.

A las 6:30 **espera** el autobús y **regresa** a su apartamento.

(continued)

Spanish has three groups of verbs which are categorized by the ending of the infinitive. Remember that an infinitive is expressed in English by the word *to: to have, to be,* and *to speak* are all infinitive forms of English verbs. Spanish infinitives end in **-ar, -er,** or **-ir.** Look at the following infinitives.

Verbos que terminan en *-ar*

comprar	*to buy*	**pregunt**ar	*to ask (a question)*
contestar	*to answer*	**prepar**ar	*to prepare; to get ready*
enseñar	*to teach; to show*	**regres**ar	*to return*
esperar	*to wait for; to hope*	**termin**ar	*to finish; to end*
estudiar	*to study*	**tom**ar	*to take; to drink*
hablar	*to speak*	**trabaj**ar	*to work*
llegar	*to arrive*	**us**ar	*to use*
necesitar	*to need*		

Verbos que terminan en *-er*

aprender	*to learn*	**corr**er	*to run*
comer	*to eat*	**cre**er	*to believe*
comprender	*to understand*	**le**er	*to read*

Verbos que terminan en *-ir*

abrir	*to open*	**recib**ir	*to receive*
escribir	*to write*	**viv**ir	*to live*

To talk about daily or ongoing activities or actions, you need to use the present tense. You can also use the present tense to express future events.

Mario **lee** en la biblioteca.

Mario **lee** en la biblioteca mañana.

{ *Mario reads in the library.*
Mario is reading in the library.
Mario will read in the library tomorrow.

To form the present indicative, drop the **-ar, -er,** or **-ir** ending from the infinitive, and add the appropriate ending. The endings are in blue in the following chart. Follow this simple pattern with all regular verbs.

Estrategia

If you would like to review the difference between the formal "you" and the informal "you," return to the cultural reading *¿Tú o usted?* on page 12 of *Capítulo Preliminar A.*

	hablar (*to speak*)	**comer** (*to eat*)	**vivir** (*to live*)
yo	hablo	como	vivo
tú	hablas	comes	vives
Ud.	habla	come	vive
él, ella	habla	come	vive
nosotros/as	hablamos	comemos	vivimos
vosotros/as	habláis	coméis	vivís
Uds.	hablan	comen	viven
ellos/as	hablan	comen	viven

2-7 **Vamos a practicar** Take ten small pieces of paper and write a different noun or pronoun (**yo, tú, él,** etc.) on each one. On another five small pieces of paper write five infinitives, one on each piece of paper. Take turns drawing a paper from each pile. Give the correct form of the verb you selected to match the noun or pronoun you picked from the pile. Each person should say at least **five** verbs in a row correctly. ■

MODELO	INFINITIVE:	*preguntar*
	PRONOUN OR NOUN:	*mi madre*
	E1:	*mi madre pregunta*

2-8 **El email de Carlos** Complete Carlos's e-mail message to his mother using the correct form of the verbs in parentheses. ■

Enviar | Enviar más tarde | Guardar | Añadir ficheros | Responder | Responder a todos | Firma | Contactos | Nombres de control | Imprimir

Para: **Mamá**
De: **Carlos**
Asunto: **La universidad**

tamaño [medio] **B** *I* <u>U</u> **T**

Hola mamá:

¡Qué difícil es la universidad! Me gusta mucho pero (1) ____ (trabajar) mucho. Por ejemplo, mañana (2) ____ (tomar) un examen de biología. Ahora mismo (*Right now*) mi amigo Tim y yo (3) ____ (estudiar) en la biblioteca. Generalmente, cuando estudiamos juntos (*together*) (4) ____ (leer: nosotros) de nuevo (*again*) los capítulos y (5) ____ (hablar) de la información que la profesora (6) ____ (enseñar) en clase. Gracias a Tim, yo (7) ____ (comprender) casi (*almost*) todo. Todos los estudiantes (8) ____ (trabajar) mucho. Es curioso, sus padres (9) ____ (vivir) muy cerca de la tía Julia.

Bueno, es todo por ahora. (10) ____ (necesitar) terminar. ¿A qué hora (11) _____ (llegar) tú mañana para visitarme?

Hasta pronto,
Carlos

Carlos es estudiante de la UNAM. ¿Qué escribe?

Jack Hollingsworth/Photodisc/ Thinkstock

Workbooklet

 2-9 **Dime quién, dónde y cuándo** Look at the three columns below. Then, connect a pronoun to an activity, and then to a class, to create **five** sentences. Share your answers with a classmate. ■

| MODELO | E1: | *nosotros / usar un microscopio / clase de ciencias* |
| | E2: | Usamos un microscopio en la clase de ciencias. |

Fijate

Remember that subject pronouns (*yo, tú, él, ella,* etc.) are used for emphasis or clarification, and therefore do not always need to be expressed.

PRONOMBRE	ACTIVIDAD	CLASE
yo	preparar una presentación	matemáticas
nosotros/as	leer mucho	literatura
ellos/as	necesitar una calculadora	español
ella	estudiar leyes (*laws*)	periodismo
tú	escribir muchas composiciones	historia
Uds.	contestar muchas preguntas	derecho
él	aprender mucho	arquitectura

2-10 **¿A quién conoces que...?** Who do you know who displays the following characteristics? Complete the following questions. Then, take turns asking and answering in complete sentences to practice the new verbs. ■

MODELO　　¿Quién _____ (hablar) mucho?

　　　　E1:　*¿Quién habla mucho?*

　　　　E2:　*Mi hermano Tom habla mucho. También mis hermanas hablan mucho.*

1. ¿Quién _____ (correr) mucho?
2. ¿Quién _____ (estudiar) muy poco (*very little*)?
3. ¿Quién _____ (escribir) muchos emails?
4. ¿Quién _____ (llegar) siempre tarde a la clase?
5. ¿Quién _____ (abrir) su mochila?
6. ¿Quién _____ (usar) los apuntes de sus amigos?
7. ¿Quién _____ (comprender) todo (*everything*) cuando el/la profesor/a habla español?
8. ¿Quién _____ (creer) en Santa Claus?

---

4 GRAMÁTICA

 02-19 to 02-23　Spanish/English Tutorials

La formación de preguntas y las palabras interrogativas　Creating and answering questions

Asking yes/no questions

Yes/no questions in Spanish are formed in two different ways:

1. Adding question marks to the statement.

　Antonio habla español.　→　¿Antonio habla español?

　Antonio speaks Spanish.　　*Does Antonio speak Spanish?*
　　　　　　　　　　　　　　　　or Antonio speaks Spanish?

As in English, your voice goes up at the end of the sentence. Remember that written Spanish has an upside-down question mark at the beginning of a question.

2. Inverting the order of the subject and the verb.

　Antonio habla español.　→　¿Habla Antonio español?

　SUBJECT + VERB　　　　　　VERB + SUBJECT

　Antonio speaks Spanish.　　*Does Antonio speak Spanish?*

Antonio: ¿Cuántos idiomas hablas?
Silvia: Hablo dos, español y francés. ¿Y tú?
Antonio: Solo hablo español, pero mi loro habla cinco idiomas.

Answering yes/no questions

Answering questions is also like it is in English.

¿Habla Antonio español?　　　*Does Antonio speak Spanish?*
Sí, habla español.　　　　　*Yes, he speaks Spanish.*
No, no habla español.　　　　*No, he does not speak Spanish.*

Notice that in the negative response to the question above, both English and Spanish have two negative words.

Information questions

Information questions begin with interrogative words. Study the list of question words below and remember, accents are used on all interrogative words and also on exclamatory words: **¡Qué bueno!** (*That's great!*)

Las palabras interrogativas

¿Qué?	*What?*	**¿Qué** idioma habla Antonio?	*What language does Antonio speak?*
¿Por qué?	*Why?*	**¿Por qué** no trabaja Antonio?	*Why doesn't Antonio work?*
¿Cómo?	*How?*	**¿Cómo** está Antonio?	*How is Antonio?*
¿Cuándo?	*When?*	**¿Cuándo** es la clase?	*When is the class?*
¿Adónde?	*To where?*	**¿Adónde** va Antonio?	*(To) Where is Antonio going?*
¿Dónde?	*Where?*	**¿Dónde** vive Antonio?	*Where does Antonio live?*
¿De dónde?	*From where?*	**¿De dónde** regresa Antonio?	*Where is Antonio coming back from?*
¿Cuánto/a?	*How much?*	**¿Cuánto** estudia Antonio para la clase?	*How much does Antonio study for the class?*
¿Cuántos/as?	*How many?*	**¿Cuántos** idiomas habla Antonio?	*How many languages does he speak?*
¿Cuál?	*Which (one)?*	**¿Cuál** es su clase favorita?	*Which is his favorite class?*
¿Cuáles?	*Which (ones)?*	**¿Cuáles** son sus clases favoritas?	*Which are his favorite classes?*
¿Quién?	*Who?*	**¿Quién** habla cinco idiomas?	*Who speaks five languages?*
¿Quiénes?	*Who? (pl.)*	**¿Quiénes** hablan cinco idiomas?	*Who speaks five languages?*

Note that, although the subject is not always necessary, when it is included in the sentence it follows the verb.

 2-11 **¿Sí o no?** Take turns asking and answering the following yes/no questions in complete sentences. ■

MODELO   E1: ¿Estudias francés?

              E2: *Sí, estudio francés. / No, no estudio francés.*

1. ¿Hablas español?
2. ¿Estudias mucho?
3. ¿Aprendes mucho?
4. ¿Escribes mucho en clase?
5. ¿De dónde es tu profesor/a?
6. ¿Trabajas?
7. ¿Vives con tus padres?
8. ¿Lees muchas novelas?

 2-12 **Preguntas, más preguntas** With a partner, determine which interrogative word would elicit each of the following responses and create a question that would elicit each statement. ■

MODELO   E1: Estudio **matemáticas.**

              E2: *¿Qué estudias?*

Fíjate

Porque written as one word and without an accent mark means "because."

1. Martín estudia **en la sala de clase.**
2. Estudiamos español **porque es interesante.**
3. **Susana y Julia** estudian.
4. Estudian **entre las 7:00 y las 10:00 de la noche.**
5. Leen **rápidamente.**
6. Leo **tres libros.**

kaarsten/Shutterstock

 2-13 **¿Y tú?** Interview your classmates using the following questions about Spanish class. ■

MODELO	E1:	¿Cuántas sillas hay en la clase?
	E2:	*Hay veinte sillas.*

1. ¿Quién enseña la clase?
2. ¿Dónde enseña la clase?
3. ¿Quiénes hablan en la clase generalmente?
4. ¿Cuántos estudiantes hay en la clase?
5. ¿Qué libro(s) usas en la clase?
6. ¿Tomas muchos apuntes en la clase?
7. ¿Es la clase fácil o difícil?
8. ¿Trabajas mucho en la clase de español?

Vocabulario útil	
difícil	*difficult*
fácil	*easy*

Capítulo 1. La familia, pág. 32; El verbo *tener*, pág. 34; Los adjetivos descriptivos, pág. 43.

2-14 **¿Y tu familia o amigos?** Write **five** questions you could ask classmates about their families or friends, then move around the room asking those questions of as many people as possible. ■

MODELO	E1:	*¿Cómo se llaman tus padres? ¿Dónde viven tus abuelos?*
	E2:	*¿Cuántos hermanos tienes?...*

Creatista/Shutterstock

5 VOCABULARIO

02-24 to 02-27

Los números 100–1.000　Counting from 100–1,000

100	cien	200	doscientos	600	seiscientos
101	ciento uno	201	doscientos uno	700	setecientos
102	ciento dos	300	trescientos	800	ochocientos
116	ciento dieciséis	400	cuatrocientos	900	novecientos
120	ciento veinte	500	quinientos	1.000	mil

1. The conjuction **y** is used to connect only 31–39, 41–49, 51–59, 61–69, 71–79, 81–89, and 91–99.

   32 = treinta **y** dos, 101 = ciento uno, 151 = ciento cincuenta **y** uno

2. **Ciento** is shortened to **cien** before any noun.

   cien hombres　　　　　　**cien** mujeres

3. Multiples of **cientos** agree in number and gender with nouns they modify.

   doscientos estudiantes　　　**trescientas** jóvenes

4. Note the use of a decimal instead of a comma in **1.000**.

2-15 ¡Dinero! Take turns saying the following amounts of money aloud, in the currencies listed below. ■

Poprugin Aleksey/
Shutterstock

U.S. dollar (dólares) = USD

John Foxx/Stockbyte/Thinkstock

Euro (euros) = EUR

Matthew Ward/Dorling Kindersley

Mexican peso (pesos) = MXN

Honduran lempira (lempiras) = HNL

Comstock Images/Getty Images/Thinkstock

MODELO   E1: 325 USD

E2: *trescientos veinticinco dólares*

1. 110 USD
2. 415 MXN
3. 376 HNL
4. 822 EUR
5. 638 MXN
6. 544 USD
7. 763 HNL
8. 999 EUR

2-16 Vamos a adivinar On a popular TV show, *The Price is Right*, contestants must guess the prices of different items. Bring in **five** ads of items priced between $100 and $1,000 and cover the prices. In groups of three or four, take turns guessing the prices in U.S. dollars. The person who comes closest without going over the price wins each item! ■

Fíjate

If the item you are pricing is plural, the verb form will be *cuestan*.

MODELO   E1: *¿Cuesta* (It costs) *ciento cincuenta y cinco dólares?*

E2: *No.*

E1: *Cuesta ciento ochenta dólares.*

E2: *Sí.*

¿Cómo andas? I

	Feel confident	Need to review
Having completed **Comunicación I**, I now can . . .		
• share information about courses and majors (p. 62)	☐	☐
• indicate the stressed syllables in words (MSL/SAM)	☐	☐
• examine Hispanic university life (p. 64)	☐	☐
• describe my classroom and classmates (p. 65)	☐	☐
• relate daily activities (p. 67)	☐	☐
• create and answer questions (p. 70)	☐	☐
• count from 100–1,000 (p. 72)	☐	☐

Comunicación II

02-28 to 02-32

En la universidad   Elaborating on university places and objects

Los lugares

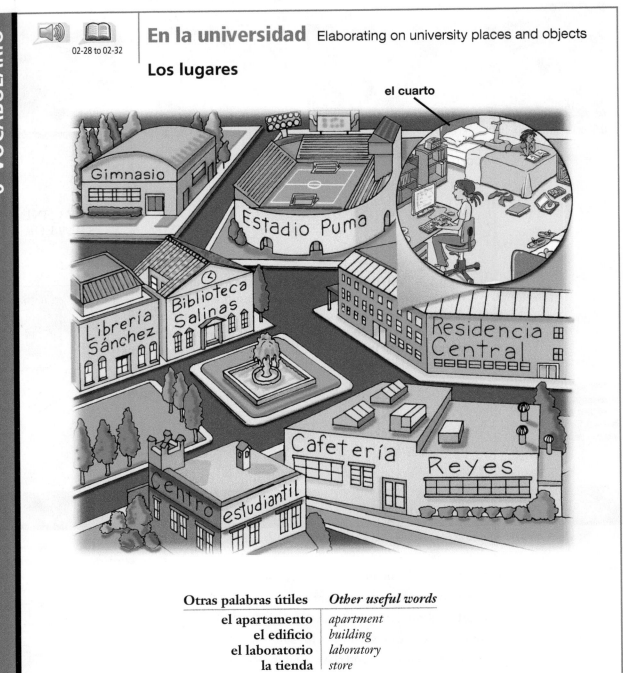

el cuarto

Otras palabras útiles	Other useful words
el apartamento	apartment
el edificio	building
el laboratorio	laboratory
la tienda	store

La residencia

el radio/la radio

el despertador

la compañera de cuarto

el reloj

la televisión

la computadora

los discos compactos (los CD)

la calculadora

el dinero

el DVD

Otras palabras útiles	Other useful words
el compañero de cuarto	*male roommate*
el horario (de clases)	*schedule (of classes)*
el reproductor de CD/DVD	*CD/DVD player*

2-17 **¡Lo sé!** Take turns choosing the word from the vocabulary list, **Los lugares,** that is associated with each of the following words. ■

MODELO   E1:   leer libros, estudiar

   E2:   *la biblioteca*

1. comer pasta y tomar café
2. comprar libros
3. jugar al básquetbol
4. hacer experimentos científicos

5. jugar al fútbol
6. Hancock Building, Chicago, IL
7. leer libros y estudiar
8. hablar con amigos

 2-18 **En mi cuarto...** Take turns telling your partner which items from the list **La residencia** you have in your room or where you live. Then say which items you do not have. ■

MODELO   E1:   *Tengo una calculadora, una computadora, un despertador...*

   E2:   *No tengo un radio, un reproductor de DVD...*

 2-19 **Datos personales** You are a foreign exchange student in Mexico, living with a family. Your Mexican little "brother" wants to know all about you! Answer his questions, which follow, then ask a classmate the same questions. ■

1. ¿De dónde eres?
2. ¿Qué estudias?
3. ¿Dónde estudias?
4. ¿Dónde comes?
5. ¿Dónde compras tus libros?

6. ¿Dónde vives?
7. ¿Qué necesitas para tu clase de español?
8. ¿Qué necesitas para una clase de matemáticas?
9. ¿Qué tienes en tu mochila?

7 GRAMÁTICA

02-33 to 02-37   Spanish Tutorial   ¡Hola!

¿Dónde está mi hijita?

Estoy aquí, papi, ¡en el armario!

El verbo *estar* Expressing *to be*

Another verb that expresses *to be* in Spanish is **estar**. Like **tener** and **ser, estar** is not a regular verb; that is, you cannot simply drop the infinitive ending and add the usual **-ar** endings.

estar (*to be*)			
Singular		**Plural**	
yo	**estoy**	nosotros/as	**estamos**
tú	**estás**	vosotros/as	**estáis**
Ud.	**está**	Uds.	**están**
él, ella	**está**	ellos/as	**están**

Ser and estar are not interchangeable because they are used differently. Two uses of estar are:

1. To describe the location of someone or something.

| Manuel **está** en la sala de clase. | *Manuel is in the classroom.* |
| Nuestros padres **están** en México. | *Our parents are in Mexico.* |

2. To describe how someone is feeling or to express a change from the norm.

| **Estoy** bien. ¿Y tú? | *I'm fine. And you?* |
| **Estamos** tristes hoy. | *We are sad today. (Normally we are upbeat and happy.)* |

 2-20 **¿Cuál es la palabra?** Take turns giving the correct form of estar for each subject. ■

| 1. nosotras | 3. tú | 5. yo |
| 2. el estudiante | 4. la pizarra | 6. los profesores |

 2-21 **Busco...** You are on campus and you want to know where you can find the following items, people, and places. Take turns creating questions to determine the location of each person or thing. Your partner provides a response using the correct form of **estar + en** (*in, on,* or *at*). ■

Estrategia

You have noted that the majority of the classroom activities are with a partner. So that each person has equal opportunities, one of you should do the even-numbered items in an activity, the other do the odd-numbered items.

MODELO   el mapa / libro

E1: *¿Dónde está el mapa?*

E2: *El mapa está en el libro.*

1. las calculadoras / la mochila	4. el despertador / la mesa
2. los apuntes / el cuaderno	5. yo / la residencia
3. tú / el laboratorio	6. mi amigo y yo / el centro estudiantil

 2-22 **¡Ahora mismo!** With a partner, determine what the following people may be doing, using the following verbs. ■

| aprender | comprar | comer | escribir | estudiar |
| hablar | leer | preparar | tomar | trabajar |

MODELO   E1: Marta está en la sala de clase.

E2: *Toma apuntes.*

1. Juan y Pepa están en la biblioteca.
2. Mi hermana está en la librería.
3. El profesor está en su casa.
4. Los estudiantes están en la cafetería.
5. María está en su apartamento.
6. Patricia está en el centro estudiantil.
7. Tú estás en el laboratorio.
8. Mi amiga y yo estamos en la clase de español.

2-23 **La clase de geografía** Take turns asking a partner in which countries the following capitals are located. ∎

MODELO   E1: *¿Dónde está Washington, D.C.?*

           E2: *Washington, D.C., está en los Estados Unidos.*

> **Fíjate**
>
> Knowledge of geography is increasingly important in our global community. Activity **2-23** presents an opportunity to review the countries and capitals of the Spanish-speaking world.

1. Madrid	6. Buenos Aires
2. México, D.F.	7. Santiago
3. Lima	8. Tegucigalpa
4. San Juan	9. Santo Domingo
5. La Paz	10. La Habana

8 VOCABULARIO

02-38 to 02-41

Las emociones y los estados
Articulating emotions and states of being

Chema/Gloria — Roberto/Mayra — Samuel/Tina — Ruy/Carmen — Memo/Eva

aburrido/a — **cansado/a** — **contento/a** — **enfermo/a** — **enojado/a**

Carlos/Patricia — Ramón/Raquel — Fernando/Silvia — Carlos/Rebeca

nervioso/a — **preocupado/a** — **triste** — **feliz**

2-24 **¿Cómo están?** Look at the drawings from *Las emociones y los estados* and take turns answering the following questions. ▪

MODELO   E1: ¿Cómo está Silvia?

E2: *Silvia está triste.*

1. ¿Cómo están Ruy y Carmen?
2. ¿Cómo está Roberto?
3. ¿Quién está preocupada?

4. ¿Quiénes están nerviosos?
5. ¿Cómo están Chema y Gloria?
6. ¿Cómo estás tú?

2-25 **¿Qué pasa?** Which adjectives from the drawings above best describe how you might feel in each of the following situations? Share your responses with a partner. ▪

MODELO   E1: recibes $1.000

E2: *Estoy contento/a.*

1. Estás en el hospital.
2. Tienes un examen muy difícil hoy.
3. Corres quince millas (*miles*).
4. Tu profesor de historia lee un libro por (*for*) una hora y quince minutos.
5. Esperas y esperas pero tu amigo no llega. (¡Y no te llama por teléfono!)
6. Sacas una "A" en tu examen de español.

2-26 **¿Dónde y cómo?** Together, look at the following drawings and determine where the people are, what they are doing, and how they might be feeling. ■

Tomás

Tina

Ana y Mirta

El profesor Martín y sus estudiantes

MODELO   E1:   El profesor Martín

E2:   *El profesor Martín está en la clase. Enseña matemáticas. Está contento.*

1. Tomás
2. Tina

3. Ana y Mirta
4. Los estudiantes del profesor Martín

  ¡Hola!
02-42 to 02-46   Spanish Tutorial

9 GRAMÁTICA

El verbo *gustar*   Conveying likes and dislikes

¿Te gusta el arte abstracto?

Fíjate

You can go back to page 25 in *Capítulo Preliminar A* for more information on *gustar*.

Estrategia

You may have noticed that there are two types of grammar presentations in *¡Anda! Curso elemental*:

1. You are given the grammar rule.
2. You are given guiding questions to help *you* construct the grammar rule, and to state the rule in your own words.

No matter which type of presentation, educational researchers have found it is *always* important for you to state the rules orally. Accurately stating the rules demonstrates that you are on the road to using the grammar concept(s) correctly in your speaking and writing.

To express likes and dislikes you say the following:

Me gusta la profesora.   *I like the professor.*
Me gustan las clases de idiomas.   *I like language classes.*
¿Te gustan las novelas de Sandra Cisneros?   *Do you like Sandra Cisneros's novels?*
Te gusta el arte abstracto.   *You like abstract art.*
No **le gust**a estudiar.   *He does not like to study.*

¡Explícalo tú!

1. To say you like or dislike one thing, what form of **gustar** do you use?
2. To say you like or dislike more than one thing, what form of **gustar** do you use?
3. Which words in the examples mean *I? You? He/she?*
4. If a verb is needed after **gusta/gustan**, what form of the verb do you use?

 To check your answers to the preceding questions, see at the end of this chapter.

2-27 **¿Qué te gusta?** Decide whether or not you like the following items, and share your opinions with a classmate. ■

MODELO   E1: las clases difíciles

E2: *(No) Me gustan las clases difíciles.*

1. el centro estudiantil
2. los sábados
3. vivir en un apartamento
4. la informática

5. aprender idiomas
6. la cafetería
7. correr
8. los libros de Harry Potter

 2-28 **Te toca a ti** Now change the cues from **2-27** into questions, and ask a different classmate to answer. ■

Estrategia

Remember, if you answer negatively, you will need to say *no* twice. If you need to review, check *La formación de preguntas* on page 70 of this chapter.

MODELO   E1: *¿Te gustan las clases difíciles?*

E2: *No, no me gustan las clases difíciles.*

10 VOCABULARIO

02-47 to 02-50

Los deportes y los pasatiempos
Offering opinions on sports and pastimes

Skylinephoto/Shutterstock

bailar

Stockbyte/Thinkstock

caminar

Jack Hollingsworth/Digital Vision/Thinkstock

escuchar música

Jupiterimages/Comstock/ Thinkstock

jugar al básquetbol

Donald Miralle/Lifesize/Thinkstock

jugar al béisbol

Comstock/Thinkstock

ir de compras

(continued)

Bikeriderlondon/Shutterstock

jugar al fútbol

Stockbyte/Thinkstock

jugar al fútbol americano

Stephen Mcsweeny/Shutterstock

jugar al golf

BananaStock/Thinkstock

montar en bicicleta

Digital Vision/Thinkstock

jugar al tenis

Stockbyte/Thinkstock

nadar

Poleze/Shutterstock

ver la televisión

Maridav/Shutterstock

patinar

Daria Minaeva/Shutterstock

tocar un instrumento

Jupiterimages/Brand X
Pictures/Thinkstock

tomar el sol

Otras palabras útiles	*Other useful words*
el equipo	*team*
hacer ejercicio	*to exercise*
la pelota	*ball*

Capítulo Preliminar A. Los días, los meses y las estaciones, pág. 20.

2-29 ¿En qué mes te gusta...? For a fan or a participant, sports and pastimes can be seasonal. ■

Paso 1 Make a list of the top **three** sports or pastimes you enjoy in the months listed below.

| enero | mayo | julio | octubre |

MODELO enero

1. patinar, 2. bailar, 3. tocar un instrumento

Paso 2 Circulate around the classroom and compare your preferences with those of your classmates. Do you see any trends?

MODELO E1: *¿Qué deportes y pasatiempos te gusta practicar más en enero?*

E2: *Me gusta patinar, bailar y tocar un instrumento.*

Stockbyte/Thinkstock

Workbooklet

2-30 ¿Cuánto te gusta? What activities do you enjoy in your spare time? Write **ten** activities in the chart and rank the sports and pastimes by placing a mark in the column that best describes your feeling toward the sport or pastime. What do you suppose **¡Lo odio!** means? Share your answers with your partner, following the model. ■

Fíjate

Remember that *gustar* is formed differently from regular verbs.

MODELO E1: *Me gusta mucho el fútbol.*

E2: *No me gusta patinar.*

	ME GUSTA MUCHO	ME GUSTA	NO ME GUSTA	¡LO ODIO!
1. el fútbol	X			
2. patinar			X	
3. ...				

Los deportes en el mundo hispano

02-51

El fútbol es el deporte más popular en el mundo hispanohablante. Sin embargo (*Nevertheless*), los hispanos participan en una gran variedad de actividades físicas y deportivas como el béisbol, el boxeo, el básquetbol (o baloncesto), el tenis, el vóleibol y el atletismo (*track and field*). España y los países latinoamericanos participan en los Juegos Olímpicos. Además (*Furthermore*), los países latinoamericanos, junto con Canadá y los Estados Unidos, participan en los Juegos Panamericanos que ocurren cada cuatro años, siempre un año antes de los Juegos Olímpicos.

Los deportes forman una parte importante de la vida universitaria, especialmente en la Universidad Nacional Autónoma de México (la UNAM). Además de contar con el equipo de fútbol Club Universidad Nacional, ofrecen (*they offer*) unas treinta y nueve disciplinas deportivas que incluyen los deportes mencionados y también el fútbol americano, el judo, el karate, el ciclismo, la natación, la lucha libre (*wrestling*) y más. Hay varios gimnasios, dos estadios, siete piscinas y muchas otras áreas para practicar estos deportes.

Los Juegos Panamericanos ocurren cada cuatro años.

John Gibson/AFP/Getty Images

Preguntas

1. What is the most important sport in the Spanish-speaking world?
2. Does your college/university offer the same sports as the UNAM? What are some differences?

Estrategia

Remember to use your reading strategy *"Recognizing cognates"* from *Capítulo 1* to assist you with this and all future reading passages.

2-31 **¿Eres activo/a?** Just how active are you? Complete the chart with activities that should, or do, occupy your time. Share your results with a partner. So . . . are you leading a well-balanced life? ■

Workbooklet

Vocabulario útil	
a menudo	*often*
a veces	*sometimes; from time to time*
nunca	*never*

A MENUDO	A VECES	NUNCA	NECESITO HACERLO (*DO IT*) MÁS
1.	1.	1.	1.
2.	2.	2.	2.
3.	3.	3.	3.
4.	4.	4.	4.
5.	5.	5.	5.

  2-32 **Tus preferencias** Select your **three** favorite sports and/or pastimes (**que más me gustan**) and then select your **three** least favorite (**que menos me gustan**) from **2-31**. ■

Workbooklet

Paso 1   Write your choices in the chart. Then, create **two** sentences summarizing your choices.

LOS DEPORTES/PASATIEMPOS QUE MÁS ME GUSTAN	LOS DEPORTES/PASATIEMPOS QUE MENOS ME GUSTAN
1. patinar	1.
2. bailar	2.
3. leer	3.

MODELO   *Los deportes o pasatiempos que más me gustan son patinar, bailar y leer. Los deportes o pasatiempos que menos me gustan son…*

Paso 2   Circulate around the classroom to find classmates with the same likes and dislikes as you. Follow the model. When you find someone with the same likes or dislikes, write his/her name in the chart that follows.

MODELO   E1: *¿Qué deporte o pasatiempo te gusta más?*

E2: *El deporte que me gusta más es el tenis.*

E1: *¿Qué deporte o pasatiempo te gusta menos?*

E2: *El pasatiempo que me gusta menos es ir de compras.*

LOS/LAS COMPAÑEROS/AS	EL DEPORTE/PASATIEMPO QUE MÁS LES GUSTA
1.	
2.	
3.	
LOS/LAS COMPAÑEROS/AS	**EL DEPORTE/PASATIEMPO QUE MENOS LES GUSTA**
1.	
2.	
3.	

Una conversación

02-52 to 02-53

2-33 **Antes de escuchar** In the following segment Eduardo, a university student and one of the characters from **Ambiciones siniestras,** is talking on the phone with his mother. Write a question you might possibly hear in their conversation. ■

 2-34 **A escuchar** Listen as Eduardo and his mother converse. ■

1. The first time you listen, concentrate on the questions she asks, noting key words and ideas.
2. In the second listening, focus on Eduardo's answers, again noting key words and ideas.
3. During the third listening determine whether these sentences are true (**T**) or false (**F**).
   a. Eduardo's mother calls Eduardo to see how he is doing.
   b. Eduardo does not have classes on Tuesday.
   c. Eduardo's mother ends the conversation abruptly.

Jack Hollingsworth/Photodisc/Thinkstock

La mamá de Eduardo escucha a su hijo.

 2-35 **Después de escuchar** In one sentence, what is the gist of their conversation? Share your sentence with a partner. ■

¡CONVERSEMOS!

02-54

 2-36 **La vida universitaria** Imagine that you are at a gathering on campus for exchange students from Mexico. Introduce yourself. ■

Jupiterimages/Comstock/Thinkstock

Paso 1　Create at least **five sentences** about you. Then create at least **five questions** to ask the person you are meeting. Include the following information:

- Introductions from *Capítulo Preliminar A* (p. 4)
- Vocabulary including majors, courses, professions, campus places, emotions and states of being, and sports and pastimes
- New –**ar, -er,** and **-ir** verbs from this chapter.

Paso 2　Take turns playing the roles of the student on your campus and the visiting Mexican student.

ESCRIBE

Una descripción

02-55

Estrategia

Creating sentences

You have been practicing speaking in sentences. Remember:

1. Basic sentences need:

   (subj.) + verb + (rest of the sent.)

2. A sentence can express a complete idea with just a verb form, e.g., *Corren*. Subjects clarify, e.g., *Ellos corren* or *Juan y Marta corren*.

3. To make a sentence negative, place **no** before the verb, e.g., *No nadamos*.

4. Make sure that your intended subject and verb ending agree, e.g., **yo** = **-o**, etc. *Yo corro.*

5. Make sure that adjectives agree with their corresponding nouns, e.g., *amigos inteligentes*.

2-37 **Antes de escribir** Imagine that you are applying for a job on campus—either to work in the library, the student center, or the athletic department. Make a list in Spanish of what makes you a viable applicant. ■

MODELO   (athletic department)

Lista: ✔ Me gustan los deportes; nado y corro muy bien.
          ✔ Soy buena estudiante, inteligente, creativa, organizada y trabajadora.
          ✔ Me gustan las cosas nuevas/las personas nuevas..

2-38 **A escribir** Using your list, create a personal description using the model. ■

MODELO   Tengo veinte años y soy buena estudiante. Soy organizada y trabajadora. Me gustan mucho...

2-39 **Después de escribir** Your instructor will collect the descriptions, and read some of them to the class. He/She may ask you to guess who wrote each one. ■

¿Cómo andas? II

	Feel confident	Need to review
Having completed **Comunicación II**, I now can . . .		
• elaborate on university places and objects (pp. 74–75)	☐	☐
• express *to be* (p. 76)	☐	☐
• articulate emotions and states of being (p. 79)	☐	☐
• convey likes and dislikes (p. 80)	☐	☐
• offer opinions on sports and pastimes (p. 81)	☐	☐
• compare and contrast sports (p. 84)	☐	☐
• glean the main idea (p. 86)	☐	☐
• communicate about university life (p. 86)	☐	☐
• craft a personal description (p. 87)	☐	☐
• engage in additional communication practice (SAM)	☐	☐

02-56 to 02-57

Les presento mi país

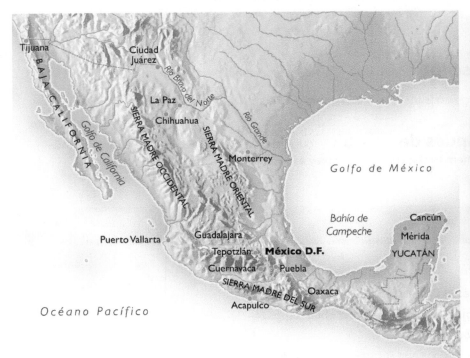

Mi nombre es Gabriela García Cordera y soy de Monte Albán, México. Soy una estudiante de la Universidad Nacional Autónoma de México (la UNAM) que está en la Ciudad de México. Vivo cerca de (*near*) la universidad con la familia de mi tía porque normalmente hay pocas residencias estudiantiles en las universidades y muchos estudiantes viven con sus parientes (*relatives*). La UNAM es la universidad más grande de México y de América Latina. **¿Cuántos estudiantes hay en tu universidad?** En la UNAM, tenemos un equipo de fútbol, los "Pumas". El fútbol es muy popular en mi país: es el pasatiempo nacional. **¿Qué deporte es muy popular en tu país?** Monte Albán está en el estado de Oaxaca, un centro famoso de artesanía. En particular, hay hojalatería (*tin work*), cerámicas de barro negro (*black clay*), cestería (*basket making*), fabricación de textiles y de alebrijes (*painted wooden animals*) y mucho más. **¿Qué tipo de artesanía hay en tu región?**

Jack Hollingsworth/Photodisc/Thinkstock

Gabriela García Cordera

csp/Shutterstock

La biblioteca de la Universidad Nacional Autónoma de México. La fachada tiene un mosaico de la historia de México.

csp/Shutterstock

En Oaxaca, un centro famoso de artesanía, venden alebrijes. Estas figuras de madera son una forma de arte popular.

Pixland/Thinkstock

El fútbol es el pasatiempo nacional del país.

SoloHielo/Shutterstock

El Palacio Nacional de Bellas Artes es un centro cultural muy importante de México.

Francesca Yorke/Dorling Kindersley

El tianguis de Tepotzlán en Morelia se instala los sábados y domingos con una variedad de artículos como comida y ropa.

ALMANAQUE

Nombre oficial: Estados Unidos Mexicanos
Gobierno: República federal
Población: 111.211.789 (2010)
Idiomas: español (oficial); maya, náhuatl
Moneda: peso mexicano ($)

¿Sabías que...?

- El origen del chicle (*gum*) es el látex del chicozapote (*sapodilla tree* en inglés), un árbol tropical de la península de Yucatán. Los mayas, tribu antigua y muy importante de Yucatán, usaban (*used*) el látex como chicle.
- La planta "cabeza de negro", del estado mexicano de Veracruz, forma la base del proceso para crear la cortisona y "la píldora", el contraceptivo oral.

Preguntas

1. What is the most popular sport in Mexico?
2. What is a "tianguis"? What do we have in the United States that is similar?
3. What are the origins of cortisone and the birth control pill?
4. What are some of the handcrafted items from Mexico? What are similar handcrafted items made in your region?
5. What are some differences between the UNAM and your school?

  Amplía tus conocimientos sobre México en MySpanishLab.

89

02-60

Ambiciones siniestras

EPISODIO 2

Lectura

Estrategia   Skimming

When you skim, or read quickly, you generally do so to capture the gist of the passage. Practice with skimming helps you learn to focus on main ideas in your reading.

2-40 **Antes de leer** In this episode you will discover more information about three of the university students who are among the six protagonists of the story, specifically Alejandra, Manolo, and Cisco. You will learn their complete names, where they are from, and some of their interests. ■

1. Note that there are a few key words in the reading passage you may not know. They are written below with their English equivalents and are listed in order of appearance. They are also boldfaced in the body of the reading.

la seguridad (-dad = -ty)	*security*
las solicitudes	*applications*
mientras	*while*
los ensayos	*essays*
el oeste	*west*
el noreste	*northeast*

Based on this list of words, can you begin to guess what the context of the reading will be?

2-41 **A leer** To boost your comprehension, it is helpful to skim the passage for the first reading and then ask yourself what key information you have learned. ■

1. Skim the first three paragraphs of this episode, then answer the following questions.
   a. What is the person doing?
   b. Do you think what he is doing is part of his job?
   c. How many students has he located so far?
2. Now skim the remaining paragraphs and write down key points for each paragraph.
3. Then, reread the entire episode, this time more carefully, to add details to those main ideas. Do not forget to take advantage of cognates like **prestigiosa** and **paciencia** to boost your comprehension.

90

Las solicitudes

in front of
at his side

Un hombre joven está enfrente de° su computadora. Trabaja impacientemente y con rapidez. A su lado° tiene unos papeles con unos códigos misteriosos.

Let's see

—A ver°. ¿Cómo paso por **la seguridad** de esta prestigiosa universidad? Ahhhh... sí. Paciencia. Ahora... para encontrar la lista de los estudiantes y sus **solicitudes**... Excelente. Es fácil dar con° jóvenes inteligentes, creativos e inocentes.

to find

El hombre lee **los ensayos** de las solicitudes de varios estudiantes, dos de una universidad del **oeste** y uno de una universidad del **noreste**. **Mientras** lee, habla.

—De la universidad del **oeste**:

far from

Alejandra Sánchez Torres. Es de San Antonio, Texas; está lejos de° su casa. Aquí habla mucho de su familia. Tiene muchos hermanos. Hmmm... le gusta pintar y escribir poesía. También le gusta viajar. ¡Perfecto! Y espera estudiar arte...

Manuel Rodríguez Ángulo. Manolo. Es de California, San Diego. Tiene cuatro hermanos... sus padres están divorciados. Le gustan todos los deportes, especialmente el fútbol americano. Es excelente estudiante también... desea especializarse en medicina.

De la universidad del **noreste**:

what a name!
so many / such

Francisco Quiroga Godoy, Cisco, es de familia hispana y vive en West Palm Beach. Cuando no estudia, trabaja en restaurantes, cafés y, ¡qué nombre!°, "El Golden Gal Day Spa". Con tantos° trabajos y tan° buenas notas debe ser un joven muy disciplinado. Especialidad: informática. Muy bien.

suspicious / to be interested in
does he want

A este hombre tan sospechoso°... ¿por qué le interesan° estos estudiantes? ¿Qué quiere° de ellos?

2-42 **Después de leer** Answer the following questions. ■

1. How many applications does the man review in this episode? Who are the students about whom he reads?

2. Complete the following chart:

PERSONAJE	¿DE DÓNDE ES?	¿FAMILIA?	¿POSIBLE ESPECIALIDAD?	¿ACTIVIDADES?
Alejandra				
Manolo				
Cisco				

3. According to the information in the previous chart, create sentences about the similarities and differences between Alejandra, Manolo, and Cisco.

91

Video

2-43 **Antes del video** In **Las solicitudes**, a suspicious man is reading information off the computer about three of our protagonists. In the second part of this episode you will watch him in video format as he continues to discover information about our characters. Before watching the episode, think about the possible answers to these questions: ■

1. Who is this person and why is he interested in Lupe, Cisco, Eduardo, Marisol, Manolo, and Alejandra?
2. What information could this man discover on the Internet about you?
3. What web sites could provide him with information about you?
4. What do you have in common with the characters so far?

Otras actividades: trabajar como voluntario en una organización de ayuda para niños.

Especialidad: periodismo e historia. Aficiones: jugar al básquetbol, nadar y correr.

¡Aquí comienza la aventura!

Episodio 2

«La aventura comienza»

Relax and watch the video, more than once if you choose; then answer the following questions.

2-44 **Después del video** Answer the following questions. ■

1. What Spanish adjectives best describe the man at the computer?
2. Where might he be? Is he alone?
3. Which characters is he investigating now? List two facts he discovers about each one.
4. What does he do with the information he gets?
5. What is he doing as the episode ends?

92

Y por fin, ¿cómo andas?

	Feel confident	Need to review
Having completed this chapter, I now can . . .		

Comunicación I

- share information about courses and majors (p. 62) ☐ ☐
- indicate the stressed syllables in words (MSL/SAM) ☐ ☐
- describe my classroom and classmates (p. 65) ☐ ☐
- relate daily activities (p. 67) ☐ ☐
- create and answer questions (p. 70) ☐ ☐
- count from 100–1,000 (p. 72) ☐ ☐

Comunicación II

- elaborate on university places and objects (pp. 74–75) ☐ ☐
- express *to be* (p. 76) ☐ ☐
- articulate emotions and states of being (p. 79) ☐ ☐
- convey likes and dislikes (p. 80) ☐ ☐
- offer opinions on sports and pastimes (p. 81) ☐ ☐
- glean the main idea (p. 86) ☐ ☐
- communicate about university life (p. 86) ☐ ☐
- craft a personal description (p. 87) ☐ ☐

Cultura

- examine Hispanic university life (p. 64) ☐ ☐
- compare and contrast sports (p. 84) ☐ ☐
- exchange information regarding Mexico (p. 88) ☐ ☐

Ambiciones siniestras

- skim a reading and note facts about the protagonists' lives (p. 90) ☐ ☐
- discover more about the protagonists (p. 92) ☐ ☐

Comunidades

- use Spanish in real-life contexts (SAM) ☐ ☐

VOCABULARIO ACTIVO

Las materias y las especialidades	Subjects and majors
la administración de empresas	business
la arquitectura	architecture
el arte	art
la biología	biology
las ciencias (*pl.*)	science
el curso	course
el derecho	law
los idiomas (*pl.*)	languages
la informática	computer science
la literatura	literature
las matemáticas (*pl.*)	mathematics
la medicina	medicine
la música	music
la pedagogía	education
el periodismo	journalism
la psicología	psychology
el semestre	semester

En la sala de clase	In the classroom
los apuntes (*pl.*)	notes
el bolígrafo	ballpoint pen
el borrador	eraser
el/la compañero/a de clase	classmate
la composición	composition
el cuaderno	notebook
el escritorio	desk
el/la estudiante	student
el examen	exam
el lápiz	pencil
el libro	book
el mapa	map
la mesa	table
la mochila	book bag; knapsack
el papel	paper
la pared	wall
la pizarra	chalkboard
el/la profesor/a	professor

la puerta	door
la sala de clase	classroom
la silla	chair
la tarea	homework
la tiza	chalk
la ventana	window

Los verbos	Verbs
abrir	to open
aprender	to learn
comer	to eat
comprar	to buy
comprender	to understand
contestar	to answer
correr	to run
creer	to believe
enseñar	to teach; to show
escribir	to write
esperar	to wait for; to hope
estar	to be
estudiar	to study
hablar	to speak
leer	to read
llegar	to arrive
necesitar	to need
preguntar	to ask (a question)
preparar	to prepare; to get ready
recibir	to receive
regresar	to return
terminar	to finish; to end
tomar	to take; to drink
trabajar	to work
usar	to use
vivir	to live

Las palabras interrogativas	Interrogative words

See page 70.

Los números 100–1.000	Numbers 100–1,000
See page 72.	

See page 72.

Los lugares	Places
el apartamento	apartment
la biblioteca	library
la cafetería	cafeteria
el centro estudiantil	student center; student union
el cuarto	room
el edificio	building
el estadio	stadium
el gimnasio	gymnasium
el laboratorio	laboratory
la librería	bookstore
la residencia estudiantil	dormitory
la tienda	store

La residencia	The dorm
la calculadora	calculator
el/la compañero/a de cuarto	roommate
la computadora	computer
el despertador	alarm clock
el dinero	money
el disco compacto (el CD)	compact disk
el DVD	DVD
el horario (de clases)	schedule (of classes)
el radio/la radio	radio
el reloj	clock; watch
el reproductor de CD/DVD	CD/DVD player
la televisión	television

Los deportes y los pasatiempos	Sports and pastimes
bailar	to dance
caminar	to walk
el equipo	team
escuchar música	to listen to music
hacer ejercicio	to exercise
ir de compras	to go shopping
jugar al básquetbol	to play basketball
jugar al béisbol	to play baseball
jugar al fútbol	to play soccer
jugar al fútbol americano	to play football
jugar al golf	to play golf
jugar al tenis	to play tennis
montar en bicicleta	to ride a bike
nadar	to swim
patinar	to skate
la pelota	ball
tocar un instrumento	to play an instrument
tomar el sol	to sunbathe
ver la televisión	to watch television

Otras palabras útiles	Other useful words
a menudo	often
a veces	sometimes; from time to time
difícil	difficult
fácil	easy
hay	there is; there are
nunca	never
pero	but
también	too; also
y	and

Emociones y estados	Emotions and states of being
aburrido/a	bored (with **estar**)
cansado/a	tired
contento/a	content; happy
enfermo/a	ill; sick
enojado/a	angry
feliz	happy
nervioso/a	upset; nervous
preocupado/a	worried
triste	sad

Answers to ¡Explícalo tú! (Inductive Grammar Answers)

9. El verbo gustar

1. To say you like or dislike one thing, what form of **gustar** do you use?
   gusta
2. To say you like or dislike more than one thing, what form of **gustar** do you use?
   gustan
3. Which words in the examples mean *I*? **(Me)** *You?* **(Te)** *He/she?* **(le)**
4. If a verb is needed after **gusta/gustan**, what form of the verb do you use?
   the infinitive form of the verb

También se dice...

Las materias y las especialidades/*Subjects and majors*

la agronomía *agriculture*
la antropología *anthropology*
el cálculo *calculus*
las ciencias políticas *political sciences*
las comunicaciones *communications*
la contabilidad *accounting*
la economía *economics*
la educación física *physical education*
la enfermería *nursing*
la filosofía *philosophy*
la física *physics*
la geografía *geography*
la geología *geology*
la historia *history*
la ingeniería *engineering*
la literatura comparada *comparative literature*
el mercadeo *marketing (Latin America)*
la mercadotecnia (el márketing) *marketing (Spain)*
la medicina del deporte *sports medicine*
la química *chemistry*
los servicios sociales *social work*
la sociología *sociology*
la terapia física *physical therapy*

En la sala de clase/*In the classroom*

el aula *classroom*
el/la alumno/a *student*
la bombilla *light bulb*
la cámara proyectora *overhead camera*
el cielorraso *ceiling*
el enchufe *wall socket*
el interruptor *light switch*
las luces *lights*
el ordenador *computer (Spain)*
la pantalla *screen*
el proyector *projector*

la prueba *test*
el pupitre *student desk*
el rotulador *marker*
el sacapuntas *pencil sharpener*
el salón de clase *classroom*
el suelo *floor*
la tarima *dais; platform*

Los verbos/*Verbs*

apuntar *to point*
asistir a clase *to attend class*
beber *to drink*
entrar *to enter*
entregar *to hand in*
mirar *to look; to observe*
prestar atención *to pay attention*
repasar *to review*
responder *to answer*
sacar *to take out*
sacar buenas/malas notas *to get good/bad grades*
tomar apuntes *to take notes*

Las palabras interrogativas/*Interrogative words*

¿Con cuánto/a/os/as? *With how many . . . ?*
¿Con qué? *With what . . . ?*
¿Con quién? *With whom . . . ?*
¿De dónde? *From where . . . ?*
¿De qué? *About what . . . ?*
¿De quién? *Of whom . . . ?*

Emociones y estados/*Emotions and states of being*

agotado/a *exhausted*
agradable *nice*
alegre *happy*
asombrado/a *amazed; astonished*
asqueado/a *disgusted*

También se dice...

asustado/a *scared*
deprimido/a *depressed*
desanimado/a *discouraged; disheartened*
disgustado/a *upset*
dormido/a *sleepy*
emocionado/a *moved; touched*
entusiasmado/a *delighted*
fastidiado/a *annoyed; bothered*
ilusionado/a *thrilled*
optimista *optimistic*
pesimista *pessimistic*
retrasado/a *late*
sonriente *smiling*
soñoliento/a *sleepy (Spain)*

Los lugares/*Places*

el apartamento estudiantil *student apartment*
el campo de fútbol *football field*
el campus *campus*
la cancha de tenis/baloncesto *tennis/basketball court*
la/s casa/s de hermandad/es *fraternity and sorority housing*
el centro comercial *mall*
el comedor estudiantil *student dining hall*
la habitación *room*
la matrícula *registration*
el museo *museum*
la oficina de consejeros *guidance/advising office*
el supermercado *supermarket*
el teatro *theater*

La residencia/*The dorm*

los bafles *speakers (Spain)*
el calendario *calendar*
la cama *bed*
el iPod *iPod*
el Internet *Internet*
las literas *bunkbeds*
la llave *memory stick*
la mesita de noche *nightstand*
el móvil *cell phone (Spain)*
la redacción/la composición *essay*
la tarjeta de crédito *credit card*
la tarjeta de identidad; el carnet *ID card*
los videojuegos *video games*

Los deportes y los pasatiempos/*Sports and pastimes*

cazar *to hunt*
conversar con amigos *to talk with friends*
escalar *to go mountain climbing*

esquiar *to ski*
estar en forma *to be in shape*
hablar por teléfono *to talk on the phone*
hacer alpinismo *to go hiking*
hacer footing *to go jogging (Spain)*
hacer gimnasia *to exercise*
hacer senderismo *to hike*
hacer pilates *to do Pilates*
hacer yoga *to do yoga*
ir al centro comercial *to go the mall; to go downtown*
ir a fiestas *to go to parties*
ir a un partido de... *to go to a ... game*
jugar al ajedrez *to play chess*
jugar al boliche *to bowl*
jugar al ráquetbol *to play racquetball*
jugar a videojuegos *to play video games*
levantar pesas *to lift weights*
ver videos *to watch videos*
montar a caballo *to go horseback riding*
pasear *to go out for a ride; to take a walk*
pasear en barco *to sail*
ir a navegar *to sail*
pescar *to fish*
practicar boxeo *to box*
practicar ciclismo *to cycle*
practicar lucha libre *to wrestle*
practicar las artes marciales *to do martial arts*
salir a cenar/comer *to go out to dinner/eat*
tirar un platillo volador *to throw a Frisbee*

Palabras asociadas con los deportes y los pasatiempos/*Words associated with sports and pastimes*

el/la aficionado/a *fan*
el bate *bat*
el campo *field*
los libros de...
    acción *action books*
    aventura *adventure books*
    cuentos cortos *short stories*
    ficción (ciencia-ficción) *fiction (science fiction)*
    horror *horror books*
    misterio *mystery books*
    romance *romance books*
    espías *spy books*
el palo de golf *golf club*
la pista *track*
la pista y el campo *track and field (Spain)*
la raqueta *racket*

Capítulo 3: Estamos en casa

3 Estamos en casa

From the most modern of skyscrapers, to Spanish colonial styles, to the variety of homes of indigenous populations, Hispanic architecture is as varied as the people who speak Spanish. **En los países hispanohablantes** (*Spanish-speaking countries*) **hay de todo.**

PREGUNTAS

1. Is there Spanish-inspired architecture in the region where you live?

2. Why is Spanish architecture so prevalent throughout North, Central, and South America?

3. How do geography and environment affect the design and construction of homes?

Carmona, España

Audrey Heining-Boynton

96

Comunicación I

1 VOCABULARIO

03-01 to 03-07

La casa Describing homes

el dormitorio

el techo

el altillo

el baño

el comedor

la cocina

el garaje

la escalera

la oficina

el balcón

la sala

el jardín

Otras palabras útiles	*Other useful words*
el cuarto	*room*
el piso	*floor; story*
la planta baja	*ground floor*
el primer piso	*second floor*
el segundo piso	*third floor*
el sótano	*basement*
el suelo	*floor*
el tercer piso	*fourth floor*

The letters *h*, *j*, and *g*

Go to MySpanishLab/Student Activities Manual to learn to pronounce the letters **h**, **j**, and **g**.

¡Hola!

03-08 to 03-11

Capítulo 2. *El verbo estar*, pág. 76.

   3-1 **¿Dónde están?** Miren (*Look at*) el dibujo (*drawing*) de la casa en la página 98 y túrnense (*take turns*) para decir dónde están los siguientes (*following*) cuartos. ∎

Workbooklet

In *Capítulo 3* many of the directions for the activities are written in Spanish. New words that appear in the directions will be translated for you the first time they are used. Keep a list of those words to refer to; it helps you increase your vocabulary.

MODELO E1: el garaje

E2: *El garaje está en la planta baja.*

The first floor, or ground floor, is generally called *la planta baja; el primer piso* actually refers to the second floor. What is the third floor called?

	EN LA PLANTA BAJA	EN EL PRIMER PISO	EN EL SEGUNDO PISO
la sala			
el baño			
el dormitorio			
la cocina			
la oficina			
el altillo			

Capítulo 2. Los deportes y los pasatiempos, pág. 81.

 3-2 **Las partes de la casa** Dile (*Tell*) a tu compañero/a en qué parte de la casa haces (*you do*) las siguientes actividades. ∎

MODELO estudiar

E1: *Yo estudio en la oficina. ¿Y tú?*

E2: *Yo estudio en mi dormitorio.*

1. hablar por teléfono
2. leer un libro
3. ver la televisión
4. organizar papeles
5. preparar enchiladas
6. tocar un instrumento
7. escuchar música
8. tomar el sol

3-3 **¿Y tu casa…?** Túrnense para describir sus casas (o la de un miembro de su familia o de un amigo) y compararlas con la casa de la página 98. Usen el modelo para crear por lo menos (*at least*) **cinco** oraciones (*sentences*). ∎

In the directions, words like *miren, túrnense, comparen,* and *usen* are plural—they refer to both you and your classmate.

MODELO *En la casa del dibujo, la sala está en la planta baja y mi sala está en la planta baja también. En la casa del dibujo, el dormitorio está en el segundo piso, pero mi dormitorio está en la planta baja. No tenemos un altillo…*

3-4 **Es una casa interesante...** Look at the following photos and together, create a short description of one of the houses. Imagine the interior, and the person(s) who may live there. Share your description with the class. ■

MODELO *La casa está en México y es grande y muy moderna. Tiene seis dormitorios, cuatro baños, una cocina grande y moderna, una sala grande y un balcón. Gastón y Patricia viven allí. Tienen tres hijos. Ellos trabajan en la ciudad…*

Vocabulario útil			
antiguo/a	*old*	**humilde**	*humble*
la calle	*street*	**moderno/a**	*modern*
el campo	*country*	**nuevo/a**	*new*
la ciudad	*city*	**tradicional**	*traditional*
contemporáneo/a	*contemporary*	**viejo/a**	*old*

1.

Oviedo, España

2.

México

3.

Guanajuato, México

4.

Cartagena, Colombia

5.

Las islas flotantes de los Uros, Perú

6.

Luarca, España

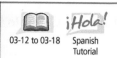

03-12 to 03-18   ¡Hola! Spanish Tutorial

Algunos verbos irregulares   Expressing actions

Necesito un apartamento para este semestre. ¿Qué hago?

¿Por qué no pones un anuncio en el periódico?

Estrategia

Memorizing information is easier to do when the information is arranged in chunks. You will notice that some of the *yo* forms end in *-go*, such as *salgo*, *traigo*, and *pongo*. Learning the information as a chunk of "*go*" verbs may make it easier to remember.

Look at the present tense forms of the following verbs. In the first group, note that they all follow the same patterns that you learned in **Capítulo 2** to form the present tense of regular verbs, *except* in the **yo** form.

Group 1

	conocer (*to be acquainted with*)	dar (*to give*)	hacer (*to do; to make*)	poner (*to put; to place*)
yo	conozco	doy	hago	pongo
tú	conoces	das	haces	pones
Ud.	conoce	da	hace	pone
él, ella	conoce	da	hace	pone
nosotros/as	conocemos	damos	hacemos	ponemos
vosotros/as	conocéis	dais	hacéis	ponéis
Uds.	conocen	dan	hacen	ponen
ellos/as	conocen	dan	hacen	ponen

Estrategia

Organize the new verbs you are learning in your notebook. Note whether each verb is regular or irregular, what it means in English, if any of the forms have accents, and if any other verbs follow this pattern. You might want to highlight or color code the verbs that follow patterns.

	salir (*to leave; to go out*)	traer (*to bring*)	ver (*to see*)
yo	salgo	traigo	veo
tú	sales	traes	ves
Ud.	sale	trae	ve
él, ella	sale	trae	ve
nosotros/as	salimos	traemos	vemos
vosotros/as	salís	traéis	veis
Uds.	salen	traen	ven
ellos/as	salen	traen	ven

In the second group, note that **venir** is formed similarly to **tener,** which you learned about in **Capítulo 1,** on p. 34.

Group 2

	venir (*to come*)
yo	vengo
tú	vienes
Ud.	viene
él, ella	viene
nosotros/as	venimos
vosotros/as	venís
Uds.	vienen
ellos/as	vienen

In the third group of verbs, note that all of the verb forms have a spelling change except in the **nosotros** and **vosotros** forms.

Group 3

	decir (*to say; to tell*)	**oír** (*to hear*)	**poder** (*to be able to*)	**querer** (*to want; to love*)
yo	digo	oigo	puedo	quiero
tú	dices	oyes	puedes	quieres
Ud.	dice	oye	puede	quiere
él, ella	dice	oye	puede	quiere
nosotros/as	decimos	oímos	podemos	queremos
vosotros/as	decís	oís	podéis	queréis
Uds.	dicen	oyen	pueden	quieren
ellos/as	dicen	oyen	pueden	quieren

3-5 La ruleta How competitive are you? Listen as your instructor explains how to play this fast-paced game designed to practice the new verb forms. When you finish with this list, repeat the activity with different verbs and include **estar, ser,** and **tener.** ■

Capítulo Preliminar A. El verbo *ser,* pág. 13; Capítulo 1. El verbo *tener,* pág. 34; Capítulo 2. El verbo *estar,* pág. 76.

1. traer
2. hacer
3. oír

4. querer
5. conocer
6. dar

7. decir
8. venir
9. poder

10. poner
11. ver
12. salir

 3-6 Combinaciones Forma oraciones lógicas combinando los elementos de las dos columnas. Compara tus oraciones con las de tu compañero/a (*with those of your partner*). ■

1. _____ Hoy mis hermanos…
2. _____ Mis amigos y yo…
3. _____ Mi abuelo…
4. _____ Quiero…
5. _____ Mi perro (*dog*)…
6. _____ Mi profesor/a…
7. _____ Yo…
8. _____ Tú…

a. pone sus recuerdos (*mementos*) en el altillo.
b. conoce bien la arquitectura de España.
c. oigo música en la sala.
d. hacemos fiestas en el jardín.
e. ves la televisión en tu dormitorio.
f. no pueden salir de casa.
g. una casa con dos pisos, tres baños y un garaje.
h. siempre viene a la cocina para comer.

 3-7 Otras combinaciones Completa los siguientes pasos. ■

Paso 1 Escribe una oración lógica con cada (*each*) verbo, combinando elementos de las tres columnas.

MODELO (A) nosotros, (B) hacer, (C) la tarea en el dormitorio
Nosotros hacemos la tarea en el dormitorio.

COLUMNA A
Uds.
mamá y papá
yo
tú
el profesor
nosotros/as
ellos/ellas

COLUMNA B
(no) hacer
(no) ver
(no) conocer
(no) oír
(no) querer
(no) salir
(no) traer

COLUMNA C
estudiar en el balcón
programas interesantes en la televisión los domingos
de la casa
la tarea en el dormitorio
los libros al segundo piso
ruidos (*noises*) en el altillo por la noche
bien el arte de España

Paso 2 En grupos de tres, lean las oraciones y corrijan (*correct*) los errores.

Paso 3 Escriban juntos (*together*) **dos** oraciones nuevas y compártanlas (*share them*) con la clase.

Capítulo 2. La formación de preguntas y las palabras interrogativas, pág. 70.

 3-8 **Confesiones** Time for true confessions! Take turns asking each other how often you do the following things. ∎

| siempre (*always*) | a menudo (*often*) | a veces (*sometimes*) | nunca (*never*) |

MODELO   venir tarde (*late*) a la clase de español

E1: *¿Vienes tarde a la clase de español?*

E2: *Nunca vengo tarde a la clase de español. ¿Y tú?*

E1: *Yo vengo tarde a veces.*

1. querer estudiar
2. oír lo que (*what*) dice tu profesor/a
3. poder contestar las preguntas de tu profesor/a de español
4. escuchar música en la clase de español

5. hacer preguntas tontas en clase
6. traer tus libros a la clase
7. salir temprano (*early*) de tus clases
8. querer comer en la sala para ver la televisión

 3-9 **Firma aquí** Complete the following steps. ∎

Workbooklet

Paso 1   Circulate around the room, asking your classmates appropriate questions using the cues provided. Ask those who answer **sí** to sign on the corresponding line in the chart.

MODELO   venir a clase todos los días

E1: *Roberto, ¿vienes a clase todos los días?*

E2: *No, no vengo a clase todos los días.*

E1: *Amanda, ¿vienes a clase todos los días?*

E3: *Sí, vengo a clase todos los días.*

E1: *Muy bien. Firma aquí, por favor.* ___Amanda___

Mark Hayes/Shutterstock

> **Fíjate**
>
> Part of the enjoyment of learning another language is getting to know other people. Your instructor structures your class so that you have many opportunities to work with different classmates.

¿QUIÉN... ?	
1. ver la televisión todas las noches	_____
2. hacer la tarea siempre	_____
3. salir con los amigos los jueves por la noche	_____
4. estar enfermo/a hoy	_____
5. conocer Madrid	_____
6. poder estudiar con música fuerte (*loud*)	_____
7. querer ser arquitecto	_____
8. tener una nota muy buena en la clase de español	_____

Paso 2   Report some of your findings to the class.

MODELO   *Joe ve la televisión todas las noches. Toni siempre hace la tarea. Chad está enfermo hoy…*

3-10 **Entrevista** Complete the following steps. ■

Paso 1 Ask a classmate you do not know the following questions. Then change roles.

1. ¿Haces ejercicio? ¿Con quién? ¿Dónde?
2. ¿Cuándo ves la televisión? ¿Cuál es tu programa favorito?
3. ¿Con quién(es) sales los fines de semana (*weekends*)? ¿Qué hacen ustedes?
4. ¿Qué días vienes a la clase de español? ¿A qué hora?
5. ¿Dónde pones tus libros?
6. ¿Siempre dices la verdad?

Paso 2 Share a few of the things you have learned about your classmate with the class.

MODELO *Mi compañero sale los fines de semana con sus amigos y no hace ejercicio.*

NOTA CULTURAL

¿Dónde viven los españoles?

03-19

En Madrid, la capital de España, al igual que en Barcelona, una ciudad cosmopolita en el noreste del país, la vida es tan rápida y vibrante como en la ciudad de Nueva York y otras grandes ciudades. Muchas personas viven en pisos (apartamentos) en edificios grandes, mientras que muchas otras viven ahora en las afueras (*outskirts*) en complejos (grupos) de casas llamados "urbanizaciones", y van a la ciudad para trabajar. Para muchas personas, el costo de vivir en los centros urbanos resulta demasiado caro. Para otras, es preferible vivir donde la vida es un poco más tranquila y tener algo de naturaleza (*nature*) cerca de su vivienda.

D. Heining-Boynton, HBPHOTOPRO.COM

Sin embargo (*Nevertheless*), en los pueblos pequeños y en el campo la vida es diferente. Generalmente, las casas son bajas y algunas (*some*) tienen corrales con animales. Muchas personas se dedican a la agricultura y la vida es más lenta (*slow*).

Preguntas

1. ¿Dónde viven generalmente las personas que residen en Barcelona y en Madrid? ¿Qué es una "urbanización"?
2. ¿Cómo es diferente la vida en el campo?
3. ¿Dónde prefieres vivir tú, en el campo o en la ciudad?

D. Heining-Boynton,
HBPHOTOPRO.COM

3 VOCABULARIO

03-20 to 03-25

Los muebles y otros objetos de la casa
Elaborating on rooms

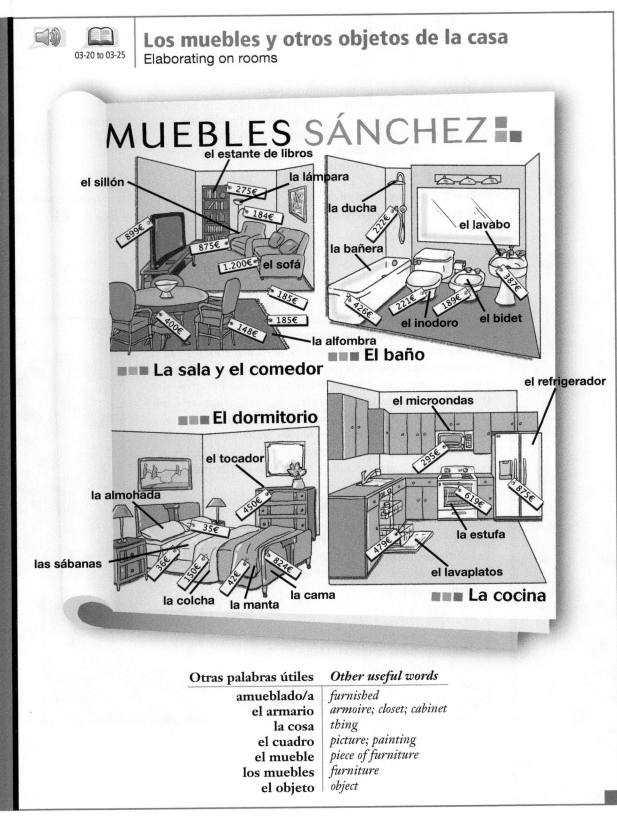

MUEBLES SÁNCHEZ

- el estante de libros 275€
- el sillón
- la lámpara
- 184€
- 899€
- 875€
- 1.200€ el sofá
- 185€
- 400€
- 148€
- 185€
- la alfombra

■■■ **La sala y el comedor**

- la ducha
- 222€
- la bañera
- el lavabo
- 387€
- 426€
- 221€
- 189€
- el inodoro
- el bidet

■■■ **El baño**

■■■ **El dormitorio**

- el tocador
- la almohada
- 450€
- 35€
- las sábanas
- 36€
- 150€
- 42€
- 824€
- la colcha
- la manta
- la cama

- el microondas
- el refrigerador
- 295€
- 619€
- 875€
- 479€
- la estufa
- el lavaplatos

■■■ **La cocina**

Otras palabras útiles	Other useful words
amueblado/a	*furnished*
el armario	*armoire; closet; cabinet*
la cosa	*thing*
el cuadro	*picture; painting*
el mueble	*piece of furniture*
los muebles	*furniture*
el objeto	*object*

Capítulo 1. El verbo
tener, pág. 34.

3-11 En mi casa Túrnense para describir qué muebles y objetos tienen en sus casas. ■

MODELO   E1:   *Yo tengo una cama y dos sillas en mi dormitorio. ¿Qué tienes tú?*

            E2:   *Yo tengo una cama, un cuadro, una lámpara y una televisión. ¿Qué tienes en tu cocina?*

3-12 El dormitorio de Cecilia Mira (*Look at*) la foto y con un/a compañero/a determina dónde está cada objeto. ■

HamsterMan/Shutterstock

Fíjate

The preposition *de* combines with the masculine definite article *el* to form the contraction *del*. The feminine article *la* does not contract. Note the following examples.

El tocador está a la derecha **de la** puerta.	*The dresser is to the right of the door.*
El tocador está a la derecha **del** armario.	*The dresser is to the right right of the closet.*

MODELO   E1:   ¿Dónde están los cuadros?

            E2:   *Los cuadros están en las paredes; uno está sobre la cama y otro está sobre un mueble.*

¿Dónde está(n)…?

1. la cama
2. el armario
3. las lámparas
4. la alfombra
5. la puerta

Vocabulario útil	
a la derecha (de)	*to the right (of)*
a la izquierda (de)	*to the left (of)*
al lado (de)	*beside*
encima (de)	*on top (of)*
sobre	*on; on top (of); over*

Capítulo 2. El verbo *gustar*, pág. 80.

 ¿Quieres una casa estupenda? You have received a grant to study abroad in Sevilla, Spain! Now you need to find a place to live. Look at the three apartment ads below, and select one of them. Give your partner at least **three** reasons for your choice. Use expressions like **Me gusta(n)…** or **Tiene un/una…** Be creative! ■

MODELO   *Me gusta el edificio nuevo y tiene muebles. No me gustan…*

> Piso. Plaza de Cuba, Los Remedios. Edificio nuevo: dos dormitorios, baño, cocina, sala grande y balcón. Amueblado. 750€ al mes. Tel. 95 446 04 55.

> Piso. Colonia San Luis. Sala, cocina, dormitorio y baño. Sin muebles. 400€ al mes. Tel. 95 448 85 32.

> Alquilo piso de lujo en casa patio rehabilitada del siglo XVIII. Dos plantas, sala, cocina con zona de comedor, baño y dormitorio. Totalmente amueblado (junto a la Plaza Nueva, a dos minutos de la Catedral, Alcázar). Para más información por favor ponte en contacto con Teresa Rivas. Tel. 95 422 47 03.

¿Cómo andas? I

	Feel confident	Need to review
Having completed **Comunicación I,** I now can . . .		
• describe homes (p. 98)	☐	☐
• pronounce the letters **h, j,** and **g** (MSL /SAM)	☐	☐
• express actions (p. 101)	☐	☐
• relate general differences in housing in Spain (p. 105)	☐	☐
• elaborate on rooms (p. 106)	☐	☐

Comunicación II

03-26 to 03-29

Los quehaceres de la casa
Sharing information about household chores

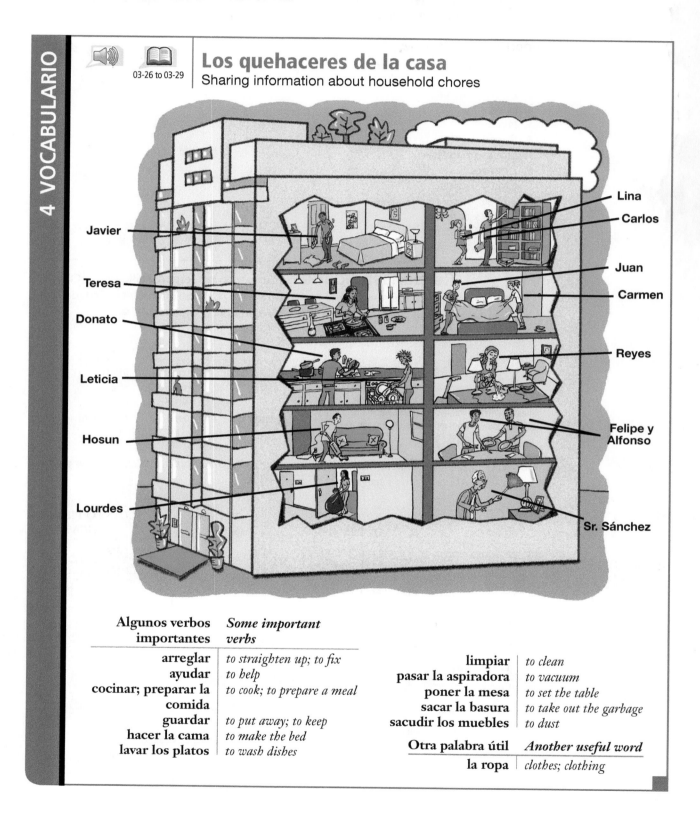

Algunos verbos importantes	*Some important verbs*		**limpiar**	*to clean*
arreglar	*to straighten up; to fix*		**pasar la aspiradora**	*to vacuum*
ayudar	*to help*		**poner la mesa**	*to set the table*
cocinar; preparar la comida	*to cook; to prepare a meal*		**sacar la basura**	*to take out the garbage*
guardar	*to put away; to keep*		**sacudir los muebles**	*to dust*
hacer la cama	*to make the bed*		**Otra palabra útil**	*Another useful word*
lavar los platos	*to wash dishes*		**la ropa**	*clothes; clothing*

3-14 **¡Mucho trabajo!** Mira el dibujo en la página 109 y con un/a compañero/a determina qué hacen las siguientes personas. ∎

MODELO   E1:   *Carmen*

                E2:   *Carmen hace la cama.*

1. El Sr. Sánchez
2. Hosun
3. Javier
4. Reyes
5. Donato y Leticia
6. Lourdes
7. Lina y Carlos
8. Teresa
9. Felipe y Alfonso
10. Juan y Carmen

Workbooklet

 3-15 **Responsabilidades** ¿Cuáles son tus responsabilidades? ¿Cuánto tiempo dedicas a (*do you devote to*) estas tareas? ¿Cuándo? Completa el cuadro y comparte (*share*) oralmente tu información con un/a compañero/a. ∎

Fíjate

The expression *tener que* + infinitive means "to have to do" something. *¿Qué tienes que hacer?* means "What do you have to do?" Later in this chapter you will learn more expressions with *tener*.

Vocabulario útil	
desordenado/a	*messy*
limpio/a	*clean*
sucio/a	*dirty*
tener que + (*infinitive*)	*to have to + (verb)*

MODELO   *Tengo que limpiar mi dormitorio y sacar la basura los lunes. Dedico dos horas porque está muy sucio y tengo mucha basura.*

LUGAR	¿QUÉ TIENES QUE HACER?	¿CUÁNDO?	¿CUÁNTO TIEMPO DEDICAS?
1. mi dormitorio	limpiar mi dormitorio y sacar la basura	el lunes	dos horas
2. el baño			
3. la cocina			
4. la sala			
5. el garaje			
6. el comedor			

5 VOCABULARIO

03-30 to 03-33

Los colores Illustrating objects using colors

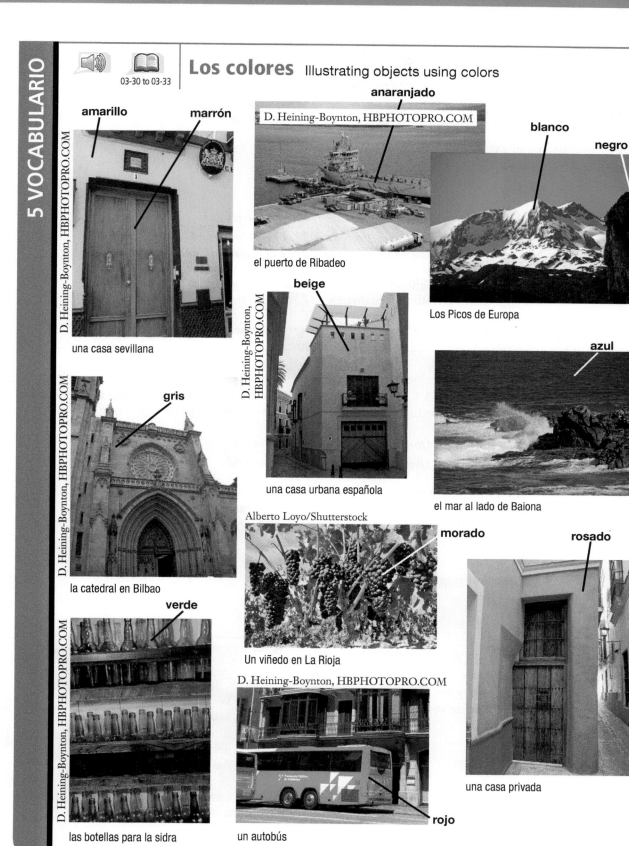

D. Heining-Boynton, HBPHOTOPRO.COM

amarillo **marrón**

una casa sevillana

gris

D. Heining-Boynton, HBPHOTOPRO.COM

la catedral en Bilbao

verde

D. Heining-Boynton, HBPHOTOPRO.COM

las botellas para la sidra

anaranjado

D. Heining-Boynton, HBPHOTOPRO.COM

el puerto de Ribadeo

beige

D. Heining-Boynton, HBPHOTOPRO.COM

una casa urbana española

Alberto Loyo/Shutterstock

Un viñedo en La Rioja

D. Heining-Boynton, HBPHOTOPRO.COM

rojo

un autobús

blanco **negro**

D. Heining-Boynton, HBPHOTOPRO.COM

Los Picos de Europa

azul

D. Heining-Boynton, HBPHOTOPRO.COM

el mar al lado de Baiona

morado **rosado**

D. Heining-Boynton, HBPHOTOPRO.COM

una casa privada

Colors are descriptive adjectives, and as such, they must agree with the nouns they describe in number and gender.

Fíjate

You learned in *Capítulo 1* (p. 30) that adjectives normally follow nouns in Spanish: e.g., el coche *rojo*.

- Adjectives ending in **-o** have four forms.

  rojo   roja   rojos   rojas

- Adjectives ending in a vowel other than **-o,** or in a consonant, have two forms.

  verde   verdes

  azul   azules

¿De qué color es...?	What color is . . . ?
La casa es blanca y tiene un techo rojo.	*The house is white and has a red roof.*
Las casas son blancas y tienen techos rojos.	*The houses are white and have red roofs.*
Tengo un armario marrón.	*I have a brown armoire.*
Tengo una alfombra marrón.	*I have a brown rug.*
Tengo dos sillones marrones.	*I have two brown armchairs.*

How would you say "a black refrigerator," "a white sofa," "a green kitchen," and "some yellow chairs?"

 3-16 **La casa ideal** Termina (*Finish*) las siguientes oraciones para describir tu casa ideal, incluyendo los colores. Comparte tus respuestas con un/a compañero/a. ▪

MODELO   E1: *Quiero una casa con...*   *una cocina...*

              E2: *Quiero una casa con una cocina amarilla.*

Quiero una casa con...

1. una alfombra…
2. una bañera…
3. un inodoro y un lavabo…
4. un refrigerador…
5. un comedor…
6. unos sillones…
7. un techo…
8. ¿?

 Capítulo Preliminar A. El verbo *ser,* pág. 13; Capítulo 1. El verbo *tener,* pág. 34.

 3-17 **¿Cómo son?** Túrnense para comparar la sala de Luis con la tuya (*yours*) o la sala de un/a amigo/a. Usen los verbos **ser** y **tener.** ▪

MODELO   E1: *Luis tiene una sala grande, pero yo tengo una sala pequeña.*

              E2: *La sala de Luis es grande y mi sala es grande también.*

La sala de Luis

D. Heining-Boynton, HBPHOTOPRO.COM

3-18 Buena memoria Bring in colorful pictures of a house or rooms in a house. Select one picture and take a minute to study it carefully. Turn it over and relate to a partner as much detail as you can remember about the picture, especially pertaining to colors. Then listen to your partner talk about his or her picture. Who remembers more? ■

3-19 En la casa de Dalí Go to the Internet to take a virtual tour of the home of a famous Spaniard, such as the house of the famous artist Salvador Dalí, the Castillo Gala Dalí in Púbol, Spain. While you are exploring his house, or the house of another Spaniard, answer the following questions. Then compare your answers with those of a classmate. ■

D. Heining-Boynton, HBPHOTOPRO.COM

1. ¿Qué ves en el jardín?
2. ¿Qué muebles ves o imaginas en cada cuarto?
3. ¿Cuáles son los colores principales de cada cuarto?
4. ¿Qué te gusta más de esta casa? ¿Qué te gusta menos?

El Castillo Gala Dalí

6 GRAMÁTICA

03-34 to 03-37

Algunas expresiones con *tener*
Depicting states of being using *tener*

The verb **tener**, besides meaning *to have*, is used in a variety of expressions.

Susana tiene 19 años.

tener... años	to be . . . years old
tener calor	to feel hot
tener cuidado	to be careful
tener éxito	to be successful
tener frío	to be cold
tener ganas de + (*infinitive*)	to feel like + (*verb*)
tener hambre	to be hungry
tener miedo	to be afraid
tener prisa	to be in a hurry
tener que + (*infinitive*)	to have to + (*verb*)
tener razón	to be right
tener sed	to be thirsty
tener sueño	to be sleepy
tener suerte	to be lucky
tener vergüenza	to be embarrassed

Fíjate

You have learned that adjectives in Spanish, like the color *amarillo*, have four forms (masculine singular, feminine singular, masculine plural, feminine plural). When you use expressions like *tener frío* or *tener éxito*, you do not change the *o* of *frío* or *éxito* to make it feminine or plural.

—Mamá, **tengo hambre.** ¿Cuándo comemos?
—**Tienes suerte,** hijo. Salimos para el restaurante Tío Tapas en diez minutos.

Mom, I'm hungry. When are we eating?
You are lucky, son. We are leaving for Tío Tapas Restaurant in ten minutes.

3-20 **¿Qué pasa?** Mira los dibujos y, con un/a compañero/a, crea una oración para cada persona. Usa expresiones con **tener.** ■

MODELO

Susana tiene 19 años.

Rosario   Alicia

Beatriz   Julián

Pilar

Jorge   Ramón   Roberto

Carmen   David

 3-21 **¿Qué haces cuando…?** ¿Qué haces en casa en las siguientes situaciones? Contesta combinando los elementos de las dos columnas de la forma más lógica. Compara tus respuestas con las de un/a compañero/a. ■

MODELO   E1: tener ganas de descansar   ver la televisión

E2: *Cuando tengo ganas de descansar, veo la televisión.*

Cuando…

1. _____ tener hambre
2. _____ tener suerte
3. _____ tener cuidado
4. _____ tener prisa
5. _____ tener frío
6. _____ tener éxito
7. _____ tener sed
8. _____ tener ganas de descansar

a. estar muy feliz
b. preparar comida en la cocina
c. hacer una limonada
d. no tener que limpiar la casa
e. ver la televisión
f. salir rápidamente en mi carro
g. no hacer errores
h. tomar el sol en el jardín

Capítulo Preliminar A. Los días, los meses y las estaciones, pág. 20; Capítulo 2. Presente indicativo de verbos regulares, pág. 67.

 3-22 **¿Qué tengo yo?** Expresa cómo te sientes (*you feel*) en las siguientes ocasiones usando (*using*) expresiones con **tener.** Compara tus respuestas con las de un/a compañero/a. ◼

MODELO E1: antes de comer

E2: *Antes de comer tengo hambre.*

1. temprano en la mañana
2. los viernes por la tarde
3. después de correr mucho
4. en el verano
5. en el invierno

6. cuando tienes tres minutos para llegar a clase
7. cuando sacas una "A" en un examen
8. cuando lees un libro de Stephen King o ves una película (*movie*) de terror

 3-23 **Pobre Pablo** Poor Pablo, our friend from Madrid, is having one of those days! With a partner, retell his story using **tener** expressions. ◼

MODELO

El despertador de Pablo no funciona (*does not work*). Tiene una clase a las 8:00 y es tarde. Sale de casa a las 8:10.

Pablo tiene prisa.

1. Es invierno y Pablo no tiene abrigo (*coat*).

2. Pablo tiene un insuficiente (60% en los Estados Unidos) en un examen.

3. Pablo recibe una oferta (*offer*) de trabajo increíble.

4. Pablo ve que no tiene dinero para comer.

5. Pablo está en casa y quiere una botella de agua. En el refrigerador no hay ninguna (*none*).

3-24 Datos personales Túrnense para hacerse esta entrevista (*interview*). ∎

1. ¿Cuántos años tienes?
2. ¿Qué tienes que hacer hoy?
3. ¿Tienes ganas de hacer algo diferente? ¿Qué?
4. ¿En qué clase tienes sueño?
5. ¿En qué clase tienes mucha suerte?
6. ¿Siempre tienes razón?
7. ¿Cuándo tienes hambre?
8. ¿Cuándo tienes sueño?
9. Cuando tienes sed, ¿qué tomas?
10. ¿En qué tienes éxito?

7 VOCABULARIO

03-38 to 03-42

Los números 1.000–100.000.000
Counting from 1,000 to 100,000,000

1.000	mil	**100.000**	cien mil
1.001	mil uno	**400.000**	cuatrocientos mil
1.010	mil diez	**1.000.000**	un millón
2.000	dos mil	**2.000.000**	dos millones
30.000	treinta mil	**100.000.000**	cien millones

1. **Mil** is never used in the plural form when counting.

   mil   dos mil   tres mil

   > **Fíjate**
   > To express "a/one thousand," use *mil*. Do not use the word *un* with *mil*.

2. To state numbers in the thousands (such as the following dates), use mil, followed by hundreds in the masculine form (if needed).

   1492   mil cuatrocientos noventa y dos
   1950   mil novecientos cincuenta
   2012   dos mil doce

3. The plural of **millón** is **millones** and when followed by a noun, both take the preposition **de**.

   un millón de autos   cinco millones de personas

   > **Fíjate**
   > Note that *millón* has an accent mark in the singular form but loses the accent mark in the plural form, *millones*.

4. **Cien** is used before **mil** and **millones (de).**

   cien mil euros   cien millones de euros

5. Decimals are used instead of commas in some Hispanic countries to group three digits together, and commas are used to replace decimals.

   1.000.000 (un millón) $2.000,00 (dos mil dólares)

3-25 ¿Cuánto cuesta? Look at the ads for houses in Spain. Take turns asking for the price and other details for each of the houses. ■

MODELO
E1: *¿Cuánto cuesta la casa en Carmona?*
E2: *Cuesta ochocientos noventa y cinco mil euros.*
E1: *¿Cuántos dormitorios tiene?*
E2: *Tiene dos dormitorios.*

Casa en venta

2 dormitorios,
2 baños,
calefacción,
aire acondicionado.

Cerca de la calle
Santa Ana.

Carmona, España.

Precio: 895.000€   Tel: (+34) 954 190 576

D. Heining-Boynton, HBPHOTOPRO.COM

Casa independiente en venta

6 dormitorios, 3 baños, cocina amueblada,
terrazas, piscina.

Los Gigantes, Tenerife, España.

Precio: 2.620.000€   Tel: (+34) 922 787 718

Natalia Belotelova/ Shutterstock

Casa independiente en venta

3 dormitorios, 2 baños, cocina amueblada,
calefacción, terrazas, chimenea. Jardín grande.
Posibilidad de ampliación de dormitorios.

Costa Brava, España.

Precio: 960.607€   Tel: (+34) 972 212 315

Pres Panayotov/ Shutterstock

Casa unifamiliar en venta

Casa señorial de
cuatro plantas.

La construcción
data del año 1800.

En buen estado
de conservación.

5 dormitorios,
2 baños, chimenea,
terrazas, jardín
grande.
Oviedo, España.

Precio: 620.000€   Tel: (+34) 984 223 591

D. Heining-Boynton, HBPHOTOPRO. COM

3-26 **¿Cuál es su población?** Lee las poblaciones de las siguientes ciudades de España mientras (*while*) tu compañero/a te escucha y corrige. Después, cambien de papel (*change roles*). ■

1. Madrid   2.824.000
2. Barcelona   1.454.000
3. Valencia   736.000
4. Sevilla   695.000
5. Granada   242.000

 3-27 **¿Qué compras?** Your rich uncle left you an inheritance with the stipulation that you use the money to furnish your house. Refer to the pictures on page 108 to spend 3.500€ on your house. Make a list of what you want to buy, assigning prices to any items without tags. Then share your list with your partner, who will keep track of your spending. Did you overspend? ■

MODELO   *Quiero comprar una televisión por (for) ochocientos noventa y nueve euros.*

Fíjate

The sentence in the model includes two verbs; the second verb is an infinitive (*-ar, -er, -ir*).

| Quiero compr**ar** un televisor. | I want to buy a television. |

Las casas "verdes"

03-46

El norte de España (Galicia, Asturias, Cantabria y el País Vasco) se llama "la España verde" a causa del color verde del paisaje (*countryside*). Hay suficiente lluvia y los árboles y la otra vegetación responden bien a la madre naturaleza.

Pero verde significa otra cosa también. España y otros países hispanohablantes tratan de (*try to*) vivir una vida verde. "Vivir una vida verde" significa valorar, cuidar (*care for*) y preservar los recursos naturales. Por ejemplo, usan el viento para producir energía. España produce entre 30 y 50 por ciento de su electricidad del viento. También hay casas con paneles solares.

En el sur de España, muchas casas son de color blanco. Es una tradición muy vieja. El color blanco refleja los rayos del sol y conserva la casa más fresca. Es aún otra manera para vivir una vida verde.

D. Heining-Boynton, HBPHOTOPRO.COM

Preguntas

1. Explica los dos sentidos (*meanings*) de la palabra "verde".
2. ¿Dónde hay edificios o casas verdes en los Estados Unidos?

D. Heining-Boynton, HBPHOTOPRO.COM

03-43 to 03-45

Hay   Stating *There is / There are*

In **Capítulo 2,** you became familiar with **hay** when you described your classroom. To say *there is* or *there are* in Spanish you use **hay.** The irregular form **hay** comes from the verb **haber.**

Hay un baño en mi casa.	*There is one bathroom in my house.*
Hay cuatro dormitorios también.	*There are also four bedrooms.*
—¿**Hay** tres baños en tu casa?	*Are there three bathrooms in your house?*
—No, no **hay** tres baños.	*No, there aren't three bathrooms.*

¿Qué hay en ese cuarto?

3-28 **¡Escucha bien!** Descríbele un cuarto de tu casa (real o imaginaria) a un/a compañero/a en **tres** oraciones. Él/Ella tiene que repetir las oraciones. Después, cambien de papel. ◾

MODELO E1: *En mi dormitorio hay una cama, una lámpara y un tocador. También hay dos ventanas. No hay una alfombra.*

E2: *En tu dormitorio hay una cama, una lámpara y un tocador…*

 3-29 **¿Qué hay en tu casa?** Descríbele tu casa a un/a compañero/a. Usen todas las palabras que puedan (*you can*) del vocabulario de **La casa**, p. 98, y **Los muebles y otros objetos de la casa**, p. 106. ◾

MODELO E1: *En mi casa hay un garaje. ¿Hay un garaje en tu casa?*

E2: *No, en mi casa no hay un garaje.*

E2: *En mi baño hay una bañera y una ducha. ¿Qué hay en tu baño?*

E1: *Hay una ducha, un inodoro y un lavabo grande.*

 Capítulo Preliminar A. Los números 0–30, pág. 16; Capítulo 2. La formación de preguntas y las palabras interrogativas, pág. 70.

 3-30 **¿Cuántos hay?** Túrnense para preguntar y contestar cuántos objetos y personas hay en su clase aproximadamente. ◾

MODELO libros de español

E1: *¿Cuántos libros de español hay?*

E2: *Hay treinta libros de español.*

1. puertas
2. escritorios
3. mochilas azules
4. cuadernos negros
5. estudiantes contentos
6. estudiantes cansados
7. computadoras
8. estudiantes a quienes les gusta jugar al fútbol
9. estudiantes a quienes les gusta ir a fiestas (*parties*)
10. estudiantes a quienes les gusta estudiar

ESCUCHA

03-47 to 03-48

Una descripción

3-31 **Antes de escuchar** A real estate agent is describing one of the homes she has listed to sell to the Garrido family. Mr. Garrido asks for a few details. Write a question Mr. Garrido might ask the agent. ■

Comstock/Thinkstock

3-32 **A escuchar** Listen to the passage and complete the following list based on the information the agent provides. Listen a second time to verify your answers. ■

1. Number of floors: _____
2. Number of bedrooms: _____
3. Number of bathrooms: _____
4. Size of kitchen: _____
5. Size of living room: _____
6. Price: _____

Los señores Garrido quieren comprar una casa.

3-33 **Después de escuchar** With a partner, play the the roles of Mr. Garrido and a friend. The friend asks questions about the house, and Mr. Garrido describes the house using the information from **3-32**. ■

¡CONVERSEMOS!
03-49

3-34 **Su casa** Look at the drawing below, and create a story about the family who lives there. Your partner will ask you the following questions as well as additional ones he/she may have. ■

- When does your story take place?
- What is the weather?
- What is the name of the family?
- Describe furniture and household objects using colors.

Also make sure that your story includes the following components.

- Include at least *eight* different verbs.
- Use at least *three* new **tener** expressions (p. 113).

3-35 **Mi casa ideal** Describe tu casa ideal. Di por lo menos (*at least*) **diez** oraciones, usando palabras descriptivas (adjetivos) en cada oración. Tu compañero/a de clase va a hacer por lo menos **tres** preguntas sobre tu descripción. ■

Photoroller/Shutterstock

ESCRIBE

03-50

Un anuncio (*ad*)

Estrategia	Remember that most adjec-	der (*masculine/feminine*) and
Noun → adjective agreement	tives follow nouns, and that adjectives agree with their corresponding nouns in gen-	number (*singular/plural*). Keep this in mind when creating your ad.

3-36 **Antes de escribir** You have accepted a new job in a different town and you are uncertain regarding the permanence of the position. Therefore, you decide to sublet your apartment, listing it on the Internet on a site such as Craigslist. Before creating the posting, make a detailed list of the features you want to include. ■

3-37 **A escribir** Organize your list and create your ad, making it as informative and attractive as possible. The ad should include the following information: ■

- Location (city, country, street, etc.)
- Type of house or building
- Number and types of rooms
- Appliances in the kitchen
- Pieces of furniture included
- Colors
- Price and contact information
- Special features

3-38 **Después de escribir** Circulate among your classmates sharing your ads, and determine which you would most like to sublet. ■

¿Cómo andas? II

	Feel confident	Need to review
Having completed **Comunicación II**, I now can . . .		
• share information about household chores (p. 109)	☐	☐
• illustrate objects using colors (p. 111)	☐	☐
• depict states of being using **tener** (p. 113)	☐	☐
• count from 1,000–100,000,000 (p. 116)	☐	☐
• discover green initiatives (p. 119)	☐	☐
• state *There is / There are* (p. 119)	☐	☐
• listen for specific information (p. 121)	☐	☐
• communicate about homes and life at home (p. 122)	☐	☐
• create an ad (p. 123)	☐	☐

España

03-51 to 03-53

Les presento mi país

Brand X Pictures/
Thinkstock

Mariela Castañeda
Ropero

Mi nombre es Mariela Castañeda Ropero y soy de Madrid, la capital de España. Vivo con mis padres en un piso en el centro. **¿Dónde vives tú? ¿En una casa, en un apartamento o en una residencia estudiantil?** Me gusta la vida en la capital porque hay mucha actividad. A veces, me gusta salir con mis amigos por la tarde para comer tapas y tomar algo. La Plaza Mayor es uno de los lugares típicos para ir de tapas. **¿Cuál es tu lugar favorito para conversar y pasar tiempo con tus amigos?** Frecuentemente, hablamos de los deportes, sobre todo del fútbol y de los equipos españoles. ¡Cada uno tiene su favorito! **¿Cuál es tu deporte preferido? ¿Eres aficionado o jugador?**

Los ganadores de la Copa Mundial 2010

Richard Wareham Fotografie/Alamy

Vinicius Tupinamba/Shutterstock

La Plaza Mayor de Madrid es un lugar agradable para comer tapas, tomar una bebida y conversar con amigos.

imageZebra/Shutterstock

Don Quijote y Sancho Panza son personajes del autor Miguel de Cervantes Saavedra.

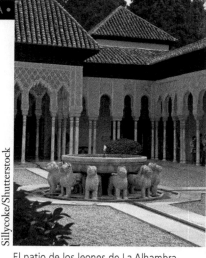

El patio de los leones de La Alhambra muestra la influencia árabe en Granada.

D. Heining-Boynton, HBPHOTOPRO.COM

La tortilla española es una tapa (un aperitivo) muy típica y popular.

Los *castells* —o castillos (*castles*) en español— son impresionantes construcciones humanas.

D. Heining-Boynton, HBPHOTOPRO.COM

La Pedrera (la Casa Milà) en Barcelona es un ejemplo de la arquitectura creativa de Antonio Gaudí.

ALMANAQUE

Nombre oficial:	Reino de España
Gobierno:	Monarquía parlamentaria
Población:	46.505.963 (2010)
Idiomas oficiales:	español, catalán, gallego, euskera (vasco)
Moneda:	euro (€)

¿Sabías que…?

- España tiene una diversidad de culturas, regiones y arquitectura. Para un país el doble del estado de Oregon, tiene una gran variedad.
- Los *castells* forman parte de una tradición empezada en Cataluña en el siglo (*century*) XVIII que consiste en competir por hacer la torre (*tower*) humana más alta. ¡Actualmente el récord es un castillo de nueve pisos!

Preguntas

1. ¿Qué es una tapa?
2. ¿Qué evidencia hay de la presencia histórica de los árabes en España?
3. ¿Por qué son impresionantes los *castells*? Nombra una competencia famosa de tu país.
4. Describe la arquitectura de Antonio Gaudí. ¿Te gusta? ¿Por qué?
5. ¿Qué tienen en común México y España en cuanto a los deportes?

Amplía tus conocimientos sobre España en MySpanishLab.

125

03-57

Ambiciones siniestras

EPISODIO 3

Pearson Education

Lectura

Estrategia   Scanning

To enhance comprehension, you can scan or search a reading passage for specific information. When skimming, you read quickly to get the gist of the passage, the main ideas. With
scanning, you already know what you need to find out, so you concentrate on searching
for that information.

3-39   **Antes de leer**   In the third episode of **Ambiciones siniestras,** some of
our protagonists receive an enticing e-mail message. You will discover the content of the
mysterious message, as well as learn more about Alejandra's family. Before you read this
episode, consider the following questions. ■

1. ¿Hablas sobre los miembros de tu familia con tus amigos? ¿Qué dices?
2. ¿Recibes mensajes curiosos que no vienen de amigos ni (*nor*) de personas de tu familia?
3. ¿Recibes correo basura (*spam*)?

3-40   **A leer**   Complete the following steps. ■

1. Scan the first two paragraphs of this episode, looking for the following specific
   information:
   a. the location of Alejandra and Manolo
   b. what they are doing there
   c. about whom Alejandra is talking
2. Now reread the second paragraph to determine why Alejandra is discussing this person.
   What is her concern?

Remember that successful reading in Spanish will require that you read the episodes more
than once.

contest   ## El concurso°

Manolo y Alejandra están en el cibercafé NetEscape. Hablan mientras se toman un café y
leen sus correos electrónicos.

message
to introduce him

Alejandra le dice a Manolo que quiere mirar su email para ver si tiene un mensaje° de su
hermana Pili. Alejandra explica que Pili tiene un novio nuevo y que quiere presentárselo°
a sus padres esta noche. Su hermana está muy nerviosa. El novio, Peter, tiene veintinueve
años y la hermana tiene solamente diecinueve. ¡Con razón tiene miedo! Alejandra dice que
sus padres son muy estrictos y creen que ella es demasiado joven para tener novio.

126

Alejandra lee varios mensajes y exclama:

—Manolo, ¡mira!

—¿Qué pasa? ¿Tienes un mensaje de tu hermana? —le pregunta Manolo.

this —No, pero tienes que leer esto°. ¡Es increíble!

¡Tienes una gran oportunidad!

Enviar · Enviar más tarde · Guardar · Añadir ficheros · Responder · Responder a todos · Firma · Contactos · Nombres de control · Imprimir

Para: alesanto@gomail.com
De: sr.verdugo_competition@spark.com
Asunto: ¡Tienes una gran oportunidad!

tamaño [medio]   **B** *I* <u>U</u> T

¡Atención Alejandra!

Después de un proceso muy complicado tú eres una de las finalistas.

Would you like to win? **¿Te gustaría ganar° un millón de dólares y tener la oportunidad de salir en la televisión? Contesta este mensaje para obtener información sobre cómo competir en este fantástico concurso.**

Sólo tienes que responder en 24 horas a competition@spark.com.

Sr. R. Verdugo

Entonces Manolo decide ver si él tiene el mismo mensaje.

entire country —¡Mira! —exclama Manolo. —¡Aquí está! ¡Qué bueno! Pero, seguramente el país entero° tiene el mismo mensaje. ¿Es legítimo? Alejandra, ¿respondemos?

I must —No sé. —le contesta Alejandra—. Mis padres siempre me dicen que debo° tener cuidado con las ofertas. ¿Pero qué nos puede pasar si sólo contestamos que deseamos más información?

—Sí —le responde Manolo—. ¿Qué nos puede pasar?

3-41 Después de leer Contesta las siguientes preguntas. ■

1. ¿Cómo se llama la hermana de Alejandra? ¿Cuál es su problema?
2. ¿Qué recibe Alejandra?
3. ¿Qué puede ganar?
4. Según (*According to*) Manolo, ¿quiénes reciben la oferta?
5. En tu opinión, ¿qué crees que hacen?
6. Hagan los papeles (*roles*) de unas personas que acaban (*have just*) de recibir el mensaje. ¿Cómo reaccionan? ¿Qué dicen? ¿Qué hacen?

127

Video

03-58 to 03-61

3-42 **Antes del video** Take a minute to think back to the first time you visited a friend in his or her dorm room, apartment, or house. Were you interested in seeing what the new living space was like? Did he/she take time to show you around and elaborate on some of the furnishings? In this video episode you will see Lupe's apartment as well as Eduardo's and Cisco's families' homes. They are also checking e-mail. Listen for the phrase **Seguro que es una broma.** (*It's got to be a joke.*) Who says it? Also listen for **Tal vez** (*Perhaps*) **sea un mensaje en cadena. Cadena** means "chain." Can you guess what the sentence means? ■

¡Es una gran oportunidad! ¿No crees?

Tal vez sea un mensaje en cadena.

No lo puedo creer. ¡Qué piscina! ¡Es impresionante!

Episodio 3

«¡Tienes una gran oportunidad!»

Relax and watch the video, more than once if you choose; then answer the following questions.

3-43 **Después del video** Contesta las siguientes preguntas. ■

1. ¿Cómo es el apartamento de Lupe?
2. ¿Qué mensaje recibe Marisol? ¿Y Lupe?
3. ¿Dónde están Cisco y Eduardo? ¿Qué estudian?
4. ¿Cómo es el dormitorio nuevo de Eduardo?
5. ¿Cómo es la casa de los padres de Cisco?
6. ¿Qué ocurre al final del episodio?

128

Y por fin, ¿cómo andas?

	Feel confident	Need to review
Having completed this chapter, I now can . . .		

Comunicación I

- describe homes (p. 98) ☐ ☐
- pronounce the letters **h, j,** and **g** (MSL/SAM) ☐ ☐
- express actions (p. 101) ☐ ☐
- elaborate on rooms (p. 106) ☐ ☐

Comunicación II

- share information about household chores (p. 109) ☐ ☐
- illustrate objects using colors (p. 111) ☐ ☐
- depict states of being using **tener** (p. 113) ☐ ☐
- count from 1,000–100,000,000 (p. 116) ☐ ☐
- state *There is / There are* (p. 119) ☐ ☐
- listen for specific information (p. 121) ☐ ☐
- communicate about homes and life at home (p. 122) ☐ ☐
- create an ad (p. 123) ☐ ☐

Cultura

- describe general differences in housing in Spain (p. 105) ☐ ☐
- discover green initiatives (p. 119) ☐ ☐
- list interesting facts about Spain (p. 124) ☐ ☐

Ambiciones siniestras

- scan a passage consisting of an enticing e-mail message received by Alejandra and Manolo (pp. 126–127) ☐ ☐
- determine who else receives the mysterious e-mail and their reactions to the message (p. 128) ☐ ☐

Comunidades

- use Spanish in real-life contexts (SAM) ☐ ☐

VOCABULARIO ACTIVO

La casa	The house
el altillo	attic
el balcón	balcony
el baño	bathroom
la cocina	kitchen
el comedor	dining room
el cuarto	room
el dormitorio	bedroom
la escalera	staircase
el garaje	garage
el jardín	garden
la oficina	office
el piso	floor; story
la planta baja	ground floor
el primer piso	second floor
la sala	living room
el segundo piso	third floor
el sótano	basement
el suelo	floor
el techo	roof
el tercer piso	fourth floor

Los verbos	Verbs
conocer	to be acquainted with
dar	to give
decir	to say; to tell
hacer	to do; to make
oír	to hear
poder	to be able to
poner	to put; to place
querer	to want; to love
salir	to leave; to go out
traer	to bring
venir	to come
ver	to see

Los muebles y otros objetos de la casa	Furniture and other objects in the house
La sala y el comedor	The living room and dining room
la alfombra	rug; carpet
el estante	bookcase
la lámpara	lamp
el sillón	armchair
el sofá	sofa
La cocina	The kitchen
la estufa	stove
el lavaplatos	dishwasher
el microondas	microwave
el refrigerador	refrigerator
El baño	The bathroom
la bañera	bathtub
el bidet	bidet
la ducha	shower
el inodoro	toilet
el lavabo	sink
El dormitorio	The bedroom
la almohada	pillow
la cama	bed
la colcha	bedspread; comforter
la manta	blanket
las sábanas	sheets
el tocador	dresser

Otras palabras útiles en la casa	Other useful words in the house
amueblado/a	furnished
el armario	armoire; closet; cabinet
la cosa	thing
el cuadro	picture; painting
el mueble	piece of furniture
los muebles	furniture
el objeto	object

Los quehaceres de la casa	Household chores
arreglar	to straighten up; to fix
ayudar	to help
cocinar, preparar la comida	to cook; to prepare a meal
guardar	to put away; to keep
hacer la cama	to make the bed
lavar los platos	to wash dishes
limpiar	to clean
pasar la aspiradora	to vacuum
poner la mesa	to set the table
sacar la basura	to take out the garbage
sacudir los muebles	to dust

Los colores	Colors
amarillo	yellow
anaranjado	orange
azul	blue
beige	beige
blanco	white
gris	gray
marrón	brown
morado	purple
negro	black
rojo	red
rosado	pink
verde	green

Los números 1.000–100.000.000	Numbers 1,000–100,000,000
See page 118.	

Expresiones con tener	Expressions with tener
tener... años	to be . . . years old
tener calor	to be hot
tener cuidado	to be careful
tener éxito	to be successful
tener frío	to be cold
tener ganas de + (infinitive)	to feel like + (verb)
tener hambre	to be hungry
tener miedo	to be afraid
tener prisa	to be in a hurry
tener que + (infinitive)	to have to + (verb)
tener razón	to be right
tener sed	to be thirsty
tener sueño	to be sleepy
tener suerte	to be lucky
tener vergüenza	to be embarrassed

Otras palabras útiles	Other useful words
a la derecha (de)	to the right (of)
a la izquierda (de)	to the left (of)
al lado (de)	beside
a menudo	often
a veces	sometimes
antiguo/a	old
la calle	street
el campo	country
la ciudad	city
contemporáneo/a	contemporary
desordenado/a	messy
encima (de)	on top (of)
humilde	humble
limpio/a	clean
moderno/a	modern
nuevo/a	new
nunca	never
la ropa	clothes; clothing
siempre	always
sobre	on; on top (of); over
sucio/a	dirty
tradicional	traditional
viejo/a	old

También se dice...

La casa/*The house*

la alcoba *bedroom*
el armario empotrado *closet (Spain)*
el ático *attic*
la bodega *cellar*
la buhardilla *attic*
el clóset *closet (Latin America)*
el corredor *hall*
el cuarto *bedroom*
el despacho *office*
el desván *attic*
el pasillo *hallway*
el patio *patio; yard*
el placar *closet (Argentina)*
el portal *porch*
el porche *porch*
la recámara *bedroom (Mexico)*
el salón *salon; lounge; living room*
el tejado *roof*
la terraza *terrace; porch*
el vestíbulo *entrance hall*

En la sala y el comedor/*In the living room and dining room*

la banqueta/el banquillo *small seating stool*
la estantería *bookcase*
la mecedora *rocking chair*
la moqueta *carpet (Spain)*

En la cocina/*In the kitchen*

el congelador *deep freezer*
el friegaplatos *dishwasher*
el frigorífico *refrigerator (Spain)*
el horno *oven*
el lavavajillas *dishwasher (Spain)*
el taburete *bar stool*

Otras palabras/*Other words*

el aparato eléctrico *electric appliance*
la chimenea *chimney*
la cómoda *dresser*
las cortinas *curtains*
el espejo *mirror*
el fregadero *sink*
los gabinetes *cabinets*

la lavadora *washer*
la secadora *dryer*
el librero *bookcase (Mexico)*
la nevera *refrigerator*
las persianas *shutters; window blinds*

En el baño/*In the bathroom*

la cisterna *toilet water tank*
el espejo *mirror*
los grifos *faucets*
la jabonera *soap dish*
el toallero *towel rack*

En el dormitorio/*In the bedroom*

el edredón *comforter*
la frazada *blanket (Latin America)*

Los quehaceres de la casa/*Household chores*

barrer *to sweep*
cortar el césped *to cut the grass*
fregar los platos *to wash the dishes*
fregar los suelos *to clean the floors*
guardar la ropa *to put away clothes*
lavar la ropa *to do laundry*
ordenar *to put in order*
planchar la ropa *to iron*
quitar el polvo *to dust*
recoger *to clean up in general*
recoger la mesa *to clean up after a meal*
regar las plantas *to water the plants*
sacudir las alfombras *to shake out the rugs*
sacudir el polvo *to dust*

Expresiones con *tener*/*Expressions with* tener

tener celos *to be jealous*
tener novio/a *to have a boyfriend/girlfriend*

Los colores/*Colors*

color café *brown*
púrpura *purple (Spain)*
azul/verde claro *light blue/green*
azul/verde oscuro *dark blue/green*
rosa *pink (Spain)*

Capítulo 4: Nuestra comunidad

Nuestra comunidad

No importa si vivimos en el campo (*countryside*), en un pueblo, en una ciudad o en otro país, tenemos mucho en común. Todos comemos, trabajamos, compramos, pasamos tiempo con la familia y los amigos y ayudamos a los demás (*others*). Nuestra vida en comunidad es similar.

PREGUNTAS

1 Generalmente, ¿qué haces durante un día normal?

2 ¿Conoces a personas de otros países o culturas? ¿Cuáles son sus actividades típicas?

3 ¿Qué tienes en común con las personas de otros países?

La plaza de Chichicastenango en Guatemala

Comunicación I

04-01 to 04-04

Los lugares Identifying places in and around town

el parque

el almacén

el centro comercial

el supermercado

el templo

la iglesia

el cine

el museo

la oficina de correos; correos

el teatro

el café

la plaza

el restaurante

el centro

el banco

el mercado

el cajero automático

el bar; el club

Otras palabras útiles	*Other useful words*		Algunos verbos	*Some verbs*
el cibercafé	*Internet café*		buscar	*to look for*
la ciudad	*city*		mandar una carta	*to send / mail a letter*
la cuenta	*bill; account*			
la película	*movie; film*			
el pueblo	*town; village*			

PRONUNCIACIÓN

The letters *c* and *z*

04-05 to 04-06

Go to MySpanishLab / Student Activites Manual to learn how to pronounce the letters *c* and *z*.

Capítulo 2. El verbo *estar*, pág. 76.

 4-1 **¿Dónde está?** Tu amigo está muy ocupado. Túrnate con un/a compañero/a para decir dónde está en este momento. ■

MODELO E1: Quiere mandar una carta.
E2: *Está en la oficina de correos.*

Fíjate

Note that you use a form of *querer* + *infinitive* to express "to want to _____." For example:

Quiero mandar… = I want to send …

Queremos ver… = We want to see …

1. Quiere ver una película.
2. Necesita dinero para pagar una cuenta.
3. Quiere comer algo (*something*).
4. Quiere ver una exposición de arte.
5. Quiere caminar y hacer ejercicio.
6. Tiene sed y quiere tomar algo.
7. Quiere mandar un email.
8. Tiene que ir a una boda (*wedding*).

Capítulo Preliminar A. El verbo *ser*, pág. 13; Capítulo 2. El verbo *estar*, pág. 76.

 4-2 **El mejor de los mejores** ¿Cuáles son, en tu opinión, los mejores lugares en tu comunidad? ■

Estrategia

Remember that you learned vocabulary in *Capítulos 2* and *3*, such as *a la derecha, a la izquierda,* and *al lado de* that you can also practice with your new vocabulary.

El mejor de los mejores

✳ Las mejores **TIENDAS**

✳ Los mejores **CINES**

✳ Los mejores **RESTAURANTES**

Peter Wilson/Dorling Kindersley

Stockbyte/Thinkstock   olly/Shutterstock

Vocabulario útil

detrás (de)	*behind*
enfrente (de)	*in front (of)*
estar de acuerdo	*to agree*
el/la mejor	*the best*
el/la peor	*the worst*

Paso 1 Haz (*Make*) una lista de los mejores lugares de tu pueblo o ciudad según las siguientes categorías.

MODELO E1: restaurante
E2: *El mejor restaurante es* The Lantern.

1. almacén
2. banco
3. centro comercial
4. cine
5. café
6. teatro
7. tienda
8. restaurante
9. supermercado

(continued)

Paso 2   Compara tu lista con las listas de los otros estudiantes de la clase. ¿Están de acuerdo?

MODELO   E1: *En mi opinión, el mejor restaurante es* The Lantern. *¿Estás de acuerdo?*

E2: *No, no estoy de acuerdo. El mejor restaurante es* The Cricket.

Paso 3   Túrnense para explicar dónde están los mejores lugares.

MODELO   E1: *Busco el mejor restaurante.*

E2: *El mejor restaurante es* The Lantern.

E1: *¿Dónde está?*

E2: *Está al lado del Banco Nacional.*

Fíjate

A reminder from *Capítulo 3*: The preposition *de* combines with the masculine singular definite article *el* to form the contraction *del*. The feminine article *la* does not contract.

4-3 Chiquimula y mi ciudad…

Chiquimula es un pueblo de 24.000 personas que está en el este de Guatemala. ■

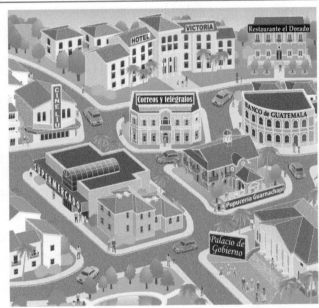

Paso 1   Túrnense para describir el centro del pueblo. Mencionen dónde están los edificios principales.

MODELO   *El Hotel Victoria está al lado del Restaurante el Dorado…*

Paso 2   Ahora dibuja (*draw*) un mapa del centro de tu pueblo o ciudad. El dibujo debe incluir los edificios principales. Después, túrnense para describirlo oralmente.

Paso 3   Túrnense para describir sus dibujos mientras tu compañero/a dibuja lo que dices.

NOTA CULTURAL

Actividades cotidianas: Las compras y el paseo

04-07 to 04-08

En los Estados Unidos, la gente hace gran parte de las compras en los centros comerciales. En los países hispanohablantes, también se hacen las compras en los centros comerciales, especialmente en las ciudades grandes. En Guatemala, Honduras y El Salvador algunos de los más conocidos son Hiper Paiz, Maxi Bodega y Despensa Familiar.

Suzanne Long/Shutterstock

En los pueblos pequeños la gente va al centro de la ciudad. En el centro está el mercado y hay muchas tiendas además de la oficina de correos, el banco y los restaurantes. Se puede encontrar gente de todas las clases sociales y muchos vendedores ambulantes (*roving*).

Otro lugar importante en el centro de los pueblos es la plaza. Allí se encuentra la gente (*people meet*) para conversar, pasear, ir de compras o ir a la iglesia. Además, los lugareños (*locals*) pasean a diario por las calles principales y los parques del pueblo. En los pueblos hispanos siempre hay mucho bullicio (*hubbub*) y actividad, especialmente los fines de semana.

Jennifer Stone/Shutterstock

Preguntas

1. En los países hispanohablantes, ¿qué hay en las ciudades grandes? ¿Cómo son los pueblos pequeños? ¿Qué hace la gente todos los días?
2. ¿Dónde prefieres comprar, en las tiendas pequeñas o en los centros comerciales? ¿Por qué?

Fíjate

Note that the word *gente*, unlike the word *people* in English, is singular: *La gente va al centro de la ciudad*. *Gente*, although made up of more than one person, is considered a collective noun like the singular nouns *la clase*, *el equipo*, and *la familia*.

2 GRAMÁTICA

04-09 to 04-12

Saber y conocer Stating whom and what is known

¿Sabes dónde hay un cibercafé?
No, no conozco muy bien la ciudad.

In **Capítulo 3,** you learned that **conocer** means *to know*. Another verb, **saber,** also expresses *to know*.

Fíjate

Note that *conocer* and *saber* both have irregular *yo* forms: *conozco* and *sé* respectively.

saber (*to know*)

Singular		Plural	
yo	sé	nosotros/as	sabemos
tú	sabes	vosotros/as	sabéis
Ud.	sabe	Uds.	saben
él, ella	sabe	ellos/as	saben

(continued)

The verbs are not interchangeable. Note when to use each.

CONOCER

- Use **conocer** to express *being familiar or acquainted with people, places, and things.*

Ellos **conocen** los mejores restaurantes de la ciudad.   *They know the best restaurants in the city.*

Yo **conozco** a tu hermano, pero no muy bien.   *I know your brother, but not very well.*

Note:

1. When expressing that *a person* is known, you must use the personal "a." For example: **Conozco *a* tu hermano…**
2. When **a** is followed by **el, a + el = al.** For example: **Conozco *al* señor (a + el señor)…**

SABER

- Use **saber** to express *knowing facts, pieces of information,* or *how to do something.*

¿Qué **sabes** sobre la música de Guatemala?   *What do you know about Guatemalan music?*

Yo **sé** tocar la guitarra.   *I know how to play the guitar.*

> **Fíjate**
> A form of *saber* + *infinitive* expresses knowing how to do something. For example:
> *Sé nadar.* = I know how to swim.
> *Sabemos tocar la guitarra.* = We know how to play the guitar.

 4-4 **¿Sabes o conoces?** Completa las siguientes preguntas usando **sabes** o **conoces**. Después, túrnate con un/a compañero/a para hacer y contestar las preguntas. ■

MODELO   E1: *¿Conoces San Salvador?*
                 E2: *Sí, conozco San Salvador. / No, no conozco San Salvador.*

1. ¿_____ usar una computadora?
2. ¿_____ al presidente del Banco Central?
3. ¿_____ dónde hay un cajero automático?
4. ¿_____ Tegucigalpa, Honduras?
5. ¿_____ el mejor restaurante mexicano?
6. ¿_____ llegar a la oficina de correos?
7. ¿_____ las películas de James Cameron?
8. ¿_____ cuál es el mejor café de esta ciudad?

4-5 **¿Qué sabemos de Honduras?** Completen juntos el diálogo con las formas correctas de **saber** y **conocer.** ■

PROF. DOMÍNGUEZ:	¿Qué (1) _____ ustedes sobre Honduras?
DREW:	Yo (2) _____ que la capital de Honduras es Tegucigalpa.
DREW Y TANYA:	Nosotros (3) _____ mucho sobre el país.
PROF. DOMÍNGUEZ:	¿Y (4) _____ ustedes cómo se llaman las personas de Honduras?
TANYA:	Sí, se llaman *hondureños*. (5) _____ la cultura hondureña bastante bien. Nuestra hermana, Gina, es una estudiante de intercambio allí este año y nos manda muchas fotos y cartas. Ella (6) _____ a mucha gente interesante, incluso al hijo del Presidente.
PROF. DOMÍNGUEZ:	¡No me digan! ¿Estudia allí su hermana? ¿(7) _____ ustedes que hay dos universidades muy buenas en Tegucigalpa?
TANYA:	Sí, el novio de Gina estudia allí, pero yo no (8) _____ en qué universidad. Él es salvadoreño y nuestros padres no lo (9) _____ todavía. Gina dice que no quiere volver a los Estados Unidos. Yo (10) _____ que mis padres van a estar muy tristes si ella no vuelve.
PROF. DOMÍNGUEZ:	Yo (11) _____ a tu hermana y (12) _____ que es una mujer inteligente. Va a pensarlo bien antes de tomar una decisión.

 4-6 **¿Me puedes ayudar?**

Sofía acaba de llegar a San Salvador y se siente un poco perdida (*she is feeling a little lost*). Túrnense para hacer y contestar sus preguntas de manera creativa. Luego, creen (*create*) y contesten **dos** preguntas más usando **saber** y **conocer.** ■

Jupiterimages/Thinkstock

MODELO	SOFÍA:	*¿Sabes dónde hay una iglesia?*
	TÚ:	*Sí, sé que hay una iglesia en la plaza.*

1. ¿Conoces un buen restaurante típico?
2. ¿Sabes dónde está el restaurante?
3. ¿Sabes qué tipo de comida sirven en el restaurante?
4. ¿Conoces al cocinero (*chef*)?
5. ¿?
6. ¿?

3 VOCABULARIO

04-13 to 04-16

¿Qué tienen que hacer? ¿Qué pasa?
Relating common obligations and activities

almorzar · cerrar · comenzar · costar · dormir · encontrar · entender · mostrar · pedir · pensar · perder · preferir · recordar · repetir · seguir · servir · volver

Capítulo 1. El verbo *tener*, pág. 34.

4-7 **Tic-tac-toe** Escucha mientras tu instructor/a explica el juego del *tic-tac-toe.* ■

MODELO E1: *¿Tienes "volver"?*
E2: *Sí, tengo "volver". / No, no tengo "volver".*

4-8 **¿Y lo opuesto?** Decidan juntos qué verbo expresa lo opuesto (*opposite*) de cada una de las palabras o expresiones de la siguiente lista. ■

MODELO E1: no comer por la tarde

E1: *almorzar*

repetir	encontrar	volver	entender	pedir
perder	comenzar	querer	cerrar	almorzar

1. salir
2. terminar
3. abrir
4. perder
5. decir una vez
6. dar
7. encontrar
8. no comprender

 4-9 **Los quehaceres** Túrnense para expresar qué tienen que hacer ustedes generalmente. ■

Estrategia

Make an attempt to work with a different partner in every class. This enables you to help and learn from a variety of your peers, an important and highly effective learning technique.

MODELO Tengo que encontrar…

E1: *Tengo que encontrar mi libro de español.*

E2: *Tengo que encontrar los apuntes para la clase de español.*

1. Tengo que comenzar…
2. Tengo que repetir…
3. Tengo que pedir…
4. Tengo que recordar…
5. Tengo que almorzar…
6. Tengo que dormir…

Fíjate

Remember that in *Capítulo 3* you learned that *tener* + *que* + *infinitive* means "to have to do something."

 Capítulo 2. La sala de clase, pág. 65; Presente indicativo de verbos regulares, pág. 67.

 4-10 **Entrevistas** Entrevista a tres compañeros para averiguar si (*to find out whether*) hacen cosas similares. Después, comparte la información con la clase. ¿Qué tienen ustedes en común? ■

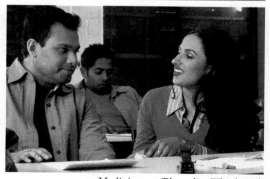

1. ¿Qué tienes que hacer para prepararte bien para las clases?
2. ¿Qué tienes que hacer durante la clase de español para sacar buenas notas?
3. Generalmente, ¿qué tienes que hacer cuando terminas con tus clases?

Medioimages/Photodisc/Thinkstock

4 GRAMÁTICA

04-17 to 04-24

Los verbos con cambio de raíz Expressing actions

¡Cierro la ventana, pido una pizza y empiezo a estudiar!

In **Capítulo 3,** you learned a variety of common verbs that are irregular. Two of those verbs were **querer** and **poder,** which are irregular due to some changes in their stems. Look at the following verb groups and answer the questions regarding each group.

Change e → ie

cerrar (*to close*)

Singular		Plural	
yo	cierro	nosotros/as	cerramos
tú	cierras	vosotros/as	cerráis
Ud.	cierra	Uds.	cierran
él, ella	cierra	ellos/as	cierran

¡Explícalo tú!
1. Which verb forms look like the infinitive **cerrar**?
2. Which verb forms have a spelling change that differs from the infinitive **cerrar**?

✔ Check your answers to the preceding questions at the end of this chapter.

Other verbs like **cerrar** (e → ie) are:

comenzar	*to begin*	**mentir**	*to lie*	**preferir**	*to prefer*
empezar	*to begin*	**pensar**	*to think*	**recomendar**	*to recommend*
entender	*to understand*	**perder**	*to lose; to waste*		

Change e → i

pedir (*to ask for*)

Singular		Plural	
yo	pido	nosotros/as	pedimos
tú	pides	vosotros/as	pedís
Ud.	pide	Uds.	piden
él, ella	pide	ellos/as	piden

¡Explícalo tú!
1. Which verb forms look like the infinitive **pedir**?
2. Which verb forms have a spelling change that differs from the infinitive **pedir**?

✔ Check your answers to the preceding questions at the end of this chapter.

Other verbs like **pedir** (e → i) are:

repetir *to repeat*   **seguir*** *to follow; to continue (doing something)*   **servir** *to serve*

*Note: The **yo** form of **seguir** is **sigo.**

Change o → ue

encontrar (*to find*)

Singular		Plural	
yo	encuentro	nosotros/as	encontramos
tú	encuentras	vosotros/as	encontráis
Ud.	encuentra	Uds.	encuentran
él, ella	encuentra	ellos/as	encuentran

¡Explícalo tú!

1. Which verb forms look like the infinitive **encontrar**?
2. Which verb forms have a spelling change that differs from the infinitive **encontrar**?

   ✔ Check your answers to the preceding questions at the end of this chapter.

Other verbs like **encontrar** (o → ue) are:

almorzar	*to have lunch*	**dormir**	*to sleep*	**mostrar**	*to show*	**volver**	*to return*
costar	*to cost*	**morir**	*to die*	**recordar**	*to remember*		

Change u → ue

jugar (*to play*)

Singular		Plural	
yo	juego	nosotros/as	jugamos
tú	juegas	vosotros/as	jugáis
Ud.	juega	Uds.	juegan
él, ella	juega	ellos/as	juegan

¡Explícalo tú!

1. Which verb forms look like the infinitive **jugar**?
2. Which verb forms have a spelling change that differs from the infinitive **jugar**?
3. Why does **jugar** not belong with the verbs like **encontrar**?

   ✔ Check your answers to the preceding questions at the end of this chapter.

¡Explícalo tú!

To summarize . . .

1. What rule can you make regarding all four groups of stem-changing verbs and their forms?
2. With what group of stem-changing verbs would you put **querer**?
3. With what group of stem-changing verbs would you put each of the following verbs?

demostrar	*to demonstrate*	**encerrar**	*to enclose*
devolver	*to return (an object)*	**perseguir**	*to chase*

   ✔ Check your answers to the preceding questions at the end of this chapter.

4-11 **Categorías**

Paso 1 With a partner, write the stem-changing verbs that were just presented on individual slips of paper. Next, make a chart with four categories: **e → ie, e → i, o → ue,** and **u → ue.**

Paso 2 Join another pair of students. When your instructor says **¡Empieza!,** place each verb under the correct category (**e → ie, e → i, o → ue,** or **u → ue**). Do several rounds of this activity, playing against different doubles partners.

 4-12 **Nuestras preferencias** Averigua cuáles son las preferencias de tu compañero/a. Luego, comparte tus respuestas con la clase. ■

MODELO el cine o el teatro
 E1: *¿Qué prefieres, el cine o el teatro?*
 E2: *Prefiero el cine.*

¿Qué prefieres,...?

1. correr en el parque o en el gimnasio
2. comer en un restaurante o en un café
3. visitar un gran almacén o un centro comercial
4. comprar comida (*food*) en un supermercado o en un mercado al aire libre (*open-air*)
5. trabajar en un banco o en una oficina de correos
6. conversar con amigos en un bar o en una plaza

 4-13 **¿Quién hace qué?** Túrnense para decir qué personas que ustedes conocen hacen las siguientes cosas. ■

MODELO E1: siempre perder la tarea
 E2: *Mi hermano Tom siempre pierde la tarea.*

1. pensar ser profesor/a
2. almorzar en McDonald's a menudo
3. querer visitar Sudamérica
4. siempre entender al/a la profesor/a de español
5. preferir dormir hasta el mediodía
6. volver tarde a casa a menudo
7. perder dinero
8. pensar que Santa Claus existe
9. nunca mentir
10. comenzar a hacer la tarea de noche

Capítulo Preliminar
A. La hora, pág.
18; Capítulo 2.
Las materias y las
especialidades, pág.
62; Los deportes y los
pasatiempos, pág. 81.

4-14 **¿Quién eres?** Escribe las respuestas a las siguientes preguntas en forma de párrafos. ■

Primer párrafo

1. ¿Qué clases tienes este semestre?
2. ¿A qué hora empieza tu clase preferida? ¿Cuándo termina?
3. ¿Qué prefieres hacer si (*if*) tienes tiempo entre (*between*) tus clases?
4. ¿A qué hora vuelves a tu dormitorio/ apartamento/casa?

ImageState Royalty Free/Alamy

Segundo párrafo

1. ¿Qué carro tienes (o quieres tener)? ¿Cuánto cuesta un carro nuevo?
2. ¿Cómo vienes a la universidad? (Por ejemplo, ¿vienes en carro?)
3. ¿Dónde prefieres vivir, en una residencia estudiantil, en un apartamento o en una casa?
4. ¿Dónde quieres vivir después de graduarte?

Tercer párrafo

1. ¿Qué deporte y/o pasatiempo prefieres?
2. Si es un deporte, ¿juegas a ese deporte? ¿Ves ese deporte en la televisión?
3. Normalmente, ¿cuándo y con quién(es) juegas el deporte / disfrutas (*enjoy*) el pasatiempo?
4. ¿Qué otros deportes y pasatiempos te gustan?

¿Cómo andas? I

	Feel confident	Need to review
Having completed **Comunicación I,** I now can . . .		
• identify places in and around town (p. 134)	☐	☐
• pronounce the letters *c* and *z* (MSL/SAM)	☐	☐
• describe shopping and other daily activities in Spanish-speaking countries (p. 136)	☐	☐
• state whom and what is known (p. 137)	☐	☐
• relate common obligations and activities (p. 140)	☐	☐
• express actions (p. 142)	☐	☐

Comunicación II

04-25 to 04-27

El verbo *ir* Sharing where you and others are going

Voy al almacén.
¿Adónde vas tú?

Another important verb in Spanish is **ir**. Note its irregular present tense forms.

ir (*to go*)			
Singular		**Plural**	
yo	voy	nosotros/as	vamos
tú	vas	vosotros/as	vais
Ud.	va	Uds.	van
él, ella	va	ellos/as	van

Voy al parque. ¿**Van** ustedes también?   *I'm going to the park. Are you all going too?*
No, no **vamos** ahora. Preferimos **ir** más tarde.   *No, we're not going now. We prefer to go later.*

4-15 ¿Adónde vas? Túrnense para completar la conversación que tienen Memo y Esteban al salir de la clase de música. Usen las formas correctas del verbo **ir**. ■

Fíjate
In *Capítulo 2* you learned two words for the question word "Where?" Use *¿Adónde?* with *ir*.

Fíjate
Remember that
a + *el* = *al*.

MEMO: Hola, Esteban. ¿Adónde (1) _____ ahora?

ESTEBAN: ¿Qué hay? Pues, (2) _____ a la clase de física.

MEMO: Ah sí. Bueno, mi compañero de cuarto y yo (3) _____ al gimnasio. Tenemos un torneo (*tournament*) de tenis.

ESTEBAN: Buena suerte. Oye, ¿tú (4) _____ a la fiesta de Isabel esta noche?

MEMO: No sé. ¿Quiénes (5) _____? Creo que (yo) (6) _____ al cine para ver la película nueva de Steven Spielberg.

ESTEBAN: ¿Por qué no (7) _____ primero a la fiesta y después al cine?

MEMO: Buena idea. ¿(8) _____ (tú y yo) juntos?

ESTEBAN: Muy bien. Mi amigo Roberto (9) _____ también. Hablamos después del torneo.

MEMO: Bueno, hasta luego.

4-16 Los "¿por qué?" Esperanza tiene una sobrina que está en la etapa de los "¿por qué?" Tiene muchas preguntas. Túrnense para darle las respuestas de Esperanza a Rosita. ■

PhotoLibrary

MODELO   ROSITA: ¿Por qué va mi papá al gimnasio?

          ESPERANZA: *Tu papá va al gimnasio porque quiere hacer ejercicio.*

1. ¿Por qué va mi mamá al mercado?
2. ¿Por qué va mi hermana a la oficina de correos?
3. ¿Por qué van mis hermanos al parque?
4. ¿Por qué vas a la universidad?
5. ¿Por qué no vamos al cine ahora?

Capítulo Preliminar A.
La hora, pág. 18.

 4-17 **¿Adónde van?** Miren los horarios de las siguientes personas.
Túrnense para decir adónde van, a qué hora y qué hacen en cada (*each*) lugar. ■

Mis padres	Mi hermano	Yo

Mis padres:
Notas 10:00 comprar... Hecho
Hoy   16 de marzo 9:09
10:00 comprar unos
libros
2:00 comer
6:00 ver un programa
de televisión
10:00 dormir

Mi hermano:
Notas 9:00 clase de... Hecho
Hoy   16 de marzo 10:19
9:00 clase de matemáticas
10:00 estudiar
4:00 leer correo
electrónico
8:00 Ver *Romeo y Julieta*
con Beatriz

Yo:
Notas 8:00 comprar... Hecho
Hoy   16 de marzo 12:02
8:00 comprar comida
10:00 mandar una carta
12:00 ver la exposición
de Picasso con mi clase de
arte
2:00 jugar al fútbol
8:00 ir al cine a ver la
película *Breaking Dawn*
con amigos

MODELO   *A las diez mis padres van a la librería para comprar unos libros. Luego…*

6 GRAMÁTICA

04-28 to 04-30

Ir + a + infinitivo Conveying what will happen in the future

¿Vamos a almorzar pronto? ¡Tengo hambre!

Sí. Voy a pedir comida guatemalteca.

Study the following sentences and then answer the questions that follow.

—**Voy a mandar** esta carta. ¿Quieres ir?
—Sí. Luego, **¿vas a almorzar?**
—Sí, **vamos a comer** comida guatemalteca.
—¡Perfecto! **Voy a pedir** unos tamales.
—Pero, primero, **¡vamos a ir** al banco.

I'm going to mail this letter. Do you want to go?
Yes. Then, are you going to have lunch?
Yes, we are going to eat Guatemalan food.
Perfect! I am going to order some tamales.
But first we are going to the bank!

¡Explícalo tú!

1. When do the actions in the previous sentences take place: in the *past*, *present*, or *future*?
2. What is the first bold type verb you see in each sentence?
3. In what form is the second bolded verb?
4. What word comes between the two verbs? Does this word have an equivalent in English?
5. What is your rule, then, for expressing future actions or statements?

✓ Check your answers to the preceding questions at the end of this chapter.

4-18 ¿Y en el futuro? Túrnense para contestar las siguientes preguntas sobre el futuro. ■

1. ¿Vas a dedicar más tiempo a tus estudios?
2. Después de terminar con tus estudios, ¿vas a vivir en una ciudad, un pueblo pequeño o en el campo?
3. ¿Vas a vivir en una casa grande?
4. ¿Tus amigos y tú van a visitar Honduras u otro país en Centroamérica?
5. ¿Vamos a encontrar la cura para el cáncer?
6. ¿Vamos a poder acabar con (*end*) el terrorismo?

Capítulo Preliminar A. Los días de la semana, los meses y las estaciones, pág. 20.

 4-19 Mi agenda ¿Qué planes tienes para la semana que viene? Termina las siguientes frases sin (*without*) repetir los quehaceres. ■

MODELO   E1: El lunes…

          E2: *El lunes voy a pasar la aspiradora.*

1. El lunes…
2. El martes…
3. El miércoles…
4. El jueves…
5. El viernes…
6. El sábado…
7. El domingo…
8. El fin de semana…

4-20 Qué será, será… ¿Qué tiene el futuro para ti, tus amigos y tu familia? Escribe **cinco** predicciones de lo que va a ocurrir en el futuro. ■

MODELO   *Mi primo va a ir a la Universidad Autónoma el año que viene. Mis padres van a limpiar el armario y el altillo este fin de semana. Yo voy a estudiar en Sudamérica…*

Jack Hollingsworth/Stockbyte/Thinkstock

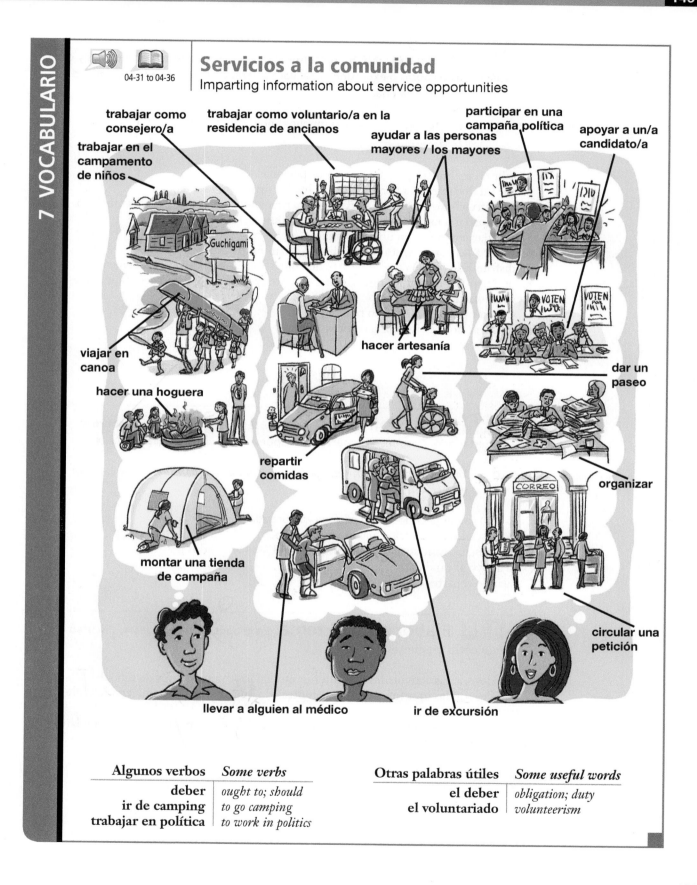

7 VOCABULARIO

04-31 to 04-36

Servicios a la comunidad
Imparting information about service opportunities

trabajar como consejero/a

trabajar como voluntario/a en la residencia de ancianos

participar en una campaña política

apoyar a un/a candidato/a

trabajar en el campamento de niños

ayudar a las personas mayores / los mayores

viajar en canoa

hacer artesanía

dar un paseo

hacer una hoguera

repartir comidas

organizar

montar una tienda de campaña

circular una petición

llevar a alguien al médico

ir de excursión

Algunos verbos	*Some verbs*	Otras palabras útiles	*Some useful words*
deber	*ought to; should*	el deber	*obligation; duty*
ir de camping	*to go camping*	el voluntariado	*volunteerism*
trabajar en política	*to work in politics*		

4-21 Definiciones Túrnense para leer las siguientes definiciones y decir cuál de las palabras o expresiones del vocabulario de **Servicios a la comunidad** corresponde a cada una. ◼

MODELO   E1: personas que tienen muchos años

             E2: *las personas mayores*

1. salir en un bote (*boat*) para una o dos personas
2. dar un documento a personas para obtener firmas (*signatures*)
3. "construir" una estructura portátil (no permanente) que se usa para dormir fuera de casa
4. acompañar a una persona a una cita (*appointment*) con el médico
5. trabajar con niños en un campamento
6. servir a las personas sin recibir dinero a cambio (*in exchange*)
7. disfrutar de (*enjoy*) un tipo de arte que puedes crear con materiales diversos
8. un lugar donde van los niños, generalmente en el verano, para hacer muchas actividades diferentes
9. trabajar para un candidato político
10. un lugar donde viven las personas mayores

Capítulo 2. El verbo *gustar*, p. 80.

 4-22 En tu opinión… Termina las siguientes oraciones sobre el voluntariado. Después, comparte tus respuestas con un/a compañero/a. ◼

MODELO   *Yo soy una consejera perfecta porque me gustan los niños. También sé escuchar muy bien…*

1. Yo (no) soy un/a consejero/a perfecto/a porque…
2. Dos trabajos voluntarios que me gustan son…
3. Hay muchas residencias de ancianos en los Estados Unidos porque…
4. Yo apoyo al candidato _____ porque…
5. Cuando repartes comidas, puedes…

 4-23 Elaborando el tema En grupos de tres o cuatro, discutan las siguientes preguntas. ◼

1. ¿Cuáles son las actividades más interesantes en los campamentos de niños?
2. ¿Cuáles son las oportunidades de voluntariado que existen en tu universidad/iglesia/templo?
3. ¿Cuáles son los trabajos voluntarios que se asocian más con apoyar a un candidato?
4. ¿Crees que servir a la comunidad es un deber?

NOTA CULTURAL

La conciencia social

04-37

Tanto en los Estados Unidos como en los países hispanohablantes, la gente se interesa cada día más en servir a la comunidad. Su conciencia social se puede manifestar tanto *(as much as)* en un trabajo remunerado *(job with a salary)* como en trabajos voluntarios: por ejemplo, ser entrenadores de deportes, llevar a los ancianos a pasear por los centros comerciales, trabajar para los congresistas, etc. En los Estados Unidos muchos trabajos voluntarios tienen que ver con *(are related to)* las personas mayores o con los jóvenes.

vadim kozlovsky/Shutterstock

Preguntas

1. ¿Cuáles son algunos trabajos voluntarios comunes en los Estados Unidos?
2. ¿Cómo sirves a tu comunidad?

---

8 GRAMÁTICA

 ¡Hola!

04-38 to 04-40   English
Tutorial

Las expresiones afirmativas y negativas
Articulating concepts and ideas both affirmatively and negatively

Siempre me gusta hacer artesanía con los niños, ¡pero jamás voy a ir en una canoa con ellos!

In the previous chapters, you have seen and used a number of the affirmative and negative expressions listed on the following page. Study the list, and learn the ones that are new to you.

(continued)

Expresiones afirmativas		Expresiones negativas	
a veces	*sometimes*	**jamás**	*never; not ever* (emphatic)
algo	*something; anything*	**nada**	*nothing*
alguien	*someone*	**nadie**	*no one; nobody*
algún	*some; any*	**ningún**	*none*
alguno/a/os/as	*some; any*	**ninguno/a/os/as**	*none*
siempre	*always*	**nunca**	*never*
o... o	*either . . . or*	**ni... ni**	*neither . . . nor*

Look at the following sentences, paying special attention to the position of the negative words, and answer the questions that follow.

—¿Quién llama?   *Who is calling?*
—**Nadie** llama. (**No** llama **nadie.**)   *No one is calling.*
—¿Vas al gimnasio todos los días?   *Do you go to the gym every day?*
—No, **nunca** voy. (No, **no** voy **nunca.**)   *No, I never go.*

> **Fíjate**
>
> Unlike English, Spanish can have two or more negatives in the same sentence. A double negative is actually quite common. For example, *No tengo nada que hacer* means *I don't have anything to do.*

¡Explícalo tú!

1. When you use a negative word (**nadie, nunca,** etc.) in a sentence, does it come before or after the verb?
2. When you use the word **no** and then a negative word in the same sentence, does **no** come before or after the verb? Where does the negative word come in these sentences?
3. Does the meaning change depending on where you put the negative word (e.g., **Nadie llama** *versus* **No llama nadie**)?

 Check your answers to the preceding questions at the end of this chapter.

Algún and *ningún*

1. Forms of **algún** and **ningún** need to agree in gender and number with the nouns they modify.
2. **Alguno** and **ninguno** are shortened to **algún** and **ningún** when they are followed by *masculine, singular nouns.*
3. When no noun follows, use **alguno** or **ninguno** when referring to masculine, singular nouns.
4. The plural form **ningunos** is rarely used.

Study the following sentences.

MARÍA: ¿Tienes **alguna** clase fácil este semestre?
JUAN: No, no tengo **ninguna.** ¡Y **ningún** profesor es simpático!
MARÍA: Vaya, ¿y puedes hacer **algún** cambio?
JUAN: No, no puedo hacer **ninguno.** (No, no puedo tomar **ningún** otro curso.)

Workbooklet

4-24 **¿Con qué frecuencia?** Indica con qué frecuencia tus compañeros/as de clase hacen las siguientes actividades. Escribe el nombre de cada compañero/a debajo de la columna apropiada y comparte los resultados con la clase. ■

MODELO ir de excursión con niños

A veces Josefina va de excursión con niños.

	SIEMPRE	A VECES	NUNCA
1. ir de excursión con niños		Josefina	
2. participar en una campaña política			
3. hacer una hoguera			
4. circular una petición			
5. firmar una petición			
6. repartir comidas a los mayores			
7. visitar una residencia de ancianos			
8. trabajar en un campamento para niños			
9. trabajar como voluntario en un hospital o una clínica			
10. dormir en una tienda de campaña			

Capítulo 2. La sala de clase, pág. 65; En la universidad, pág. 74.

 4-25 **El/La profesor/a ideal** Túrnense para decir si las siguientes características son ciertas (*true*) o no en un/a profesor/a ideal. ■

MODELO E1: a veces duerme en su trabajo

E2: *No. Un profesor ideal nunca duerme en su trabajo.*

E1: jamás va a clase sin sus apuntes

E2: *Sí, un profesor ideal jamás va a clase sin sus apuntes.*

Pixland/Thinkstock

Un/a profesor/a ideal...

1. siempre está contento/a en su trabajo.
2. a veces llega a clase cinco minutos tarde.
3. prepara algo interesante para cada clase.
4. piensa que sabe más que nadie.
5. falta (*misses*) a algunas clases.
6. nunca pone a los estudiantes en grupos.
7. jamás asigna tarea para la clase.
8. siempre prefiere leer sus apuntes.
9. no pierde nada (la tarea, los exámenes, etc.).
10. no habla con nadie después de la clase.

4-26 **¿Sí o no?** Túrnense para contestar las siguientes preguntas. ▪

MODELO　　E1:　*¿Siempre almuerzas a las cuatro de la tarde?*

　　　　　　　E2:　*No, nunca almuerzo a las cuatro de la tarde. / No, no almuerzo*
　　　　　　　　　　nunca/jamás a las cuatro de la tarde.

1. ¿Pierdes algo cuando vas de vacaciones?
2. ¿Siempre encuentras las cosas que pierdes?
3. ¿Siempre montas una tienda de campaña cuando vas de camping?
4. ¿A veces vas de excursión con tus amigos?
5. ¿Siempre almuerzas en restaurantes elegantes?
6. ¿Conoces a alguien de El Salvador?
7. ¿Siempre piensas en el amor (*love*)?
8. ¿Hay algo más importante que el dinero?

 4-27 **No tienes razón** Tu amigo/a es muy idealista. Túrnense para decirle (*tell him/her*) que debe ser más realista, usando expresiones negativas. ▪

MODELO

1. Tengo que buscar una profesión sin estrés.
2. Quiero el carro perfecto, un Lexus.
3. Voy a tener hijos perfectos.
4. Pienso que no voy a estudiar la semana que viene.
5. Voy a encontrar unos muebles muy baratos (*cheap*) y elegantes.

---

9 GRAMÁTICA

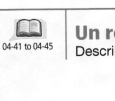
04-41 to 04-45

Un repaso de *ser* y *estar*
Describing states of being, characteristics, and location

Son las ocho. ¿Dónde está Beto?

You have learned two Spanish verbs that mean *to be* in English. These verbs, **ser** and **estar,** are contrasted here.

SER

Ser is used:

• **To describe physical or personality characteristics that remain relatively constant**

Gregorio **es** inteligente.　　　　　*Gregorio is intelligent.*
Yanina **es** guapa.　　　　　　　　*Yanina is pretty.*
Su tienda de campaña **es**　　　　　*Their tent is yellow.*
　amarilla.
Las casas **son** grandes.　　　　　　*The houses are large.*

- **To explain what or who someone or something is**

  El Dr. Suárez **es** profesor de literatura. *Dr. Suárez is a literature professor.*
  Marisol **es** mi hermana. *Marisol is my sister.*

- **To tell time, or to tell when or where an event takes place**

  ¿Qué hora **es**? *What time is it?*
  Son las ocho. *It's eight o'clock.*
  Mi clase de español **es** a las ocho y *My Spanish class is at eight o'clock and*
    es en Peabody Hall. *is in Peabody Hall.*

- **To tell where someone is from and to express nationality**

  Somos de Honduras. *We are from Honduras.*
  Somos hondureños. *We are Honduran.*
  Ellos **son** de Guatemala. *They are from Guatemala.*
  Son guatemaltecos. *They are Guatemalan.*

ESTAR

Estar is used:

- **To describe physical or personality characteristics that can change, or to indicate a change in condition**

  María **está** enferma hoy. *María is sick today.*
  Jorge y Julia **están** tristes. *Jorge and Julia are sad.*
  La cocina **está** sucia. *The kitchen is dirty.*

- **To describe the locations of people, places, and things**

  El museo **está** en la calle Quiroga. *The museum is on Quiroga Street.*
  Estamos en el centro comercial. *We're at the mall.*
  ¿Dónde **estás** tú? *Where are you?*

¡Explícalo tú!

Compare the following sentences and answer the questions that follow.

  Su hermano **es** simpático.
  Su hermano **está** enfermo.

1. Why do you use a form of **ser** in the first sentence?
2. Why do you use a form of **estar** in the second sentence?

✔ Check your answers to the preceding questions at the end of this chapter.

Estrategia

Review the forms of *ser* (p. 13) and *estar* (p. 76).

You will learn several more uses for **ser** and **estar** by the end of *¡Anda! Curso elemental*.

4-28 **¿Y Margarita?** Estér y Margarita son estudiantes de la Universidad Francisco Marroquín en la ciudad de Guatemala. Ellas tienen clase ahora pero Margarita no llega. Completen juntos el siguiente párrafo con las formas correctas de **ser** o **estar** para conocerla mejor. ■

Paso 1

(1) _____ las siete y media de la mañana. Nuestra clase de física (2) _____ a las ocho y siempre vamos juntas. Bueno, ¿dónde (3) _____ Margarita? Es raro porque ella (4) _____ muy puntual y no le gusta llegar tarde. Yo (5) _____ su mejor amiga y sé que (6) _____ preocupada por sus abuelos. Ellos (7) _____ mayores y a veces (8) _____ enfermos. Margarita (9) _____ muy responsable y ayuda mucho a sus abuelos. Toda su familia (10) _____ de la ciudad de Antigua y siempre piensa en ellos. Aquí viene Margarita, ¡menos mal!

Andresr/Shutterstock

Paso 2   Expliquen por qué usaron (*you used*) **ser** o **estar** en **Paso 1**.

MODELO   1. (*Son*) telling time

4-29 **Nuestro conocimiento** ¿Qué sabes de Guatemala, Honduras y El Salvador? Túrnense para hacerse y contestar las siguientes preguntas. ■

1. ¿Dónde están estos países: en Norteamérica, Centroamérica o Sudamérica?
2. ¿Cuál está más cerca de México? ¿Cuál está más cerca de Panamá?
3. ¿Son países grandes o pequeños?
4. ¿Cuáles son sus capitales?

4-30 **¡A jugar!** Vamos a practicar **ser** y **estar**. ■

Paso 1   Draw two columns on a piece of paper labeling one **ser** and the other **estar**. Write as many sentences as you can in the three minutes you are given.

Paso 2   Form groups of four to check your sentences and uses of the verbs.

4-31 **Somos iguales**

Paso 1   Draw **three** circles, as per the model below, and ask each other questions to find out what things you have in common and what sets you apart. In the center circle write sentences using **ser** and **estar** about things you have in common, and in the side circles write sentences about things that set you apart.

MODELO   E1: *¿Cuál es tu color favorito?*

E2: *Mi color favorito es el negro.*

E1: *Mi color favorito es el negro también.*

E2: *Hoy estoy nerviosa. ¿Cómo estás tú?*

E1: *Yo estoy cansado.*

Paso 2   Share your diagrams with the class. What are some of the things that all of your classmates have in common?

El voluntariado

04-46

Estrategia	When you know the context and listen carefully, you can repeat or paraphrase what you hear. Start by saying one	or two words about what you hear and work up to complete sentences.
Paraphrasing what you hear		

 4-32 Antes de escuchar Do you volunteer? What service opportunities exist in your city/town? You are going to hear a conversation between Marisol and Lupe, in which Marisol shares her experiences with volunteering. Think of three Spanish words dealing with volunteering that you might hear. ◼

Marisol y Lupe conversan sobre el trabajo voluntario.

Pearson Education

 4-33 A escuchar After listening to the conversation for the first time, note three main points, words, or topics. After listening a second time, paraphrase their conversation with at least **three** complete sentences. You may use the following questions to guide your listening. ◼

1. ¿Quién hace trabajo voluntario?
2. ¿Qué trabajo hace ella en la escuela? ¿Qué más quiere hacer?
3. ¿Adónde va a ir mañana? ¿Con quién?

4-34 Después de escuchar Form **three** sentences about your volunteering experiences, and tell them to your classmate. Your classmate will paraphrase what you have said. ◼

¡CONVERSEMOS!
04-47

4-35 **Mi comunidad** You and a partner are on the planning commission(s) of your town(s). Take turns sharing your ideas with the other commissioners, stating at least **five** positive aspects of your town and **five** areas that could be improved. You should also respond to your partner's ideas, agreeing or disagreeing. Use vocabulary words *Los lugares,* on page 134, and verbs from page 140, *¿Qué tienen que hacer? ¿Qué pasa?* ∎

BananaStock/Thinkstock

4-36 **Servicio a nuestra comunidad** Your college has a community service component, and you are a coordinator for these services. With a partner, take turns describing the opportunities available to fellow students in your town(s) or school community. Create at least **ten** sentences using the vocabulary *Servicio a la comunidad* on page 149. ∎

ESCRIBE

04-48

📖 Una tarjeta postal (*A postcard*)

Estrategia	It is important to always carefully read over what you have written to check for meaning and accuracy. You want to minimally:	• confirm that subjects and verbs, as well as nouns and adjectives, agree in number and gender.
Proofreading	• verify spelling. • check all verb forms.	• review for appropriate meaning.

4-37 Antes de escribir Escribe una lista de los lugares importantes o interesantes de tu pueblo o ciudad. Luego escribe por qué son importantes o interesantes. Usa el vocabulario de este capítulo y de **También se dice…** (at the end of this chapter). ■

4-38 A escribir Organiza tus ideas usando las siguientes preguntas como guía. Escribe por lo menos **cinco** oraciones completas. Puedes consultar el modelo. ■

1. ¿Qué lugares hay en tu pueblo o ciudad?
2. ¿Por qué son importantes o interesantes?
3. Normalmente, ¿qué haces allí?
4. ¿Adónde vas los fines de semana?
5. ¿Qué te gusta de tu pueblo?

> Querido/a_____:
>
> Tienes que conocer mi pueblo, Roxborough. Hay _____. Me gusta(n) _____. Es interesante porque _____. Los fines de semana _____.
>
> Con cariño,
> __(Tu nombre)__

 4-39 Después de escribir Tu profesor/a va a recoger las tarjetas y "mandárselas" (*mail them*) a otros miembros de la clase para leerlas. Luego, la clase tiene que escoger los lugares que desean visitar. ■

¿Cómo andas? II

	Feel confident	Need to review
Having completed **Comunicación II,** I now can . . .		
• share where I and others are going (p. 146)	☐	☐
• convey what will happen in the future (p. 147)	☐	☐
• impart information about service opportunities (p. 149)	☐	☐
• discuss the concept of social consciousness (p. 151)	☐	☐
• articulate concepts and ideas both affirmatively and negatively (p. 151)	☐	☐
• describe states of being, characteristics, and location (p. 154)	☐	☐
• paraphrase what I hear (p. 157)	☐	☐
• communicate about ways to serve the community (p. 158)	☐	☐
• write a postcard and proofread it for accuracy (p. 159)	☐	☐

Cultura

Honduras

04-49, 04-52

Andresr/Shutterstock

César Alfonso Ávalos

Les presento mi país

Mi nombre es César Alfonso Ávalos y soy de La Ceiba, Honduras, una ciudad en el Mar Caribe que está cerca de unas islas hondureñas bellas (*beautiful*) y muy interesantes. Mi lugar favorito para visitar es Utila, bien conocido en el mundo por el buceo (*scuba diving*). **¿Te gusta bucear?** Mi país tiene un pasado cultural muy rico, ya que los mayas viven aquí desde la época precolombina. Las ruinas más importantes que tenemos están en Copán. **¿Hay ruinas importantes cerca de tu pueblo?**

Christopher Poe/Shutterstock

La playa de Utila, Islas de la Bahía

Un charancaco (*basilisk*) de la isla Roatán

John A. Anderson/ Shutterstock

Dave Rock/Shutterstock

Las ruinas de Copán

ALMANAQUE

Nombre oficial: República de Honduras
Gobierno: República democrática constitucional
Población: 7.989.415 (2010)
Idiomas: español (oficial); miskito, garífuna, otros dialectos amerindios
Moneda: Lempira (L)

¿Sabías que...?

- El nombre original de esta región es *Higüeras*, que es el nombre de una planta nativa. Al llegar a la costa norteña, Cristóbal Colón renombra la región *Honduras* a causa de la profundidad del agua en la bahía.

Preguntas

1. ¿Qué significa *Honduras*? ¿De dónde viene el nombre?
2. ¿Quiénes son los habitantes originales de Copán?
3. ¿Qué semejanzas hay entre Honduras y México?

Amplía tus conocimientos sobre Honduras en MySpanishLab.

161

04-50, 04-53

Jupiterimages/liquidlibrary/ Thinkstock

Luis Pedro Aguirre Maldonado

Les presento mi país

Mi nombre es Luis Pedro Aguirre Maldonado y soy de Antigua, Guatemala. Muchas personas vienen a mi ciudad para estudiar en nuestras excelentes escuelas de lengua española. **¿Visitan muchas personas tu ciudad o pueblo?** Mi país es montañoso (*mountainous*) con muchos volcanes, como el gran Tajumulco, y algunos de ellos son muy activos. También hay ruinas mayas muy antiguas, como las de Tikal y algunas de nuestras pirámides son las más altas de las Américas. **¿En qué otros lugares encuentras pirámides?**

Gugli/Dreamstime

Daniel Loncarevic/Shutterstock

Un templo muy alto de Tikal es El Gran Jaguar.

Tajumulco es el volcán más alto de Centroamérica y la montaña más alta de Guatemala.

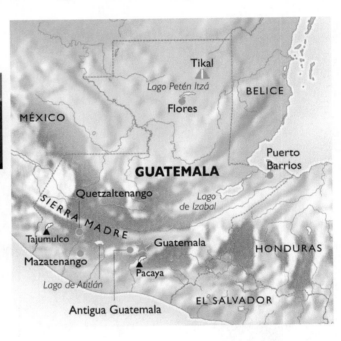

MÉXICO · Tikal · Lago Petén Itzá · Flores · BELICE · Puerto Barrios · GUATEMALA · Quetzaltenango · Lago de Izabal · SIERRA MADRE · Tajumulco · Guatemala · HONDURAS · Mazatenango · Pacaya · Lago de Atitlán · EL SALVADOR · Antigua Guatemala

Mike Cohen/Shutterstock

Antigua, la primera capital de Guatemala

ALMANAQUE

Nombre oficial: República de Guatemala
Gobierno: República democrática constitucional
Población: 13.550.440 (2010)
Idiomas: español (oficial); idiomas amerindios (23 reconocidos oficialmente)
Moneda: Quetzal (Q)

¿Sabías que...?

• Los mayas tienen un calendario civil, *El Haab*. Consiste en 18 "meses" de 20 días cada uno. Los últimos cinco días del año, conocidos como *el Wayeb*, se consideran de muy mala suerte.

Preguntas

1. Nombra dos cosas que sabes de la geografía guatemalteca.
2. ¿Cuántos idiomas se hablan en Guatemala?
3. ¿Qué otros países tienen herencia maya?

 Amplía tus conocimientos sobre Guatemala en MySpanishLab.

162

El Salvador

04-51, 04-54

iofoto/Shutterstock

Claudia Figueroa Barrios

Les presento mi país

Mi nombre es Claudia Figueroa Barrios. Soy de La Libertad, al sur de nuestra capital San Salvador. Mi ciudad está en la costa del Pacífico cerca de la playa El Sunzal, donde mucha gente practica los deportes acuáticos. **¿Te gustan los deportes acuáticos?** El Salvador es el único país de Centroamérica que no tiene costa caribeña. En mi casa viven tres generaciones de mi familia y nos gusta mucho la comida salvadoreña, como las pupusas. **¿Cuál es tu comida favorita?**

rj lerich/Shutterstock

Las pupusas son la comida nacional de El Salvador.

La playa El Sunzal es un lugar excelente para el surfing, el snorkeling y el buceo.

Yai/Shutterstock

EpicStockMedia/Shutterstock

En la antigüedad, los mayas usaron (*used*) granos de cacao como dinero.

GUATEMALA

HONDURAS

Lago de Güija   Río Lempa   SIERRA

MADRE

Santa Ana

Ilobasco

Lago de Ilopango

San Salvador   EL SALVADOR

La Libertad   San Miguel

Golfo de Fonseca

OCÉANO PACÍFICO   NICARAGUA

ALMANAQUE

Nombre oficial: República de El Salvador
Gobierno: República democrática constitucional
Población: 6.052.064 (2010)
Idioma: español (oficial)
Moneda: Dólar estadounidense

¿Sabías que...?

- Algunos salvadoreños, sobre todo los que viven en las partes rurales del país, van a los curanderos (*folk healers*) para buscar ayuda médica.

Preguntas

1. ¿Qué importancia tiene el cacao en la historia maya?
2. ¿Qué deportes practican en El Salvador?
3. ¿Qué cosas de El Salvador son únicas o diferentes a las de otros países hispanos?

 Amplía tus conocimientos sobre El Salvador en MySpanishLab.

163

04-59

Ambiciones siniestras

EPISODIO 4

Pearson Education

Lectura

Estrategia   Skimming and Scanning (II)

Continue to practice focusing on main ideas and important information. Remember, when you *skim* a passage you read quickly to get the gist of the passage. When you *scan* a passage you already know what you need to find out, so you concentrate on searching for that particular information.

4-40 **Antes de leer** Ya (*Already*) sabemos que Manolo, Alejandra, Cisco, Eduardo, Lupe y Marisol son finalistas de un concurso misterioso. En este episodio Marisol y Lupe no lo pueden celebrar porque tienen que trabajar en un proyecto sobre (*about*) sus pueblos. Antes de leer contesta las siguientes preguntas. ∎

1. ¿Cómo es tu pueblo? ¿Es un buen lugar donde vivir? ¿Por qué?
2. ¿De dónde son tus mejores amigos? ¿Sabes mucho sobre sus familias y sus pueblos?

4-41 **A leer** Complete the following steps. ∎

1. *Skim* the first paragraph, looking for the answers to the following questions.
   a. About whom is this paragraph?
   b. Which statement best describes where they are?
       They are in sociology class.
       They are at a party.
       They are in an apartment.
2. Now *scan* the second paragraph, looking for the following information:
   a. Where is Lupe's parents' home—in the country or in the middle of town?
   b. Is her parents' home large or small?
   c. What city is next to Lupe's hometown?

This gives you a good start to discovering what happens next in **Ambiciones siniestras.**

164

Las cosas no son siempre lo que parecen°

seem

Alejandra, Manolo, Cisco, Eduardo, Marisol y Lupe están emocionados al saber que son finalistas del concurso. Muchos van a celebrarlo, pero Marisol y Lupe no pueden. Están ahora en el apartamento de Lupe. Tienen que terminar un proyecto sobre sus pueblos para la clase de sociología.

countryside
Nevertheless
outskirts

Las fotos que tiene Lupe de la casa de sus padres y de su pueblo en general representan un lugar muy tranquilo en el campo°, con una casa pequeña y un jardín muy grande. Sin embargo°, Lupe nunca quiere hablar de su familia ni de su pueblo. Sólo dice que es de un pueblo de las afueras° de Akron, Ohio.

En cambio, a Marisol le gusta hablar de su familia y de su pueblo que está muy cerca de la ciudad de Nueva York. Marisol viene de una familia muy grande. Es hija única pero tiene muchos tíos y primos. Todos viven cerca de Nueva York.

proud

Marisol está muy orgullosa° de su pueblo. Siempre le dice a Lupe que tiene de todo cerca de su casa. Por ejemplo, dice que hay un cine donde ponen quince películas diferentes a la vez. Ella vive en un apartamento y enfrente hay un supermercado pequeño, una librería y un restaurante que siempre recibe la distinción de ser el mejor restaurante chino del pueblo. ¡Ella no comprende cómo alguien puede vivir en otro lugar!

laugh

Mientras Marisol trabaja de manera muy seria, escucha a Lupe reírse° y hacer comentarios casi inaudibles. De pronto Lupe le dice a Marisol que tiene que salir un momento para hacer una llamada por teléfono. Marisol, muy curiosa, decide mirar lo que Lupe escribe.

strange

Se acerca a su computadora y lee allí algo muy extraño°. Lupe no escribe sobre su pueblo en Ohio. ¡Escribe sobre Los Ángeles!

4-42 **Después de leer** Contesta las siguientes preguntas. ■

1. ¿Qué tipo de proyecto hacen Lupe y Marisol?
2. ¿Qué no quiere hacer Lupe?
3. ¿Cómo es la familia de Marisol?
4. ¿Dónde vive Marisol? ¿Cómo es su pueblo?
5. ¿Qué escribe Lupe en su computadora?

165

Video

4-43 **Antes del video** Do you volunteer your time with a group or organization? In the video episode of **Ambiciones siniestras,** you will learn about Cisco's and Eduardo's volunteerism experiences (or lack thereof!). Also listen for "**¡No toques** (*touch*) **mis cosas nunca más! ¿Me oyes?**" Why do you think the character says this? And finally, you will discover that either Cisco or Eduardo is not being totally honest! Who do you think it is? Why? ■

Pearson Education

Pearson Education

Pearson Education

Trabajo como voluntario en una organización que ayuda a los niños.

¡No toques mis cosas nunca más! ¿Me oyes?

Cisco piensa que lo sabe todo…

Episodio 4

«¿Quiénes son en realidad?»

Relax and watch the video, more than once if you choose. Then answer the questions that follow.

4-44 **Después del video** Contesta las siguientes preguntas. ■

1. ¿Adónde van Cisco y Eduardo?
2. ¿Qué hacen allí?
3. ¿Quién trabaja como voluntario? ¿A quiénes ayuda?
4. ¿Por qué está enojado Cisco?
5. ¿Qué hace Eduardo al final?

166

Y por fin, ¿cómo andas?

	Feel confident	Need to review

Having completed this chapter, I now can . . .

Comunicación I

- identify places in and around town (p. 134) ☐ ☐
- pronounce the letters *c* and *z* (MSL/SAM) ☐ ☐
- state whom and what is known (p. 137) ☐ ☐
- relate common obligations and activities (p. 140) ☐ ☐
- express actions (p. 142) ☐ ☐

Comunicación II

- share where I and others are going (p. 146) ☐ ☐
- convey what will happen in the future (p. 147) ☐ ☐
- impart information about service opportunities (p. 149) ☐ ☐
- articulate concepts and ideas both affirmatively and negatively (p. 151) ☐ ☐
- describe states of being, characteristics, and location (p. 154) ☐ ☐
- paraphrase what I hear (p. 157) ☐ ☐
- communicate about ways to serve the community (p. 158) ☐ ☐
- write a postcard and proofread it for accuracy (p. 159) ☐ ☐

Cultura

- describe shopping and other daily activities (p. 136) ☐ ☐
- discuss the concept of social consciousness (p. 151) ☐ ☐
- list interesting facts about Honduras, Guatemala, and El Salvador (pp. 161–163) ☐ ☐

Ambiciones siniestras

- practice the reading strategies of skimming and scanning, and learn more about Lupe and Marisol (p. 164) ☐ ☐
- discover that Cisco may not be who Eduardo and the others think he is (p. 166) ☐ ☐

Comunidades

- use Spanish in real-life contexts (SAM) ☐ ☐

VOCABULARIO ACTIVO

Los lugares	Places
el almacén	department store
el banco	bank
el bar; el club	bar; club
el café	café
el cajero automático	ATM machine
el centro	downtown
el centro comercial	mall; business/shopping district
el cibercafé	Internet café
el cine	movie theater
la iglesia	church
el mercado	market
el museo	museum
la oficina de correos; correos	post office
el parque	park
la plaza	town square
el restaurante	restaurant
el supermercado	supermarket
el teatro	theater
el templo	temple

Algunos verbos	Some verbs
buscar	to look for
estar de acuerdo	to agree
mandar una carta	to send/mail a letter

Otras palabras útiles	Other useful words
la ciudad	city
la cuenta	bill; account
detrás (de)	behind
enfrente (de)	in front (of)
el/la mejor	the best
la película	movie; film
el/la peor	the worst
el pueblo	town; village

Servicios a la comunidad	Community service
apoyar a un/a candidato/a	to support a candidate
ayudar a las personas mayores/los mayores	to help elderly people
circular una petición	to circulate a petition
dar un paseo	to go for a walk
deber	ought to; should
hacer artesanía	to make arts and crafts
hacer una hoguera	to light a campfire
ir de camping	to go camping
ir de excursión	to take a short trip
llevar a alguien al médico	to take someone to the doctor
montar una tienda de campaña	to put up a tent
organizar	to organize
participar en una campaña política	to participate in a political campaign
repartir comidas	to hand out/deliver food
trabajar como consejero/a	to work as a counselor
trabajar en el campamento de niños	to work in a summer camp
trabajar como voluntario/a en la residencia de ancianos	to volunteer at a nursing home
trabajar en política	to work in politics
viajar en canoa	to canoe

Otras palabras útiles	Other useful words
el deber	obligation; duty
el voluntariado	volunteerism

Otros verbos	Other verbs
ir	to go
saber	to know

¿Qué tienen que hacer?	What do they have to do?
(Verbos con cambio de raíz)	(Stem-changing verbs)
almorzar (ue)	to have lunch
cerrar (ie)	to close
comenzar (ie)	to begin
costar (ue)	to cost
demostrar (ue)	to demonstrate
devolver (ue)	to return (an object)
dormir (ue)	to sleep
empezar (ie)	to begin
encerrar (ie)	to enclose
encontrar (ue)	to find
entender (ie)	to understand
jugar (ue)	to play
mentir (ie)	to lie
morir (ue)	to die
mostrar (ue)	to show
pedir (i)	to ask for
pensar (ie)	to think
perder (ie)	to lose; to waste
perseguir (i)	to chase
preferir (ie)	to prefer
recomendar (ie)	to recommend
recordar (ue)	to remember
repetir (i)	to repeat
seguir (i)	to follow; to continue (doing something)
servir (i)	to serve
volver (ue)	to return

Expresiones afirmativas y negativas	Affirmative and negative expressions
a veces	sometimes
algo	something; anything
alguien	someone
algún	some; any
alguno/a/os/as	some; any
jamás	never; not ever (emphatic)
nada	nothing
nadie	no one; nobody
ni... ni	neither . . . nor
ningún	none
ninguno/a/os/as	none
nunca	never
o... o	either . . . or
siempre	always

Answers to ¡Explícalo tú!
(Inductive Grammar Answers)

4. Los verbos con cambio de raíz

1. Which verb forms look like the infinitive **cerrar**?
   nosotros, vosotros
2. Which verb forms have a spelling change that differs from the infinitive **cerrar**?
   yo, tú, él, ella, usted, ellos, ellas, ustedes

1. Which verb forms look like the infinitive **pedir**?
   nosotros, vosotros
2. Which verb forms have a spelling change that differs from the infinitive **pedir**?
   yo, tú, él, ella, usted, ellos, ellas, ustedes

1. Which verb forms look like the infinitive **encontrar**?
   nosotros, vosotros
2. Which verb forms have a spelling change that differs from the infinitive **encontrar**?
   yo, tú, usted, él, ella, ustedes, ellos, ellas

1. Which verb forms look like the infinitive **jugar**?
   nosotros, vosotros
2. Which verb forms have a spelling change that differs from the infinitive **jugar**?
   yo, tú, usted, él, ella, ustedes, ellos, ellas
3. Why does **jugar** not belong with the verbs like **encontrar**?
   because the change is *u → ue*, not *o → ue* like *encontrar*

To summarize . . .
1. What is a rule that you can make regarding all four groups of stem-changing verbs and their forms?
   Nosotros/vosotros **look like the infinitive. All the other forms have the spelling change.**
2. With what group of stem-changing verbs would you put **querer**?
   e → ie
3. With what group of stem-changing verbs would you put the following verbs:
   demostrar   *to demonstrate* **o → ue**
   devolver   *to return (an object)* **o → ue**
   encerrar   *to enclose* **e → ie**
   perseguir   *to chase* **e → i**

6. *Ir + a +* infinitivo

1. When do the actions in these sentences take place: in the *past, present,* or *future?*
   future
2. What is the first bold type verb you see in each sentence?
   a form of *ir*
3. In what form is the second bolded verb?
   infinitive

4. What word comes between the two verbs?
a

Does this word have an equivalent in English?
no

5. What is your rule, then, for expressing future actions or statements?
use a form of *ir* + *a* + infinitive

8. Las expresiones afirmativas y negativas

1. When you use a negative word (**nadie, nunca,** etc.) in a sentence, does it come before or after the verb?
The negative word can go either before or after the verb.

2. When you use the word **no** and then a negative word in the same sentence, does **no** come before or after the verb?
No **comes before the verb.**

Where does the negative word come in these sentences?
The negative word can go either before or after the verb.

3. Does the meaning change depending on where you put the negative word? (E.g., **Nadie llama** *versus* **No llama nadie.**)
No, the meaning stays the same.

9. Un repaso de *ser* y *estar*

1. Why do you use a form of **ser** in the first sentence?
because it is a characteristic that remains relatively constant

2. Why do you use a form of **estar** in the second sentence?
because it describes a physical or personality characteristic that can change, or a change in condition

También se dice...

Lugares en una ciudad o pueblo/*Places in a city or town*

la alberca *swimming pool; sports complex (Mexico)*
el ambulatorio *medical center (not a hospital) (Spain)*
el aseo *public restroom*
la catedral *cathedral*
el campo de golf *golf course*
la capilla *chapel*
la clínica *clinic*
el consultorio *doctor's office*
el convento *convent*
la cuadra *block (Latin America)*
la ferretería *hardware store*
la fogata *bonfire*
la frutería *fruit store*
la fuente *fountain*
la gasolinera *gas station*

la heladería *ice cream shop*
la manzana *block (Spain)*
el mercadillo *open-air market*
la mezquita *mosque*
la papelería *stationary store*
la panadería *bread store*
la pastelería *pastry shop*
la pescadería *fish shop; fishmonger*
la piscina *pool*
el polideportivo *sports center*
el quiosco *newsstand*
los servicios *public restrooms*
la sinagoga *synagogue*
la tienda de juguetes *toy store*
la tienda de ropa *clothing store*
el zócalo *plaza (Mexico)*

Capítulo 5: ¡A divertirse!
La música y el cine

5

¡A divertirse!
La música y el cine

En el mundo hispanohablante la gente trabaja pero también sabe divertirse (*enjoy themselves*). La música, el baile y el cine son formas de expresión y de distracción comunes. Estos pasatiempos, además de otros como los deportes o leer un buen libro, nos hacen la vida muy agradable. Sobre todo (*Above all*), es importante buscar maneras de relajarse y aliviar el estrés.

PREGUNTAS

1 ¿Qué haces cuando no estudias?

2 ¿Qué hacen tus amigos y tú para relajarse y aliviar el estrés?

3 Hay una expresión en español que dice: "Algunas personas viven para trabajar y otras trabajan para vivir". ¿Cuál es tu filosofía de la vida?

AndrusV/Shutterstock

170

184

Comunicación I

1 VOCABULARIO

El mundo de la música   Discussing music

05-01 to 05-07

el músico (la música)

la orquesta

el tambor

la trompeta

el trompetista (la trompetista)

el cantante (la cantante)

la guitarrista (el guitarrista)

el baterista (la baterista)

las grabaciones

la batería

el artista

la guitarra

la artista

el tamborista (la tamborista)

el pianista (la pianista)

el piano

la música

el empresario (la empresaria)

la gira

el conjunto

el concierto

EL TEATRO NACIONAL RUBÉN DARÍO

Gira mundial de Las Piedras
¡Concierto a las 20h!

Algunos géneros musicales	Some musical genres
el jazz	jazz
la música clásica	classical music
la música folklórica	folk music
la música popular	pop music
la música rap	rap music
la ópera	opera
el rock	rock
la salsa	salsa

Algunos adjetivos	Some adjectives
apasionado/a	passionate
cuidadoso/a	careful
fino/a	fine; delicate
lento/a	slow
suave	smooth

Algunos verbos	Some verbs
dar un concierto	to give/perform a concert
ensayar	to practice/rehearse
grabar	to record
hacer una gira	to tour
sacar un CD	to release a CD
tocar	to play (a musical instrument)

Otras palabras útiles	Some useful words
el/la aficionado/a	fan
la fama	fame
el género	genre
la habilidad	ability; skill
la letra	lyrics
el ritmo	rhythm
la voz	voice

PRONUNCIACIÓN

05-08 to 05-12

Diphthongs and linking

Go to MySpanishLab/Student Activities Manual to learn about diphthongs and linking.

 5-1 **Dibujemos** Escuchen mientras su profesor/a les da (*gives you*) las instrucciones de esta actividad. ■

 5-2 **Listas** Túrnate con un/a compañero/a para decir y escribir todas las palabras del vocabulario nuevo que recuerden (*you both remember*) de las tres categorías en el modelo. ¿Cuántas palabras pueden recordar? ■

MODELO

TIPOS DE MÚSICA	INSTRUMENTOS	OTRAS PALABRAS
el jazz	la trompeta	el conjunto

5-3 **Para conocerte mejor** Hazle las siguientes preguntas a un/a compañero/a. Toma apuntes y luego comparte las respuestas con otros dos compañeros. ■

olly/Shutterstock

1. ¿Con qué frecuencia vas a conciertos?
2. ¿Qué género de música prefieres?
3. ¿Cuál es tu grupo favorito?
4. ¿Cuál es tu cantante favorito/a? ¿Cómo es su voz?
5. ¿Qué instrumento te gusta?
6. ¿Cuál es tu canción favorita?
7. ¿Sabes tocar un instrumento? ¿Cuál?
8. ¿Sabes cantar bien? ¿Te gusta cantar? ¿Cuándo y dónde cantas?
9. ¿En qué tienes mucha habilidad o talento?
10. ¿Conoces algún conjunto o cantante hispano? ¿Cuál?

 Capítulo 2. La formación de preguntas y las palabras interrogativas, pág. 70.

  5-4 **Los famosos** Completa los siguientes pasos. ■

Paso 1 Como reportero/a de la revista *Rolling Stone* tienes la oportunidad de entrevistar a los hermanos Mejía, dos músicos populares de Nicaragua. Escribe por lo menos **cinco** preguntas que vas a hacerles.

Paso 2 Haz una investigación en el Internet para ver si puedes descubrir las respuestas a tus preguntas y para escuchar la música de Luis y Ramón Mejía. Después, comparte tus resultados y tu opinión con la clase; diles (*tell them*) qué canción te gusta más y por qué.

2 GRAMÁTICA

05-13 to 05-15

¡Hola!
Spanish/
English
Tutorials

Los adjetivos demostrativos
Identifying people and things (Part I)

Esta mujer toca muy bien. Ese hombre toca bien y aquel hombre toca muy mal.

When you want to point out a specific person, place, thing, or idea, you use a **demonstrative adjective**. In Spanish, they are:

DEMONSTRATIVE ADJECTIVES	MEANING	FROM THE PERSPECTIVE OF THE SPEAKER, IT REFERS TO . . .
este, esta, estos, estas	*this, these*	something nearby
ese, esa, esos, esas	*that, those over there*	something farther away
aquel, aquella, aquellos, aquellas	*that, those (way) over there*	something even farther away in distance and/or time . . . perhaps not even visible

Since forms of **este, ese,** and **aquel** are adjectives, they must agree in gender and number with the nouns they modify. Note the following examples.

Este conjunto es fantástico.
Esta cantante es fenomenal.
Estos conjuntos son fantásticos.
Estas cantantes son fenomenales.

This group is fantastic.
This singer is phenomenal.
These groups are fantastic.
These singers are phenomenal.

Ese conjunto es fantástico.
Esa cantante es fenomenal.
Esos conjuntos son fantásticos.
Esas cantantes son fenomenales.

That group is fantastic.
That singer is phenomenal.
Those groups are fantastic.
Those singers are phenomenal.

Aquel conjunto es fantástico.
Aquella cantante es fenomenal.
Aquellos conjuntos son fantásticos.
Aquellas cantantes son fenomenales.

That group (over there) is fantastic.
That singer (over there) is phenomenal.
Those groups (over there) are fantastic.
Those singers (over there) are phenomenal.

¡Explícalo tú!

In summary:

1. When do you use **este, ese,** and **aquel**?
2. When do you use **esta, esa,** and **aquella**?
3. When do you use **estos, esos,** and **aquellos**?
4. When do you use **estas, esas,** and **aquellas**?

 Check your answers to the preceding questions at the end of this chapter.

5-5 **Amiga, tienes razón** Tu amigo/a te da su opinión y tú responden con una opinión similar. Cambia la forma de **este/a** a (*to*) **ese/a** y añade (*add*) la palabra **también.** ■

MODELO   TU AMIGO/A: Esta música es muy suave.

TÚ: *Sí, y esa música es suave también.*

1. Este grupo es fenomenal.
2. Estos cantantes son muy jóvenes.
3. Esta gira empieza en enero.

4. Este CD sale ahora.
5. Estas canciones son muy apasionadas.
6. Estos pianistas tocan muy bien.

 5-6 **En el centro estudiantil** Completen el diálogo de Lola y Tina con las formas correctas de **este, ese** y **aquel.** ■

LOLA: Tina, mira (1) _____ (*this*) grupo de estudiantes que acaba de entrar.

TINA: Sí, creo que conozco a (2) _____ (*this*) hombre alto. Es guitarrista del trío de jazz *Ritmos.*

LOLA: Tienes razón. Y (3) _____ (*this*) mujer rubia es pianista en la orquesta de la universidad.

TINA: ¿Quiénes son (4) _____ (*those*) dos mujeres morenas?

LOLA: Están en nuestra clase de química. ¿No las conoces? Y (5) _____ (*those over there*) dos hombres de las camisas rojas ¡son muy guapos!

> ♲ Capítulo 2. El verbo *gustar*, pág. 80; Capítulo 4. Los verbos con cambios de raíz, pág. 142; Capítulo 3. La casa, pág. 98; Los colores, pág. 111.

 5-7 **¿Qué opinas?** Miren el dibujo y expresen sus opiniones sobre las casas. Usen las formas apropiadas de **este, ese** y **aquel.** ■

MODELO   *Me gusta esta casa blanca, pero prefiero esa casa beige. Pienso que aquella casa roja es fea. También creo que este jardín de la casa blanca es bonito.*

3 GRAMÁTICA

05-16 to 05-17   ¡Hola! Spanish/ English Tutorials

Los pronombres demostrativos
Identifying people and things (Part II)

Demonstrative pronouns take the place of nouns. They are identical in form and meaning to demonstrative adjectives.

¡Esta es muy buena! Ese no me gusta, pero ¡aquel es fenomenal!

Masculino	Femenino	*Meaning*
este	esta	*this one*
estos	estas	*these*
ese	esa	*that one*
esos	esas	*those*
aquel	aquella	*that one (way over there/not visible)*
aquellos	aquellas	*those (way over there/not visible)*

A demonstrative pronoun must agree in gender and number with the noun it replaces. Observe how demonstrative adjectives and demonstrative pronouns are used in the following sentences.

Yo quiero comprar **este CD,** pero mi hermana quiere comprar **ese.**

I want to buy this CD, but my sister wants to buy that one.

—¿Te gusta **esa guitarra**?
—No, a mí me gusta **esta.**

Do you like that guitar?
No, I like this one.

Estos instrumentos son interesantes, pero prefiero tocar **esos.**

These instruments are interesting, but I prefer to play those.

En **esta** calle hay varios cines. ¿Quieres ir a **aquel**?

There are several movie theaters on this street. Do you want to go to that one over there?

 5-8 **Comparando cosas** Tu compañero/a te propone (*proposes*) una cosa pero tú siempre prefieres otra (*another one*). Responde a sus comentarios usando las formas correctas de **este, ese** y **aquel.** ■

MODELO   E1: ¿Quieres ir a este concierto?
         E2: *No, quiero ir a ese/aquel.*

1. ¿Quieres escuchar a estos músicos?
2. ¿Vamos a ir a ese teatro?
3. ¿Entiendes la letra de esta canción?
4. ¿Tus amigos tocan en aquel conjunto?
5. ¿Vas a comprar aquellas camisetas (*T-shirts*)?
6. ¿Piensas arreglar este cuarto para la fiesta?

5-9 ¡Vamos a un concierto!

¡Qué suerte! Tienes dos entradas gratis (*free tickets*) para ir a un concierto. ■

Paso 1 Haz una investigación en el Internet para escuchar la música de El Gran Combo, Marc Anthony, Juan Luis Guerra y Los Tigres del Norte.

Paso 2 Tu compañero/a y tú tienen que decidir a qué concierto quieren ir. Túrnense para describir a quién prefieren escuchar y por qué. Usen **este, ese** y **aquel** en sus descripciones.

MODELO *Prefiero ir al concierto de Marc Anthony. ¡Él canta muy bien! Pero es difícil decidir porque los músicos de Los Tigres del Norte son muy buenos también. Estos saben tocar y cantar muy bien. Y aquellos…*

NOTA CULTURAL

La música latina en los Estados Unidos

05-18 to 05-19

La música latina abarca (*encompasses*) muchos géneros, estilos e intérpretes (músicos, cantantes). Entre los géneros más populares en los Estados Unidos se encuentran la salsa, el merengue, el Tex-Mex o norteño y otros. Algunos intérpretes de estos tipos de música son El Gran Combo, Marc Anthony, Juan Luis Guerra y Los Tigres del Norte.

El rock y el jazz son influencias que están presentes en la música latina en los Estados Unidos, aunque esta ha evolucionado (*has evolved*) y producido nuevos géneros como el merenhouse, el rock latino, el rap en español, el jazz latino, el reggaetón y otros.

La influencia de los países hispanohablantes del Caribe —Cuba, Puerto Rico y la República Dominicana— y su herencia africana forman parte de los ritmos, las melodías y la instrumentación de la música y los bailes latinos. También les dan vida (*they give life*) a géneros como la plena, la cumbia y la bachata.

Entre los artistas populares de hoy en día se encuentra Néstor Torres, flautista de música de jazz latino. Torres ganó un premio Grammy latino por su interpretación de *This Side of Paradise*.

Preguntas

1. ¿Cuáles son cuatro de los géneros de la música latina? ¿Cuáles conoces tú?
2. ¿Quiénes son los artistas latinos más conocidos en este momento?

Néstor Torres

Marc Anthony

Juan Luis Guerra

4 GRAMÁTICA

05-20 to 05-23 | ¡Hola! Spanish/ English Tutorials

Los adverbios
Explaining how something is done

Este baterista toca horriblemente.

An **adverb** usually describes a verb and **answers the question "how."** Many Spanish adverbs end in **-mente**, which is equivalent to the English -*ly*. These Spanish adverbs are formed as follows:

1. Add **-mente** to the *feminine singular* form of an *adjective*.

ADJETIVOS		ADVERBIOS
Masculino	**Femenino**	
rápido →	*rápida* + -mente →	**rápidamente**
lento →	*lenta* + -mente →	**lentamente**
tranquilo →	*tranquila* + -mente →	**tranquilamente**

2. If an *adjective* ends in a *consonant* or in **-e**, simply add **-mente**.

ADJETIVOS		ADVERBIOS
fácil →	*fácil* + -mente →	**fácilmente**
suave →	*suave* + -mente →	**suavemente**

NOTE: If an adjective has a written accent, it is retained when **-mente** is added.

Capítulo 1. Los adjetivos descriptivos, pág. 43.

 5-10 **Lógicamente** Túrnense para transformar en adverbios los siguientes adjetivos. ■

Estrategia

Remember to first determine the *feminine singular* form of the adjective and then add -*mente*.

MODELO E1: normal

E2: *normalmente*

1. interesante
2. perezosos
3. feliz
4. nervioso
5. fuertes
6. claro

7. seguro
8. apasionadas
9. difícil
10. débil
11. rápida
12. pacientes

Capítulo 2. Presente indicativo de verbos regulares, pág. 67; Capítulo 4. Los verbos con cambio de raíz, pág. 142.

 5-11 Para conocerte Túrnense para hacerse y contestar las siguientes preguntas. Pueden usar los adjetivos de la lista. ■

alegre	constante	paciente	difícil	divino
fácil	horrible	perfecto	rápido	tranquilo

MODELO   E1: ¿Cómo bailas? (divino)

E2: *Bailo divinamente.*

1. ¿Cómo cantas?
2. ¿Cómo duermes?
3. ¿Cómo hablas español?
4. ¿Cómo juegas al béisbol?
5. ¿Cómo tocas el piano?
6. ¿Cómo cocinas?
7. ¿Cómo lavas los platos?
8. ¿Cómo manejas (*drive*)?

 5-12 Di la verdad Hazle (*Ask*) a tu compañero/a las siguientes preguntas. Después, cambien de papel. ■

Estrategia

Answer in complete sentences when working with your partner. Even though it may seem mechanical at times, it leads to increased comfort speaking Spanish.

MODELO   E1: ¿Qué haces diariamente (todos los días)?

E2: *Limpio mi dormitorio, voy a clase, estudio, como, hago ejercicio y duermo.*

1. ¿Qué haces perfectamente?
2. ¿Qué haces horriblemente?
3. ¿Qué haces fácilmente?
4. ¿Qué debes hacer rápidamente?
5. ¿Qué debes hacer lentamente?

5 GRAMÁTICA

05-24 to 05-27   ¡Hola! Spanish/English Tutorials

El presente progresivo
Describing what is happening at the moment

So far you have been learning and using the present tense to communicate ideas. If you want to emphasize that an action is **occurring at the moment and is in progress,** you can use the *present progressive* tense.

The English present progressive is made up of a form of the verb *to be + present participle* (*-ing*). Look at the following sentences and formulate a rule for creating the present progressive in Spanish. Use the following questions to guide you.

—¿Qué *estás* **haciendo**?
—*Estoy* **ensayando.**

What are you doing?
I'm rehearsing.

—¿*Está* **escuchando** música tu hermano?
—No, *está* **tocando** la guitarra.

Is your brother listening to music?
No, he is playing the guitar.

—¿*Están* **viendo** ustedes la televisión?
—No, les *estamos* **escribiendo** una carta a nuestros padres.

Are you watching television?
No, we are writing a letter to our parents.

> **Fíjate**
>
> The present progressive is *not* used to express the future.
>
> Present progressive: *Estoy ensayando.* I am rehearsing (right now).
>
> Future: *Voy a ensayar mañana.* I am going to rehearse tomorrow.

¡Explícalo tú!

1. What is the infinitive of the first verb in each sentence that is in *italics*?
2. What are the infinitives of **haciendo, ensayando, escuchando, tocando, viendo,** and **escribiendo**?
3. How do you form the verb forms in **boldface**?
4. In this new tense, the *present progressive*, do any words come between the two parts of the verb?
5. Therefore, your formula for forming the *present progressive* is:
   a form of the verb _____ + **a verb ending in** _____ **or** _____.

   ✔ Check your answers to the preceding questions at the end of this chapter.

> **Fíjate**
>
> When the stem of an *-er* or *-ir* verb ends in a vowel, e.g. *creer* and *leer*, the present participle ends in *-yendo* (the *i* changes to *y*).

NOTE: The following are some verbs that have irregular forms in this tense.

decir → diciendo
mentir → mintiendo
pedir → pidiendo
preferir → prefiriendo
perseguir → persiguiendo
repetir → repitiendo
seguir → siguiendo
servir → sirviendo

dormir → durmiendo
morir → muriendo

creer → creyendo
leer → leyendo

> **Fíjate**
>
> For the *-ir* stem-changing verbs only, these vowel changes occur in the stem: *e* → *i* (*diciendo*) and *o* → *u* (*durmiendo*).

 5-13 Progresando Escuchen mientras su instructor/a les da (*gives you*) las instrucciones de esta actividad. ¡Diviértanse! (*Enjoy!*) ∎

MODELO   E1: *hablar, yo*

          E2: *estoy hablando*

          E2: *comer, nosotros*

          E3: *estamos comiendo*

Capítulo 2. El verbo *gustar*, pág. 80.

 5-14 **¿Tienes telepatía?** Es sábado. Túrnense para decir qué está haciendo su profesor/a en varios momentos del día. ■

MODELO   E1: Le gusta tomar café por la mañana.

E2: *Está tomando café en su terraza.*

1. Le gusta hacer ejercicio para comenzar su día.
2. Le gusta la música latina y está en una tienda.
3. Está cansado/a y tiene mucho sueño.
4. Trabaja en la computadora y tiene muchos mensajes de sus estudiantes.
5. Le gusta comer algo ligero (*light*) antes de ir a la fiesta.
6. Está con sus amigos en la fiesta y les gusta mucho la música que están tocando.

 5-15 **¿Qué está ocurriendo?** Túrnense para decir qué están haciendo estas personas. ■

MODELO   E1: Felipe

E2: *Felipe está preparando su comida y está comiendo también.*

1. Manuel
2. Sofía
3. Raúl y Mari Carmen
4. José
5. Mercedes y Guillermo

👥👥 **5-16** **No, ¡ahora mismo!** Contesten las siguientes preguntas para indicar que las personas están haciendo las acciones en este momento. ■

MODELO   E1: ¿Ellos van a ver la nueva película de Javier Bardem mañana?

E2: *No, están viendo la película ahora mismo.*

1. ¿Tú vas a comprar el nuevo CD de Calle 13 la semana que viene?
2. ¿Maxwell va a hacer una gira mundial el próximo verano?
3. ¿Nosotros vamos a escuchar música rap esta noche?
4. ¿El conjunto va a vender muchas grabaciones el año que viene?
5. Este festival de música es impresionante. ¿Van a tocar Bebo y Chucho Valdés esta tarde?

👥👥 **5-17** **¡Qué creativo!** Juntos escriban la letra de una canción popular usando **el presente progresivo** un mínimo de **seis** veces (*times*). Deben usar verbos de la siguiente lista. ■

decir	dormir	repetir	creer	morir
mentir	leer	ir	seguir	servir

¿Cómo andas? I

Having completed **Comunicación I,** I now can . . .	Feel confident	Need to review
• discuss music (p. 172)	☐	☐
• practice pronouncing diphthongs and linking words (MSL/SAM)	☐	☐
• identify people and things (Part I) (p. 175)	☐	☐
• identify people and things (Part II) (p. 177)	☐	☐
• discuss Hispanic music in the United States (p. 178)	☐	☐
• explain how something is done (p. 179)	☐	☐
• describe what is happening at the moment (p. 180)	☐	☐

Comunicación II

05-28 to 05-31

El mundo del cine
Sharing information about movies and television programs

una película de humor
una película dramática
una película de terror
la entrada
la estrella
una película de guerra
la pantalla
el actor
la actriz
un documental
una película musical
una película romántica
una película de misterio
una película de ciencia ficción
una película de acción

Otras palabras útiles	Other useful words		
el estreno	opening	de espanto	scary
la película	movie	estupenda	stupendous
una película...	a . . . movie	imaginativa	imaginative
aburrida	boring	impresionante	impressive
animada	animated	sorprendente	surprising
conmovedora	moving	de suspenso	suspenseful
creativa	creative	trágica	tragic
deprimente	depressing		
emocionante	moving	**Algunos verbos**	*Some verbs*
entretenida	entertaining	estrenar una película	to release a film/movie
épica	epic	presentar una película	to show a film/movie

5-18 ¿Cuál es el género? Clasifiquen las siguientes películas según su género y usen el mayor (*the largest*) número de palabras posibles para describirlas. ■

MODELO   E1:   Avatar

E2:   Avatar *es una película dramática, de acción. Es emocionante, impresionante y entretenida...*

1. *The Social Network (La red social)*
2. *Inception (Origen)*
3. *Black Swan (El cisne negro)*
4. *Tangled (Enredados)*
5. *Ironman II (El hombre de hierro II)*

6. *The Hurt Locker (Zona de miedo)*
7. *The Blind Side (Un sueño posible)*
8. *Sanctum (El santuario)*
9. *Precious (Preciosa)*
10. ¿?

Capítulo Preliminar A.
El verbo *ser*, pág. 13.

 5-19 En mi opinión Túrnense para completar las siguientes oraciones sobre las películas. ¿Están ustedes de acuerdo? ■

MODELO   E1:   La mejor película de terror...

E2:   *La mejor película de terror es* Saw VI.

1. Las mejores películas de humor...
2. Una película épica deprimente...
3. Mis actores favoritos de las películas de acción...

4. La película de misterio que más me gusta...
5. Unas películas creativas...
6. El mejor documental...

 5-20 Mis preferencias Lee las reseñas (*reviews*) de las tres películas. Después, túrnate con un/a compañero/a para describir la película que prefieres ver y por qué. ■

MODELO   *Prefiero ver* _____ . *Es una película* _____ *y* _____ . *Me gusta* _____ *porque* _____ ...

En el cine

Invictus (2010, EE.UU.)

Género: Drama
Director: Clint Eastwood
Interpretación: Morgan Freeman, Matt Damon

Basada en el libro de John Carlin, *The Human Factor: Nelson Mandela and the Game That Changed the World.* Mandela (Morgan Freeman) reconoce la importancia de tener la Copa del Mundo de Rugby en Sudáfrica en el año 1995, después de ser excluidos durante muchos años de las competiciones debido al apartheid.

El hombre lobo (2010, EE.UU.)

Género: Terror
Director: Joe Johnston
Interpretación: Benicio del Toro, Anthony Hopkins

Nueva versión del clásico del cine de terror en el que un hombre recibe la maldición del hombre lobo.

Origen (2010, EE.UU.)

Género: Ciencia ficción, Acción
Director: Christopher Nolan
Interpretación: Leonardo DiCaprio, Michael Caine

Dom Cobb (Leonardo DiCaprio) es un ladrón que roba secretos del subconsciente durante el estado de sueño en un tipo de espionaje corporativo, pero esto lo hace un fugitivo internacional.

5-21 **En nuestra opinión...**

Paso 1 Habla de algunas películas que conoces con un/a compañero/a, usando las siguientes preguntas como guía (*guide*).

1. ¿Cuáles son las películas que más te gustan? ¿Por qué?
2. ¿Quiénes son tus actores y actrices favoritos?
3. ¿Qué películas que van a estrenar pronto quieres ver?

Paso 2 Ahora hablen sobre programas de televisión.

NOTA CULTURAL

La influencia hispana en el cine norteamericano

05-32 to 05-33

cinemafestival/Shutterstock

Javier Bardem

La influencia hispana en el cine estadounidense empieza a tener importancia en los años 50. Actores como Gilbert Roland, Anthony Quinn y Ricardo Montalbán se destacan (*stand out*) en películas de habla inglesa. Les siguen más tarde estrellas del cine y de la televisión como Raquel Welch y Rita Moreno y continúan hasta el presente con Antonio Banderas, Javier Bardem, Jimmy Smits, Jennifer López, John Leguizamo, Edward James Olmos, Benicio del Toro, America Ferrera, Andy García, Salma Hayek, Zoe Saldana, Cameron Díaz, Diego Luna y Penélope Cruz, entre muchos otros. Su presencia en la industria representa el cambio demográfico de los Estados Unidos.

Preguntas

1. De los actores mencionados, ¿a cuáles conoces? ¿Qué sabes de ellos?
2. ¿Quiénes son los actores hispanos más populares en este momento?

cinemafestival/Shutterstock

Cameron Díaz

cinemafestival/Shutterstock

Benicio del Toro

DFree/Shutterstock

Jennifer López

7 GRAMÁTICA

 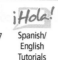

05-34 to 05-37 · Spanish/English Tutorials · ¡Hola!

Los números ordinales Ranking people and things

An ordinal number indicates position in a series or order. The first ten ordinal numbers in Spanish are listed below. Ordinal numbers above *décimo* are rarely used.

¿Te gusta la primera sinfonía de Beethoven?

Sí, pero prefiero la novena.

primer, primero/a	*first*	**sexto/a**	*sixth*
segundo/a	*second*	**séptimo/a**	*seventh*
tercer, tercero/a	*third*	**octavo/a**	*eighth*
cuarto/a	*fourth*	**noveno/a**	*ninth*
quinto/a	*fifth*	**décimo/a**	*tenth*

1. Ordinal numbers are adjectives and agree in number and gender with the nouns they modify. They usually *precede* nouns.

   el **cuarto** año   *the fourth year*
   la **octava** sinfonía   *the eighth symphony*

2. Before masculine, singular nouns, **primero** and **tercero** are shortened to **primer** and **tercer.**

   el **primer** concierto   *the first concert*
   el **tercer** curso de español   *the third Spanish course*

3. After *décimo*, a cardinal number is used and *follows* the noun.

   el piso **catorce**
   el siglo (*century*) **veintiuno**

👥 **5-22** **Orden de preferencia** Asigna un orden de preferencia a las actividades de la lista: desde la más importante (primero) hasta la menos importante (octavo). Después, comparte tu lista con un/a compañero/a usando oraciones completas. ■

MODELO   *Primero, me gusta ver una película con mi actor favorito, Colin Firth. Segundo, quiero visitar a mis hermanos. Tercero, prefiero…*

1. ir a un concierto de tu conjunto favorito   _____
2. visitar a tus amigos   _____
3. ver una película con tu actor/actriz favorito/a   _____
4. leer una novela buena   _____
5. ir a un partido de fútbol americano   _____
6. estudiar para un examen   _____
7. visitar Costa Rica   _____
8. conocer al presidente de los Estados Unidos   _____

Capítulo Preliminar A.
Los días, los meses y
las estaciones, pág. 20.

 5-23 **Preguntas de trivia** Túrnense para hacerse y contestar las siguientes preguntas. ■

1. ¿En qué piso está tu clase de español?
2. ¿A qué hora es tu primera clase los lunes? ¿Y la segunda?
3. ¿Cuál es el tercer mes del año? ¿Y el sexto?
4. ¿Cuál es el séptimo día de la semana?
5. ¿Cómo se llama el primer presidente de los Estados Unidos?
6. ¿Cómo se llama la cuarta persona de la tercera fila (*row*) en la clase de español?

Estrategia

Remember that when asked a question with *tu/tus*, you need to answer *mi/mis*.

 Workbooklet

 5-24 **La lista de los mejores** ¿Cuáles son las mejores películas para los estudiantes de tu clase? ■

Paso 1 Entrevista a cinco estudiantes y pregúntales cuáles son sus opiniones sobre las tres películas mejores. Usa las palabras **primera, segunda** y **tercera.**

Paso 2 Con el/la profesor/a, haz una lista de las **diez** películas más populares de la clase.

Paso 3 Organiza por orden de preferencia la lista de las películas más populares de la clase. Escribe el número ordinal apropiado para cada película.

PELÍCULAS FAVORITAS	ESTUDIANTE 1	ESTUDIANTE 2	ESTUDIANTE 3	ESTUDIANTE 4	ESTUDIANTE 5
PRIMERA					
SEGUNDA					
TERCERA					

8 GRAMÁTICA

05-38 to 05-40

Hay que + infinitivo
Stating what needs to be accomplished

So far when you have wanted to talk about what someone should do, needs to do, or has to do, you have used the expressions **debe, necesita,** or **tiene que.** The expression **hay que** + *infinitive* is another way to communicate responsibility, obligation, or the importance of something. **Hay que** + *infinitive* means:

Hay que trabajar. ¡No hay que ser perezoso!

It is necessary to . . .

You must . . .

One must/should . . .

Para ser un músico bueno **hay que** ensayar mucho.
Hay que terminar nuestro trabajo antes de ir al cine.
Hay que ver la nueva película de Almodóvar.

To be a good musician it is necessary to rehearse a lot.
We must finish our work before we go to the movies.
You must see the new Almodóvar film.

5-25 **Para generalizar** Túrnense para sustituir **tener que** por **hay que** en las siguientes oraciones. Sigan el modelo. ■

MODELO E1: Tenemos que consultar al empresario.

     E2: *Hay que consultar al empresario.*

1. Ustedes tienen que sacar un CD con estas canciones nuevas.
2. Marisol, tú tienes que ser más paciente si quieres conseguir buenas entradas para ese concierto.
3. Mamá, ¡tienes que conocer la música de este conjunto nuevo!
4. Jorge y Catrina, ustedes tienen que hacer una gira con su grupo de jazz.
5. Rafael, tienes que visitar a tu hermana porque ella quiere ensayar contigo.
6. Enrique, tú tienes que leer los mensajes que escriben tus aficionados.

 5-26 **¿Obligaciones?** ¿Qué hay que hacer para llegar a tener las siguientes características? Túrnense para completar las frases dando por lo menos **dos** ideas. ■

MODELO E1: Para ser un pintor excelente…

     E2: Para ser un pintor excelente *hay que pintar mucho y hay que ser muy creativo.*

Para ser…

1. un músico impresionante…
2. un político honesto…
3. un cantante estupendo…

4. un director de cine sorprendente…
5. una actriz conmovedora…
6. una novelista entretenida…

 5-27 **Y todos necesitamos…** ¿Qué debemos hacer para tener un futuro mejor? Compartan sus ideas y comuniquen sus resultados a la clase usando **tres** oraciones completas. ■

MODELO E1: Hay que…

     E2: *Hay que respetar* (respect) *y ayudar a las personas mayores.*

9 GRAMÁTICA

05-41 to 05-43

¡Hola!
Spanish/
English
Tutorials

Los pronombres de complemento directo y la "*a*" personal Expressing *what* or *whom*

Direct objects receive the action of the verb and answer the questions *What?* or *Whom?* Note the following examples.

 A: I need to do *what?*
 B: You need to buy *the concert tickets* by Monday.
 A: Yes, I do need to buy *them.*

 A: I have to call *whom?*
 B: You have to call *your agent.*
 A: Yes, I do have to call *him.*

¿Mi trompeta y mi guitarra? Sí, las tengo.

(continued)

Note the following examples of *direct objects* in Spanish.

María toca **dos instrumentos** muy bien.	*María plays two instruments very well.*
Sacamos **un CD** el primero de septiembre.	*We are releasing a CD the first of September.*
¿Tienes **las entradas**?	*Do you have the tickets?*
No conozco a **Benicio del Toro.**	*I do not know Benicio del Toro.*
Siempre veo a **Selena Gómez** en la televisión.	*I always see Selena Gómez on television.*

NOTE: In **Capítulo 4**, you learned that to express knowing a person, you put **"a"** after the verb (*conocer* + *a* + person). Now that you have learned about direct objects, a more global way of stating the rule is: When direct objects refer to *people*, you must use the personal **"a."** Review the following examples.

People	Things
¡Veo **a** *Cameron Díaz*!	¡Veo *el coche* de Cameron Díaz!
Hay que ver **a** *mis padres*.	Hay que ver *la película*.
¿**A** qué *actores* conoces?	¿Qué *ciudades* conoces?

As in English, we can replace direct objects nouns with **direct object pronouns.** Note the following examples.

María **los** toca muy bien.	*María plays them very well.*
Lo sacamos el primero de septiembre.	*We are releasing it the first of September.*
¿**Las** tienes?	*Do you have them?*
No **lo** conozco.	*I do not know him.*
Siempre **la** veo en la televisión.	*I always see her on television.*

In Spanish, direct object pronouns *agree in gender and number with the nouns they replace.* The following chart lists the direct object pronouns.

Singular		Plural	
me	*me*	nos	*us*
te	*you*	os	*you all*
lo, la	*you*	los, las	*you all*
lo, la	*him, her, it*	los, las	*them*

Placement of direct object pronouns

Direct object pronouns are:

1. Placed before the verb.
2. Attached to *infinitives* or to the *present participle* (**-ando, -iendo**).

¿Tienes los discos compactos?	→	Sí, **los** tengo.
Tengo que traer los instrumentos.	→	**Los** tengo que traer. / Tengo que traer**los.**
Tiene que llevar su guitarra.	→	**La** tiene que llevar. / Tiene que llevar**la.**

—¿Por qué estás escribiendo una canción para tu madre?

—**La** estoy escribiendo porque es su cumpleaños. / Estoy escribiéndo**la** porque es su cumpleaños.

Capítulo 2. Presente indicativo de verbos regulares, pág. 67.

5-28 **¿Estás listo?** ¿Estás preparado/a para el concierto de Perrozompopo? Túrnate con un/a compañero/a para revisar la lista, esta vez usando **lo, la, los** o **las.** ■

MODELO E1: confirmar *la hora* del concierto
E2: *La confirmo hoy.*

1. comprar *las entradas*
2. invitar *a mis amigos*
3. leer *el artículo* de *The New York Times* sobre Perrozompopo
4. compartir (*share*) *el artículo y los CD de Perrozompopo* con mis amigos
5. preparar *comida* para un pícnic
6. traer *la cámara*

dwphotos/Shutterstock

Capítulo 3. Los quehaceres de la casa, pág. 109.

5-29 **¿Hay deberes?** El concierto de Perrozompopo fue increíble, pero hay que volver al mundo real. Siempre hay trabajo, sobre todo en la casa. Túrnate con un/a compañero/a para hacer y contestar las siguientes preguntas. ■

MODELO E1: ¿Lavas los pisos?
E2: *Sí, los lavo. / No, no/nunca los lavo.*

1. ¿Limpias la cocina?
2. ¿Arreglas tu cuarto?
3. ¿Lavas los platos?
4. ¿Guardas tus cosas?
5. ¿Sacudes los muebles?

6. ¿Haces las camas?
7. ¿Preparas la comida?
8. ¿Pones la mesa?
9. ¿Nos ayudas a arreglar el jardín?
10. ¿Me invitas a un concierto?

5-30 **Una hora antes** Carlos Santana, como muchos músicos, es una persona muy organizada. Antes de cada concierto repasa con su ayudante (*assistant*) personal todos los preparativos (*preparations*). Aquí tienes las preguntas del ayudante. Contesta como si fueras (*as if you were*) Santana, usando **lo, la, los** o **las.** ■

MODELO E1: ¿Tienes tu anillo (*ring*) de la buena suerte?
E2: *Sí, lo tengo.*

1. Juan está enfermo. ¿Conoces al trompetista que toca esta noche con el conjunto?
2. ¿Traes tu guitarra nueva?
3. ¿Los cantantes saben la letra de la canción nueva?
4. ¿Traemos todos los trajes (*suits, outfits*)?
5. ¿Quieres unas botellas de agua (*water*)?
6. ¿Oyes al público aplaudir?
7. ¿Me van a necesitar después del concierto?
8. ¿El empresario te va a anunciar?

Dana Nalbandian/Shutterstock

Carlos Santana

5-31 Mis preferencias Túrnense para hacerse y contestar las siguientes preguntas usando **el pronombre de complemento directo** correcto. ■

MODELO   E1: ¿Lees los poemas de Rubén Darío? ¿Por qué?

E2: *No, no los leo. No los leo porque no los conozco.*

1. ¿Escuchas música clásica? ¿Por qué?
2. ¿Tu amigo y tú tienen ganas de ver una película de acción de Matt Damon? ¿Por qué?
3. ¿Tus amigos ven todas las películas de Penélope Cruz? ¿Por qué?
4. ¿Escuchas música jazz en tu iPod? ¿Por qué?
5. ¿Tocas un instrumento? ¿Por qué?

ESCUCHA

Planes para un concierto

05-44 to 05-46

Estrategia	Use all clues available to you to anticipate what you are about to hear. That includes photos, captions, and body language if you are looking at the individual(s) speaking. If there are written synopses,	it is important to read them in advance. Finally, if you are doing listening activities such as these, look ahead at the comprehension questions to give you an idea of the topic and important points.
Anticipating content		

5-32 Antes de escuchar Mira la foto y contesta las siguientes preguntas. ■

1. ¿Quiénes están en la foto?
2. ¿De qué hablan Eduardo y Cisco?

 5-33 A escuchar Escucha la conversación entre Eduardo y Cisco y averigua cuál es el tema (*topic; gist*). Después, escucha una vez más para contestar las siguientes preguntas. ■

1. ¿Quién va al concierto de los Black Eyed Peas?
2. ¿Qué música prefiere Cisco?
3. Deciden no estudiar. ¿Adónde van a ir?

Eduardo y Cisco

 5-34 Después de escuchar Describe una canción que te guste en **tres** oraciones y dibuja un cuadro (*picture*) que la represente. Preséntaselo a un/a compañero/a para ver si puede adivinar la canción. ■

¡CONVERSEMOS!

05-47

 5-35 **En mi opinión** Hay un programa en el canal *E!* donde las personas expresan sus gustos y opiniones sobre la música y el cine ¡y tu compañero/a y tú van a participar esta semana! Entrevista a tu compañero/a sobre sus opiniones de: los mejores grupos, las mejores películas, los mejores actores y actrices. Luego, cambien de papel. ■

DeshaCAM/Shutterstock

 5-36 **Comparaciones** En los **Capítulos 1–4** aprendieron información sobre Los Estados Unidos (**Capítulo 1**), México (**Capítulo 2**), España (**Capítulo 3**) y Honduras, Guatemala y El Salvador (**Capítulo 4**). Con un/a compañero/a, compara estos países incluyendo la música y el cine, cuando sea posible. Usa información de los capítulos anteriores (*previous chapters*) e información de otras fuentes (*sources*). ■

MODELO   *Los países son similares y diferentes. Por ejemplo, hablan español en todos los países. España tiene influencia árabe en ciudades como* (like) *Granada. México no tiene influencia árabe pero sí tiene influencia de los aztecas. La música popular es similar, pero la música folclórica…*

ESCRIBE

05-48

Una reseña (*A review*)

Estrategia	Reviewing the writing of a classmate teaches you valuable editing skills that can improve your classmate's paper as well as serve to	build your confidence in your own writing by enhancing the content and syntax of your work, as well as boost your critical thinking skills.
Peer review/editing		

5-37 **Antes de escribir** Piensa en una película que te gusta mucho. Anota algunas ideas sobre los aspectos que te gustan más de esa película. ■

- ¿Qué tipo de película es?
- ¿Para qué grupo(s) es apropiada?
- ¿Cuál es el tema?
- ¿Tiene una lección para el público?

5-38 **A escribir** Organiza tus ideas y escribe una reseña (*review*), como una de las de **5-20**, de **cuatro** a **seis** oraciones. Puedes usar las siguientes preguntas para organizar tu reseña. ■

1. ¿Cómo se llama la película?
2. ¿De qué género es?
3. ¿Cómo la describes?
4. ¿A quiénes les va a gustar? ¿Por qué?
5. ¿La recomiendas? ¿Por qué?

 5-39 **Después de escribir** En grupos de tres compartan sus reseñas. Revisen las ideas tanto de la gramática como del vocabulario. Hagan los cambios necesarios. Después, tu profesor/a va a leer las reseñas. La clase tiene que adivinar cuáles son las películas. ■

¿Cómo andas? II

Having completed **Comunicación II**, I now can . . .

	Feel confident	Need to review
• share information about movies and television programs (p. 184)	☐	☐
• describe Hispanic influences in North American film (p. 186)	☐	☐
• rank people and things (p. 187)	☐	☐
• state what needs to be accomplished (p. 188)	☐	☐
• express *what* or *whom* (p. 189)	☐	☐
• anticipate content when listening (p. 192)	☐	☐
• communicate about music and film (p. 193)	☐	☐
• write a movie review and practice peer editing (p. 194)	☐	☐

05-49

Mauricio Morales Prado

Les presento mi país

Mi nombre es Mauricio Morales Prado y soy de Managua, Nicaragua. Mi país es conocido como la tierra de volcanes y lagos (*lakes*). Hay dos lagos principales y muchos volcanes. Siete están activos todavía y de ellos, San Cristóbal es el más alto y Masaya es el más activo. **¡Localiza estos volcanes en el mapa!** Mi familia y yo somos muy aficionados a la música. Vamos frecuentemente a los conciertos en La Concha Acústica en el Lago Managua. **¿Asistes a conciertos con tu familia o amigos?**

Teatro Nacional Rubén Darío, Managua

El volcán San Cristóbal

La Concha Acústica, Managua

HONDURAS

Río Coco

Puerto Cabezas

Cayos Miskitos

NICARAGUA

Matagalpa

Mar Caribe

San Cristóbal
León
Momotombo
Managua
Masaya

Bluefields

Islas del Maíz

Granada

Lago de Nicaragua

OCÉANO PACÍFICO

Río San Juan

COSTA RICA

ALMANAQUE

Nombre oficial:	República de Nicaragua
Gobierno:	República
Población:	5.995.928 (2010)
Idiomas:	español (oficial); miskito, otros idiomas indígenas
Moneda:	Córdoba (NIO)

¿Sabías que...?

• El Lago de Nicaragua es el único lago de agua dulce (*fresh water*) del mundo donde se encuentran tiburones (*sharks*) y atunes.

• El 23 de diciembre del año 1972, un terremoto (*earthquake*) desastroso de 6,5 en la escala Richter destruyó (*destroyed*) la ciudad de Managua.

Preguntas

1. ¿Por qué se llama Nicaragua la tierra de lagos y volcanes?

2. ¿Qué tiene el Lago de Nicaragua de especial?

3. ¿Cuáles son dos lugares en Managua adonde va la gente para eventos culturales? ¿Puedes nombrar algunos posibles eventos culturales para esos dos lugares?

Amplía tus conocimientos sobre Nicaragua en MySpanishLab.

195

05-50

Kim Steele/Photodisc/Thinkstock

Laura Centeno Soto

Les presento mi país

Mi nombre es Laura Centeno Soto y soy *tica*. *Ticos* es el apodo (*nickname*) que tenemos todos los costarricenses. Soy de Guaitil, un pueblo muy pequeño entre varios parques nacionales y famoso por su cerámica. Uno de los pueblos más famosos por su artesanía, sobre todo por la carreta, un símbolo nacional de Costa Rica, es Sarchí. **¿Cuáles son algunas artesanías producidas donde tú vives?** Si piensas visitar Costa Rica, te recomiendo una visita a nuestros parques nacionales. Son bonitos y tienen flora y fauna únicas en el mundo. **¿Cuál es tu parque favorito?** ¡Costa Rica es pura vida!

Sandra A. Dunlap/Shutterstock

El café es un producto principal de exportación.

Brandon Stein/Shutterstock

Brand X Pictures/Thinkstock

El ecoturismo es muy importante para la economía de Costa Rica.

Una carreta pintada de Sarchí

ALMANAQUE

Nombre oficial: República de Costa Rica
Gobierno: República democrática
Población: 4.516.220 (2010)
Idiomas: español (oficial); inglés
Moneda: Colón (CRC)

¿Sabías que...?

- El ejército (*army*) se abolió en Costa Rica en el año 1948. Los recursos monetarios desde aquel entonces apoyan (*support*) el sistema educativo. A causa de su dedicación a la paz (*peace*), la llaman "La Suiza de Centroamérica".

Preguntas

1. ¿Qué artesanía es un símbolo nacional costarricense?
2. ¿Cuál es uno de los productos de exportación importantes de Costa Rica? ¿Qué otros países exportan productos similares?
3. ¿Qué otra industria es importante para la economía de Costa Rica?

 Amplía tus conocimientos sobre Costa Rica en MySpanishLab.

196

Panamá

Jack Hollingsworth/Photodisc/Thinkstock

Magdalena Quintero de Gracia

Les presento mi país

Mi nombre es Magdalena Quintero de Gracia y soy de Colón, una ciudad y puerto en la costa caribeña de Panamá. Mi país es famoso por el canal y mi ciudad está muy cerca de su entrada (*entrance*) atlántica. **¿Qué sabes tú de la historia del canal?** La economía de Panamá se basa principalmente en el sector de los servicios, la banca, el comercio y el turismo. Los turistas van al canal y también a las Islas San Blas. Allí pueden apreciar la artesanía de las mujeres indígenas. Los kunas son un grupo de indígenas que viven en este lugar y las mujeres hacen *molas* como parte de su ropa tradicional.

Paul Katz/Photodisc/Thinkstock

El Canal de Panamá

rj lerich/Shutterstock

Una mujer kuna vende molas, artesanía tradicional.

Chris Howey/Shutterstock

Las ruinas del Panamá Viejo

Mar Caribe

COSTA RICA

Bocas del Toro

Canal de Panamá

Colón

Islas San Blas

Golfo de los Mosquitos

Balboa

★ **Panamá**

Golfo de Panamá

La Palma

▲ *Barú*

PANAMÁ

David

Santiago

Archipiélago de las Perlas

Isla de Coiba

COLOMBIA

OCÉANO PACÍFICO

ALMANAQUE

Nombre oficial:	República de Panamá
Gobierno:	Democracia constitucional
Población:	3.410.676 (2010)
Idiomas:	español (oficial), inglés, otros idiomas indígenas
Moneda:	Balboa (PAB)

¿Sabías que...?

- Richard Halliburton nadó el canal en el año 1928 y la tarifa fue (*was*) 36 centavos. La tarifa más alta fue $141.344,91 para el crucero (*cruise ship*) Crown Princess.
- Hay un palíndromo famoso en inglés asociado con el canal: *A man, a plan, a canal: ¡Panamá!*

Preguntas

1. ¿Por qué es importante el canal?
2. Compara Panamá con Costa Rica y Nicaragua. ¿En qué son similares? ¿En qué son diferentes?
3. Compara Panamá, Costa Rica y Nicaragua con México. ¿En qué son similares? ¿En qué son diferentes?

Amplía tus conocimientos sobre Panamá en MySpanishLab.

197

05-54

Ambiciones siniestras
EPISODIO 5

Pearson Education

Lectura

| **Estrategia** | Anticipating content |

You can often anticipate the content of a reading passage by paying attention to the title and to any available illustrations and by quickly reading through the comprehension questions that may follow a passage.

5-40 **Antes de leer** En el **Episodio 4,** Marisol tiene sus dudas sobre Lupe. Cree que Lupe miente (*lies*) sobre su pueblo y posiblemente sobre otras cosas. En el **Episodio 4** del video, Cisco está enojado con Eduardo porque toca sus cosas. Luego, Eduardo se va misteriosamente. Teniendo esto en cuenta, contesta las siguientes preguntas. ■

- ¿Qué piensas? ¿De dónde es Lupe, de Akron, de Los Ángeles o de otro lugar?
- ¿Adónde va Eduardo?

5-41 **A leer** Complete the following activities. ■

1. Take a look at the title of the episode, **La búsqueda de Eduardo,** and answer the following questions.

   - What verb does **búsqueda** look like?
   - Who would be looking for Eduardo?
   - What might Cisco do to look for him?

2. Now read the **Después de leer** questions. What do you glean from the questions? Employ this new reading strategy along with the others you have been learning (identifying cognates, skimming, and scanning), and enjoy the episode!

 ## *La búsqueda de Eduardo*

no longer

Cuando Cisco regresa a la sala, Eduardo no está. Pasa dos días haciendo llamadas y preguntándoles a otros amigos si saben algo de él. Nada. Nadie sabe nada. Cisco ya no° sabe qué hacer. ¿Debe llamar a la policía? ¿Debe avisar a los padres de Eduardo?

clue

Por fin va a la computadora de Eduardo para ver si hay alguna pista°. Como Cisco es muy hábil con las computadoras, puede entrar en el correo electrónico de Eduardo. ¡Allí ve unos mensajes que le dan miedo!

Lo piensa bien y finalmente decide mandarle un email a su primo Manolo. Cisco admira y respeta mucho a su primo porque tiene mucha experiencia en la vida. Piensa que Manolo

198

es muy responsable y casi siempre tiene respuestas para todo. Va a la computadora y empieza a escribir:

Para: Manolo
De: Cisco
Asunto: Eduardo desapareció

Manolo:

advice / disappeared

Necesito tu consejo°. El domingo mi amigo Eduardo desapareció°. Primero estamos hablando en mi cuarto, yo salgo sólo por un momento y, cuando vuelvo, él no está. Paso dos días buscándolo, llamándolo y preguntándoles a sus amigos y compañeros de clase si saben algo de él. Todos me dicen lo mismo — no saben nada. No va a clase. No está con sus amigos. Primo, ¿qué debo hacer?

Espero tu respuesta y gracias por el consejo.
Cisco

distract myself

"Bueno", piensa Cisco, "necesito algo para distraerme°. Creo que voy al concierto".

Su universidad siempre tiene buenos programas de música. Esta noche toca un grupo de fama internacional. Sus grabaciones son fenomenales y el cantante principal también tiene mucha habilidad como guitarrista. Cisco tiene todos sus CD.

"Sé quien va a estar sentada a mi lado", piensa, "aquella chica guapísima de mi clase de economía compró su entrada al mismo tiempo que yo. ¡Ay! Las cosas se ven mucho mejor ahora".

Después de regresar del concierto, Cisco está de muy buen humor. Es muy tarde pero no quiere dormir. Quiere pensar en el concierto y en la chica. Decide ir a ver si tiene un mensaje de ella o de su primo. Al abrir su correo electrónico encuentra un mensaje de Eduardo con la fecha del mismo día de la "discusión": ¡hace dos días!

¡Es increíble! Y algo igualmente increíble es que los destinatarios del mensaje sean Cisco y cuatro personas más: Alejandra Sánchez, María Soledad Valenzuela, Guadalupe Iriarte y Manolo Rodríguez. ¿Manolo? Su primo Manolo se llama *Rodríguez* también. ¿Puede ser el mismo?

5-42 **Después de leer** Contesta las siguientes preguntas. ■

1. ¿Qué hace Cisco para buscar a Eduardo?
2. ¿A quién le escribe Cisco para pedirle consejo? ¿Por qué?
3. ¿Qué hace Cisco para distraerse? Describe el evento.
4. ¿De quién tiene Cisco un mensaje en su correo electrónico?
5. ¿Quiénes reciben el mismo mensaje?

Video

5-43 **Antes del video** ¿Qué podemos hacer cuando alguien desaparece? En tu opinión, ¿por qué Cisco no llama a la policía? En la segunda parte del episodio, vas a ver una videoconferencia entre todos los estudiantes menos Eduardo. ¿Qué piensas que van a decir? También, Alejandra va a decir, "Creo que te conozco". ¿A quién crees que le dice Alejandra esa oración? ■

Pearson Education

Pearson Education

Pearson Education

¿Te gusta la música latina?

Creo que te conozco.

Debemos informar a la policía.

«Se conocen»

Episodio 5

Relájate y disfruta el video.

5-44 **Después del video** Contesta las siguientes preguntas. ■

1. ¿Quién organiza la videoconferencia y por qué?
2. ¿De qué hablan Marisol y Lupe antes de la videoconferencia?
3. ¿Dónde están Alejandra y Manolo antes de la videoconferencia?
4. ¿Qué información comparten los estudiantes durante la videoconferencia?
5. Alejandra piensa que reconoce a alguien. ¿A quién? ¿Por qué?
6. ¿Quién desaparece al final de la videoconferencia?

200

Y por fin, ¿cómo andas?

	Feel confident	Need to review
Having completed this chapter, I now can . . .		
Comunicación I		
• discuss music (p. 172)	☐	☐
• practice pronouncing diphthongs and linking words (MSL/SAM)	☐	☐
• identify people and things (Part I) (p. 175)	☐	☐
• identify people and things (Part II) (p. 177)	☐	☐
• explain how something is done (p. 179)	☐	☐
• describe what is happening at the moment (p. 180)	☐	☐
Comunicación II		
• share information about movies and television programs (p. 184)	☐	☐
• rank people and things (p. 187)	☐	☐
• state what needs to be accomplished (p. 188)	☐	☐
• express *what* or *whom* (p. 189)	☐	☐
• anticipate content when listening (p. 192)	☐	☐
• communicate about music and film (p. 193)	☐	☐
• write a movie review and practice peer editing (p. 194)	☐	☐
Cultura		
• discuss Hispanic music in the United States (p. 178)	☐	☐
• describe Hispanic influences in North American film (p. 186)	☐	☐
• list interesting facts about Nicaragua, Costa Rica, and Panama (pp. 195–197)	☐	☐
Ambiciones siniestras		
• anticipate content when reading and discover what Cisco does in his search for Eduardo (p. 198)	☐	☐
• find out who is the second student to disappear (p. 200)	☐	☐
Comunidades		
• use Spanish in real-life contexts (SAM)	☐	☐

VOCABULARIO ACTIVO

El mundo de la música	The world of music
el/la artista	artist
la batería	drums
el/la baterista	drummer
el/la cantante	singer
el concierto	concert
el conjunto	group; band
el/la empresario/a	agent; manager
la gira	tour
las grabaciones	recordings
la guitarra	guitar
el/la guitarrista	guitarist
el/la músico/a	musician
la música	music
la orquesta	orchestra
el/la pianista	pianist
el piano	piano
el tambor	drum
el/la tamborista	drummer
la trompeta	trumpet
el/la trompetista	trumpet player

Algunos géneros musicales	Some musical genres
el jazz	jazz
la música clásica	classical music
la música folklórica	folk music
la música popular	pop music
la música rap	rap music
la ópera	opera
el rock	rock
la salsa	salsa

Algunos adjetivos	Some adjectives
apasionado/a	passionate
cuidadoso/a	careful
fino/a	fine; delicate
lento/a	slow
suave	smooth

Algunos verbos	Some verbs
dar un concierto	to give/perform a concert
ensayar	to practice/rehearse
grabar	to record
hacer una gira	to tour
sacar un CD	to release a CD
tocar	to play (a musical instrument)

Otras palabras útiles	Other useful words
el/la aficionado/a	fan
la fama	fame
el género	genre
la habilidad	ability; skill
la letra	lyrics
el ritmo	rhythm
la voz	voice

El mundo del cine	The world of cinema
el actor	actor
la actriz	actress
la entrada	ticket
la estrella	star
la pantalla	screen
una película...	a . . . film; movie
de acción	action
de ciencia ficción	science fiction
documental	documentary
dramática	drama
de guerra	war
de humor	funny; comedy
de misterio	mystery
musical	musical
romántica	romantic
de terror	horror

Los números ordinales	Ordinal numbers
primer, primero/a	first
segundo/a	second
tercer, tercero/a	third
cuarto/a	fourth
quinto/a	fifth
sexto/a	sixth
séptimo/a	seventh
octavo/a	eighth
noveno/a	ninth
décimo/a	tenth

Otras palabras útiles	Other Useful Words
el estreno	opening
la película	film; movie
una película...	a . . . movie
aburrida	boring
animada	animated
conmovedora	moving
creativa	creative
deprimente	depressing
emocionante	moving
entretenida	entertaining
épica	epic
de espanto	scary
estupenda	stupendous
imaginativa	imaginative
impresionante	impressive
sorprendente	surprising
de suspenso	suspenseful
trágica	tragic

Algunos verbos	Some verbs
estrenar una película	to release a film/movie
presentar una película	to show a film/movie

Answers to ¡Explícalo tú! (Inductive Grammar Answers)

2. Los adjetivos demostrativos

1. When do you use **este, ese,** and **aquel**?
   when you want to point out *one* masculine person or object

2. When do you use **esta, esa,** and **aquella**?
   when you want to point out *one* feminine person or object

3. When do you use **estos, esos,** and **aquellos**?
   when you want to point out *two or more* masculine persons or objects, or a mix of masculine and feminine persons or objects

4. When do you use **estas, esas,** and **aquellas**?
   when you want to point out *two or more* feminine persons or objects

5. El presente progresivo

1. What is the infinitive of the first verb in each sentence that is in *italics*?
   estar

2. What are the infinitives of **haciendo, estudiando, escuchando, tocando, viendo,** and **escribiendo**?
   hacer, estudiar, escuchar, tocar, ver, escribir

3. How do you form the verb forms in **boldface**?
   Take the infinitive, drop the *-ar, -er,* or *-ir,* and add *-ando* or *-iendo*.

4. In this new tense, the *present progressive,* do any words come between the two parts of the verb?
   no

5. Therefore, your formula for forming the present progressive is:
   a form of the verb *estar* + a verb ending in *-ando* or *-iendo*

También se dice...

El mundo de la música/*The world of music*

la musica...
    alternativa *alternative music*
    bluegrass *bluegrass music*
el coro *choir*
el cuarteto *quartet*
el equipo de cámara/sonido *camera/sound crew*
el/la mánager *manager*
el merengue *merengue*
la música popular *popular music*
el/la organista *organist*
la pandilla *gang; posse*
los/las seguidores/as *groupies*
el teclado *keyboard*

El mundo del cine/*The world of film*

Gente/*People*
el/la cinematógrafo/a *cinematographer*
el/la director/a *director*
el/la guionista *scriptwriter*

Las películas/*Movies*
el cortometraje *short (film)*
los dibujos animados *cartoons*
el guión *script*
el montaje *montage*

Capítulo 6: ¡Sí, lo sé!

¡Sí, lo sé!

6

This chapter is a recycling chapter, designed for you to see just how much Spanish you have learned thus far. The *major points* of **Capítulos 1–5** are included in this chapter, providing you with the opportunity to "put it all together." You will be pleased to realize how much you are able to communicate in Spanish.

Since this is a recycling chapter, no new vocabulary is presented. The intention is that you review the vocabulary of **Capítulos 1–5** thoroughly, focusing on the words that you personally have difficulty remembering.

Everyone learns at a different pace. You and your classmates will vary in terms of how much of the material presented thus far you have mastered and what you still need to practice.

Remember, language learning is a process. Like any skill, learning Spanish requires practice, review, and then more practice!

Michael Moran/Dorling Kindersley

Vinicius Tupinamba/Shutterstock

204

OBJETIVOS

COMUNICACIÓN

To describe your family and other families

To relate information about your school and campus

To impart information about homes that you and your friends like and dislike

To offer opinions on what will take place in the future

To reveal what you and others like to do and what you need to do

To report on service opportunities in your community

To discuss music, movies, and television

To engage in additional communication practice (SAM)

CULTURA

To share information about Hispanic cultures in the United States, Mexico, Spain, Honduras, Guatemala, El Salvador, Nicaragua, Costa Rica, and Panama

To compare and contrast the countries you learned about in **Capítulos 1–5**

To explore further cultural themes (SAM)

AMBICIONES SINIESTRAS

To review and create with **Ambiciones siniestras**

COMUNIDADES

To use Spanish in real-life contexts (SAM)

Daniel Loncarevic/Shutterstock

Brandon Stein/Shutterstock

205

Organizing Your Review

There are processes used by successful language learners for reviewing a world language. The following tips can help you organize your review. There is no one correct way, but these are some suggestions that will best utilize your time and energy.

1 Reviewing Strategies

1. Make a list of the *major* topics you have studied and need to review, dividing them into three categories: *vocabulary, grammar,* and *culture.* These are the topics on which you need to focus the majority of your time and energy. *Note:* The two-page chapter openers can help you determine the *major* topics.

2. Allocate a minimum of an hour each day over a period of time to review. Budget the majority of your time for the major topics. After beginning with the most important grammar and vocabulary topics, review the secondary/supporting grammar topics and the culture. Cramming the night before a test is *not* an effective way to review and retain information.

3. Many educational researchers suggest that you start your review with the most recent chapter, or in this case, **Capítulo 5.** The most recent chapter is the freshest in your mind, so you tend to remember the concepts better, and you will experience quick success in your review.

4. Spend the most amount of time on concepts in which you determine *you* need to improve. Revisit the self-assessment tools **Y por fin, ¿cómo andas?** in each chapter to see how you rated yourself. Those tools are designed to help you become good at self-assessing what you need to work on the most.

2 Reviewing Grammar

1. When reviewing grammar, begin with the *major* points, that is, begin with the *present tense* of regular, irregular, and stem-changing verbs. After feeling confident with using the major grammar points correctly, proceed to the additional grammar points and review them.

2. Good ways to review include redoing activities in your textbook, redoing activities in your Student Activities Manual, and (re)doing activities on MySpanishLab.

3 Reviewing Vocabulary

1. When studying vocabulary, it is usually most helpful to look at the English word and then say or write the word in Spanish. Make a special list of words that are difficult for you to remember, writing them in a small notebook or in an electronic file. Pull out your list every time you have a few minutes (in between classes, waiting in line at the grocery store, etc.) to review the words. The **Vocabulario activo** pages at the end of each chapter will help you organize the most important words of each chapter.

2. Saying vocabulary (which includes verbs) out loud helps you retain the words better.

4 Overall Review Technique

1. Get together with someone with whom you can practice speaking Spanish. If you need something to spark the conversation, take the drawings from each vocabulary presentation in *¡Anda! Curso elemental* and say as many things as you can about each picture. Have a friendly challenge to see who can make more complete sentences or create the longest story about the pictures. This will help you build your confidence and practice stringing sentences together to speak in paragraphs.

2. Yes, it is important for you to know "mechanical" pieces of information such as verb endings, or how to take a sentence and replace the direct object with a pronoun, *but* it is *much more important* that you are able to take those mechanical pieces of information and put them all together, creating meaningful and creative samples of your speaking and writing on the themes of the first 5 chapters.

3. You are well on the road to success if you can demonstrate that you can speak and write in paragraphs, using a wide variety of verbs and vocabulary words correctly. Keep up the good work!

Comunicación

Capítulo Preliminar A, Capítulo 1 y Capítulo 2

Capítulo Preliminar A, 1 y 2

Estrategia

Before beginning each activity, make sure that you have reviewed the identified recycled concepts carefully so that you are able to move through the activities seamlessly as you put it all together! *¡Sí, lo sabes!*

6-1 **Nuestras familias** Completen los siguientes pasos en grupos de cuatro. ▪

Paso 1 Con un/a compañero/a, túrnense para describir a varios miembros de sus familias usando por lo menos **diez** oraciones con un mínimo de **cinco** verbos diferentes. Incluyan (*Include*): aspectos de sus personalidades, descripciones físicas, qué hacen en su tiempo libre, cuántos años tienen, etc.

MODELO E1: *Mi familia no es muy grande. Mi madre es simpática, inteligente y trabajadora. Tiene cuarenta y cinco años…*

Paso 2 Ahora describe a la familia de tu compañero/a a otro miembro del grupo usando por lo menos **cinco** oraciones. Si no recuerdas bien los detalles o si necesitas clarificación, pregúntale (*ask him/her*).

MODELO E2: *La familia de Adriana es pequeña. Su madre es simpática y trabajadora… Adriana, perdón, pero ¿cuántos años tiene tu madre?…*

Estrategia

Being a good listener is an important life skill. Repeating what your classmate said gives you practice in demonstrating how well you listen.

Jack Hollingsworth/Thinkstock

Creatas Images/Thinkstock

Ryan McVay/Photodisc/Getty Images

Estrategia

Although these activities are focusing on *Capítulos Preliminar A, 1,* and *2,* feel free to use additional vocabulary from later chapters to create your questions. For example, in **6-2,** you may want to use vocabulary from *Capítulo 5.*

6-2 **¿Cómo eres?** Conoces un poco a los estudiantes que estudiamos en **Les presento mi país** en los **Capítulos 1–5.** ¿Qué más quieres saber de ellos? Escribe por lo menos **diez** preguntas que quieres hacerles. Sé (*Be*) creativo/a. ■

MODELO
1. *¿Dónde estudias?*
2. *¿Te gusta leer libros de deportes?*
3. *¿Qué comes?*
4. *¿Qué idiomas hablan en tu país?*
5. *…*

Estrategia

Pay attention to the particular grammar point you are practicing. If you are supposed to write sentences using *tener,* underline each form of *tener* that you use, and then check to make sure it agrees with the subject. Using strategies such as underlining can help you focus on important points.

Rafael Sánchez
Martínez

Gabriela García
Cordera

Mariela Castañeda
Ropero

César Alfonso
Avalos

Luis Pedro
Aguirre
Maldonado

Claudia Figueroa
Barrios

Mauricio
Morales Prado

Laura Centeno
Soto

Magdalena
Quintero de
Gracia

6-3 **Una gira** Trabajas en tu universidad como guía para los estudiantes nuevos. Crea una gira para ellos. Incluye por lo menos **cinco** lugares y **dos** deportes. ■

MODELO
Esta universidad tiene diez mil estudiantes. Esta es la biblioteca. Los estudiantes estudian aquí y usan las computadoras. Allí está el gimnasio donde juegan al básquetbol. Tenemos las especialidades de matemáticas, español…

Vocabulario útil	
aquí	*here*
allí	*there / over there*
allá	*over there*
	(and potentially not visible)

Rúbrica

All aspects of our lives benefit from self-reflection and self-assessment. Learning Spanish is an aspect of our academic and future professional lives that benefits greatly from just such a self-assessment. Also coming into play is the fact that, as college students, you personally are being held accountable for your learning and are expected to take ownership for your performance. Having said that, we instructors can assist you greatly by letting you know what we expect of you. It will help you determine how well you are doing with the recycling of **Capítulo Preliminar A, Capítulo 1,** and **Capítulo 2.** This rubric is meant first and foremost for you to use as a self-assessment tool, but you also can use it to peer-assess. Your instructor may use the rubric to assess your progress as well.

Estrategia

You and your instructor can use this rubric to assess your progress for **6-1** through **6-3.**

	3 EXCEEDS EXPECTATIONS	2 MEETS EXPECTATIONS	1 APPROACHES EXPECTATIONS	0 DOES NOT MEET EXPECTATIONS
Duración y precisión	• Has at least 8 sentences and includes all the required information. • May have errors, but they do not interfere with communication.	• Has 5–7 sentences and includes all the required information. • May have errors, but they rarely interfere with communication.	• Has 4 sentences and includes some of the required information. • Has errors that interfere with communication.	• Supplies fewer sentences than in *Approaches Expectations* and little of the required information. • If communicating at all, has frequent errors that make communication limited or impossible.
Gramática nueva de los *Capítulos Preliminar A, 1 y 2*	• Makes excellent use of the chapters' new grammar. • Uses a wide variety of verbs.	• Makes good use of the chapters' new grammar. • Uses a variety of verbs.	• Makes use of some of the chapters' new grammar. • Uses a limited variety of verbs.	• Uses little, if any, of the chapters' new grammar. • Uses few, if any, of the chapters' verbs.
Vocabulario nuevo de los *Capítulos Preliminar A, 1 y 2*	• Uses many of the vocabulary words new to Chapters Preliminary A, 1 and 2.	• Uses a variety of the new vocabulary words.	• Uses some of the new vocabulary words.	• Uses few, if any, new vocabulary words.
Esfuerzo (*Effort*)	• Clearly the student made his/her best effort.	• The student made a good effort.	• The student made an effort.	• Little or no effort went into the activity.

Capítulo 3

06-06 to 06-10

Capítulo 3

 6-4 **Mi casa favorita** Mira los dibujos y descríbele tu casa favorita a un/a compañero/a. Dile (*Tell him/her*) por qué te gusta la casa y explícale por qué no te gustan las otras (*the other*) casas. ∎

 6-5 **Mi horario personal**
Escribe tu horario (*schedule*) para una semana académica. Incluye por lo menos **siete** actividades usando **siete** verbos diferentes. Después comparte tu horario con un/a compañero/a. ∎

6-6 **Quiero saber...** Completa los siguientes pasos para entrevistar a un/a compañero/a. ■

Paso 1 Escribe tus preguntas usando los siguientes verbos.

hacer	oír	querer	salir	venir
poder	poner	saber	traer	conocer

MODELO E1: *¿Qué traes a tus clases todos los días?*

Paso 2 Entrevista a tu compañero/a.

MODELO E1: *¿Qué traes a tus clases todos los días?*

E2: *Traigo mi mochila a mis clases todos los días…*

 Paso 3 Comparte la información con tus compañeros de clase.

MODELO *Mi compañero Jake trae su mochila a sus clases. También,…*

Ian Tragen/Shutterstock

 6-7 **¿Qué tienen?** Túrnense para describir a las personas de los dibujos usando expresiones con **tener**. ■

MODELO *Jorge recibe una buena nota en su examen. Tiene éxito en su clase de periodismo.*

Julia   Susana   Mirta   Beatriz   Jorge

Guadalupe   Guillermo Miguel Beto   Adriana   David

Rúbrica

	3 **EXCEEDS EXPECTATIONS**	2 **MEETS EXPECTATIONS**	1 **APPROACHES EXPECTATIONS**	0 **DOES NOT MEET EXPECTATIONS**
Duración y precisión	• Has at least 8 sentences and includes all the required information. • May have errors, but they do not interfere with communication.	• Has 5–7 sentences and includes all the required information. • May have errors, but they rarely interfere with communication.	• Has 4 sentences and includes some of the required information. • Has errors that interfere with communication.	• Supplies fewer sentences than in *Approaches Expectations* and little of the required information. • If communicating at all, has frequent errors that make communication limited or impossible.
Gramática nueva del *Capítulo 3*	• Makes excellent use of the chapter's new grammar (e.g., **irregular present tense verbs,** *tener* **expressions,** and *hay*). • Uses a wide variety of new verbs.	• Makes good use of the chapter's new grammar (e.g., **irregular present tense verbs,** *tener* **expressions,** and *hay*). • Uses a variety of new verbs.	• Makes use of some of the chapter's new grammar (e.g., **irregular present tense verbs,** *tener* **expressions,** and *hay*). • Uses a limited variety of new verbs.	• Uses little if any of the chapter's grammar (e.g., **irregular present tense verbs,** *tener* **expressions,** and *hay*).
Vocabulario nuevo del *Capítulo 3*	• Uses many of the new vocabulary words (e.g., **house, furniture,** and **household chores**).	• Uses a variety of the new vocabulary words (e.g., **house, furniture,** and **household chores**).	• Uses some of the new vocabulary words (e.g., **house, furniture,** and **household chores**).	• Uses little, if any, new vocabulary (e.g., **house, furniture,** and **household chores**).
⊕ **Gramática y vocabulario reciclado de los capítulos anteriores**	• Does an excellent job using recycled grammar and vocabulary to support what is being said. • Uses a wide array of recycled verbs. • Uses some recycled vocabulary but focuses predominantly on new vocabulary.	• Does a good job using recycled grammar and vocabulary to support what is being said. • Uses an array of recycled verbs. • Uses some recycled vocabulary but focuses predominantly on new vocabulary.	• Does an average job using recycled grammar and vocabulary to support what is being said. • Uses a limited array of recycled verbs. • Uses mostly recycled vocabulary and some new vocabulary.	• If speaking at all, relies almost completely on a few isolated words. • Grammar usage is inconsistent.
Esfuerzo	• Clearly the student made his/her best effort.	• The student made a good effort.	• The student made an effort.	• Little or no effort went into the activity.

06-11 to 06-15

Capítulo 4

Capítulo 4

 6-8 **Lo conocemos y lo sabemos** Juntos hagan un diagrama de Venn sobre lo que conocen y saben, y sobre lo que no conocen o no saben. Escriban por lo menos **diez** oraciones. ▪

MODELO

Janet
1. Mi familia y yo sabemos hablar español.
2. Mi amiga Julia y sus hermanos saben tocar el piano.

Nosotras
1. Sabemos patinar.
2. No sabemos hablar chino.
3. Conocemos a la profesora.

Audrey
1. Mi amiga Sally y su familia conocen al presidente de la universidad.

 6-9 **Un cuento divertido** Escriban en grupos un cuento creativo usando los siguientes verbos. Empiecen con la oración en el modelo. ¡Incluyan muchos detalles! ▪

almorzar (nosotros)	devolver (él)	mostrar (ella)	servir (ellos)
cerrar (ellas)	dormir (ellos)	pedir (tú)	volver (yo)
costar (los libros)	encontrar (nosotros)	seguir (yo)	comenzar (él)

MODELO

¡Qué día tan horrible! Primero pierdo la tarea para la clase de _____.

Vocabulario útil	
entonces	*then*
después	*afterward*
finalmente	*finally*
luego	*then*
sin embargo	*nevertheless*

6-10 **Mi comunidad ideal** Eres un/a arquitecto/a urbano/a y planeas tu ciudad ideal. ▪

Paso 1   Dibuja el plano de tu ciudad con los lugares más necesarios (mercados, bancos, parques, etc.).

Paso 2   Descríbele tu ciudad a un/a compañero/a. Usa por lo menos **diez** oraciones con una variedad de verbos y vocabulario.

MODELO   *Mi ciudad ideal se llama Ciudad Feliz. Hay una plaza en el centro. Tiene…*

6-11 **Querida familia:…** Trabajas como consejero/a en un campamento de niños. Un día ayudas a los niños a escribirles cartas a sus padres y piensas que es una buena idea escribirle a un amigo también. En tu carta o email, incluye oraciones que incorporen todos los usos que puedas (*all of the uses that you can*) de **ser** y **estar**. ▪

MODELO

> Querido José:
>
> Estoy muy, muy cansada hoy. Tengo ganas de dormir pero ¡solamente son las 9!

Steve Mason/Getty Images

6-12 **Mi tiempo libre** ¡Tus compañeros y tú van a tener diez maravillosos días de vacaciones después de los exámenes! ¿Qué van a hacer? Túrnense **cinco** veces para decir oraciones usando **el futuro** (*ir + a + infinitivo*). Después de decir tu oración, repite todo lo que dijeron (*you both said*) antes (*before*). Usen también diferentes pronombres (**yo, tú, ellos, nosotros**, etc.). ■

MODELO   E1: *Voy a dormir diez horas cada día.*

                E2: *Mis amigos van a ir a Cancún y tú vas a dormir diez horas cada día.*

                E1: *Mi familia y yo vamos a nadar, tus amigos van a ir a Cancún, y voy a dormir diez horas cada día.*

                E2: …

Estrategia

You and your instructor can use this rubric to assess your progress for **6-8** through **6-12**.

Rúbrica

	3 **EXCEEDS EXPECTATIONS**	**2** **MEETS EXPECTATIONS**	**1** **APPROACHES EXPECTATIONS**	**0** **DOES NOT MEET EXPECTATIONS**
Duración y precisión	• Has at least 8 sentences and includes all the required information. • May have errors, but they do not interfere with communication.	• Has 5–7 sentences and includes all the required information. • May have errors, but they rarely interfere with communication.	• Has 4 sentences and includes some of the required information. • Has errors that interfere with communication.	• Supplies fewer sentences than in *Approaches Expectations* and little of the required information. • If communicating at all, has frequent errors that make communication limited or impossible.
Gramática nueva del *Capítulo 4*	• Makes excellent use of the chapter's new grammar (e.g., **stem-changing verbs, *ir*, *ir + a + infinitivo***, and **affirmative and negative expressions**). • Uses a wide variety of new verbs.	• Makes good use of the chapter's new grammar (e.g., **stem-changing verbs, *ir*, *ir + a + infinitivo***, and **affirmative and negative expressions**). • Uses a variety of new verbs.	• Makes use of some of the chapter's new grammar (e.g., **stem-changing verbs, *ir*, *ir + a + infinitivo***, and **affirmative and negative expressions**). • Uses a limited variety of new verbs.	• Uses little if any of the chapter's new grammar (e.g., **stem-changing verbs, *ir*, *ir + a + infinitivo***, and **affirmative and negative expressions**). • Uses no new verbs.
Vocabulario nuevo del *Capítulo 4*	• Uses many of the new vocabulary words (e.g., **places** and **things to do**).	• Uses a variety of the new vocabulary words (e.g., **places** and **things to do**).	• Uses some of the new vocabulary words (e.g., **places** and **things to do**).	• Uses little, if any, new vocabulary (e.g., **places** and **things to do**).

(continued)

	3 EXCEEDS EXPECTATIONS	2 MEETS EXPECTATIONS	1 APPROACHES EXPECTATIONS	0 DOES NOT MEET EXPECTATIONS
✱ Gramática y vocabulario reciclado de los capítulos anteriores	• Does an excellent job using recycled grammar and vocabulary to support what is being said. • Uses a wide array of recycled verbs. • Uses some recycled vocabulary but focuses predominantly on new vocabulary.	• Does a good job using recycled grammar and vocabulary to support what is being said. • Uses an array of recycled verbs. • Uses some recycled vocabulary but focuses predominantly on new vocabulary.	• Does an average job using recycled grammar and vocabulary to support what is being said. • Uses a limited array of recycled verbs. • Uses mostly recycled vocabulary and some new vocabulary.	• If speaking at all, relies almost completely on a few isolated words. • Grammar usage is inconsistent.
Esfuerzo	• Clearly the student made his/her best effort.	• The student made a good effort.	• The student made an effort.	• Little or no effort went into the activity.

Capítulo 5

06-16 to 06-20

 6-13 **¡El concierto del siglo!** Quieres ir al concierto de tu conjunto o cantante favorito, pero tu compañero/a no quiere ir. Creen un diálogo sobre su situación y preséntenlo a la clase. Su diálogo debe incluir por lo menos **doce** oraciones. Usen: formas de **este, ese, aquel**; unos adverbios (**-mente**); **hay que...**; y pronombres de complemento directo (**me, te, lo, la, nos, los, las**). ▪

Dwphotos/Shutterstock

MODELO   E1: *David, quiero ir al concierto de Marc Anthony. Es este sábado a las ocho. Las entradas no cuestan mucho. Te invito.*

E2: *No gracias, Mariela. No quiero ir. Realmente, no puedo ir. Tengo mucha tarea.*

E1: *Pero David,...*

 6-14 **¡Bienvenido, estrella!** ¡Tienes el trabajo ideal! Puedes entrevistar a tu actor o actriz favorito/a del cine. Escribe **diez** preguntas que vas a hacerle. Después, con un/a compañero/a de clase, hagan los papeles de estrella y entrevistador/a para la clase. ▪

Rúbrica

Estrategia
You and your instructor can use this rubric to assess
your progress for **6-13** through **6-14**.

	3 EXCEEDS EXPECTATIONS	2 MEETS EXPECTATIONS	1 APPROACHES EXPECTATIONS	0 DOES NOT MEET EXPECTATIONS
Duración y precisión	• Has at least 8 sentences and includes all the required information. • May have errors, but they do not interfere with communication.	• Has 5–7 sentences and includes all the required information. • May have errors, but they rarely interfere with communication.	• Has 4 sentences and includes some of the required information. • Has errors that interfere with communication.	• Supplies fewer sentences than in *Approaches Expectations* and little of the required information. • If communicating at all, has frequent errors that make communication limited or impossible.
Gramática nueva del *Capítulo 5*	• Makes excellent use of the chapter's new grammar (e.g., **demonstrative adjectives and pronouns, adverbs, *Hay que...,* and direct object pronouns**). • Uses a wide variety of new verbs.	• Makes good use of the chapter's new grammar (e.g., **demonstrative adjectives and pronouns, adverbs, *Hay que...,* and direct object pronouns**). • Uses a variety of new verbs.	• Makes use of some of the chapter's new grammar (e.g., **demonstrative adjectives and pronouns, adverbs, *Hay que...,* and direct object pronouns**). • Uses a limited variety of new verbs.	• Uses little, if any, of the chapter's new grammar (e.g., **demonstrative adjectives and pronouns, adverbs, *Hay que...,* and direct object pronouns**). • Uses no new verbs.
Vocabulario nuevo del *Capítulo 5*	• Uses many of the new vocabulary words (e.g., **music, the movies,** and **television**).	• Uses a variety of the new vocabulary words (e.g., **music, the movies,** and **television**).	• Uses some of the new vocabulary words (e.g., **music, the movies,** and **television**).	• Uses little, if any, new vocabulary (e.g., **music, the movies, and television**).
✹ **Gramática y vocabulario reciclado de los capítulos anteriores**	• Does an excellent job using recycled grammar and vocabulary to support what is being said. • Uses a wide array of recycled verbs. • Uses some recycled vocabulary but focuses predominantly on new vocabulary.	• Does a good job using recycled grammar and vocabulary to support what is being said. • Uses an array of recycled verbs. • Uses some recycled vocabulary but focuses predominantly on new vocabulary.	• Does an average job using recycled grammar and vocabulary to support what is being said. • Uses a limited array of recycled verbs. • Uses mostly recycled vocabulary and some new vocabulary.	• If speaking at all, relies almost completely on a few isolated words. • Grammar usage is inconsistent.
Esfuerzo	• Clearly the student made his/her best effort.	• The student made a good effort.	• The student made an effort.	• Little or no effort went into the activity.

Un poco de todo

06-21 to 06-34

 6-15 **¡Ganaste la lotería!** Ganaste
(*You won*) un millón de dólares en la lotería y te
invitan a un programa de televisión para explicar qué
vas a hacer con el dinero. Dile al/a la entrevistador/a
(tu compañero/a) qué vas a hacer con el dinero en por
lo menos **diez** oraciones. Después cambien de papel
(*Take turns playing each role*). ∎

6-16 **Busco ayuda…** Con el dinero que ganaste en la lotería, decides
buscar un ayudante personal (*personal assistant*) para ayudarte con los quehaceres de
la casa y con algunos asuntos (*matters*) de tu trabajo.
Entrevista a un/a compañero/a que hace el papel de
ayudante. Después cambien de papel. ∎

MODELO E1: *Debe mandar mis cartas y escribir unos emails.*
E2: *Bueno, pero no limpio las ventanas.*
E1: *¿Cómo? ¿No las limpia? ¿Pasa la aspiradora?*
E2: …

6-17 **Mi horario para la semana** Crea un horario para una semana
ideal durante el verano. Usa por lo menos **diez** verbos diferentes para explicar lo que
tienes que hacer. Comparte tu horario con un/a compañero/a. ∎

junio						
L	M	M	J	V	S	D
	1	2	3	4	5	6
7	8	9	10	11	12	13
14	15	16	17	18	19	20
21	22	23	24	25	26	27
28	29	30				

julio						
L	M	M	J	V	S	D
			1	2	3	4
5	6	7	8	9	10	11
12	13	14	15	16	17	18
19	20	21	22	23	24	25
26	27	28	29	30	31	

agosto						
L	M	M	J	V	S	D
						1
2	3	4	5	6	7	8
9	10	11	12	13	14	15
16	17	18	19	20	21	22
23	24	25	26	27	28	29
30	31					

6-18 **Mis planes para el verano** Escribe un email a un/a compañero/a de **ocho** a **diez** oraciones sobre lo que vas a hacer este verano: **cuándo, dónde** y **con quién.** ■

6-19 **Para la comunidad** Escribe un poema en verso libre o una canción sobre el voluntariado y sus beneficios para los que dan y para los que reciben ayuda. ■

6-20 **Mi comunidad** Túrnense para describir detalladamente su comunidad o la de la foto. Incluyan en su descripción oral detalles de su pueblo o ciudad (edificios, lugares de diversión, etc.), su casa y también las oportunidades que existen para hacer trabajo voluntario. Finalmente, hagan sus presentaciones para un grupo cívico como los Rotarios (*Rotary Club*). ■

México D.F.

Frontpage/Shutterstock

6-21 **El juego de la narración** Túrnense para crear una narración oral sobre **Ambiciones siniestras.** ¡Incluyan muchos detalles! ■

MODELO   E1: Ambiciones siniestras *es un misterio muy imaginativo.*

E2: *Hay seis estudiantes que se llaman...*

E1: ...

Pearson Education   Pearson Education   Pearson Education   Pearson Education   Pearson Education   Pearson Education

Cisco   Eduardo   Manolo   Alejandra   Lupe   Marisol

Estrategia

The ability to retell information is an important language-learning strategy. Practice summarizing or retelling in your own words in Spanish the events from *Ambiciones siniestras*, chapter by chapter. Set a goal for yourself of saying or writing at least 5 important events in each episode that move the story along. Another technique is to recap as if you were retelling the story to another student who was absent.

6-22 **¿Me quiere?** Cisco, de **Ambiciones siniestras,** le escribe un correo electrónico a la chica que conoció (*he met*) en el concierto. En el email habla de sus planes para el fin de semana y la invita a acompañarlo (*accompany him*). Escribe ese mensaje en **diez** oraciones como si fueras (*as if you were*) Cisco. ■

Pearson Education

MODELO

Querida _____:

Todavía hablan del concierto de aquella noche...

Hasta pronto,
Cisco

6-23 **Su versión** En **6-21,** narraron (*you narrated*) una versión del cuento **Ambiciones siniestras**. Ahora es su turno como escritores. Sean muy creativos y creen su propia (*own*) versión creativa. Su instructor les va a explicar cómo hacerlo. Empiecen con la oración del modelo. ¡Diviértanse! ∎

MODELO   *Hay seis estudiantes de tres universidades.*

6-24 **Tu propia película** Eres cinematógrafo y puedes crear tu propia versión de **Ambiciones siniestras.** Primero, pon las fotos en el orden correcto y luego escribe el diálogo para la película. Luego, puedes filmar tu versión. ∎

6-25 **Los hispanos en los Estados Unidos** Escribe **cinco** influencias hispanas en los Estados Unidos. ■

MODELO   1. *St. Augustine fue fundada por los españoles en el año 1565.*

Workbooklet

6-26 **Aspectos interesantes** Escribe por lo menos **tres** cosas interesantes sobre cada uno de los siguientes países. ■

Estrategia

You have read numerous cultural notes throughout the first 5 chapters. To help you organize the material, make a chart of the most important information, or dedicate a separate page in your notebook for each country, recording the unique cultural items of that particular country.

MÉXICO	ESPAÑA	HONDURAS	GUATEMALA

EL SALVADOR	NICARAGUA	COSTA RICA	PANAMÁ

6-27 **Un agente de viajes** Durante el verano tienes la oportunidad de trabajar en una agencia de viajes (*travel agency*). Tienes unos clientes que quieren visitar un país hispanohablante. Escoge uno de los países que estudiamos y recomienda el país en por lo menos **seis** oraciones. ■

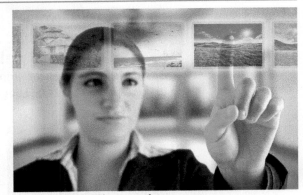

Santiago Cornejo/Shutterstock

6-28 **Mi país favorito** Describe tu país favorito entre los que hemos estudiado (*we have studied*). En por lo menos **ocho** oraciones explica por qué te gusta y lo que encuentras interesante e impresionante de ese país. ■

6-29 **Compáralos** Escoge dos países que estudiamos y escribe las diferencias y semejanzas (*similarities*) entre los dos. ■

MODELO   *México es un país grande en Norteamérica y Nicaragua es más pequeño que México y está en Centroamérica.*

6-30 **¡A jugar!** En grupos de tres o cuatro, preparen las respuestas para las siguientes categorías de *¿Lo sabes?,* un juego como *Jeopardy!,* y después las preguntas correspondientes. Pueden usar valores de dólares, pesos, euros, etc. ¡Buena suerte! ■

CATEGORÍAS

VOCABULARIO	VERBOS	CULTURA
la vida estudiantil	verbos regulares	Estados Unidos
las materias y las especialidades	verbos irregulares	México
los deportes y los pasatiempos	**saber** y **conocer**	España
la casa y los muebles	**ser** y **estar**	Honduras
los quehaceres de la casa	**ir**	Guatemala
el cine	**ir** + **a** + infinitivo	El Salvador
la música	**estar** + **-ando, -iendo**	Nicaragua
el voluntariado		Costa Rica
		Panamá

MODELOS

Joe Mercier/Shutterstock

CATEGORÍA: LA VIDA ESTUDIANTIL

Respuesta: en la residencia estudiantil
Pregunta: *¿Dónde viven los estudiantes?*

Aspen Photo/Shutterstock

CATEGORÍA: LOS DEPORTES Y LOS PASATIEMPOS

Respuesta: Albert Pujols
Pregunta: *¿Quién juega al béisbol muy bien?*

¿LO SABES?

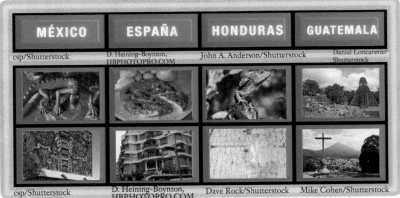

MÉXICO	ESPAÑA	HONDURAS	GUATEMALA
csp/Shutterstock	D. Heining-Boynton, HBPHOTOPRO.COM	John A. Anderson/Shutterstock	Daniel Loncarevic/ Shutterstock

csp/Shutterstock   D. Heining-Boynton, HBPHOTOPRO.COM   Dave Rock/Shutterstock   Mike Cohen/Shutterstock

¿LO SABES? DOBLE

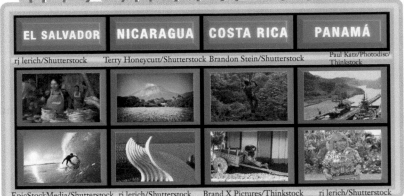

EL SALVADOR	NICARAGUA	COSTA RICA	PANAMÁ
rj lerich/Shutterstock	Terry Honeycutt/Shutterstock	Brandon Stein/Shutterstock	Paul Katz/Photodisc/ Thinkstock

EpicStockMedia/Shutterstock   rj lerich/Shutterstock   Brand X Pictures/Thinkstock   rj lerich/Shutterstock

Y por fin, ¿cómo andas?

	Feel confident	Need to review
Having completed this chapter, I now can . . .		
Comunicación		
• describe my family and other families	☐	☐
• relate information about my school and campus	☐	☐
• impart information about homes that my friends and I like and dislike	☐	☐
• offer opinions on what will take place in the future	☐	☐
• reveal what I and others like to do and what we need to do	☐	☐
• report on service opportunities in my community	☐	☐
• discuss music, movies, and television	☐	☐
• engage in additional communication practice (SAM)	☐	☐
Cultura		
• share information about the Spanish-speaking world in the United States, Mexico, Spain, Honduras, Guatemala, El Salvador, Nicaragua, Costa Rica, and Panama	☐	☐
• compare and contrast the countries I learned about in **Capítulos 1–5**	☐	☐
• explore further cultural themes (SAM)	☐	☐
Ambiciones siniestras		
• review and create with **Ambiciones siniestras**	☐	☐
Comunidades		
• use Spanish in real-life contexts (SAM)	☐	☐

Answers to ¡Explícalo tú! (Inductive Grammar Answers)

Major grammar points to be reviewed

1. Present tense of:
   Regular **-ar, -er, -ir** verbs
   Irregular verbs
   Stem-changing verbs **e → ie, e → i, o → ue, u → ue**
2. Future tense *ir + a* + **infinitive**
3. Use of direct object pronouns
4. Correctly using **ser** and **estar**
5. Correctly using **gustar**

Major vocabulary to be reviewed

1. The *Vocabulario activo* at the end of each chapter

Major cultural information to be reviewed

1. At least two facts about each of the feature countries
2. At least one point about each of the two culture presentations in each chapter

Preliminar B: Introducciones y repasos

B

Introducciones y repasos

This chapter is a review of vocabulary and grammatical concepts that you are already familiar with in Spanish. Some of you are continuing with *¡Anda! Curso elemental*, while others may be coming from a different program. As you begin the second half of *¡Anda!*, it is important for all students to feel confident about what they already know about the Spanish language as they continue to acquire knowledge and proficiency. This chapter will help you determine what you already know, and also help you focus on what you personally need to improve upon.

If you are new to *¡Anda!*, you will not only want to review the grammar concepts already introduced, but also familiarize yourself with the active vocabulary used in the textbook. *¡Anda!* recycles vocabulary and grammar concepts frequently to help you learn better, and this chapter will help you with what we consider to be the basics of the preceding chapters.

Andresr/Shutterstock

For all students, this chapter also reviews what has occurred to date in the thrilling episodic adventure, **Ambiciones siniestras.** Students who haven't read or viewed the first episodes will have an opportunity to do so. The episodes in the text and the video build upon each other, just like a **telenovela,** and starting in **Capítulo 7,** will continue from where the episode in **Capítulo 5** left off. **Capítulo 6** is a recycling chapter and no new episodes for **Ambiciones siniestras** were introduced.

Before you begin this chapter, you may wish to review the study and learning strategies on page 206 in **Capítulo 6.** These strategies are applicable to your other subjects as well. So on your mark, get set, let's review!

OBJETIVOS

COMUNICACIÓN

To greet, say good-bye, and introduce others

To describe yourself and others

To share information about school and life as a student

To offer opinions about sports and pastimes that you and others like and dislike

To describe homes and household chores

To identify places in and around town

To relate things that happen and things that have to be done

To convey what will take place in the future

To impart information about service opportunities

To share information about different types of music, movies, and television programs, including your personal preferences

AMBICIONES SINIESTRAS

To depict what has happened thus far to the protagonists: Alejandra, Manolo, Cisco, Eduardo, Marisol, and Lupe

To hypothesize about what you think will happen in future episodes

COMUNIDADES

To use Spanish in real-life contexts (SAM)

Comunicación

• Capítulo Preliminar A •
Greeting, saying good-bye, and introducing others

B-01

1. Para empezar. This chapter provided an introduction to Spanish via the following topics: greetings and farewells; classroom expressions; the alphabet; cognates; subject pronouns and the verb **ser**; adjectives of nationality; numbers 1–30; telling time; days and months; the weather; and the verb **gustar**. If you need to review any of these topics before proceeding, consult pages 2–29.

• Capítulo 1 •
Describing yourself and others

B-02 to B-03

2. La familia. Review the **La familia** vocabulary on page 32 and then do the following activities.

Estrategia

In **B-1,** you are directed to write at least 5 sentences. See how many more than 5 you can write in the time allotted.

  B-1 **Mi familia** Túrnense para describir a sus familias o a una de las familias de las fotos. Digan por lo menos **cinco** oraciones. ■

MODELO   *George es mi tío. Mis primos son Stacy y Scott…*

Jack Hollingsworth/Photodisc/Thinkstock

Corbis

Julie Keen/Shutterstock

Digital Vision./Digital Vision/Thinkstock

3. El verbo *tener*. Review the verb **tener** on page 34. What are all of the present tense forms of **tener**?

B-04

 B-2 **Y mis amigos...**

Túrnense para hablar de las familias de unos amigos o de una familia famosa usando el verbo **tener**. Digan por lo menos **ocho** oraciones. ■

MODELO   *Mi amigo, Joe, tiene dos hermanos. Mis amigas Jennifer y Marty no tienen abuelos...*

Creatas/Jupiter Images

4. El singular y el plural. Review how to make singular nouns plural on page 36 and explain the rules to your partner. Then complete the following activity.

B-05

 B-3 **Te toca a ti** Digan el plural de cada palabra. ■

MODELO   E1: primo

          E2: *primos*

1. madre
2. francés
3. taxi

4. nieto
5. abuela
6. joven

> **Fíjate**
> The rules for accents are listed in the *Pronunciación* section for *Capítulo 2* on MySpanishLab and in the Student Activities Manual. As a reminder, some words keep their accent marks in the plural while other words lose or gain accent marks in the plural.

5. El masculino y el femenino. Review the differences between masculine and feminine nouns on page 37. State the rules to a partner, and then do the following activity.

B-06

 B-4 **¿Recuerdas?** Digan si las siguientes palabras son masculinas o femeninas. **¡OJO!** Hay unas excepciones. ■

MODELO   E1: tía

          E2: *femenina*

1. padrastros
2. televisión
3. foto
4. universidad

5. hermano
6. mapa
7. tía
8. hijo

> **Fíjate**
> Some words that end in consonants, like *profesor*, also have feminine forms: *profesora*. Pay attention to the form when making the noun plural, as in the case of *profesores* or *profesoras*.

B-07 to B-08

6. Los artículos definidos e indefinidos. How do you say *the, a(n),* and *some* in Spanish? For a reminder, see page 38. Then do the following activity.

B-5 **Vamos a practicar** Túrnense para añadir el equivalente de los artículos *the, a* o *some* a estas palabras. ■

MODELO E1: tías
E2: *las tías/unas tías*

1. abuelo
2. hermanas
3. madre
4. tío
5. hijos
6. primas
7. nieto
8. padres

B-09 to B-10

7. Los adjetivos posesivos y descriptivos. How do you say *my, your, his, her, our,* and *their?* If you need help, see page 41. Also consult pages 43–44 to review words you may use to describe yourself and others. Then do the following activity.

B-6 **Nuestras familias** Túrnense para describir a su familia y compararla con las familias de sus amigos. Digan por lo menos **ocho** oraciones. ■

MODELO *Mis padres son trabajadores. La mamá de mi amigo John es trabajadora también. Nuestros primos son simpáticos…*

Fíjate

When you see the 👥 by the activity number, you work with a partner. Words in the direction lines like *miren, túrnense, comparen,* and *usen* are plural—they refer to both of you.

• **Capítulo 2** •

Sharing information about school and life as a student
Offering opinions about sports and pastimes that you and others like and dislike

B-11 to B-12

8. Las materias y las especialidades. Review the **Las materias y las especialidades** vocabulary on page 62 of **Capítulo 2.** Then practice the vocabulary words with the following activity.

Workbooklet

B-7 **¿Cuál es más fácil?** Expresa tus opiniones sobre las materias y las especialidades. Comparte tus respuestas con un/a compañero/a. Puedes consultar **También se dice…** en el Apéndice 3. ■

Estrategia

For **B-7** about *Las materias y las especialidades,* change partners and find someone whose major is different from yours. See whether you have the same opinions.

MODELO *Las especialidades más difíciles son las matemáticas y los negocios. Las especialidades más fáciles son…*

LAS ESPECIALIDADES…

MÁS DIFÍCILES	MÁS FÁCILES	MÁS CREATIVAS	MÁS INTERESANTES	MÁS ABURRIDAS
1.	1.	1.	1.	1.
2.	2.	2.	2.	2.

B-13

9. La sala de clase. Review the **La sala de clase** vocabulary on page 65 and then do the following activity.

Workbooklet

B-8 **¿Qué tienen tus compañeros/as?** Escoge (*Choose*) a unos/as de tus compañeros/as y completa el siguiente cuadro. ■

MODELO E1: Hablamos de Melissa. ¿Qué tiene Melissa?

E2: Melissa tiene dos cuadernos, un libro, un bolígrafo y dos lápices.

E3: Pero Melissa no tiene la tarea.

E2: Ahora hablamos de _____ y _____. ¿Qué tienen. _____ y. _____?

E1: Tienen....

ESTUDIANTE _Melissa_	ESTUDIANTES _____ Y _____	TÚ Y YO _____
(no) tiene	(no) tienen	(no) tenemos
1. tiene dos cuadernos	1.	1.
2. tiene un libro	2.	2.
3. tiene un bolígrafo	3.	3.
4. tiene dos lápices	4.	4.
5. no tiene la tarea	5.	5.

B-14 to B-15

10. Presente indicativo de verbos regulares. How do you form the *present tense* of *regular* **-ar, -er,** and **-ir** *verbs*? If you need help, consult pages 67–68. Finally, before you complete the following activities, review the common verbs that are presented on the those pages.

B-9 **¿A quién o quiénes conoces que...?** Túrnense para preguntarse y contestar para qué personas que ustedes conocen son ciertas (*true*) las siguientes afirmaciones. ■

MODELO hablar poco

E1: *¿Quién habla poco?*

E2: *Mi hermano Evan habla poco.*

E2: *¿Quiénes hablan poco?*

E1: *Mis padres hablan poco. / Mis hermanos y yo hablamos poco.*

1. hablar demasiado
2. correr mucho
3. vivir lejos

4. escribir muchos mensajes de texto
5. usar los apuntes de sus amigos
6. estudiar mucho

7. necesitar estudiar más
8. tomar un examen hoy
9. enseñar español

B-10 **Dime quién, dónde y cuándo** Miren el dibujo y creen juntos una historia sobre lo que ocurre en el edificio. ■

MODELO E1: *Josefina escribe una carta.*
        E2: *Ella escribe cartas todos los días.*
        E1: *En otro apartamento Raúl y Mariela...*

 B-16 to B-17

11. La formación de preguntas y las palabras interrogativas. How do you form questions in Spanish? What are the question words in Spanish? To review this topic, consult pages 70–71 and then do the following activity.

 B-11 **Preguntas y más preguntas** Túrnense para formar una pregunta con cada oración. ■

MODELO E1: Estudio **matemáticas**.
        E2: *¿Qué estudias?*

Fíjate

Remember that all question words have accents. Also remember that when writing a question, there are two question marks, one at the beginning and one at the end of the question.

1. Pilar estudia **en la biblioteca**.
2. **Guillermo y yo** estudiamos.
3. Comen **entre las 7:00 y las 8:00 de la noche**.
4. Aprendemos español **fácilmente**.
5. Leo **tres libros**.
6. Estudiamos español **porque nos gusta el profesor**.

12. Los números 1–1.000. Review the numbers 1–1,000, consulting pages 16, 47, and 72 if you need help. Then do the following activity.

B-18 to B-19

🍦🍦 **B-12** **¡Dilo!** Túrnense para decir los precios de los artículos en el catálogo. ■

MODELO   E1: (325 €) *El precio del armario es trescientos veinticinco euros.*
             E2: (999 €) *El precio del sofá es...*

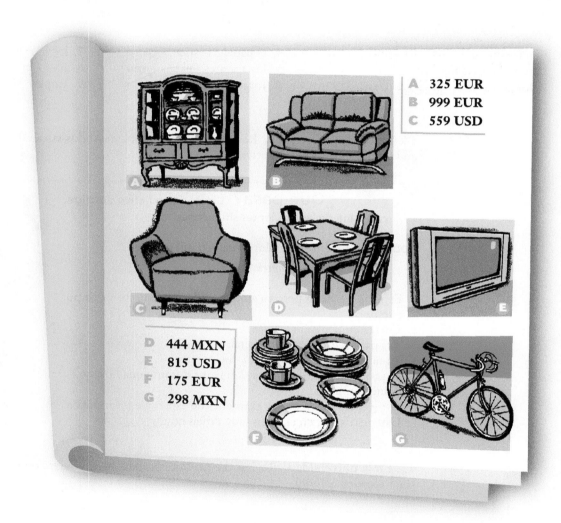

A 325 EUR
B 999 EUR
C 559 USD

D 444 MXN
E 815 USD
F 175 EUR
G 298 MXN

B-20

13. El verbo *estar*. What are the present tense forms of **estar?** When do you use **estar?** Check pages 76–77 if you need help before doing the following activity.

 B-13 **¿Cómo se dice?** Túrnense para hacerse preguntas y contestar usando **estar.** ■

MODELO   el mapa / libro

E1: *¿Dónde está el mapa?*

E2: *El mapa está en el libro.*

Fíjate
Remember that four forms of *estar* have accents in the present tense: *estás, está, estáis,* and *están.*

1. mis amigos y yo / la clase de ciencias
2. tú / el apartamento
3. los escritorios / la sala de clase

4. el papel / la silla
5. los apuntes / el cuaderno
6. Jorge y tú / la puerta

7. los libros / la mochila
8. José / bien
9. Lupe y Mariela / contento

B-21

14. Emociones y estados. Review the **Emociones y estados** vocabulary on page 79 and then do the following activity.

B-14 **¿Qué pasa?** Digan qué adjetivo describe cada una de las siguientes situaciones. ■

MODELO   E1: Jorge y María reciben mil dólares.

E2: *Están contentos.*

1. Esperas y esperas pero tu amigo no llega. (¡Y no te llama por teléfono!)
2. Corres quince millas (*miles*).
3. Tus padres están en el hospital.
4. Tu novio/a está en Panamá y ¡no regresa!
5. El profesor de literatura lee sin parar durante una hora y quince minutos.
6. Ustedes sacan "A" en sus exámenes de español e informática.
7. Ustedes tienen un examen muy difícil hoy.

Fíjate
In **B-14** you see *sus exámenes de español e informática.* The word *y* changes to *e* when the *i* sound appears immediately after the *y*, as in the case of the word *informática.*

B-22

15. En la universidad. Review the **En la universidad** vocabulary on page 74 and do the following activity.

 B-15 **¡Lo sé!** Digan qué lugar asocian con las siguientes palabras y acciones. Después formen una oración completa. ■

MODELO   estudiar

E1: *Voy a la biblioteca para estudiar.*

E2: *Estudio en mi apartamento.*

1. jugar al fútbol
2. comprar libros
3. comer hamburguesas, pizza, café, etc.

4. jugar al básquetbol
5. hacer experimentos científicos
6. leer libros, estudiar, escribir composiciones, etc.

B-23 to B-24

16. El verbo *gustar*. How do you say *to like* in Spanish? Review page 80 and then do the following activity.

 Workbooklet

 B-16 **Opiniones** Compara tu opinión sobre los siguientes temas (*topics*) con las de otros/as dos compañeros/as e informa después a la clase. ◾

MODELO   E1: *Las materias que más me gustan son las ciencias y las matemáticas.*
              La escritora que más me gusta es J.K. Rowling…

           E2: *Las materias que más le gustan a David son las ciencias y las matemáticas.*
              La escritora que más le gusta es J.K. Rowling…

	LAS MATERIAS...	LOS/AS ESCRITORES/AS...	LAS PELÍCULAS (*MOVIES*)...
	que más me gustan son:	que más me gustan son:	que más me gustan son:
YO	1.	1.	1.
ESTUDIANTE 1	2.	2	2
ESTUDIANTE 2	3.	3.	3.
	que menos me gustan son:	que menos me gustan son:	que menos me gustan son:
YO	1.	1.	1.
ESTUDIANTE 1	2	2	2
ESTUDIANTE 2	3.	3.	3.

 B-25 to B-27

17. Los deportes y los pasatiempos. Review the **Los deportes y los pasatiempos** vocabulary on pages 81–82 and then do the following activity.

 Workbooklet

 B-17 **Tus preferencias** Selecciona los **tres** deportes o pasatiempos **que más te gustan** y luego los **tres que menos te gustan.** Después de completar el cuadro, comparte la información con un/a compañero/a, según el modelo. ◾

MODELO   *Los deportes o pasatiempos que más me gustan son patinar, bailar y leer. Los deportes o pasatiempos que menos me gustan son el fútbol, el fútbol americano y nadar.*

LOS DEPORTES Y PASATIEMPOS QUE MÁS ME GUSTAN	LOS DEPORTES Y PASATIEMPOS QUE MENOS ME GUSTAN
1.	1.
2.	2.
3.	3.

• Capítulo 3 •
Describing homes and household chores

18. La casa. Review the vocabulary about **La casa** on page 98 and do the following activities.

B-28 to B-30

 B-18 **Las actividades** Túrnense para decir en qué parte o partes de la casa hacen las siguientes actividades.

MODELO   E1: estudiar
             E2: *Estudio en la oficina, en el dormitorio y en la cocina.*

1. escuchar música y ver la televisión
2. organizar papeles
3. tomar una siesta
4. preparar tacos
5. tocar el piano
6. hablar por teléfono
7. tomar el sol
8. trabajar en la computadora

B-19 **¿Y tu casa...?** Descríbele tu casa o apartamento, o una de las viviendas de las fotos, a un/a compañero/a. O si quieres, puedes describir tu casa ideal. Usa por lo menos **ocho** oraciones. ■

MODELO   *Mi casa tiene dos pisos. Mi dormitorio está en la planta baja. No tenemos un altillo. Mi dormitorio está al lado del baño. La cocina es pequeña....*

Ilja MaÅ¡Ãk/Shutterstock

Pearson Education

B-31 to B-32

19. Algunos verbos irregulares. Review the irregular verbs on pages 101–102 and then practice them with the following activities.

 B-20 **Otras combinaciones** Túrnense para formar oraciones completas combinando elementos de las tres columnas. Formen una oración distinta con cada verbo de la columna B. ■

MODELO   *Nosotros hacemos la tarea todos los días.*

COLUMNA A	COLUMNA B	COLUMNA C
Uds.	(no) hacer	estudiar ciencias
el profesor	(no) oír	muchas películas
él, ella, Ud.	(no) querer	la tarea todos los días
nosotros/as	(no) salir	los libros a clase
ellos/ellas	(no) traer	temprano a la universidad
yo	(no) venir	los viernes
tú	(no) ver	tocar la guitarra
mamá y papá	(no) poder	ruidos (*noises*) por la noche

 B-21 **Entrevista** Túrnense para hacerse la siguiente entrevista. ■

MODELO   E1: ¿Qué te dice tu mamá siempre?

                     E1: *Mi mamá me dice…*

1. ¿Qué deporte practicas?
2. ¿Cuándo haces ejercicio?
3. ¿Qué te dice tu mamá siempre?
4. ¿Qué traes a tus clases?
5. ¿Sales los fines de semana? ¿Con quién o quiénes sales?
6. ¿Qué quieres ser (o hacer) en el futuro?
7. ¿Conoces a una persona famosa?
8. ¿Qué pones en tu mochila los lunes? ¿Los martes?
9. ¿Qué días vienes a la clase de español?
10. ¿A qué hora sales para la clase?

Estrategia

Getting to know your classmates helps you build confidence. It is much easier to interact with someone you know.

20. Hay. What does **hay** mean? Review page 119 if you need help. Then do the following activity.

B-33 to B-34

B-22 **¿Qué hay en tu casa?** Descríbele tu casa a un/a compañero/a y averigua (*find out*) cómo es la suya (*his/hers*) usando **hay.** ▪

MODELO   E1:   *En mi casa hay un garaje. ¿Hay un garaje en tu casa?*

          E2:   *Sí, en mi casa hay un garaje. / No, en mi casa no hay un garaje.*

          E1:   *Mi casa tiene dos pisos. ¿Cuántos pisos hay en tu casa?*

21. Los muebles y otros objetos de la casa. Review the **Los muebles y otros objetos de la casa** vocabulary on page 106. Then do the following activity.

B-35 to B-36

B-23 **En mi casa**   ¿Qué muebles y objetos tienes o no tienes en casa? Descríbeselos a un/a compañero/a. ▪

MODELO   E1:   *Yo tengo una cama y dos sillas en mi dormitorio. No tengo una televisión.*   *¿Qué tienes tú?*

          E2:   *Yo tengo un cuadro, una lámpara y una televisión.*

D. Heining-Boynton, HBPHOTOPRO.COM   russ witherington/Shutterstock

D. Heining-Boynton, HBPHOTOPRO.COM

Pearson Education

D. Heining-Boynton, HBPHOTOPRO.COM

B-37 to B-38

22. Los quehaceres de la casa y los colores. Review the vocabulary dealing with **Los quehaceres de la casa** and **Los colores** on pages 109 and 111. Then, do the following activities.

Workbooklet

♀♀ **B-24** **Responsabilidades** ¿Cuáles son tus responsabilidades? Túrnense para contestar las siguientes preguntas y explicar cuándo hacen estos quehaceres y cuánto tiempo dedican a hacerlos. ▪

Estrategia

Group the rooms of the house with the verbs associated with each room. For example, match *comer* and *el comedor*, *bañarse* and *el baño*, *dormir* and *el dormitorio*, *cocinar* and *la cocina*.

MODELO E1: mi dormitorio

E2: *Tengo que limpiar mi dormitorio los lunes. Necesito dos horas porque está muy sucio.*

1. mi dormitorio
2. el baño
3. la cocina
4. la sala
5. el garaje
6. el comedor

¿Cuándo? ¿Cuánto tiempo?

dormitorio
baño
cocina
sala
garaje
comedor

¿QUÉ TIENES QUE HACER?	¿CUÁNDO?	¿CUÁNTO TIEMPO?
limpiar mi dormitorio	los lunes	dos horas

B-25 La casa ideal ¿Cómo es tu casa ideal? ¿Y los colores? Descríbele tu casa ideal a un/a compañero/a en por lo menos **ocho** oraciones. ■

MODELO   *Quiero una casa con una cocina amarilla…*

Cheryl Casey/Shutterstock

Giordano Aita/Shutterstock

Michael Shake/Shutterstock

B-39

23. Algunas expresiones con *tener*. Review the **tener** expressions on page 113 and then do the following activities.

 B-26 ¿Qué tengo yo? Túrnense para expresar cómo se sienten (*you feel*) en las siguientes situaciones. Usen las expresiones con **tener**. ■

MODELO   E1: antes de comer
          E2: *Antes de comer tengo hambre.*

1. los lunes
2. los sábados
3. tarde en la noche
4. temprano en la mañana
5. antes de tener un examen

6. cuando ves una película de terror
7. en el verano
8. en el invierno
9. durante (*during*) la semana de los exámenes finales
10. cuando sacas "A" en un examen

 B-27 Datos personales Túrnense para hacerse esta entrevista. ■

1. ¿Cuántos años tienes?
2. ¿Cuándo tienes hambre?
3. ¿Qué tienes que hacer hoy?
4. ¿Qué tienes ganas de hacer?
5. ¿En qué clase tienes sueño?
6. ¿En qué clase tienes mucha suerte?
7. ¿Siempre tienes razón?
8. ¿Cuándo tienes sueño?
9. Cuando tienes sed, ¿qué tomas?

24. Los números 1.000–100.000.000. Review the numbers on page 116 and then do the following activity.

B-40 to B-41

B-28 **¿Cuál es su población?** Túrnense para leer las poblaciones de las siguientes capitales del mundo hispano en voz alta. ■

1. Buenos Aires, Argentina   12.988.000
2. La Paz, Bolivia   1.642.000
3. Bogotá, Colombia   8.268.000
4. La Habana, Cuba   2.141.000
5. San José, Costa Rica   1.416.000
6. México, D.F., México   19.319.000

CIA World Fact Book

• Capítulo 4 •

Identifying places in and around town
Relating things that happen and things that have to be done
Conveying what will take place in the future
Imparting information about service opportunities

B-42

25. Los lugares. Review the **Los lugares** vocabulary on page 134 and then do the following activity.

B-29 **¿Dónde está?** Tus amigos y tú están muy ocupados. Túrnate con un/a compañero/a para decir dónde están. ■

MODELO   E1:   Mi amigo quiere mandar una carta.
           E2:   *Está en la oficina de correos.*

1. Marta quiere leer y necesita comprar un libro.
2. Dos de mis amigos necesitan dinero.
3. Julio tiene hambre y quiere comer algo (*something*).
4. Queremos ver una exposición de arte.
5. Ustedes quieren ver una película.
6. Jorge tiene sed y quiere tomar algo.
7. Vamos a jugar al golf.
8. Tienen que ir a una boda (*wedding*).

B-43 to B-44

26. *Saber* y *conocer* **and the personal** *a.* Make a list of when you use **saber** and when you use **conocer.** You can review the uses on page 137. Then do the following activity.

 B-30 **¿Lo sabes o lo conoces?** Completa cada una de las siguientes preguntas usando **sabes** o **conoces.** Después, túrnate con un/a compañero/a para hacerse y contestar las siguientes preguntas. ■

MODELO   E1: *¿Conoces Buenos Aires?*

E2: *Sí, conozco Buenos Aires. / No, no conozco Buenos Aires.*

1. ¿_____ un buen lugar para comprar un teléfono celular?
2. ¿_____ preparar tortillas?
3. ¿_____ cuál es el mejor café de esta ciudad?
4. ¿_____ San José, Costa Rica?
5. ¿_____ jugar al golf?
6. ¿_____ dónde están tus amigos ahora?
7. ¿_____ al presidente de los Estados Unidos?
8. ¿_____ el mejor restaurante chino de nuestra ciudad?
9. ¿_____ usar una computadora?
10. ¿_____ las películas de Will Smith?

Fíjate

For more information about the personal **a,** consult *Capítulo 5,* page 190.

B-45

27. ¿Qué tienen que hacer? What does **tener que + infinitivo** mean? Review page 140 if you have any questions before doing this activity.

 B-31 **Entrevistas** ¿Hacen tus compañeros/as cosas similares? ■

Paso 1   Usando las siguientes preguntas, entrevista a tres compañeros/as.

1. ¿Cuáles son las cosas que haces para prepararte (*prepare yourself*) bien para tus clases?
2. Generalmente, ¿qué tienes que hacer después de terminar con tus clases?

Paso 2   Comparte la información con otros compañeros/as de la clase. ¿Qué tienen ustedes en común?

MODELO   *Para prepararse bien para las clases, Jack y Sally tienen que estudiar cinco horas cada día. Sally tiene que ir a la biblioteca. Jack tiene que organizar sus apuntes. Después de terminar nuestras clases, nosotros tenemos que limpiar nuestros apartamentos…*

Dean Mitchell/Shutterstock

B-46 to B-47

28. Los verbos con cambio de raíz. Review the stem-changing verbs on page 142 and then practice with the following activities.

 B-32 **¿Quién es?** Digan a qué personas conocen que hacen las siguientes actividades. ■

MODELO   siempre perder la tarea

E1: *Mi novia Carmen siempre pierde la tarea.*

E2: *Mis primos siempre pierden la tarea.*

1. almorzar en Burger King a menudo
2. siempre entender al / a la profesor a de español
3. jugar al fútbol muy bien
4. preferir dormir hasta el mediodía
5. volver a casa tarde a menudo
6. nunca tener dinero y siempre tener que pedirlo
7. nunca encontrar sus cosas
8. querer visitar Centroamérica
9. pensar que Santa Claus existe
10. nunca mentir

 B-33 **Un poco de mi vida** Escucha mientras tu compañero/a contesta las siguientes preguntas. Luego, repite la información a tu compañero/a. ¿Escuchaste bien? ¿Cuánta información puedes recordar? ■

Jupiterimages/Thinkstock

1. ¿Qué clases tienes este semestre?
2. ¿A qué hora empieza tu clase preferida?
3. ¿Qué prefieres hacer si tienes tiempo entre (*between*) las clases?
4. ¿A qué hora vuelves a tu residencia / apartamento / casa?
5. ¿Qué coche tienes (o quieres tener)?
6. ¿Cuánto cuesta un coche nuevo?
7. ¿Cómo vienes a la universidad? (Por ejemplo, ¿vienes en coche?)
8. ¿Dónde prefieres vivir, en una residencia estudiantil, en un apartamento o en una casa?
9. ¿Dónde quieres vivir después de graduarte?
10. ¿Qué deporte prefieres?

Estrategia

Being an "active listener" is an important skill in any language. *Active listening* means that you have heard and understood what someone is saying. Being able to repeat what someone says helps you practice and perfect the skill of active listening.

29. El verbo *ir* e *ir + a + infinitivo.* What are the present tense forms of **ir?** How do you express the future with **ir?** Consult pages 146 and 147 if you need to do so and then do the following activities.

 B-34 **¡Vámonos!** Completa las oraciones según el modelo. Después túrnate con un/a compañero/a para decir adónde van sus parientes (*relatives*) y sus amigos en las siguientes situaciones. ■

MODELO   E1: Cuando tengo que estudiar…

             E2: *Cuando tengo que estudiar voy a la biblioteca.*

1. Cuando quiere comer, mi compañero de cuarto…
2. Cuando queremos hacer ejercicio, nosotros…
3. Cuando tienes ganas de bailar, tú…
4. Para almorzar muy bien, mis amigos…
5. En la primavera me gusta…
6. Cuando mi hermana quiere comprar música, ella…
7. Para ver una película, tú…
8. Cuando llueve, yo…
9. Cuando hace frío, mis padres…
10. En el verano prefiero…

 B-35 **Nuestra agenda** ¿Qué van a hacer la semana que viene? Termina las siguientes oraciones con planes diferentes. Compara tus respuestas con las de un/a compañero/a. ■

lunes _____
martes _____
miércoles _____
jueves _____
viernes _____
sábado _____
domingo _____

MODELO   E1: El lunes, yo…

             E2: *El lunes voy a devolver unos libros a la biblioteca.*

1. El lunes, yo…
2. El martes, la profesora…
3. El miércoles, mis amigos…
4. El jueves, tú y yo…
5. El viernes, mis primos…
6. El sábado, tú…
7. El domingo, mi madre…

B-36 Qué será, será... ¿Qué tiene el futuro para ti, tus amigos y tu familia? Hagan **cinco** predicciones de lo que va a ocurrir en el futuro y compartan sus respuestas. ■

MODELO *Mi primo va a ir a la Universidad Autónoma el año que viene. Nosotros vamos a estudiar mucho para sacar buenas notas. Mis padres van a trabajar en Baltimore...*

B-51

30. Servicios a la comunidad Review the vocabulary **Servicios a la comunidad** on page 149 and then do the following activity.

 B-37 Definiciones Túrnense para leer las siguientes definiciones y decir a qué palabra o expresión corresponde cada una. ■

MODELO E1: personas que tienen muchos años

E2: *Las personas que tienen muchos años son los mayores.*

1. servir a las personas sin (*without*) recibir dinero a cambio (*in exchange*)
2. un lugar donde viven las personas mayores
3. acompañar a una persona a una cita (*appointment*) con el médico
4. dar un documento a las personas para obtener firmas
5. trabajar para un candidato político sin recibir dinero a cambio (*in exchange*)
6. una persona que trabaja con los niños en un campamento
7. salir en un barco (*boat*) para una o dos personas
8. disfrutar de (*enjoy*) un tipo de arte
9. "construir" una estructura portátil (no permanente) que se usa para dormir fuera de casa
10. un lugar adonde van los niños, generalmente en el verano, para hacer muchas actividades diferentes

31. Las expresiones afirmativas y negativas. Review the affirmative and negative expressions on page 151 and then do the following activity.

B-52

 B-38 **El/La profesor/a ideal** Túrnense para decir si las siguientes características son ciertas o falsas en un profesor ideal. Usen las expresiones afirmativas y negativas en la página 151 para apoyar (*support*) sus opiniones. ■

MODELO   Un/a profesor/a ideal… siempre da buenas notas.

E1:   *A veces un profesor ideal da buenas notas.*

E2:   *No, el profesor ideal no siempre da buenas notas. A veces tiene que dar malas notas.*

Un/a profesor/a ideal…

1. nunca falta (*misses*) a clase.
2. prepara algo interesante para cada clase.
3. siempre prefiere leer sus apuntes.
4. piensa que sabe más que nadie.
5. a veces organiza a sus estudiantes en grupos para discutir (*discuss*) ideas.

6. a veces llega a clase cinco minutos tarde.
7. jamás manda (da) tarea para la clase.
8. no pierde nada —por ejemplo la tarea, los exámenes, las composiciones, etc.
9. no habla con nadie después de la clase.
10. siempre está contento/a con su trabajo.

32. Un repaso de *ser* y *estar*. When do you use **ser** and **estar?** Write the reasons on a sheet of paper, and then check your list against the one on pages 154–155. Next, do the following activities.

B-53

 B-39 **¿Qué tal?** Adriana le escribe un email a su familia. Llenen los espacios en blanco con las formas correctas de **ser** y **estar** para conocerla mejor. ■

Creatas Images/Thinkstock

Enviar	Enviar más tarde

Enviar   Enviar más tarde   Guardar   Añadir ficheros   Responder   Responder a todos   Firma   Contactos   Nombres de control   Imprimir

Para: Mamá
De: Adriana
Asunto: Saludos

tamaño medio   **B** *I* <u>U</u> T

Querida familia:
¿Cómo (1) _____ todos? Yo (2) _____ muy bien, pero muy ocupada. La casa (3) _____ muy sucia y los niños (4) _____ enfermos. Raúl (5) _____ en Boston con su trabajo nuevo. Su oficina nueva (6) _____ en el centro. Yo (7) _____ muy orgullosa (*proud*) de él, pero ¿dónde (8) _____ cuando lo necesito? (9) _____ las dos de la tarde y (10) _____ cansada.

La próxima semana, los primos de Raúl van a venir a nuestra casa. Ellos (11) _____ de Los Ángeles. No los conozco pero Raúl me dice que (12) _____ simpáticos. Ahora ellos (13) _____ en Nueva York.

Bueno, ya (14) _____ tarde y me tengo que ir. Cuídense mucho (*Take care of yourselves*).
Besos,
Adriana

B-40 **Así es** Ahora expliquen por qué usaron (*you used*) **ser o estar** en cada parte de **B-39.** ■

MODELO están: *physical condition*

 B-41 **A conocernos mejor** Túrnense para hacerse y contestar las siguientes preguntas. ■

1. ¿De dónde eres?
2. ¿A qué hora son tus clases?
3. ¿Cómo es tu casa?
4. ¿Dónde está tu casa?
5. ¿Cómo es tu dormitorio?
6. ¿Dónde está tu dormitorio?

7. ¿De qué color es tu casa?
8. ¿Cuál es tu color favorito?
9. ¿Cómo es tu novio/a (esposo/a, amigo/a)?
10. ¿Dónde está él/ella ahora (*now*)?
11. ¿Cómo eres?
12. ¿Cómo estás hoy?

• **Capítulo 5** •
Sharing information about different types of music, movies, and television programs, including your personal preferences

B-54 to B-55

33. El mundo de la música. Review the **El mundo de la música** vocabulary on page 172 and then do the following activities.

 B-42 **¿Qué quiere decir?** Lee las siguientes descripciones. Después, túrnate con un/a compañero/a para decir a qué palabra o expresión se refieren. ■

MODELO E1: dar conciertos en varias ciudades
E2: *Dar conciertos en varias ciudades es "hacer una gira".*

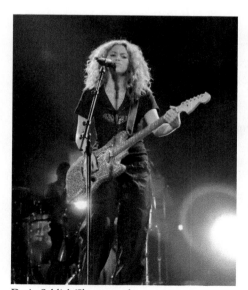

Dario Sabljak/Shutterstock

1. ser muy popular y conocido entre muchas personas
2. las palabras que cantas en una canción
3. la música de Mozart y Beethoven, por ejemplo
4. una persona que canta
5. lo que usas para cantar y hablar
6. un instrumento de percusión
7. sinónimo de grupo
8. hacer sonido bonito con un instrumento
9. cuando haces algo muy bien, dicen que tienes mucha _____
10. la música de Jay-Z y Eminem, por ejemplo

B-43 **La música** Túrnense para hacerse esta entrevista. ∎

1. ¿Cuál es tu grupo favorito?
2. ¿Cuál es tu cantante favorito/a?
3. ¿Cuál es tu instrumento favorito?
4. ¿Cuál es tu tipo de música favorito?
5. ¿Cuál es tu canción favorita?
6. ¿Sabes tocar un instrumento? ¿Cuál?
7. ¿Te gusta cantar? ¿Cuándo y dónde cantas?
8. ¿En qué tienes mucha habilidad o talento?

Barone Firenze/Shutterstock

B-56

34. Los adjetivos y pronombres demostrativos. How do you say *this, that, these,* and *those* in Spanish? Review the demonstrative adjectives and pronouns on pages 175 and 177 and then do the following activities.

 B-44 **Comparando cosas** Tu mejor amigo/a te propone una cosa pero tú siempre prefieres otra. Túrnense para responder a sus comentarios usando una forma de **este, ese** o **aquel.** ∎

MODELO   TU MEJOR AMIGO/A: ¿Quieres ir a este cine?

TÚ: *No, no quiero ir a este. Quiero ir a aquel.*

1. ¿Vamos a ir a ese teatro?
2. ¿Tus hermanos tocan en aquel grupo?
3. ¿Quieres escuchar este CD?
3. ¿Piensan ustedes arreglar este cuarto para (*for*) la fiesta?
5. ¿Vas a comprar aquellas entradas?
6. ¿Entiendes la letra de esta canción?

 B-45 **En la universidad** Túrnense para hablar de lo que les gusta o no les gusta usando formas de **este, ese** y **aquel.** Hagan por lo menos **cinco** oraciones positivas y **cinco** oraciones negativas. ∎

MODELO   *Me gusta esta clase. Nuestro profesor de español es interesante, pero aquel profesor de sociología es un poco aburrido. Este libro es bueno, pero ese libro de matemáticas es difícil…*

B-57

35. Los adverbios. In Spanish, how do most adverbs end? How are they formed? Check page 179 to verify your answers. Then do the following activity.

 B-46 **¿Qué ocurre en el concierto?** Vas a un concierto de varios conjuntos en el estadio de tu universidad. Para saber qué pasa, completa estas oraciones con los adverbios apropiados. Comparte tus respuestas con un/a compañero/a. ■

MODELO   E1:   Vamos al concierto (rápido, cuidadoso).

             E2:   *Vamos al concierto rápidamente.*

1. La gente espera a los conjuntos (paciente, lento).
2. El primer conjunto toca (triste, feliz).
3. Un grupo llega tarde y entra al estadio (seguro, nervioso).
4. Los otros músicos escuchan (cansado, atento).
5. El conjunto toca una canción romántica y la gente empieza a bailar (lento, rápido).
6. Terminan el concierto (inmediato, final).

B-58

36. El presente progresivo. How do you form the present progressive in Spanish (*I am* _____*ing, We are* _____*ing,* etc.)? Check your answer on page 180 and then do the following activity.

 B-47 **¿Qué están haciendo?** Túrnense para decir qué están haciendo las siguientes personas. ■

MODELO   E1:   Son las siete y media de la mañana y mi papá está en su terraza.

             E2:   *Está tomando café.*

1. A mi hermano le gusta hacer ejercicio para comenzar su día.
2. A mi prima le gusta la música folklórica y está en una tienda.
3. Mis abuelos van a tener una fiesta esta noche y no tienen comida en casa.
4. Nuestro/a profesor/a está en la computadora y resulta que tiene muchos mensajes de sus estudiantes.
5. Nuestros amigos quieren comer algo ligero (*light*) antes de ir a la fiesta.
6. Estamos con nuestros amigos en la fiesta y un grupo está tocando.

B-59

37. El mundo del cine. Review the **El mundo del cine** vocabulary on page 184 and practice it with the following activity.

 B-48 **En mi opinión** Termina las siguientes oraciones sobre las películas que tú has visto (*have seen*). Pueden ser películas viejas o nuevas, buenas o malas. Comparte tus respuestas con un/a compañero/a. ∎

MODELO   E1: La mejor película de terror…

            E2: *La mejor película de terror es* Psycho.

1. La mejor película cómica…
2. Una película épica pésima…
3. La película de misterio que menos me gusta…
4. Mi actor/actriz favorito/a de las películas de acción…
5. La película animada más creativa…
6. La película más conmovedora…

Marten Czamanske/Shutterstock

B-60

38. Los números ordinales. How do you say *first, second, third*, etc. in Spanish? Check your answers on page 187 and then do the following activity.

 B-49 **Orden de preferencia** Asigna un orden de preferencia a las actividades de la lista: de la más importante (primero) a la menos importante (octavo). Luego compara tu lista con la de un/a compañero/a usando oraciones completas. ∎

MODELO   *Primero, me gusta ver una película de mi actor favorito Johnny Depp. Segundo, me gusta visitar a mis parientes…*

1. ir a un concierto de un grupo fabuloso   _____
2. visitar a tus parientes   _____
3. ver una película de tu actor/actriz favorito/a _____
4. leer una novela buena   _____
5. ir a un partido de fútbol americano   _____
6. estudiar para un examen   _____
7. viajar a Guatemala   _____
8. conocer a los presidentes de los Estados Unidos _____

39. *Hay que + infinitivo.* What does **hay que** + **infinitivo** mean? Check your answer on page 188 and then do the following activity.

 B-50 **¿Obligaciones?** Digan qué hay que hacer o cómo hay que ser para tener las siguientes profesiones. ■

MODELO   un pintor
   E1: *Hay que pintar mucho.*
   E2: *Hay que ser muy creativo.*

1. novelista
2. cantante
3. músico/a
4. actriz
5. director/a de cine
6. político/a

40. Los pronombres de complemento directo. What is a *direct object*? What is a *direct object pronoun*? What are the direct object pronouns in Spanish? Where do you place direct object pronouns? Review pages 189–190 and then practice with the following activities.

 B-51 **¿Estás listo/a?** ¡Qué suerte! Vas al concierto del año en un anfiteatro. Revisa la lista de preparativos con un/a compañero/a usando **lo, la, los** o **las.** ■

MODELO   E1: ¿Tienes que comprar *las entradas* del concierto?
   E2: *Sí, las tengo que comprar hoy. / Tengo que comprarlas hoy.*

Scott Leman/Shutterstock

1. ¿Vamos a preparar *una comida* (meal)?
2. ¿Llevamos *las bebidas* (beverages)?
3. ¿Vamos a invitar *a nuestros amigos*?
4. ¿Escuchan ellos *los CD del grupo*?
5. ¿Tengo que leer *la reseña* (review)?
6. ¿Vas a llevar *la cámara*?

B-52 **¿Hay deberes?** Siempre hay cosas que hacer. Usen **lo, la, los** y **las** para hablar de sus deberes. ◼

MODELO   ¿lavar los pisos todos los días?

       E1: *Sí, tengo que lavarlos todos los días. /*

            Sí, los tengo que lavar todos los días.

       E2: *No, nunca los lavo. / No, los lavo los fines de semana.*

1. ¿sacudir los muebles?
2. ¿poner la mesa por la tarde?
3. ¿limpiar la cocina los sábados?
4. ¿preparar la comida todos los días?

5. ¿lavar los platos cada (*each*) día?
6. ¿hacer las camas por la mañana?
7. ¿guardar tus cosas?
8. ¿arreglar tu cuarto?

• Ambiciones siniestras •

Depicting what has happened thus far to the protagonists:
Alejandra, Manolo, Cisco, Eduardo, Marisol, and Lupe
Hypothesizing about what you think will happen in future episodes

B-63

41. Ambiciones siniestras. Read and then view the synopsis of the first five text and video episodes of **Ambiciones siniestras.** Then do the following activities.

B-53 **¿Qué pasó?** Escribe un resumen de lo que ha pasado (*has happened*) en **Ambiciones siniestras.** Puedes describir a cada personaje o puedes escribir una síntesis de cada capítulo. ◼

Pearson Education

Pearson Education

Pearson Education

Pearson Education

Pearson Education

Pearson Education

Pearson Education

Pearson Education

B-54 **¿Qué va a ocurrir?** Escribe un párrafo sobre lo que tú piensas que va a ocurrir en los próximos episodios de **Ambiciones siniestras.** ■

Estrategia

The *¿Cómo andas?* and *Y por fin, ¿cómo andas?* sections are designed to help you assess your understanding of specific concepts. In *Capítulo Preliminar B*, there is one opportunity for you to reflect on how well you understand the concepts. Beginning with *Capítulo 7* there will be three opportunities in each chapter for you to stop and reflect on what you have learned. These checks help you become accountable for your own learning, and help you determine what you need to review. Also use the checklist as a way to communicate with your instructor about any concepts you still need to review. Additionally, you might also use your checklist as a way to study with a peer group or peer tutor. If you need to review a particular concept, more practice is available on MySpanishLab.

Y por fin, ¿cómo andas?

	Feel confident	Need to review
Having completed this chapter, I now can . . .		
Comunicación		
• greet, say good-bye, and introduce others	☐	☐
• describe myself and others	☐	☐
• share information about school and life as a student	☐	☐
• offer opinions about sports and pastimes that I and others like and dislike	☐	☐
• describe homes and household chores	☐	☐
• identify places in and around town	☐	☐
• relate things that happen and things that have to be done	☐	☐
• convey what will take place in the future	☐	☐
• impart information about service opportunities	☐	☐
• share information about different types of movies, music, and television programs, including my own personal preferences	☐	☐
Ambiciones siniestras		
• depict what has happened thus far to the protagonists: Alejandra, Manolo, Cisco, Eduardo, Marisol, and Lupe	☐	☐
• hypothesize about what I think will happen in future episodes	☐	☐
Comunidades		
• use Spanish in real-life contexts (SAM)	☐	☐

272

Capítulo 7: ¡A comer!

¡A comer!

Comer bien es un gran placer (*pleasure*). Dentro del mundo hispanohablante hay una tremenda variedad de comidas (*foods*) y la comida tiene una función social muy importante.

PREGUNTAS

1 ¿Cuáles son tus platos (*dishes*) favoritos?

2 ¿Hay alguna comida típica de la región donde vives tú? ¿Cuáles son algunas comidas típicas de los Estados Unidos?

3 ¿Qué platos de otras culturas te gustan? ¿Qué platos hispanos te gustan?

Jupiterimages/Goodshoot/Thinkstock

254

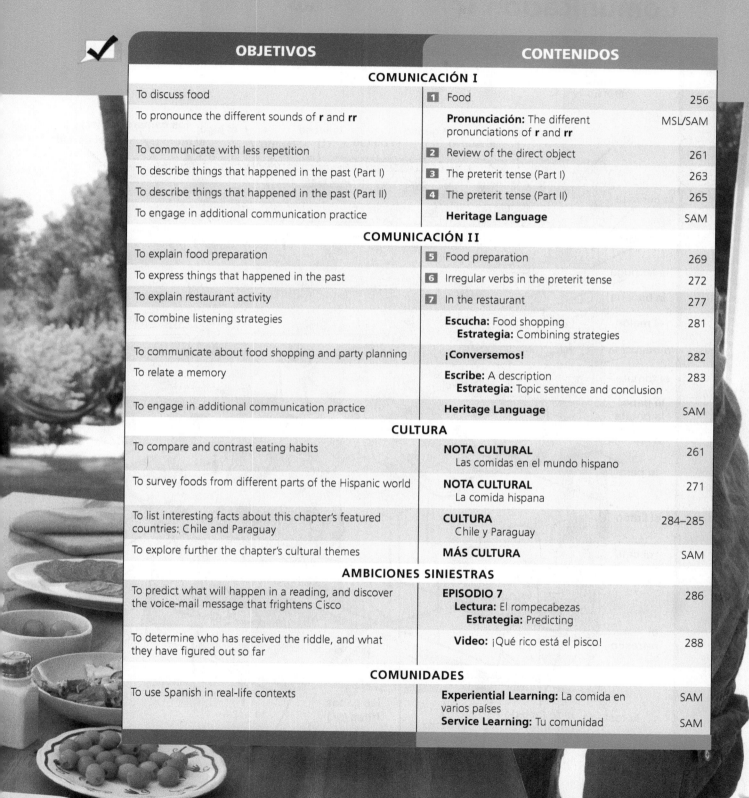

255

Comunicación I

La comida Discussing food

07-01 to 07-07

el vino
el agua
el huevo
el queso
el bistec
la leche
el jamón
el pollo
el jugo
el atún
los camarones (*pl.*)
el cereal
la cerveza
el maíz
la lechuga
la banana
el melón
la manzana
el tomate
la papa/
la patata
la naranja
la pera
el limón
el café
el refresco
el pan
el pastel
la torta
la galleta
el arroz
la cebolla
el chile
la tostada
el té (helado /
caliente)
el perro
caliente
las papas
fritas (*pl.*)
la sopa
la hamburguesa
el helado
los frijoles (*pl.*)

Otras palabras útiles — *Other useful words*

el desayuno	*breakfast*
el almuerzo	*lunch*
la merienda	*snack*
los dulces	*sweets*
la cena	*dinner*

Algunos verbos — *Some verbs*

almorzar (ue)	*to have lunch*
beber	*to drink*
cenar	*to have dinner*
desayunar	*to have breakfast*
merendar (ie)	*to have a snack*

PRONUNCIACIÓN

The different pronunciations of *r* and *rr*

¡Hola!

07-08 to 07-11

Go to MySpanishLab / Student Activities Manual to learn about the letters *r* and *rr*.

7-1 **Concurso** Escoge **cinco** letras diferentes. Bajo cada letra escribe todas las palabras del vocabulario de **La comida** que recuerdes. Después, compara tu lista con la de un/a compañero/a. ■

MODELO

a	d	p
arroz	desayuno	papas fritas
agua	dulce	

7-2 **¡Ay, las calorías!** Túrnense para decir a qué comida corresponden las siguientes descripciones. Usen el cuadro de los valores nutritivos. ■

CUADRO DE LOS VALORES NUTRITIVOS

Comida	Calorías	Proteínas (gramos)	Grasas (gramos)	Carbohidratos (gramos)	Vitaminas
bistec	455	27	36	0	A, B
hamburguesa con queso	950	50	60	54	B
jugo de naranja	100	1	0	16	A, B, C
naranja	50	1	0	16	A, B, C
pan	150	6	2	38	B
papa	100	3	0	23	B, C
perro caliente	200	5	14	1	B, C
salmón	200	24	10	0	A, B
torta	455	4	13	76	A, B, C
lechuga	10	1	0	2	A, B, C

Capítulo Preliminar A. Los números 0–30, pág. 16; Capítulo 1. Los números 31–100, pág. 47; Capítulo 2. Los números 100–1.000, pág. 72.

Estrategia

¡Anda! Curso elemental has provided you with recycling references to help guide your continuous review of previously learned material. Make sure to consult the indicated pages if you need to refresh your memory about numbers.

MODELO   E1: *Esta comida tiene mucha agua, es verde y tiene diez calorías.*

E2: *Es la lechuga.*

Esta comida tiene…

1. 60 gramos (*grams*) de grasas, 50 gramos de proteínas y 950 calorías.
2. muchas proteínas, es un pescado y tiene 200 calorías.
3. vitamina C, es una verdura y tiene 100 calorías.
4. muchos carbohidratos y 150 calorías.
5. 27 gramos de proteínas, es una carne y tiene 455 calorías.
6. 50 calorías y es una fruta.
7. 16 gramos de carbohidratos y es una bebida.
8. las vitaminas B y C, sólo un gramo de carbohidratos y 14 gramos de grasa.

Capítulo 2. El verbo *gustar*. pág. 80.

7-3 **¿Cuáles son tus preferencias?** ¿Qué comidas te gustan? ∎

Workbooklet

Paso 1 Completa el cuadro según tus preferencias.

Estrategia

You may want to talk about foods that are not included here. Refer to the *También se dice...* section at the end of this chapter for additional vocabulary.

1. Las carnes, las aves, el pescado y los mariscos que...	
a. más me gustan son...	b. menos me gustan son...
1.	1.
2.	2.

2. Las frutas y verduras que...	
a. más me gustan son...	b. menos me gustan son...
1.	1.
2.	2.

Paso 2 Ahora, compara tus preferencias con las de los compañeros de la clase: ¿Cuáles son sus comidas favoritas? ¿Qué comidas les gustan menos?

MODELO E1: *¿Cuál es tu carne favorita?*

E2: *No me gusta la carne, pero me gusta mucho el pollo. ¿Y a ti?*

Capítulo Preliminar A. La hora, pág. 18; Capítulo Preliminar A. Los días, los meses y las estaciones, pág. 20.

Workbooklet

7-4 **La dieta de Nico** Nico es un estudiante universitario de Santiago de Chile. Mira lo que (*what*) come normalmente y cuándo lo come. Después completa los siguientes pasos. ∎

LA DIETA DE NICO

Fíjate

The word *galleta* means both *cookie* and *cracker*.

Fíjate

While *patata* is used in Spain, *papa* is widely used in Latin America.

	DESAYUNO	ALMUERZO	MERIENDA	CENA
	8:30	12:00	5:30	8:00
DÍA 1:	té con galletas	ensalada, arroz con pollo y uvas	manzana	atún con una ensalada de lechuga con tomate y fruta
DÍA 2:	té y pan con mantequilla	sopa, tortilla de papas y flan	galletas	pan con mermelada

Paso 1 Ahora completa el cuadro con tu información.

TU DIETA

	DESAYUNO	ALMUERZO	MERIENDA	CENA
DÍA 1:				
DÍA 2:				

Paso 2 Con un/a compañero/a, comparen su información con la de Nico.

MODELO E1: *Yo nunca tomo té en el desayuno. Generalmente desayuno más temprano que Nico. ¿Y tú?*

E2: *Yo desayuno a las siete y media y generalmente como huevos y tostadas.*

Vocabulario útil	
más temprano que	*earlier than*
más tarde que	*later than*

Paso 3   Miren la pirámide de alimentación para determinar si todos los grupos están representados en sus dietas.

MODELO   E1:   *Comemos pan en el desayuno y a veces en la cena.*

E2:   *Comemos papas y ensaladas de lechuga y tomate, pero no comemos muchas otras verduras.*

E1:   *Tienes razón, pero comemos mucha fruta…*

Mi pirámide
PASOS HACIA UNA SALUD MEJOR

AGUA

DIARIAMENTE

Recomendación diaria para cada grupo de alimentos.

Haga ejercicio casi todos los días 30 minutos

ACEITE
GRASAS
AZÚCAR
OCASIONALMENTE

GRANOS	VERDURAS	FRUTAS	PRODUCTOS LÁCTEOS	CARNES Y FRIJOLES
7 onzas	3 tazas	2 tazas	3 tazas	6 onzas
Consuma la mitad en granos integrales Trate de consumir por lo menos **3 onzas y media** de granos integrales cada día	**Varíe las verduras** Intente alcanzar estas cantidades cada semana: **Verduras verdes** - 3 tazas **Verduras con almidón** - 6 tazas **Otras verduras** - 7 tazas	**Enfóquese en las frutas** Coma frutas variadas No tome mucha cantidad de jugo de frutas	**Coma alimentos ricos en calcio** Al escoger leche, yogur o queso, opte por productos bajos en contenido graso	**Escoja proteínas bajas en grasas** Escoja carnes y aves de bajo contenido graso o magras Varíe su rutina de proteínas; coma más pescado, frijoles, guisantes, nueces y semillas

Encuentre un equilibro entre la alimentación y la actividad física Manténgase físicamente activo por lo menos durante 30 minutos la mayoría de los días de la semana	Conozca los límites de las grasas, los azúcares y el sodio Su dosis de aceites es **6 cucharaditas por día** Limite las grasas sólidas y azúcares - **a 290 calorías por día**

 7-5 **¿Qué comes tú?** Entrevista a un/a compañero/a usando las siguientes preguntas. ◼

1. ¿Comes bien o mal? Explica.
2. ¿Qué tipo de comida prefieres?
3. ¿Qué te gusta merendar?
4. ¿Qué comidas tienen vitamina C y calcio?
5. ¿Qué comidas tienen mucha proteína?
6. ¿Qué comidas no te gustan?

NOTA CULTURAL

Las comidas en el mundo hispano

07-12

La palabra "comida" significa varias cosas en español: *food, meal* y *lunch* (the main meal of the day). Las comidas en los países hispanoamericanos son similares a las comidas norteamericanas pero también existen algunas diferencias. Por ejemplo, el desayuno en el mundo hispano normalmente consiste en café y pan o panes dulces. Generalmente es una comida ligera (*light*).

El almuerzo es normalmente la comida más grande y más fuerte del día. En lugares con

Digital Vision/Thinkstock

una cultura más tradicional, el almuerzo puede empezar a eso de (*around*) las dos de la tarde. Los niños regresan de la escuela y el papá (y la mamá si trabaja fuera [*outside*] de la casa) comen juntos en casa. Entonces, hay tiempo para descansar (*to rest*) antes de volver al trabajo y a la escuela. En los países y las zonas con más industria y comercio puede haber un horario de almuerzo similar al horario de los Estados Unidos.

La cena generalmente es una comida más ligera. La gente en los países hispanohablantes cena más tarde que la mayoría de los norteamericanos. En España, por ejemplo, ¡muchas personas no cenan hasta las diez o las once de la noche!

Preguntas

1. ¿Cómo es un desayuno típico en el mundo hispano? ¿un almuerzo? ¿una cena?
2. Generalmente, ¿cuál es el horario de las comidas en los países hispanos?

2 GRAMÁTICA

07-13 to 07-17   Spanish/English Tutorials   *¡Hola!*

Repaso del complemento directo
Communicating with less repetition

¿Postre? Tenemos...   ¡Los quiero todos!

In **Capítulo 5** you learned to use **direct object pronouns** in Spanish. Return to pages 189–190 for a quick review, then answer the following questions:

¡Explícalo tú!

1. What are **direct objects**? What are **direct object pronouns**?
2. What are the pronouns (forms)? With what must they agree?
3. Where are direct object pronouns placed in a sentence?

 Check your answers to the preceding questions at the end of this chapter.

7-6 **Las dietas** ¿Piensas mucho en lo que comes? ◼

Paso 1 Subraya (*Underline*) los complementos directos en las siguientes preguntas. Compara tus respuestas con las de un/a compañero/a.

MODELO *¿Conoces la dieta Weight Watchers?*

1. ¿Sigues la dieta Nutrisystem?
2. ¿Prefieres los postres de chocolate?
3. ¿Sabes preparar bien el arroz?
4. ¿Comes muchas frutas diferentes?
5. ¿Preparas los huevos con queso?
6. ¿Lavas la lechuga bien antes de comerla?

Paso 2 Ahora contesten juntos las preguntas de Paso 1, usando los pronombres de complemento directo en sus respuestas.

MODELO E1: ¿Conoces la dieta Weight Watchers?

E2: *Sí, la conozco. / No, no la conozco.*

 7-7 **Las buenas decisiones** Túrnense para expresar cómo les gusta tomar las siguientes comidas y bebidas y con qué frecuencia las toman. ◼

nunca	algunas veces	generalmente	constantemente	siempre

MODELO E1: *la torta*

E2: *La como con helado. La como algunas veces. / No la como nunca.*

catman/Shutterstock

1.

C.J. White/Shutterstock

2.

3.

Yellowj/Shutterstock

4.

joingate/Shutterstock

5.

Valentyn Volkov/Shutterstock

6.

Michal Zajac/Shutterstock

3 GRAMÁTICA

07-18 to 07-22   Spanish/English Tutorials

El pretérito (Parte I)
Describing things that happened in the past

Up to this point, you have been expressing ideas or actions that take place in the present and future. To talk about something you did or something that occurred in the past, you can use the **pretérito** (*preterit*). Below are the endings for regular verbs in the **pretérito**.

¿Dónde compraste el helado?

Lo compré en Big Scoop.

Los verbos regulares

Note the endings for regular verbs in the **pretérito** below and answer the questions that follow.

	-ar: comprar	-er: comer	-ir: vivir
yo	compré	comí	viví
tú	compraste	comiste	viviste
Ud.	compró	comió	vivió
él/ella	compró	comió	vivió
nosotros/as	compramos	comimos	vivimos
vosotros/as	comprasteis	comisteis	vivisteis
Uds.	compraron	comieron	vivieron
ellos/as	compraron	comieron	vivieron

¡Explícalo tú!

1. What do you notice about the endings for **-er** and **-ir** verbs?
2. Where are accent marks needed?

 Check your answers to the preceding questions at the end of this chapter.

Estrategia

Remember that there are two types of grammar presentations in *¡Anda!*:

1. You are given the grammar rule.
2. You are given guiding questions to help *you* construct the grammar rule, and state the rule in your own words.

—¿Dónde está el vino que **compré** ayer?
—Mis primos **bebieron** la botella entera anoche.
—¿Ah, sí? ¿**Comieron** ustedes en casa?
—No, **comimos** en un restaurante chino. ¡Ellos **terminaron** el vino antes de salir a cenar!

Where is the wine that I bought yesterday?
My cousins drank the whole bottle last night.
Really? Did you all eat at home?
No, we ate at a Chinese restaurant. They finished the wine before we went out to dinner!

7-8 **De la teoría a la práctica** Write six different infinitives on six small pieces of paper. Next, on six different small pieces of paper, write six different subject pronouns. Take turns selecting a paper from each pile and give the correct **pretérito** form of the verb. After several rounds, write another six verbs. ■

 7-9 *Tic-tac-toe* Make a grid, like one for tic-tac-toe. With a partner, select one **-ar** verb. Write a different preterit form of the verb in each blank space on your grid. Each of you should write each preterit form with a different pronoun. Do not show your partner what you have written. Take turns randomly selecting pronouns and say the corresponding verb forms. When you say a form of the verb that your partner has, your partner marks an X over the word. The first person to get three X's either vertically, horizontally, or diagonally wins the round. After doing a round with **-ar** verbs, repeat with **-er** and **-ir** verbs. ■

MODELO   E1: *tú comiste*
         E2: (marks X over *tu comiste*)

tú comiste	ellos comieron	ellas comieron
yo comí	Uds. comieron	nosotros comimos
él comió	Ud. comió	ella comió

 7-10 **Cocinero/a** Tu compañero/a y tú van a preparar una cena especial para sus amigos. Para saber si todo está listo, túrnense para contestar las siguientes preguntas usando el pretérito y un pronombre de complemento directo (**lo, la, los, las**). ■

MODELO   E1: ¿Compraste la carne?
         E2: *Sí, la compré.*

1. ¿Compraste los refrescos?
2. ¿Cocinaste tus platos (*dishes*) favoritos?
3. ¿Preparaste una mesa bonita?
4. ¿Limpiaste el comedor?
5. ¿Mandaste las invitaciones?

George Doyle/Thinkstock

 7-11 **Una comida** Escribe un párrafo sobre una comida que preparaste para un amigo. Usa por lo menos **cinco** verbos en el pretérito. Lee tu párrafo a un/a compañero/a de clase y comparen sus experiencias. ■

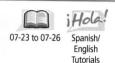

El pretérito (Parte II)
Describing things that happened in the past

Los verbos que terminan en *-car*, *-zar* y *-gar* y el verbo *leer*

Several verbs have small spelling changes in the preterit. Look at the following charts.

Hoy corrí cinco millas, jugué al tenis, toqué el piano por dos horas, leí una novela, empecé la tarea para la clase de español. . .

Fíjate

The *-ar* and *-er* stem-changing verbs in the present tense do not have stem changes in the preterit. There may be spelling changes, however, as with *empezar* and *jugar*.

tocar (c → qu)

yo	toqué
tú	tocaste
Ud.	tocó
él/ella	tocó
nosotros/as	tocamos
vosotros/as	tocasteis
Uds.	tocaron
ellos/ellas	tocaron

* (**sacar** and **buscar** have the same spelling change)

empezar (z → c)

yo	empecé
tú	empezaste
Ud.	empezó
él/ella	empezó
nosotros/as	empezamos
vosotros/as	empezasteis
Uds.	empezaron
ellos/ellas	empezaron

* (**comenzar** and **organizar** have the same spelling change)

jugar (g → gu)

yo	jugué
tú	jugaste
Ud.	jugó
él/ella	jugó
nosotros/as	jugamos
vosotros/as	jugasteis
Uds.	jugaron
ellos/as	jugaron

* (**llegar** has the same spelling change)

leer (i → y)

yo	leí
tú	leíste
Ud.	leyó
él/ella	leyó
nosotros/as	leímos
vosotros/as	leísteis
Uds.	leyeron
ellos/as	leyeron

* (**creer** and **oír** have the same spelling change)

—**Toqué** la guitarra con el conjunto de mariachi en un restaurante mexicano anoche.
—¿A qué hora **empezaste**?
—**Empecé** a las nueve.

—¿**Jugaron** tus hermanos al béisbol hoy?
—No, **leyeron** un libro de recetas porque van a preparar una cena especial para nuestros padres.

I played the guitar with a mariachi band at a Mexican restaurant last night.
At what time did you begin?
I began at nine.

Did your brothers play baseball today?
No, they read a recipe book because they are going to prepare a special dinner for our parents.

(continued)

Some things to remember:

1. With verbs that end in **-car**, the **c** changes to **qu** in the **yo** form to preserve the sound of the hard **c** of the infinitive.
2. With verbs that end in **-zar**, the **z** changes to **c** before **e**.
3. With verbs that end in **-gar**, the **g** changes to **gu** to preserve the sound of the hard **g** (**g** before **e** or **i** sounds like the **j** sound in Spanish).
4. For **leer**, **creer**, and **oír**, change the **i** to **y** in the third-person singular and plural.

 7-12 **¡Apúrate!** One person makes a ball out of a piece of paper, says a subject pronoun and a verb in its infinitive form, and tosses the ball to someone in the group. That person catches it, gives the corresponding form of the verb in the preterit, then says another pronoun and tosses the ball to someone else. ■

MODELO   E1: *yo; comprar*

E2: *compré; ellas escribir*

E3: *escribieron; usted comer*

E4: *comió;...*

 7-13 **Creaciones**

Paso 1   Combinen elementos de las tres columnas para escribir **ocho** oraciones que describan lo que hicieron las siguientes personas.

MODELO   Yolanda   comprar   mucho helado
Yolanda compró mucho helado.

Yolanda	beber	la televisión durante la cena
usted	limpiar	cuatro botellas de agua
los estudiantes	preparar	mucho helado
yo	buscar	dos hamburguesas con queso
mi mejor amigo y yo	leer	la cocina después del almuerzo
tú	ver	una cena deliciosa
mis primos	comprar	el restaurante La Frontera
el/la profesor/a	comer	sobre el gran cocinero Emeril Lagasse

Paso 2   Túrnense para preguntarse cuándo ocurrió cada actividad mencionada en **Paso 1.**

E1: *¿Cuándo compró Yolanda mucho helado?*

E2: *Compró mucho helado ayer. / Lo compró ayer.*

Fíjate

In the list of *Vocabulario útil*, note that for the words "last weekend" (*el fin de semana pasado*), the adjective *pasado* agrees with the masculine noun *el fin* and not *semana*. In contrast, for "last week" (*la semana pasada*), the word "last" agrees with the feminine noun *semana*.

Vocabulario útil	
anoche	*last night*
anteayer	*the day before yesterday*
ayer	*yesterday*
el año pasado	*last year*
el fin de semana pasado	*last weekend*
el martes / viernes / domingo, etc., pasado	*last Tuesday / Friday / Sunday, etc.*
la semana pasada	*last week*

Capítulo 3. La casa, pág. 98; Capítulo 3. Los quehaceres de la casa, pág. 109.

 7-14 Los quehaceres de Inés

Paso 1 Escribe una oración sobre cada quehacer que terminó Inés.

MODELO *Inés barrió el suelo.*

1. la ropa
2. la aspiradora
3. el baño
4. los muebles
5. la basura
6. el armario

Paso 2 Comparte tus oraciones con un/a compañero/a.

MODELO E1: el suelo

E2: *Inés barrió el suelo.*

E1: *Inés…*

Paso 3 Túrnense para decir qué hizo Inés en el centro después de terminar sus quehaceres. Sigan el modelo.

MODELO E1: el correo

E2: *Compró sellos.*

1. la librería
2. el cine
3. el banco
4. el cibercafé
5. la biblioteca
6. el café
7. el supermercado
8. la tienda

7-15 ¿Y cuándo…? Entrevista a un/a compañero/a para saber cuándo ocurrieron las siguientes cosas. ■

MODELO ¿Cuándo… (tú) comprar la lechuga?

E1: *¿Cuándo compraste la lechuga?*

E2: *La compré el sábado pasado.*

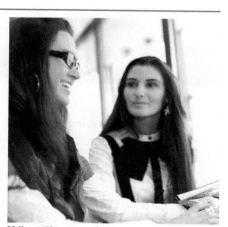

Yellowj/Shutterstock

¿Cuándo…?

1. (tú) tocar el piano
2. (tus amigos) visitar a sus padres
3. (tú) comprar un CD nuevo
4. (tus amigos y tú) comer un plato increíble en un restaurante
5. (tú) empezar tus estudios universitarios
6. (tu profesor/a) leer una novela de John Grisham
7. (tus amigos y tú) bailar el tango
8. (ustedes) invitar a un amigo a una fiesta

Capítulo 2. La formación de preguntas, pág. 70; Capítulo 5. Los pronombres de complemento directo, pág. 189.

Workbooklet

7-16 **¿Te puedo hacer una pregunta?** Entrevista a cinco estudiantes diferentes y anota sus respuestas (**sí** o **no**). Después, compara tus respuestas con las de los otros estudiantes de la clase. ¿Cuáles son las tendencias? ■

MODELO arreglar el cuarto hoy

TÚ: *¿Arreglaste tu cuarto hoy?*

E1: *Sí, lo arreglé.*

E2: *No, no lo arreglé.*

E3: *Sí, arreglé mi cuarto.*

E4: *No, no arreglé mi cuarto.*

E5: *No, yo no lo arreglé, pero mi compañero lo arregló.*

	E1	E2	E3	E4	E5
1. arreglar el cuarto hoy					
2. comer en un restaurante el sábado pasado					
3. estudiar anoche					
4. lavar los platos ayer					
5. hablar por teléfono con los padres anteayer					
6. jugar al golf el verano pasado					
7. escribir un ensayo para la clase de inglés la semana pasada					
8. terminar la tarea para la clase de español anoche					

¿Cómo andas? I

Having completed **Comunicación I**, I now can . . .

	Feel confident	Need to review
• discuss food (p. 256)	☐	☐
• pronounce the different sounds of **r** and **rr** (MSL/SAM)	☐	☐
• discuss eating habits (p. 261)	☐	☐
• communicate with less repetition using direct object pronouns (p. 261)	☐	☐
• describe things that happened in the past (Part I) (p. 263)	☐	☐
• describe things that happened in the past (Part II) (p. 265)	☐	☐

Comunicación II

07-27 to 07-30

La preparación de las comidas
Explaining food preparation

5 VOCABULARIO

el vinagre

el aceite

el azúcar

la mermelada

la mantequilla

la mayonesa

la sal

la pimienta

la salsa de tomate

la mostaza

Algunos términos de cocina	Some cooking terms		
cocinar	to cook	duro/a	hard-boiled
al horno	baked	fresco/a	fresh
a la parrilla	grilled	frito/a	fried
asado/a	roasted; grilled	helado/a	iced
bien cocido/a	well-done	hervido/a	boiled
bien hecho/a	well-cooked	picante	spicy
caliente	hot (temperature)	poco hecho/a	rare
cocido/a	boiled; baked	término medio	medium
crudo/a	rare; raw		

7-17 **La asociación** Digan una palabra o expresión que asocian con cada condimento, especia o término de la siguiente lista. ■

MODELO E1: picante
         E2: *salsa*

1. frito/a
2. la salsa de tomate
3. crudo/a
4. la mayonesa
5. el azúcar
6. a la parrilla
7. fresco/a
8. al horno
9. la mostaza
10. la mantequilla

 7-18 **¡Cómo me gustan!** Digan cómo les gusta preparar las siguientes comidas. ■

MODELO *Me gustan los perros calientes a la parrilla con mostaza y salsa de tomate.*

Andrey Jitkov/Shutterstock

hfng/Shutterstock

Robyn Mackenzie/ Shutterstock

Kiselev Andrey Valerevich/Shutterstock

1.   2.   3.   4. Ramon grosso dolarea/ Shutterstock

Shebeko/Shutterstock

Denis Vrublevski/shutterstock

epsylon_lyrae/Shutterstock

5.   6.   7.   8.

♻ Capítulo 4. Los verbos con cambio de raíz, pág. 142, Capítulo 5. Los pronombres de complemento directo, pág. 189.

7-19 **¿Cómo lo prefieres?** Entrevista a un/a compañero/a para conocer sus preferencias. Después cambien de papel. ■

MODELO E1: ¿Cómo prefieres tu hamburguesa?
         E2: *La quiero término medio.*

1. ¿Cómo prefieres tu bistec?
2. ¿Qué condimentos usaste la última vez que comiste el bistec?
3. ¿Cómo pides tu refresco, con o sin hielo?
4. ¿Cómo preparaste los huevos la última vez que los comiste?
5. ¿Cómo prefieres la pizza?
6. ¿Cómo tomaste el té la última vez que lo bebiste, helado o caliente? ¿Lo tomaste con o sin azúcar?
7. ¿Cómo prefieres la sopa, con mucha o poca sal?
8. ¿Cómo tomaste el café esta mañana?

La comida hispana

07-31

La comida hispana es muy variada. En España se come mucho pescado y mariscos, pero cada región tiene sus platos típicos. Por ejemplo, en Asturias tienen la fabada (*bean stew*), en Valencia la paella y en Andalucía el gazpacho. La parte central de España es conocida por su carne asada.

La comida mexicana se define por sus técnicas y por los ingredientes propios del país. En México, el maíz y los chiles son ingredientes importantes en la cocina mexicana; también se destacan

La parrillada

(*they distinguish themselves*) en la manera de cocinar verduras, carnes, mariscos, huevos, salsas, sopas y aves. Desde Baja California hasta la península de Yucatán, se encuentran platos típicos mexicanos de cada región.

Las islas del Caribe tienen en común la herencia de las culturas española, indígena y africana. Las comidas de estos países llevan una gran variedad de condimentos (*seasonings*) como la bija (*annatto*) o el achiote, el orégano, la cebolla, el ajo, el cilantro y muchos más. El arroz es indispensable en la dieta caribeña: también los plátanos, los mariscos y los frijoles (o habichuelas). El arroz es muy importante también en la dieta centroamericana, igual que el maíz, los frijoles, las tortillas, las enchiladas, las verduras, el pollo, los tamales y las frutas.

En los países de Sudamérica comen mucho arroz, frijoles, pollo, carne, frutas y mariscos. En Chile, Argentina, Paraguay y Uruguay las parrilladas o los asados (*mixed grills*) son muy populares. Las empanadas o empanadillas (un *turnover* de carne de res, legumbres, queso, mariscos o pollo) son famosas en toda la América Latina, desde Cuba hasta Argentina.

Preguntas
1. ¿Cuáles de los platos típicos (o ingredientes) mencionados te gustan?
2. ¿Cómo se compara la comida del Caribe con la comida de otras partes del mundo hispanohablante?

6 GRAMÁTICA

07-32 to 07-37   Spanish/English Tutorials

Algunos verbos irregulares en el pretérito
Describing things that happened in the past

In **Comunicación I** you learned about verbs that are regular in the **pretérito** and others that have spelling changes. The following verbs are *irregular* in the **pretérito**; they follow patterns of their own. Study the verb charts to determine the similarities and differences among the forms.

Ayer anduvimos diez millas.

	andar (*to walk*)	estar	tener
yo	anduve	estuve	tuve
tú	anduviste	estuviste	tuviste
Ud.	anduvo	estuvo	tuvo
él/ella	anduvo	estuvo	tuvo
nosotros/as	anduvimos	estuvimos	tuvimos
vosotros/as	anduvisteis	estuvisteis	tuvisteis
Uds.	anduvieron	estuvieron	tuvieron
ellos/ellas	anduvieron	estuvieron	tuvieron

—El lunes pasado llegamos a Santiago y **anduvimos** mucho por la ciudad.
—¿**Estuvieron** en un restaurante o bar interesante?
—Sí, **tuvimos** mucha suerte y comimos en el mejor restaurante de la ciudad.

Last Monday we arrived in Santiago and walked a lot throughout the city.
Were you all in an interesting restaurant or bar?
Yes, we were very lucky and we ate at the best restaurant in the city.

	conducir (*to drive*)	traer	decir
yo	conduje	traje	dije
tú	condujiste	trajiste	dijiste
Ud.	condujo	trajo	dijo
él/ella	condujo	trajo	dijo
nosotros/as	condujimos	trajimos	dijimos
vosotros/as	condujisteis	trajisteis	dijisteis
Uds.	condujeron	trajeron	dijeron
ellos/as	condujeron	trajeron	dijeron

Fíjate
Note that the third-person plural ending of *conducir, decir,* and *traer* is *-eron.*

—¿**Condujiste** de Santiago a Valparaíso?
—No pude conducir porque no **traje** mi licencia.
—¿Qué te **dijeron** en la agencia Avis?

Did you drive from Santiago to Valparaíso?
I couldn't drive because I didn't bring my driver's license.
What did they tell you at the Avis (car rental) agency?

	ir	**ser**
yo	fui	fui
tú	fuiste	fuiste
Ud.	fue	fue
él/ella	fue	fue
nosotros/as	fuimos	fuimos
vosotros/as	fuisteis	fuisteis
Uds.	fueron	fueron
ellos/as	fueron	fueron

> **Fíjate**
>
> Note that *ser* and *ir* have the same forms in the preterit. You must rely on the context of the sentence or conversation to determine the meaning.

—¿Cómo **fue** el viaje a Chile?
—¡**Fue** increíble! Después de Valparaiso **fuimos** a Patagonia.

How was the trip to Chile?
It was incredible! After Valparaiso, we went to Patagonia.

	dar	**ver**	**venir**
yo	di	vi	vine
tú	diste	viste	viniste
Ud.	dio	vio	vino
él/ella	dio	vio	vino
nosotros/as	dimos	vimos	vinimos
vosotros/as	disteis	visteis	vinisteis
Uds.	dieron	vieron	vinieron
ellos/as	dieron	vieron	vinieron

	hacer	**querer**
yo	hice	quise
tú	hiciste	quisiste
Ud.	hizo	quiso
él/ella	hizo	quiso
nosotros/as	hicimos	quisimos
vosotros/as	hicisteis	quisisteis
Uds.	hicieron	quisieron
ellos/as	hicieron	quisieron

> **Fíjate**
>
> The third-person singular form of *hacer* has a spelling change (*c* to *z*): *hizo*.

	poder	**poner**	**saber**
yo	pude	puse	supe
tú	pudiste	pusiste	supiste
Ud.	pudo	puso	supo
él/ella	pudo	puso	supo
nosotros/as	pudimos	pusimos	supimos
vosotros/as	pudisteis	pusisteis	supisteis
Uds.	pudieron	pusieron	supieron
ellos/as	pudieron	pusieron	supieron

— En Santiago **vimos** a mucha gente de la familia de Carlos.
— Sí, ¿y les **diste** los regalos que tu familia mandó?
— Mi madre **vino** con nosotros y ella misma **pudo** darles los regalos.
—¿Qué **hiciste** después de visitar a la familia de Carlos?

In Santiago we saw a lot of people in Carlos's family.
Yes, and did you give them the gifts your family sent?
My mother came with us and she was able to give them the gifts herself.
What did you do after visiting Carlos's family?

(continued)

Verbos con cambio de raíz

The next group of verbs also follows its own pattern. In these stem-changing verbs, the first letters next to the infinitives, listed in parentheses, represent the present-tense spelling changes; the last letter indicates the spelling change in the **él/ella** and **ellos/ellas** forms of the **pretérito**.

¿Cuántas horas durmió anoche?

Por lo menos doce.

	dormir (o → ue → u)	pedir (e → i → i)	preferir (e → ie → i)
yo	dormí	pedí	preferí
tú	dormiste	pediste	preferiste
Ud.	durmió	pidió	prefirió
él/ella	durmió	pidió	prefirió
nosotros/as	dormimos	pedimos	preferimos
vosotros/as	dormisteis	pedisteis	preferisteis
Uds.	durmieron	pidieron	prefirieron
ellos/as	durmieron	pidieron	prefirieron

> **Fíjate**
> The *-ir* stem-changing verbs are irregular in the third-person singular and plural forms only.

—Cuando fuiste al restaurante en Valparaíso, ¿qué **pediste**?

— **Pedí** carne de res, pero mi madre **prefirió** pescado. Y después de comer mi madre **durmió** la siesta.

What did you order when you went to the restaurant in Valparaíso?

I ordered beef, but my mother preferred fish. And after eating, my mother took a nap.

 7-20 Más práctica Repite el juego de verbos de la actividad **7-8,** esta vez usando los verbos irregulares. ■

 7-21 ¿Qué dijo? Form groups of at least six students and sit in a circle. **Estudiante 1** starts by saying his/her name and something that he/she did yesterday, last week, or last year. **Estudiante 2** gives his/her name, says something he/she did, and then tells what the preceding person (**Estudiante 1**) did. **Estudiante 3** tells his/her name, says what he/she did, and then tells what **Estudiante 2** and **Estudiante 1** did (in that order). Follow the model. ■

MODELO   E1: *Soy Fran y ayer fui a un restaurante mexicano.*

E2: *Soy Tom y ayer jugué al tenis. Fran fue a un restaurante mexicano.*

E3: *Soy Chris y ayer tuve que preparar la cena. Tom jugó al tenis y Fran fue a un restaurante mexicano.*

7-22 El mercado El año pasado, Amanda fue estudiante de intercambio y vivió con una familia en Asunción. Completa el siguiente párrafo sobre su primera visita al mercado y después compártelo con un/a compañero/a. ■

andar	traer	decidir	ir
pedir	poder	poner	tener

Ayer mis nuevas "hermanas", Patricia y Gloria, y yo (1) _____ al mercado por primera vez. Como perdimos el autobús, (2) _____ que ir caminando. (3) ¡Nosotras _____ por más de media hora! Por fin llegamos y (4) _____ tomar un café antes de entrar en el mercado. Yo pedí un café doble con leche y ellas (5) _____ café con leche y tostada. Cuando el señor nos (6) _____ los cafés, Patricia (7) _____ seis cucharadas (*spoonfuls*) de azúcar en el suyo (*hers*). (Yo) No lo (8) _____ creer: ¡demasiado dulce para mí!

comprar	decir	estar	poner
ser	tomar	ver	volver

Fíjate

Amanda refers to a *medio kilo de zanahorias.* Remember that in most parts of the world the metric system is the preferred system of measurement.

Al entrar en el mercado, yo (9) _____ un montón (*a pile*) de verduras y frutas de muchos colores brillantes. (10) _____ impresionante. Después yo les (11) _____ varias fotos a las chicas. Primero compramos una lechuga, dos cebollas, ajo, medio kilo de zanahorias y un pimiento verde. Hablamos unos cinco minutos con la vendedora sobre su sobrina. Ella (12) _____ seis meses en los Estados Unidos como estudiante de intercambio. Después miramos las frutas y por fin escogimos dos melones y medio kilo de peras. Las chicas (13) _____ las verduras en el bolso grande y la fruta en el bolso más pequeño. Entonces pasamos a la parte del pescado donde nosotras (14) _____ atún. La señora lo envolvió (*wrapped*) en papel antes de ponerlo en una bolsa de plástico. Hicimos las compras en menos de media hora. A las nueve y cuarto les (15) _____ adiós a todos y (16) _____ a casa… esta vez en autobús.

7-23 ¿Hay rutina en tu semana? ¿Cuántas veces hiciste cada una de estas cosas la semana pasada? ■

Paso 1 Di las respuestas a las siguientes preguntas, según el modelo.

MODELO ver una película en la televisión

E1: La semana pasada, ¿cuántas veces viste una película en la televisión?

E2: *Vi una película en la televisión una vez (dos veces, tres veces, etc.).*

Estrategia

Remember that *una vez* means *once* and *veces* means *times: Yo fui al restaurante una vez pero tú fuiste tres veces. = I went to the restaurant once but you went three times.*

La semana pasada, ¿cuántas veces… ?

1. hacer la tarea
2. dar la respuesta correcta en clase
3. venir a la clase de español
4. conducir a la universidad
5. dormir ocho horas
6. andar por el centro
7. ir al cine
8. jugar un deporte
9. ver un partido en la televisión
10. comer comida rápida

Paso 2   Pídele a tu compañero/a que adivine (*guess*) cuántas veces hiciste las actividades del **Paso 1.** Sigue el modelo.

MODELO   E1:   *La semana pasada, ¿cuántas veces piensas que (yo) hice la tarea?*

E2:   *Pienso que la hiciste tres veces.*

E1:   *Sí, tienes razón. ¡La hice tres veces!*

E1:   *¿Cuántas veces piensas que fui al cine?*

E2:   *Pienso que no fuiste.*

E1:   *No, no tienes razón. Fui una vez.*

Capítulo 2. Los deportes y los pasatiempos, pág. 81.

7-24 ¿Adónde fui? Hazle a tu compañero/a las siguientes preguntas para averiguar adónde fue de vacaciones. Después, cambien de papel. (**¡OJO!** *Before asking the last question, try to guess where he or she went.*) ■

MODELO   E1:   ¿Fuiste en verano?

E2:   *No, fui en otoño. / Sí, fui en verano.*

1. ¿Fuiste a la playa?
2. ¿Visitaste un museo?
3. ¿Viste un partido de béisbol?
4. ¿Montaste en bicicleta?
5. ¿Qué compraste?
6. ¿Comiste mariscos?
7. ¿Tomaste el sol?
8. ¿Jugaste al golf?
9. ¿Nadaste?
10. ¿Dormiste en un hotel?
11. ¿Jugaste al tenis?
12. ¿Fuiste a un parque?
13. ¿Qué más hiciste?
14. ¿Adónde fuiste?

Workbooklet

7-25 Chismes (*Gossip*) Imagina que eres el/la editor/a de la columna de chismes de un periódico. Escribe en el cuadro tus respuestas a las siguientes preguntas. Después, entrevista a tres compañeros/as y anota sus respuestas. ¿Están de acuerdo? ■

1. ¿Qué película tuvo mucho éxito el año pasado?
2. ¿Qué actor salió en una película que **no** tuvo éxito?
3. ¿Qué miembro del gobierno (*member of the government*) dijo algo tonto?
4. ¿Quién hizo un CD recientemente?
5. ¿Cuál de tus amigos estuvo en la playa recientemente?
6. ¿Quién vino tarde a la clase una vez?
7. ¿Quién no trajo sus libros a clase?
8. ¿Quién les dio un examen muy difícil la semana pasada?

YO	ESTUDIANTE 1	ESTUDIANTE 2	ESTUDIANTE 3
1.			
2.			
3.			
4.			
5.			
6.			
7.			
8.			

7 VOCABULARIO

07-38 to 07-42

En el restaurante Explaining restaurant activity

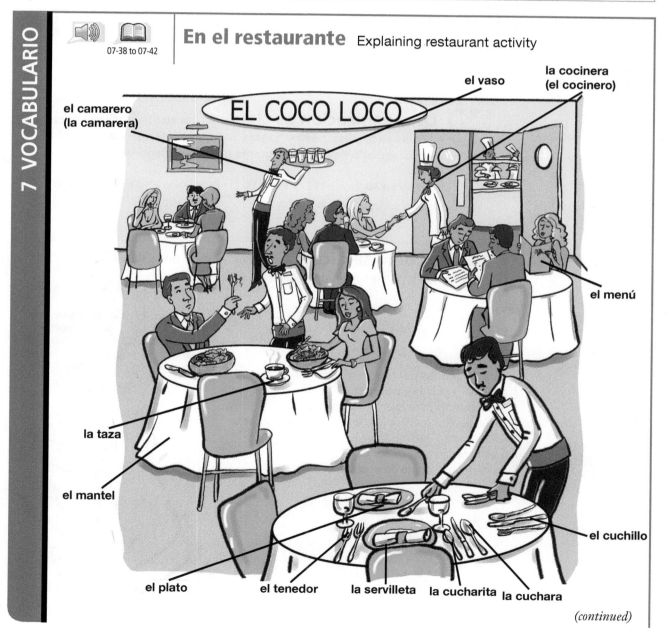

(continued)

Otras palabras y expresiones útiles	Other words and useful expressions		Algunos verbos	Some verbs
barato/a	cheap		pagar	to pay
¡Buen provecho!	Enjoy your meal!		pedir	to order
caro/a	expensive		reservar una mesa	to reserve a table
el/la cliente/a	customer; client			
la especialidad de la casa	specialty of the house			
La cuenta, por favor.	The check, please.			
la propina	tip			
la tarjeta de crédito	credit card			
la tarjeta de débito	debit card			

Workbooklet

7-26 **La organización es clave** Juntos escriban las siguientes categorías: **cosas en la mesa, pedir y pagar** y **personas en el restaurante**. Después, organicen el vocabulario de **En el restaurante** bajo esas categorías. ■

MODELO	COSAS EN LA MESA	PEDIR Y PAGAR	PERSONAS EN EL RESTAURANTE
	el cuchillo	la propina	el camarero

 7-27 **¿Cómo se dice?** Túrnense para decir qué palabra o frase corresponde a las siguientes descripciones. ■

MODELO   E1:   el "Gran Especial"

E2:   *la especialidad de la casa*

1. persona que sirve la comida
2. dinero que das por buen servicio
3. lista de comidas y bebidas
4. es necesario para limpiar las manos
5. persona que prepara la comida en un restaurante
6. es necesario para comer *Frosted Flakes*
7. es necesario para beber café
8. persona que come en el restaurante

Estrategia

As you acquire more Spanish in each chapter, try to write definitions in Spanish of your new vocabulary words as in the model. Learning new vocabulary will become easier the more you practice. Also, it will help you use your new vocabulary in sentences.

Capítulo 2. El verbo *estar*, pág. 76;
Capítulo 3. *Hay*, pág. 119.

7-28 **Una mesa bien puesta** Dibuja la mesa de tu familia o de la familia de un/a buen/a amigo/a para una cena especial con todo bien puesto (*well set*). Ahora, sin mostrar tu dibujo, descríbeselo a un/a compañero/a mientras él/ella lo dibuja. ¿Lo dibujó bien? Luego cambien de papeles. ■

Comstock/Thinkstock

Vocabulario útil	
al lado (de)	*beside; next to*
a la izquierda (de)	*to the left (of)*
a la derecha (de)	*to the right (of)*
cerca (de)	*near*
debajo (de)	*under; underneath*
encima (de)	*on top of; above*

7-29 **¿Qué pasó?** Miren el dibujo en la página 277 y digan por lo menos **cinco** oraciones acerca de lo que pasó anoche en el restaurante El Coco Loco. ■

7-30 ¿Me puede servir…? Vas con dos amigos/as al restaurante más popular de Asunción para cenar. ■

Paso 1 Miren el menú y determinen qué van a pedir sabiendo que tienen 60.000 guaraníes para pagar.

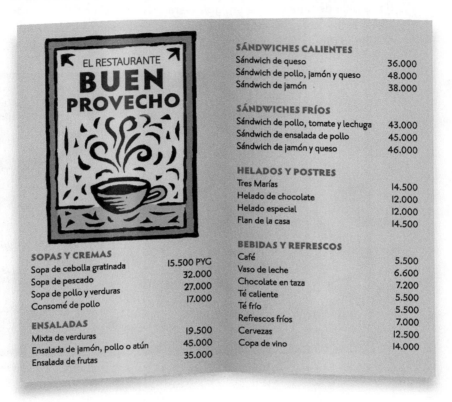

EL RESTAURANTE **BUEN PROVECHO**

SÁNDWICHES CALIENTES
Sándwich de queso — 36.000
Sándwich de pollo, jamón y queso — 48.000
Sándwich de jamón — 38.000

SÁNDWICHES FRÍOS
Sándwich de pollo, tomate y lechuga — 43.000
Sándwich de ensalada de pollo — 45.000
Sándwich de jamón y queso — 46.000

HELADOS Y POSTRES
Tres Marías — 14.500
Helado de chocolate — 12.000
Helado especial — 12.000
Flan de la casa — 14.500

SOPAS Y CREMAS
Sopa de cebolla gratinada — 15.500 PYG
Sopa de pescado — 32.000
Sopa de pollo y verduras — 27.000
Consomé de pollo — 17.000

ENSALADAS
Mixta de verduras — 19.500
Ensalada de jamón, pollo o atún — 45.000
Ensalada de frutas — 35.000

BEBIDAS Y REFRESCOS
Café — 5.500
Vaso de leche — 6.600
Chocolate en taza — 7.200
Té caliente — 5.500
Té frío — 5.500
Refrescos fríos — 7.000
Cervezas — 12.500
Copa de vino — 14.000

Paso 2 Ahora, utilizando esa información, realicen (*act out*) una escena en un restaurante para la clase. Una persona debe ser el/la camarero/a y las otras personas deben ser los clientes.

Capítulo 2. Presente indicativo de verbos regulares, pág. 67.

7-31 De compras en el mercado Algunos estudiantes van a hacer el papel de vendedores y otros de clientes. Tu profesor/a te va a dar una lista de los productos que tienes para vender o de los que necesitas comprar. Los vendedores deben ganar cincuenta mil guaraníes y los clientes sólo pueden gastar cincuenta mil guaraníes. Va a haber competencia entre los vendedores y sí, ¡puedes regatear (*bargain; negotiate the price*)! ■

D. Heining-Boynton, HBPHOTOPRO.COM

ESCUCHA

 Las compras en el mercado

07-43

Estrategia	To begin the new term it is useful to review and combine all the listening strategies you have practiced thus far. Remember to use all clues available to you to anticipate what you are about to hear, including photos, captions, and pre-listening synopses or questions. If you are	performing a listening activity like the one to follow, also look ahead at the comprehension questions. Once you have an idea of the context, consider what you already know about it. Taking time to think about and practice these specific strategies will enhance your ability to listen effectively.
Combining strategies		

7-32 Antes de escuchar Contesta las siguientes preguntas. ■

1. Mira la foto. ¿Dónde está la mujer? ¿Qué hace?
2. ¿Haces las compras (*Do you shop*) en un mercado como este, donde hay muchos vendedores en un solo lugar, o en un supermercado?
3. ¿Qué tipo de vocabulario necesitas saber para poder hacer las compras en un mercado?

Jupiterimages/Thinkstock

7-33 A escuchar Escucha la conversación entre la madre de Alejandra y un vendedor para averiguar el propósito (*purpose*) de la conversación. Después, escucha una vez más para contestar las siguientes preguntas. ■

1. ¿Qué compra? Marca (✓) delante de los ingredientes o condimentos que ella compra.

_____ mantequilla   _____ vinagre
_____ azúcar   _____ huevos
_____ queso   _____ pan
_____ mayonesa   _____ leche

2. Determina si las siguientes oraciones son ciertas (**C**) o falsas (**F**).
   a. La madre necesita ingredientes para preparar un plato nuevo.
   b. El Sr. Gómez tiene huevos blancos y marrones.
   c. La madre compra seis huevos.
   d. El Sr. Gómez también vende verduras.
   e. El Sr. Gómez tiene todo lo que la madre necesita comprar.

 7-34 Después de escuchar Realiza (*Act out*) con un/a compañero/a la escena entre la madre y el Sr. Gómez. ■

¡CONVERSEMOS!

07-44

 7-35 **De compras** Descríbele a un compañero/a lo que compraste la última vez que fuiste al supermercado. Di por lo menos **diez** oraciones e incluye detalles como los siguientes: ▪

- Lo que (no) tuviste que comprar (*tener que + infinitivo*)
- Los precios de la comida y de las bebidas
- Quien preparó la comida y cómo la preparó

Tu compañero/a va a comparar lo que él/ella compró con tus compras.

Deklofenak/Shutterstock

 7-36 **¡Qué fiesta!** Colin Cowie, un famoso organizador de fiestas para las grandes estrellas de Hollywood, te contrató para ayudarle a planear una fiesta para tu músico o actor favorito. Descríbele a un/a compañero/a (Colin Cowie) en por lo menos **diez** oraciones todo lo que tuviste que hacer. Incluye la comida que compraste, lo que preparaste para comer, cómo pusiste la mesa, quiénes vinieron a la fiesta, etc. Tu compañero/a (Colin Cowie) va a decirte si le gustó lo que hiciste. ▪

Aleksey Kondratyuk/Shutterstock

ESCRIBE

07-45 to 07-46

Una descripción

7-37 **Antes de escribir** Piensa en el mejor día festivo que pasaste. Haz una lista de los siguientes detalles: ■

- las personas con quienes celebraste o las que fueron a la fiesta
- lo que comieron y bebieron
- las cosas que hicieron
- los regalos que dieron y recibieron

7-38 **A escribir** Ahora, usando los detalles de la lista, escribe un párrafo bien desarrollado (*well developed*) sobre ese día, con introducción y conclusión. ■

 7-39 **Después de escribir** En grupos de cuatro o cinco estudiantes, lean los párrafos de la actividad **7-38**. Ofrezcan (*Offer*) ideas a sus compañeros para mejorar su trabajo. Después, escriban la versión final para entregársela (*turn it in*) a su profesor/a. ■

¿Cómo andas? II

	Feel confident	Need to review
Having completed **Comunicación II,** I now can . . .		
• explain food preparation (p. 269)	☐	☐
• survey foods from different parts of the Hispanic world (p. 271)	☐	☐
• express things that happened in the past using irregular forms (p. 272)	☐	☐
• explain restaurant activity (p. 277)	☐	☐
• combine listening strategies (p. 281)	☐	☐
• communicate about food shopping and party planning (p. 282)	☐	☐
• relate a memory (p. 283)	☐	☐

07-47 to 07-48

Les presento mi país

Barbara Penoyar/ Photodisc/Getty Images

Gino Breschi Arteaga

Mi nombre es Gino Breschi Arteaga y soy de Viña del Mar, Chile. Viña del Mar es una ciudad turística en la costa y tiene una playa hermosa. El país es muy largo y estrecho, con un promedio (*average*) de 180 kilómetros de ancho (*wide*) y aproximadamente 4.300 kilómetros de largo. Al oeste, tenemos el océano Pacífico y al este, la cordillera majestuosa de los Andes, donde hay unas minas impresionantes de carbón, oro, cobre y otros minerales importantes. **¿Prefieres vivir cerca del océano o de las montañas?** Al norte, está el desierto de Atacama, el más árido del mundo. Al sur, hay una serie de glaciares en parques nacionales. Estudié geografía y ahora trabajo para el Ministerio del Medio Ambiente, específicamente con la división que supervisa el manejo (*management*) de las áreas protegidas, como el glaciar San Rafael. **¿Cuáles áreas están protegidas en tu país?**

La playa en Viña del Mar

Alexander Chaikin/ Shutterstock

El pastel de choclo es un plato favorito de los chilenos

D. Heining-Boynton, HBPHOTOPRO.COM

El glaciar San Rafael, Patagonia

Rhonda Klevansky/ Getty Images

OCÉANO PACÍFICO

Arica
Iquique
San Pedro
Antofagasta
Lascar
La Serena
Viña del Mar
Valparaíso
Santiago
Concepción
Río Bío Bío
Puerto Montt
Isla de Chiloé
Archipiélago de Los Hornos
Punta Arenas
Estrecho de Magallanes
Isla Grande de Tierra del Fuego
Cabo de Hornos

BOLIVIA
BRASIL
PARAGUAY
ARGENTINA
URUGUAY

CORDILLERA DE LOS ANDES

Isla de Pascua

ALMANAQUE

Nombre oficial: República de Chile
Gobierno: República
Población: 16.746.491 (2010)
Idioma: español
Moneda: Peso chileno ($)

¿Sabías que...?

- Además del (*In addition to*) desayuno, el almuerzo y la cena, los chilenos toman una merienda llamada "las onces", que comen entre las 4:00 y las 7:00 de la tarde.
- El baile nacional de Chile es la cueca. Este baile se inspira en el rito de cortejo (*courting*) del gallo (*rooster*) y la gallina (*hen*).

Preguntas

1. ¿Qué extremos geográficos y climatológicos se mencionan? ¿Hay algo parecido en los Estados Unidos?

2. ¿Qué tipos de minas hay en Chile? ¿Hay minas parecidas en los Estados Unidos?

3. Un plato popular en Chile es el pastel de choclo. ¿Cuáles son unos platos populares donde tú vives?

Amplía tus conocimientos sobre Chile en MySpanishLab.

Paraguay

07-49 to 07-50

Andresr/Shutterstock

Sandra Manrique
Esquivel

Les presento mi país

Mi nombre es Sandra Manrique Esquivel y vivo en Villa Rica, Paraguay. Como un gran porcentaje de los paraguayos, soy bilingüe: hablo español y guaraní. **¿En qué otros países hay una población bilingüe?** El guaraní es el idioma hablado por los indígenas originales del país: los guaraníes. Hoy día, el noventa por ciento de los paraguayos somos **mestizos,** una mezcla (*mixture*) de los indígenas y los conquistadores españoles. Los indígenas cultivaron la mandioca (*yucca*), la batata (*yam*), el maíz y la yerba mate entre otras cosechas (*crops*). Villa Rica es importante por la producción de tabaco y yerba mate. Durante el día, se ve a los paraguayos tomando su **tereré,** una infusión fría de yerba mate. **¿Qué refresco te gusta tomar?**

La Represa Hidroeléctrica de Itaipú, en la frontera entre Paraguay y Brasil

iladm/Shutterstock

Pearson Learning Photo Studio

El tereré, una infusión fría de yerba mate, es la bebida preferida en Paraguay

El ñandú es una especie de ave nativa y amenazada (*endangered*) de El Chaco

Pixel1962/shutterstock

ALMANAQUE

Nombre oficial: República del Paraguay
Gobierno: República constitucional
Población: 6.375.830 (2010)
Idiomas: español (oficial); guaraní (oficial)
Moneda: Guaraní (G)

¿Sabías que...?

- Muchos paraguayos son aficionados a los remedios caseros (*home-made remedies*), por ejemplo los usos de la planta guaraná, un arbusto (*bush; shrub*) indígena, para calmar los nervios y ayudar con la digestión.
- El Chaco cubre el 60% de la superficie de Paraguay pero contiene solamente un 2% de la población del país.

Preguntas

1. ¿Qué comidas se comen en Paraguay?
2. ¿Por qué son bilingües muchos paraguayos?
3. ¿En qué aspectos son Chile y Paraguay diferentes y similares? ¿Cómo se comparan con los otros países que hemos estudiado?

Amplía tus conocimientos sobre Paraguay en MySpanishLab.

285

07-53 to 07-54

Ambiciones siniestras

EPISODIO 7

Pearson Education

Lectura

Estrategia   Predicting

To predict what a reading passage is about, first anticipate the content by considering the title, visual cues (illustrations, photos), and comprehension questions. Once you have a general idea of what the passage is about, connect any personal knowledge or experience you have with it. Then, quickly skim the reading for the main idea(s). At that point you can predict what will happen in the reading.

7-40   **Antes de leer**   En el **Episodio 5,** Eduardo desaparece. Cisco no sabe qué hacer y le pide consejo a su primo, Manolo. Después, todos los estudiantes menos Eduardo y Alejandra tienen una videoconferencia. Antes de continuar con el siguiente episodio contesta las siguientes preguntas. ■

1. Mira el título. ¿Cuál es un ejemplo de un rompecabezas? ¿Qué experiencia tienes con los rompecabezas?
2. ¿Quién está en la foto? ¿Qué hace?

7-41   **A leer**   Completa los siguientes pasos. ■

1. Lee superficialmente (*skim*) el episodio para averiguar cuáles son los personajes y dónde están.
2. Escribe **dos** predicciones de lo que crees que va a ocurrir en el episodio.
3. Lee el episodio y determina si las predicciones que hiciste son correctas.

riddle   ## *El rompecabezas°*

Cisco está muy preocupado por Alejandra. Por eso después de la videoconferencia llamó a Manolo y le preguntó por ella. Manolo le dijo que Alejandra no respondió al último correo *Nor*   electrónico. Tampoco° estuvo en la clase de literatura. Manolo le dijo a Cisco que la esperó por media hora después de la clase y no vino. No sabe nada de ella.

Ellos dos están muy preocupados acerca de lo que está pasando. ¿Por qué fueron *selected*   escogidos°? ¿Qué pasó con Eduardo? ¿Dónde está Eduardo? ¿Y dónde está Alejandra?

Con los nervios y la preocupación, Cisco tenía mucha hambre así que decidió ir a su restaurante favorito, Mamá Mía. Ahí siempre puede comer algo y pensar en todo lo que está pasando. Pidió lo que su madre llama *comfort food:* pollo frito, papas, maíz y frijoles. Durante la comida, conversó con sus amigos que trabajan allí. Cuando pagó, le sonó el

286

clues teléfono celular. Cisco contestó y oyó una voz de hombre: *Cisco Quiroga. Tiene cuatro pistas° para resolver este rompecabezas o Eduardo va a morir. Aquí están:*

Conocido por su longitud

Por la razón o la fuerza

Qué rico está el pisco

Para quien baile la cueca

Recuerde, tiene dos días para resolver el rompecabezas o Eduardo va a morir. No vaya a la policía.

CLIC…

(colgar) *hang up* Cisco se quedó sin palabras; le temblaron las manos. Tomó el teléfono y llamó a Manolo. La línea estaba ocupada. —Vamos, Manolo, cuelga° el teléfono, pensó Cisco, necesito hablar contigo. Por fin, después de llamar varias veces, Manolo contestó con voz de pánico.

—¿Quién es? —contestó Manolo.

—Soy yo, Cisco —respondió Cisco—. Mira…

(Manolo interrumpe)

yours —Cisco, recibí una llamada antes de la tuya°…

—¿De un hombre con una voz muy rara? —le preguntó Cisco.

—Así que te llamó a ti también —respondió Manolo—. Cisco, tenemos que llamar a los demás. Yo llamo a Lupe y a Alejandra y tú llamas a Marisol, ¿está bien?

—De acuerdo. Muy bien —dijo Cisco.

Manolo llamó a Alejandra pero no pudo hablar con ella. La voz del contestador automático era la de un hombre… *"Lo sentimos, no estamos en casa en estos momentos. Pueden dejar un mensaje".* Intentó llamar de nuevo. Otra vez el contestador. ¿Dónde está Alejandra? Cree que conoce la voz del hombre del contestador.

Suddenly De repente°, Manolo, pensando en voz alta y horrorizado, gritó: ¡Por favor no… No puede ser…!

7-42 **Después de leer** Contesta las siguientes preguntas. ■

1. ¿Qué dijo Manolo de Alejandra?
2. ¿Dónde estaba (*was*) Cisco cuando recibió la llamada misteriosa?
3. ¿Qué acababa de hacer (*had just done*) cuando recibió la llamada?
4. ¿De qué se trató la llamada?
5. ¿Por qué estaba Cisco asustado (*frightened*)?
6. ¿Qué hizo Cisco después de colgar el teléfono?
7. ¿Qué ocurrió cuando Manolo llamó a Alejandra?

287

07-55 to 07-57

Video

7-43 **Antes del video** ¿Dónde puede estar Alejandra? ¿De quién es la voz en su contestador automático? ¿Quién más recibió el rompecabezas? En la segunda parte del episodio, vas a ver a Lupe trabajando en su computadora. ¿Qué piensas que está haciendo? También Manolo, Cisco, Marisol y Lupe van a tener otra videoconferencia. ¿De qué necesitan hablar ahora? ■

Pearson Education

Pearson Education

Pearson Education

¿Qué lees?

Esto es muy peligroso.

¡No tengo nada que ver con la desaparición de Eduardo!

Episodio 7

«¡Qué rico está el pisco!»

Relájate y disfruta el video.

7-44 **Después del video** Contesta las siguientes preguntas. ■

1. ¿Dónde estaba Lupe? ¿Qué hizo?
2. ¿Dónde estaba Cisco? ¿Qué hizo?
3. ¿Cuál es la mentira (*lie*) de Lupe?
4. ¿Qué **no** les va a mencionar Cisco a los otros?
5. ¿De qué le "acusó" Manolo a Lupe?
6. ¿Por qué le respondió Cisco a Manolo de una manera defensiva?
7. ¿Qué descubrió Cisco al final del episodio?

288

Y por fin, ¿cómo andas?

Having completed this chapter, I now can . . .

	Feel confident	Need to review
Comunicación I		
• discuss food (p. 256)	☐	☐
• pronounce **r** and **rr** correctly (MSL/SAM)	☐	☐
• communicate with less repetition using direct object pronouns (p. 261)	☐	☐
• express things that happened in the past (Part I) (p. 263)	☐	☐
• describe things that happened in the past (Part II) (p. 265)	☐	☐
Comunicación II		
• explain food preparation (p. 269)	☐	☐
• express things that happened in the past using irregular forms (p. 272)	☐	☐
• explain restaurant activity (p. 277)	☐	☐
• combine listening strategies (p. 281)	☐	☐
• communicate about food shopping and party planning (p. 282)	☐	☐
• relate a memory (p. 283)	☐	☐
Cultura		
• compare and contrast eating habits (p. 261)	☐	☐
• survey foods from different parts of the Hispanic world (p. 271)	☐	☐
• list interesting facts about this chapter's featured countries: Chile and Paraguay (pp. 284–285)	☐	☐
Ambiciones siniestras		
• predict what will happen in a reading and discover the voice-mail message that frightens Cisco (p. 286)	☐	☐
• determine who has received the riddle, and what they have figured out so far (p. 288)	☐	☐
Comunidades		
• use Spanish in real-life contexts (SAM)	☐	☐

VOCABULARIO ACTIVO

Las carnes y las aves	Meat and poultry
las aves	poultry
el bistec	steak
la carne	meat
la hamburguesa	hamburger
el jamón	ham
el perro caliente	hot dog
el pollo	chicken

El pescado y los mariscos	Fish and seafood
el atún	tuna
los camarones (pl.)	shrimp
el pescado	fish

Las frutas	Fruit
la banana	banana
el limón	lemon
la manzana	apple
el melón	melon
la naranja	orange
la pera	pear
el tomate	tomato

Las verduras	Vegetables
la cebolla	onion
el chile	chili pepper
la ensalada	salad
los frijoles (pl.)	beans
la lechuga	lettuce
el maíz	corn
la papa/la patata	potato
las papas fritas (pl.)	french fries; potato chips
la verdura	vegetable

Los postres	Desserts
los dulces	candy; sweets
las galletas	cookies; crackers
el helado	ice cream
el pastel	pastry; pie
el postre	dessert
la torta	cake

Las bebidas	Beverages
el agua (con hielo)	water (with ice)
el café	coffee
la cerveza	beer
el jugo	juice
la leche	milk
el refresco	soft drink
el té (helado / caliente)	tea (iced / hot)
el vino	wine

Más comidas	More foods
el arroz	rice
el cereal	cereal
el huevo	egg
el pan	bread
el queso	cheese
la sopa	soup
la tostada	toast

Las comidas	Meals
el almuerzo	lunch
la cena	dinner
la comida	food; meal
el desayuno	breakfast
la merienda	snack

Verbos	Verbs
almorzar (ue)	to have lunch
andar	to walk
beber	to drink
cocinar	to cook
conducir	to drive
cenar	to have dinner
desayunar	to have breakfast
merendar	to have a snack

Los condimentos y las especias	Condiments and spices
el aceite	oil
el azúcar	sugar
la mantequilla	butter
la mayonesa	mayonnaise
la mermelada	jam; marmalade
la mostaza	mustard
la pimienta	pepper
la sal	salt
la salsa de tomate	ketchup
el vinagre	vinegar

Algunos términos de cocina	Cooking terms
a la parrilla	grilled
al horno	baked
asado/a	roasted; grilled
bien cocido/a	well done
bien hecho/a	well cooked
caliente	hot (temperature)
cocido/a	boiled; baked
crudo/a	rare; raw
duro/a	hard-boiled
fresco/a	fresh
frito/a	fried
helado/a	iced
hervido/a	boiled
picante	spicy
poco hecho/a	rare
término medio	medium

En el restaurante	In the restaurant
el/la camarero/a	waiter/waitress
el/la cliente/a	customer; client
el/la cocinero/a	cook
la cuchara	soup spoon; tablespoon
la cucharita	teaspoon
el cuchillo	knife
la especialidad de la casa	specialty of the house
el mantel	tablecloth
el menú	menu
el plato	plate; dish
la propina	tip
la servilleta	napkin
la tarjeta de crédito	credit card
la tarjeta de débito	debit card
la taza	cup
el tenedor	fork
el vaso	glass

Verbos	Verbs
pagar	to pay
pedir	to order
reservar una mesa	to reserve a table

Otras palabras útiles	Other useful words
anoche	last night
anteayer	the day before yesterday
el año pasado	last year
ayer	yesterday
barato/a	cheap
¡Buen provecho!	Enjoy your meal!
caro/a	expensive
cerca (de)	near
debajo (de)	under; underneath
encima (de)	on top (of); above
el fin de semana pasado	last weekend
el... (jueves) pasado	last . . . (Thursday)
La cuenta, por favor.	The check, please.
la semana pasada	last week
más tarde que	later than
más temprano que	earlier than

Answers to *¡Explícalo tú!* (Inductive Grammar Answers)

2. Repaso del complemento directo

1. What are direct objects?
   Direct objects receive the action of verbs, answering the questions *what* and *whom*.
   What are direct object pronouns?
   Direct object pronouns replace direct objects.

2. What are the pronouns (forms)? With what must they agree?
   The pronoun forms are *me, te, lo, la, nos, los, las*. They must agree with direct objects.

3. Where are direct object pronouns placed in a sentence?
   They are placed either before verbs or attached to infinitives, *-ando*, or *-iendo*.

3. El pretérito (Parte I)

1. What do you notice about the endings for **-er** and **-ir** verbs?
   They are the same.

2. Where are accent marks needed?
   Accent marks are needed on the *yo* and *él/ella/usted* forms.

También se dice...

Las carnes y las aves/*Meats and poultry*

las aves de corral *poultry*
la carne de cerdo *pork*
la carne de cordero *lamb*
la carne de res *beef*
la carne molida *ground beef*
la carne picada *ground beef (Spain)*
el chorizo *highly seasoned pork sausage*
la chuleta *chop*
el chuletón *T-bone (Spain)*
el jamón serrano *prosciutto ham (Spain)*
el pavo *turkey*
la salchicha *sausage; hot dog*
el salchichón *spiced sausage (Spain)*
la ternera *veal*
el tocino *bacon*

El pescado y los mariscos/*Fish and seafood*

las almejas *clams*
las anchoas *anchovies*
los calamares *squid*
el cangrejo *crab*
el chillo *red snapper (Puerto Rico)*
las gambas *shrimp*
el huachinango *red snapper (Mexico)*
la langosta *lobster*

el lenguado *flounder*
la ostra *oyster*
el pulpo *octopus*
la sardina *sardines*

Las frutas/*Fruits*

el aguacate *avocado*
el albaricoque *apricot*
el ananá *pineapple (Latin America)*
el banano *banana; banana tree*
la cereza *cherry*
la china *orange (Puerto Rico)*
la ciruela *plum*
el durazno *peach*
la fresa *strawberry*
el melocotón *peach*
la papaya *papaya*
la piña *pineapple*
el pomelo *grapefruit*
la sandía *watermelon*
la toronja *grapefruit*

Las verduras/*Vegetables*

las aceitunas *olives*
la alcaparra *caper*
el apio *celery*

la berza *cabbage (Spain)*
el calabacín *zucchini*
la calabaza *squash; pumpkin*
los champiñones *mushrooms*
la col *cabbage*
la coliflor *cauliflower*
los espárragos *asparagus*
las espinacas *spinach*
los guisantes *peas*
las habichuelas *kidney beans*
los hongos *mushrooms (Latin America)*
las judías verdes *green beans*
el pepinillo *pickle*
el pepino *cucumber*
el pimiento *pepper*
el plátano *plantain*
el repollo *cabbage*
la salsa *sauce*
las setas *wild mushrooms (Spain)*
la zanahoria *carrot*

Los postres/*Desserts*

el arroz con leche *rice pudding*
la batida *milkshake*
el batido *milkshake (Spain)*
los bocaditos *bite-size sandwiches*
los bollos *sweet bread*
el bombón *sweets; candy*
el caramelo *sweets; candy*
los chocolates *chocolates*
los chuches *candies in general (Spain)*
la dona *donut*
el dónut *donut (Spain)*
el flan *caramel custard*
la natilla *custard*
los pastelitos *turnover; pastry; finger cakes*
la tarta *cake*

Las bebidas/*Beverages*

el champán *champagne*
la sidra *cider*
el zumo *juice (Spain)*

Más comidas/*More foods*

el ajo *garlic*
la avena *oatmeal*
el caldo *broth*
el consomé *clear soup*
los fideos *noodles (in soup)*
la harina *flour*
la jalea *jelly; marmalade (Spain, Puerto Rico)*
la margarina *margarine*
la miel *honey*
el pan dulce *sweet roll*
el panqueque *pancake*
las tortas americanas *pancakes (Spain)*

Las comidas/*Meals*

el aperitivo *appetizer*
las tapas *hors d'oeuvres*

Los condimentos y las especias/*Condiments and spices*

el aderezo *seasoning; dressing*
el aliño *seasoning; dressing (Spain)*

Algunos términos de la cocina/*Some cooking terms*

agregar *to add*
asar *to roast; to broil*
aumentar libras/kilos *to gain weight*
batir *to beat*
calentar *to heat*
derretir *to melt*
espesarse *to thicken*
freír *to fry*
mezclar *to mix*
revolver *to stir*
servir *to serve*
unir *to combine*
verter *to pour*

Otras palabras útiles/*Other useful words*

aclararse *to thin*
añadir *to add*
el batidor *beater*
la batidora *hand-held mixer*
la cacerola *saucepan*
cocer *to cook*
la copa *goblet; wine glass*
el cuenco *bowl; mixing bowl*
echar (algo) *to add*
el fuego (lento, mediano, alto) *(low, medium, high) heat*
la fuente *serving platter/dish*
el ingrediente *ingredient*
el kilogramo *kilogram (or 2.2 pounds)*
el nivel *level*
la olla *pot*
el pedazo *piece*
el platillo *saucer*
el plato hondo *bowl*
el plato sopero *soup bowl*
la receta *recipe*
recalentar *to reheat*
remover *to stir (Spain)*
la sartén *frying pan*
el/la sopero/a *soup serving bowl*

En el restaurante/*In the restaurant*

la cucharilla *teaspoon (Spain)*
el friegaplatos *dishwasher (person)*
el/la mesero/a *waiter/waitress (Latin America)*
el/la pinche *kitchen assistant*

313

Capítulo 8: ¿Qué te pones?

8

¿Qué te pones?

En los países hispanohablantes la gente lleva (*wear*) ropa (*clothing*) muy similar a la que llevan por todo el mundo pero también se usa ropa más tradicional. Por ejemplo, en México se encuentran sarapes, ponchos y huaraches y en Colombia usan ruanas (*ponchos*) y alpargatas (*espadrilles*).

PREGUNTAS

1 ¿Qué tipo de ropa te gusta? ¿Prefieres la ropa formal o la ropa informal? ¿Qué ropa llevas normalmente?

2 ¿Te interesa la moda (*fashion*)? ¿Te gusta experimentar con diferentes estilos de ropa? Explica.

3 ¿Cómo influye el lugar donde vive una persona en la ropa que lleva?

Photos.com/Jupiterimages/Thinkstock

292

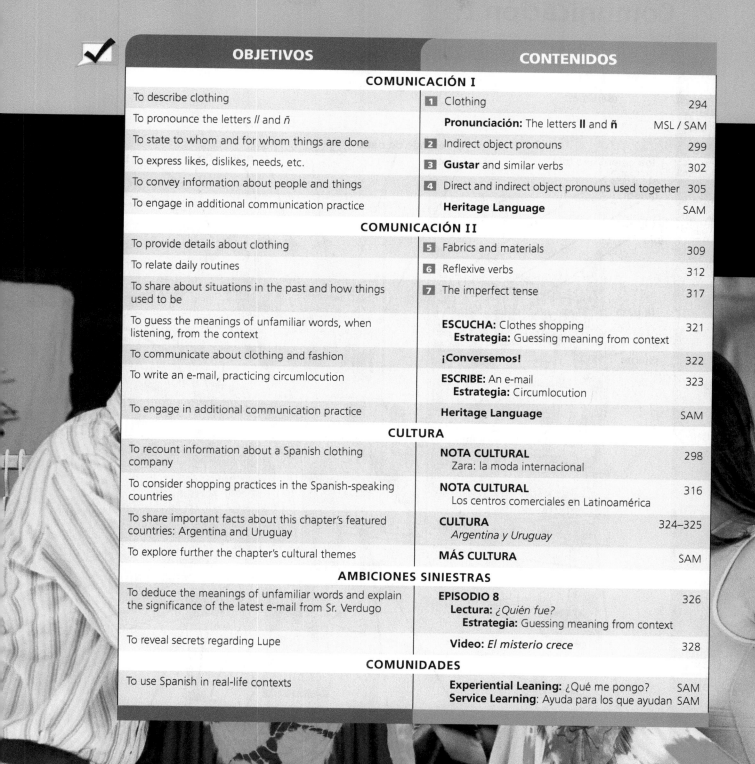

293

Comunicación I

La ropa Describing clothing

08-01 to 08-07

los calcetines (*pl.*)
el bolso
las botas (*pl.*)
la bata
el pijama
el conjunto
el traje de baño
los tenis (*pl.*)
los jeans (*pl.*)
el vestido
la gorra
el impermeable
la camisa
la corbata
el paraguas
el sombrero
el cinturón
el abrigo
los guantes
los pantalones cortos (*pl.*)
la chaqueta
las sandalias (*pl.*)
el traje
los pantalones (*pl.*)
las zapatillas (*pl.*)

la camiseta

el suéter

los zapatos (*pl.*)

las medias (*pl.*)

la sudadera

la ropa
interior

la falda

la blusa

Un verbo	*A verb*	Otras palabras útiles	*Other useful words*
llevar	*to wear; to take;* *to carry*	la moda las prendas	*fashion; style* *articles of clothing*

Fíjate

In your vocabulary list you see the letters (*pl.*) beside words such as *las medias* or *los jeans* to indicate that they are plural in Spanish. You will also notice (*pl.*) beside *los calcetines*. Each sock is a *calcetín*.

PRONUNCIACIÓN

The letters *ll* and *ñ*

¡Hola!

08-08 to 08-10

Go to MySpanishLab / Student Activities Manual to learn about the letters *ll* and *ñ*.

 8-1 **Categorías** Escribe todas las palabras nuevas del vocabulario que corresponden a las siguientes categorías. Luego, compara tu lista con la de un/a compañero/a. ■

¿Qué ropa usas para… ?

1. hacer ejercicio y jugar a los deportes
2. ir a la cama
3. cubrir (*to cover*) los pies (*feet*)
4. ir a clase
5. trabajar en una oficina

8-2 **¡Señoras y señores!** Dibujen un diagrama de Venn según el modelo. En el círculo izquierdo, hagan una lista de la ropa que generalmente llevan las mujeres. En el círculo derecho, hagan una lista de la ropa que generalmente llevan los hombres. En el centro donde se juntan los círculos (*where the circles overlap*), hagan una lista de la ropa que los hombres y las mujeres llevan. ¿Que lista es más larga? ■

Fíjate

You have noticed that *¡Anda! Curso elemental* makes extensive use of pair and group work in the classroom to provide you with many opportunities during the class period to practice Spanish. When working in pairs or groups, it's imperative that you make every effort to speak only Spanish.

MODELO

la ropa de mujeres — la ropa que sirve para hombres y mujeres — la ropa de hombres

Capítulo 3. Los colores, pág. 111.

8-3 **¿Cómo se visten?** Túrnense para describir qué ropa llevan las personas en las fotos. ■

MODELO   *El hombre y los chicos llevan sombreros…*

Suzanne Long/Shutterstock

Joel Shawn/Shutterstock

Estrategia

Remember that adjectives describe nouns and agree in number (singular / plural) and gender (masculine / feminine) with the nouns they are describing.

8-4 **El juego del viaje (*travel*)**

¿Te gusta viajar? Formen un círculo de cinco estudiantes o más. Primero, decidan dónde quieren ir de viaje. Después, túrnense para decir sus nombres y un artículo de ropa que quieren llevar. Cada estudiante tiene que repetir lo que dijeron los estudiantes anteriores. **¡OJO!** Si no recuerdan (*If you don't remember*), tienen que preguntar: **¿Qué dijiste, por favor?** o **¿Puedes repetir, por favor?** ■

Brand X Pictures/Jupiterimages/Thinkstock

MODELO   Vamos a Cancún.

E1: *Soy Beverly y voy a llevar un traje de baño.*

E2: *Soy Tim y voy a llevar una camiseta blanca. Beverly va a llevar un traje de baño.*

E3: *Soy Kelly y voy a llevar una chaqueta. Tim va a llevar una camiseta blanca. Beverly va a llevar un traje de baño.*

E4: …

Estrategia

It is important to be supportive of your fellow classmates during these activities, which includes making suggestions and helpful comments and corrections. Because you will be learning from each other, it is good to know the following expressions to help you interact with each other:

(No) Estoy de acuerdo.	*I agree. / I don't agree.*
Yo pienso que es…	*I think it's . . .*
¿No debería ser…?	*Shouldn't it be . . . ?*

 Capítulo Preliminar A. Los días, los meses y las estaciones, pág. 20.

 8-5 **Señora, ¿qué debo llevar?**

Trabajas para una agencia de viajes y, para ayudar a tus clientes, tienes que preparar una lista de la ropa que deben llevar a cada destino (*destination*). Compara tu lista con la de un/a compañero/a. ■

MODELO   La República Dominicana en agosto
los trajes de baño, los pantalones cortos, las camisetas, los jeans, los tenis y el paraguas

1. Argentina en julio
2. Costa Rica en junio
3. México en septiembre
4. Cuba en diciembre
5. Uruguay en marzo
6. España en febrero

Fíjate

Remember that the seasons south of the equator are the opposite of those in the northern hemisphere, so that when it is summer in the northern hemisphere it is winter in the southern hemisphere.

Capítulo 3. Los colores, pág. 111; Capítulo 4. *Ir + a + infinitivo*, pág. 147; Capítulo 5. Los pronombres de complemento directo, pág. 189; Capítulo 7. El pretérito, pág. 263.

Workbooklet

8-6 ¿Tienes un presupuesto (*budget*)? Completa el siguiente cuadro con las prendas que acabas de comprar (*have just bought*) y con las que necesitas comprar. Luego, comparte tus respuestas con un/a compañero/a. ■

Fíjate

The expression *acabar de + infinitive* means *to have just done something*. Use this expression in the present tense when you want to refer to the very recent past. As in the *modelo*, this expression is useful for establishing a context for the use of the preterit.

MODELO   *Acabo de comprar una blusa blanca muy elegante. La compré en Macy's la semana pasada. Pagué cuarenta y cinco dólares. Necesito comprar una falda negra.*

ACABO DE COMPRAR...	LO(S)/LA(S) COMPRÉ...	PAGUÉ...	VOY A / NECESITO COMPRAR...
1. una blusa blanca	en Macy's	$45	una falda negra
2.			
3.			

NOTA CULTURAL

Zara: la moda internacional
08-11 to 08-12

En España, uno de los negocios más florecientes (*flourishing*) es la empresa de ropa Zara. El fundador, Amancio Ortega Gaona, empezó el negocio (*business*) en La Coruña, en el norte de España, con unas 5.000 pesetas ($83,00 US). Ahora el Sr. Ortega es uno de los hombres más ricos de este país.

Colin Sinclair/Dorling Kindersley

Una de las razones del gran éxito del negocio es que continuamente ofrece lo que la gente quiere. Su filosofía es vender ropa "barata y de buena calidad". Tiene unos doscientos diseñadores (*designers*) que son los responsables de crear la moda Zara. Las diferentes líneas creadas por los diseñadores proporcionan un *look* completo para hombres y mujeres.

Fíjate
In 2002, Spain converted to the *euro*. Previously, its currency was the *peseta*.

La mayoría de la ropa se hace en una fábrica (*factory*) muy moderna en La Coruña. Desde el momento que surge la idea hasta que la prenda llega a la tienda, sólo pasan unas tres semanas. Dos o tres veces por semana llegan productos nuevos a las tiendas y así se renueva más del cuarenta por ciento del inventario.

Ahora se puede comprar la moda Zara en más de 1.600 tiendas en 74 países, por catálogo y por el Internet. Para conocer la moda internacional del momento, hay que conocer Zara.

Preguntas
1. ¿Quién empezó la empresa Zara y dónde? ¿Cuánto le costó?
2. ¿Por qué tiene tanto éxito el negocio?

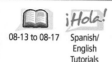

08-13 to 08-17 Spanish/ English Tutorials

Los pronombres de complemento indirecto
Stating to whom and for whom things are done

The indirect object indicates *to whom* or *for whom* an action is done. Note these examples:

A: My mom bought this dress *for whom*?

B: She bought this dress *for you*.

A: Yes, she bought *me* this dress.

Review the chart of the indirect object pronouns and their English equivalents:

¿Éste es el vestido que mi madre me compró?

Los pronombres de complemento indirecto

me	*to / for me*
te	*to / for you*
le	*to / for you* (Ud.)
le	*to / for him, her*
nos	*to / for us*
os	*to / for you all* (vosotros)
les	*to / for you all* (Uds.)
les	*to / for them*

¡Explícalo tú!

Now study the sentences and answer the questions that follow.

Mi madre	**me**	compra mucha ropa.
Mi madre	**te**	compra mucha ropa.
Mi madre	**le**	compra mucha ropa a usted.
Mi madre	**le**	compra mucha ropa a mi hermano.
Mi madre	**nos**	compra mucha ropa.
Mi madre	**os**	compra mucha ropa.
Mi madre	**les**	compra mucha ropa a ustedes.
Mi madre	**les**	compra mucha ropa a mis hermanos.

In each of the above sentences:

1. Who is *buying* the clothing?
2. Who is *receiving* the clothing?

✔ Check your answers to the preceding questions at the end of this chapter.

Now, look at the following examples. Identify the **direct objects** and the **indirect object pronouns**.

¿Me traes la falda gris?
Su novio le regaló la chaqueta más formal.
Mi hermana me compró la blusa elegante.
Nuestra compañera de cuarto nos lavó la ropa.

Will you bring me the gray skirt?
Her boyfriend gave her the more formal jacket.
My sister bought me the elegant blouse.
Our roommate washed our clothes for us.

(continued)

Some things to remember:

1. Like direct object pronouns, indirect object pronouns *precede* verb forms and can also be *attached to infinitives and present participles* (**-ando, -iendo**).

   ¿**Me** quieres dar la chaqueta?
   ¿Quieres dar**me** la chaqueta? } *Do you want to give me the jacket?*

   ¿**Me** vas a dar la chaqueta?
   ¿Vas a dar**me** la chaqueta? } *Are you going to give me the jacket?*

   ¿**Me** estás dando la chaqueta?
   ¿Estás dándo**me** la chaqueta? } *Are you giving me the jacket?*

   Manolo **te** puede comprar la gorra en la tienda.
   Manolo puede comprar**te** la gorra en la tienda. } *Manolo can buy you the cap at the store.*

   Su hermano **le** va a regalar una camiseta.
   Su hermano va a regalar**le** una camiseta. } *Her brother is going to give her a T-shirt.*

2. To clarify or emphasize the indirect object, a prepositional phrase (**a** + *prepositional pronoun*) can be added, as in the following sentences. Clarification of **le** and **les** is especially important since they can refer to different people (*him, her, you, them, you all*).

   Le presto el abrigo **a él** pero no **le** presto nada **a ella**.
   ¿**Me** preguntas **a mí**?

   I'm loaning him my coat, but I'm not loaning her anything. (clarification)
   Are you asking me? (emphasis)

3. It is common for Spanish speakers to include both an indirect object noun and pronoun in the same sentence, especially when the third person form is used. This is most often done to clarify or emphasize something.

 8-7 **Amigos perfectos** Cuando sus mejores amigos celebran sus cumpleaños, tu compañero/a y tú siempre organizan las fiestas. Juntos escriban oraciones sobre las cosas que hacen, usando **me, te, nos, le** y **les**. ■

MODELO   E1: yo / preparar / las fiestas de cumpleaños / para mis amigos

          E2: *Yo preparo las fiestas de cumpleaños para mis amigos. / Les preparo las fiestas.*

1. yo / preparar / una fiesta sorpresa (*surprise*) / para él
2. yo / mandar / invitaciones / a todos nuestros amigos
3. mis amigos y yo / comprar / unos regalos cómicos / para ella
4. yo / hacer / una torta / para nosotros
5. mis amigos / dar / unas flores bonitas / a mi madre
6. nosotros / cantar / a nuestro amigo / una canción especial

8-8 **¿Qué me recomienda?** Una persona hace el papel de consejero/a y la otra de estudiante de primer año (*freshman*). Deben hacer y contestar las siguientes preguntas según el modelo. Luego, cambien de papel. ■

MODELO   E1:   ¿Me recomienda usted la clase de Conversación 101?

                E2:   *No, no le recomiendo esa clase. Le recomiendo la clase de civilización española.*

1. ¿Me está pidiendo usted información sobre mi familia?
2. ¿Me recomienda usted algunas clases fáciles?
3. ¿Me ayuda usted con mis estudios?
4. ¿Me recomienda usted jugar algún deporte?
5. ¿Me recomienda usted hablar con mis profesores fuera de clase?
6. ¿Me recomienda usted la cafetería?

 Capítulo 3. Los quehaceres de la casa, pág. 109; Capítulo 7. El pretérito, pág. 263.

 8-9 **¡Qué suerte!** Haz una lista de por lo menos **cuatro** cosas que tú hiciste por tu compañero/a de cuarto o tu familia la semana pasada. Después, haz otra lista de tres o cuatro cosas que esa persona hizo por ti. Compara tu lista con la de un/a compañero/a. ■

MODELO   E1:   *A mi compañero de cuarto le arreglé la sala, le contesté el teléfono…*

                E2:   *Mi compañera de cuarto me buscó unos libros en la biblioteca. También me preparó la comida…*

 Capítulo 7. El pretérito, pág. 263.

Fíjate

As in English, there are word "families." *El regalo* (noun) means "gift" and *regalar* (verb) means "to give a gift."

 8-10 **Los regalos** ¿Te regalaron muchas cosas este año? ¿Regalaste muchas cosas tú? Escribe una lista de **cuatro** regalos que te dieron y de **cuatro** cosas que tú les regalaste. Luego, comparte tu lista con un/a compañero/a según el modelo. ¡Hay que ser creativos! ■

MODELO   E1:   *Le di una corbata a mi padre.*

                E2:   *¿Ah sí? ¿De qué color? ¿Le gustó a tu padre?*

                E1:   *Sí, le gustó mucho la corbata azul. Y mis padres me regalaron una bicicleta.*

                E2:   *¡Qué suerte! ¿Te gusta montar en bicicleta?*

Thomas Northcut/Photodisc/Thinkstock

Gustar y verbos como *gustar*
Expressing likes, dislikes, needs, etc.

¡Me encanta el vestido!

As you already know, the verb **gustar** is used to express likes and dislikes. **Gustar** functions differently from other verbs you have studied so far.

- The person, thing, or idea that is liked is the *subject* (S) of the sentence.
- The person who likes the other person, thing, or idea is the *indirect object* (IO).

Consider the chart below:

(A mí)	**me**	gusta el traje.	*I like the suit.*
(A ti)	**te**	gusta el traje.	*You like the suit.*
(A Ud.)	**le**	gusta el traje.	*You like the suit.*
(A él)	**le**	gusta el traje.	*He likes the suit.*
(A ella)	**le**	gusta el traje.	*She likes the suit.*
(A nosotros/as)	**nos**	gusta el traje.	*We like the suit.*
(A vosotros/as)	**os**	gusta el traje.	*You (all) like the suit.*
(A Uds.)	**les**	gusta el traje.	*You (all) like the suit.*
(A ellos/as)	**les**	gusta el traje.	*They like the suit.*

Note the following:

1. The construction **a** + *pronoun* (**a mí, a ti, a él,** etc.) or **a** + *noun* is optional most of the time. It is used for clarification or emphasis. Clarification of **le gusta** and **les gusta** is especially important since the indirect object pronouns **le** and **les** can refer to different people (*him, her, you, them, you all*).

A él le gusta llevar ropa cómoda. (clarification)   *He likes to wear comfortable clothes.*
A Ana le gusta llevar pantalones cortos. (clarification)   *Ana likes to wear shorts.*
Me gustan esos pantalones largos.   *I like those long pants.*
A mí me gustan más esos cortos. (emphasis)   *I like those short ones even more.*

2. Use the plural form **gustan** when what is liked (the subject of the sentence) is plural.

Me gusta **el traje.** → Me gusta**n los trajes.**
I like the suit.   *I like the suits.*

3. To express the idea that one likes *to do* something, **gustar** is followed by an infinitive. In that case you always use the singular **gusta**, even when you use more than one infinitive in the sentence:

Me gusta ir de compras por la mañana.   *I like to go shopping in the morning.*
A Pepe **le gusta leer** revistas de moda y **llevar** ropa atrevida.   *Pepe likes to read fashion magazines and wear daring clothing.*
Nos gusta llevar zapatos cómodos cuando hacemos ejercicio.   *We like to wear comfortable shoes when we exercise.*

The verbs listed below function like **gustar:**

encantar	*to love; to like very much*
fascinar	*to fascinate*
hacer falta	*to need; to be lacking*
importar	*to matter; to be important*
molestar	*to bother*

Me encanta ir de compras.

A Doug y a David **les fascina** la tienda de ropa Rugby.

¿**Te hace falta** dinero para comprar el vestido?

A Juan **le importa** el precio de la ropa, no la moda.

Nos molestan las personas que llevan sandalias en invierno.

I love to go shopping. (I like shopping very much.)

The Rugby clothing store fascinates (is fascinating to) Doug and David.

Do you need (are you lacking) money to buy the dress?

The price of the clothing, not the style, matters (is important) to Juan.

People who wear sandals in the winter bother us.

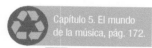

Capítulo 5. El mundo de la música, pág. 172.

8-11 **Hablando de la música...** A Jaime y a Celia les gusta mucho la música. Completa las siguientes oraciones para descubrir sus preferencias. Después, comparte tu párrafo con un/a compañero/a. ■

MODELO   A nosotros *nos fascina* (fascinar) la música rap.

A nosotros (1) _____ _____ (encantar) la música rock. A mí (2) _____ _____ (gustar) los grupos como AC/DC y Metallica. Mi cantante favorito es Dave Matthews y (3) _____ _____ (gustar) su grupo también. A Celia (4) _____ _____ (fascinar) el grupo Nickleback. Celia tiene casi todos los CD pero, (5) _____ _____ (hacer falta) uno que se llama *Running with Dark Horse*. A nuestros compañeros (6) _____ _____ (molestar) tener que escuchar nuestra música favorita. Ellos prefieren la música jazz. A Celia y a mí no (7) _____ _____ (importar) su opinión, ¡somos amigos pero no nos tienen que gustar las mismas cosas siempre!

Workbooklet

8-12 **¿Qué opinas?** Da tu opinión sobre esta ropa poniendo una equis (**X**) en la columna apropiada de cada hilera (*row*). Luego, comparte tu opinión con un/a compañero/a. ■

MODELO   E1: *¿Te fascinan los vestidos de Carolina Herrera?*

E2: *Sí, me fascinan. / No, no me importan mucho. / No sé, no los conozco.*

	(NO) ME FASCINA(N)	(NO) ME ENCANTA(N)	NO ME IMPORTA(N) MUCHO	NO LO(S)/LA(S) CONOZCO
1. los vestidos de Carolina Herrera				
2. un traje de Armani				
3. una camisa y corbata de Zara				
4. una sudadera				
5. un conjunto				

Capítulo 2. Las materias y las especialidades, pág. 62; En la universidad, pág. 74; Los deportes y los pasatiempos, pág. 81.

Workbooklet

8-13 En mi opinión… ¿Qué te gusta y no te gusta de tu universidad? ■

Paso 1 Completa el siguiente cuadro según tu opinión.

ME MOLESTA(N)…	ME ENCANTA(N)…	NOS HACE(N) FALTA…
1.	1.	1.
2.	2.	2.
3.	3.	3.

Paso 2 Ahora, circula por la clase para pedirles a tres compañeros sus opiniones.

MODELO E1 (Tú): *¿Qué te molesta?*

E2: *Me molesta la comida de la cafetería.*

A _____ LE MOLESTA(N)…	A _____ LE ENCANTA(N)…	NOS HACE(N) FALTA…
1.	1.	1.
2.	2.	2.
3.	3.	3.

4 GRAMÁTICA

08-22 to 08-26 *¡Hola!* Spanish Tutorial

Los pronombres de complemento directo e indirecto usados juntos Conveying information about people and things

¡Me encanta la elegante blusa verde!

¿Sí, amor? Pues, entramos. Te la compro ahora mismo.

You have worked with two types of object pronouns, direct and indirect. Now, note how they are used together in the same sentence.

Paula **nos** está devolviendo **las botas.** → Paula **nos las** está devolviendo.
Paula is giving us back the boots. *Paula is giving them back to us.*
Ella nunca **nos** presta **sus zapatos.** → Ella nunca **nos los** presta.
She never loans us her shoes. *She never loans them to us.*
Paula **me** pide **el bolso** ahora. → Paula **me lo** pide ahora.
Paula is asking me for my purse now. *Paula is asking me for it now.*
Mi novio **me** compró **una blusa blanca.** → Mi novio **me la** compró.
My boyfriend bought me a white blouse. *My boyfriend bought it for me.*

(continued)

¡Explícalo tú!

1. You know that direct and indirect objects come after verbs. Where do you find the direct and indirect object pronouns?
2. Reading from left to right, which pronoun comes first (direct or indirect)? Which pronoun comes second?

✔ Check your answers for the preceding questions at the end of this chapter.

¡OJO! A change occurs when you use **le** or **les** along with a direct object pronoun that begins with l: (**lo, la, los, las**): **le** or **les** changes to **se**.

le → se

Paula le pide el bolso a mi hermana.	→ Paula se lo pide.
Su novio no le compró una chaqueta.	→ Su novio no se la compró.
Su novio le va a comprar un traje.	→ Su novio se lo va a comprar.

les → se

Paula les devuelve las botas.	→ Paula se las devuelve.
Yo le presto mis zapatos.	→ Yo se los presto.
Paula nunca les presta sus cosas.	→ Paula nunca se las presta.

Direct and indirect object pronouns may also be attached to infinitives and present participles. Note that when attached, an accent is placed over the final vowel of the infinitive and the next-to-last vowel of the participle.

¿Aquel abrigo? Mi madre **me lo** va a comprar.	} *That coat over there? My mother is going to buy it for me.*
¿Aquel abrigo? Mi madre va a comprár**melo**.	

Me lo está comprando ahora.	} *She is buying it for me now.*
Está comprándo**melo** ahora.	

Capítulo 7. El pretérito, pág. 263; Algunos verbos irregulares en el pretérito, pág. 272.

8-14 Combinaciones Escribe oraciones completas sobre lo que dijo Pablo sobre su hermano Antonio. Sigue el modelo, primero usando el complemento indirecto y después los pronombres de complemento indirecto y directos juntos. Comparte tus oraciones con un/a compañero/a. ■

MODELO   Mi hermano Antonio / prestar / (a mí) / sus zapatos favoritos / ayer
               *Mi hermano Antonio **me** prestó **sus zapatos favoritos** ayer.*
               *Mi hermano Antonio **me los** prestó ayer.*

1. Yo / dar / (a Antonio) / unos jeans / la semana pasada
2. Mis padres / regalar / (a Antonio) / un traje formal / el año pasado
3. Yo / lavar / la ropa / (a Antonio) / anteayer
4. Antonio / pedir / dinero para comprar una gorra / (a mí) / anoche
5. Antonio y yo / decir / la verdad sobre el accidente / (a nuestros padres) / ayer

8-15 **Antonio, ¿me prestas...?** Ahora Pablo va a una fiesta y quiere usar la ropa de su hermano Antonio. Túrnense para hacer los papeles de Pablo y Antonio usando los pronombres de complemento directo e indirecto. ■

MODELO   prestar / un abrigo

E1 (Pablo):   *¿Me prestas el abrigo?*

E2 (Antonio):   *Sí, te lo presto. / No, no te lo presto.*

1. prestar / los zapatos negros
2. prestar / la corbata azul
3. prestar / una camiseta blanca y una camisa azul de manga larga (*long sleeved*)
4. prestar / el cinturón negro
5. prestar / tu abrigo nuevo

Workbooklet

 8-16 **Mis recomendaciones** ¿Qué recomiendas? Lee la lista y pon una equis (**X**) en la columna apropiada. Después, comparte tus opiniones con un/a compañero/a según el modelo. ■

MODELO   los libros de Tom Clancy (a tus primas)

E1:   *¿Les recomiendas los libros de Tom Clancy a tus primas?*

E2:   *No, no se los recomiendo.*

	SÍ	NO
1. las novelas de Stephen King (a tus tíos)		
2. la música de Eminem (a tu compañero/a de cuarto)		
3. el restaurante Taco Bell (a nosotros)		
4. la tienda Macy's (a tu amiga que no tiene mucho dinero)		
5. la película *Drácula* (a tus primos de cinco años)		
6. Disney World (a tu hermano)		
7. el Museo de Arte Moderno (a tu profesor/a)		
8. la clase de español (a tu mejor amigo/a)		

8-17 **¿En qué puedo servirle?**

Acabas de empezar una pasantía (*internship*).
En vez de (*Instead of*) tareas asociadas con la
profesión que te interesa seguir, te dan el trabajo
de ayudante de una de las vicepresidentas.
Túrnense para contestar sus preguntas. ■

MODELO   E1:   ¿Me puede comprar un periódico?

                E2:   *Sí, se lo puedo comprar. / Sí, puedo*
                      comprárselo.

Estrategia

Remember that when
addressing an employer,
you would use *usted*,
not *tú*. Also, be sure to
practice both ways of
structuring the sentence
with two object pronouns,
as in the *modelo*.

1. ¿Me puede traer un café?
2. ¿Me puede comprar los boletos (*tickets*) para un viaje a Nueva York?
3. ¿Me puede arreglar los apuntes y los papeles para la reunión de esta tarde?
4. ¿Me puede buscar un artículo en el periódico?
5. ¿Me puede reservar una mesa en un restaurante elegante para esta noche?
6. ¿Me puede comprar unas rosas para la recepcionista? Es su cumpleaños hoy.

¿Cómo andas? I

	Feel confident	Need to review
Having completed **Comunicación I,** I now can . . .		
• describe clothing (p. 294)	☐	☐
• pronounce the letters *ll* and *ñ* (MSL / SAM)	☐	☐
• recount information about a Spanish clothing company (p. 298)	☐	☐
• state to whom and for whom things are done (p. 299)	☐	☐
• express likes, dislikes, needs, etc., (p. 302)	☐	☐
• convey information about people and things (p. 305)	☐	☐

Comunicación II

08-27 to 08-29

Las telas y los materiales Providing details about clothing

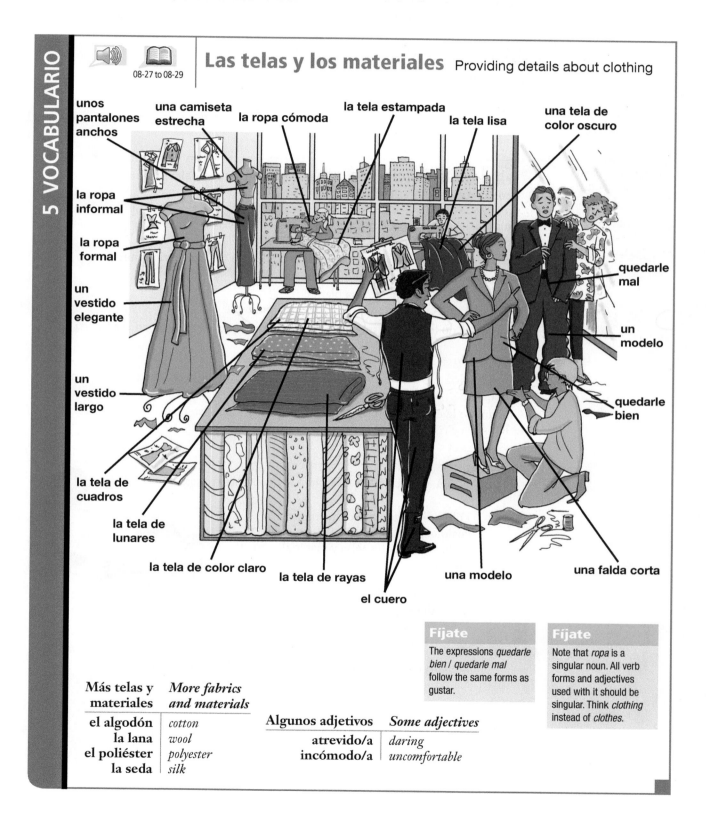

unos pantalones anchos

una camiseta estrecha

la ropa cómoda

la tela estampada

la tela lisa

una tela de color oscuro

la ropa informal

la ropa formal

un vestido elegante

un vestido largo

la tela de cuadros

la tela de lunares

la tela de color claro

la tela de rayas

el cuero

una modelo

una falda corta

quedarle mal

un modelo

quedarle bien

Fíjate

The expressions *quedarle bien* / *quedarle mal* follow the same forms as gustar.

Fíjate

Note that *ropa* is a singular noun. All verb forms and adjectives used with it should be singular. Think *clothing* instead of *clothes*.

Más telas y materiales	More fabrics and materials
el algodón	cotton
la lana	wool
el poliéster	polyester
la seda	silk

Algunos adjetivos	Some adjectives
atrevido/a	daring
incómodo/a	uncomfortable

8-18 **Los opuestos** Túrnense para decir el opuesto de cada una de las siguientes palabras. ◼

1. ancho
2. formal
3. quedarle bien
4. claro
5. corto
6. liso

 8-19 **Definiciones** Túrnense para elegir una palabra o expresión para completar cada oración. ◼

1. Cuando hace mucho frío, prefiero llevar un abrigo de…
   a. rayas   b. poliéster   c. lana
2. El padre de Ana está furioso porque ella salió de casa con un vestido muy…
   a. elegante   b. atrevido   c. ancho
3. La tela de _____ viene de una planta.
   a. algodón   b. cuero   c. poliéster
4. A mi madre no le importa mucho _____. Siempre prefiere llevar ropa cómoda y barata.
   a. el modelo   b. la moda   c. la seda
5. Mi padre dice que quiere proteger (*protect*) los animales. Por eso nunca lleva ropa…
   a. lisa   b. estampada   c. de cuero
6. A mi amigo le encanta la ropa _____ porque dice que "su color" es el negro.
   a. lisa   b. clara   c. oscura

 8-20 **¡A dibujar!** Completa los siguientes pasos. ◼

Paso 1   Dibuja a un hombre o una mujer con cualquier (*whatever*) ropa que quieras. Incluye diferentes telas y materiales en el dibujo.

Paso 2   Descríbele tu dibujo a un/a compañero/a, quien tiene que dibujar lo que tú le dices. Luego cambien de papel.

MODELO   *El hombre lleva un sombrero negro muy elegante. Lleva un traje azul oscuro muy elegante, una camisa blanca y una corbata azul con rayas rojas…*

8-21 **¿Cuál es tu conjunto favorito?** Usa las siguientes preguntas para entrevistar a un/a compañero/a sobre su conjunto favorito. ▪

1. ¿Cuál es tu conjunto favorito?
2. ¿De qué color es?
3. ¿De qué tela es?
4. ¿De qué estilo es?
5. ¿Lo compraste tú? Si no, ¿quién te lo compró?
6. ¿Cuándo lo compraste o cuándo te lo compraron?
7. ¿Dónde lo compraste o dónde te lo compraron?
8. ¿Cuándo lo llevas?
9. ¿Por qué te gusta tanto?

 8-22 **¿Qué está de moda?** Trae a la clase tres o cuatro fotos de modelos (pueden ser de una revista [*magazine*], un catálogo o del Internet). Túrnate con un/a compañero/a para describir en por lo menos **tres** oraciones la ropa que llevan los modelos. Digan qué ropa les gusta más y qué ropa no les gusta. ¿Están de acuerdo? ▪

MODELO   *La primera modelo de Carolina Herrera lleva un vestido corto. Es negro y muy elegante. Su bolso es beige y es pequeño…*

Capítulo 3. Los colores.
pág. 111.

 8-23 **¿Quién puede ser?** Escoge a una persona de tu clase y piensa en la ropa que lleva incluyendo el estilo (*style*), el color y la tela. Describe **cuatro** de sus prendas a tu compañero/a, quien tiene que adivinar a quién describes. Túrnense para describir a **tres** compañeros de clase. ▪

MODELO   E1: *Esta persona lleva unos pantalones largos de rayas blancas, una camiseta oscura, una chaqueta informal y unos tenis blancos.*
            E2: *Es Mayra.*

6 GRAMÁTICA

08-30 to 08-35   ¡Hola! Spanish/English Tutorials

Las construcciones reflexivas   Relating daily routines

Study the captions for the following drawings.

In each drawing:

- Who is performing / doing the action?
- Who or what is receiving the action?

When the subject both performs and receives the action of the verb, a reflexive verb and pronoun are used.

- Which of the drawings and captions demonstrate reflexive verbs?

Look at the following chart: the reflexive pronouns are highlighted.

La fiesta **los** despierta.

Alberto **la** acuesta.

Beatriz **lo** lava.

Raúl y Gloria **se** despiertan.

Alberto **se** acuesta.

Beatriz **se** lava.

Reflexive pronouns

Yo	me	divierto	en las fiestas.
Tú	te	diviertes	en las fiestas.
Usted	se	divierte	en las fiestas.
Él / Ella	se	divierte	en las fiestas.
Nosotros	nos	divertimos	en las fiestas.
Vosotros	os	divertís	en las fiestas.
Ustedes	se	divierten	en las fiestas.
Ellos / Ellas	se	divierten	en las fiestas.

Reflexive pronouns follow the same rules for position as other object pronouns. Reflexive pronouns:

1. precede conjugated verbs.
2. can be attached to *infinitives* and *present participles* (**-ando, -iendo**).

Te vas a dormir.
Vas a dormir**te**.
     } *You are falling asleep.*

¿**Se** van a dormir esta noche?
¿Van a dormir**se** esta noche?
     } *Are they going to fall asleep tonight?*

¿**Se** están durmiendo?
¿Están durmiéndo**se**?
     } *Are you all falling asleep?*

acostarse (o → ue)   **afeitarse**   **bañarse**   **cepillarse (los dientes)**

despertarse (e → ie)   **dormirse (o → ue → u)**   **ducharse**

maquillarse   **peinarse**   **secarse**   **vestirse (e → i → i)**

Algunos verbos reflexivos

acordarse de (o → ue)	*to remember*	**ponerse (nervioso/a)**	*to get (nervous)*
arreglarse	*to get ready*	**probarse (o → ue) la ropa**	*to try on clothing*
callarse	*to get / keep quiet*	**quedarse**	*to stay; to remain*
divertirse (e → ie → i)	*to enjoy oneself; to have fun*	**quitarse (la ropa)**	*to take off (one's clothes)*
irse	*to go away; to leave*	**reunirse**	*to get together;*
lavarse	*to wash oneself*		*to meet*
levantarse	*to get up; to stand up*	**sentarse (e → ie)**	*to sit down*
llamarse	*to be called*	**sentirse (e → ie → i)**	*to feel*
ponerse (la ropa)	*to put on (one's clothes)*		

Note: To identify all of the previous verbs as *reflexive*, the infinitives end in **-se**.

Estrategia

When a new infinitive is presented, if it is a stem-changing verb, the irregularities will be given in parentheses. For example, if you see *divertirse (e → ie → i)* you know that this infinitive is an *-ir* stem-changing verb, that the first "e" in the infinitive changes to "ie" in the present indicative, and that the "e" changes to "i" in the third-person singular and plural of the preterit.

Fíjate

Some verbs change their meanings slightly between non-reflexive and reflexive verbs, for example: *dormir* (to sleep) and *dormirse* (to fall asleep); *ir* (to go) and *irse* (to leave).

8-24 **El juego de la asociación** Juntos decidan qué verbos reflexivos asocian con las siguientes palabras y expresiones. ■

1. no decir nada
2. una silla
3. recordar algo
4. tener sueño
5. no recordar algo

6. triste o alegre, por ejemplo
7. un sombrero
8. estar sucio
9. no ir a ningún lugar

 8-25 **¡Batalla!** Va a jugar con un/a compañero/a a *tic-tac-toe*. Escuchen mientras el/la profesor/a les explica el juego. ■

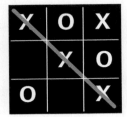

Capítulo 7. El pretérito, pág. 263. Algunos verbos irregulares en el pretérito, pág. 272.

 8-26 **Un día en la vida** Ordena las actividades diarias de María y Tomás, estudiantes universitarios en Argentina, de forma cronológica. Luego, compara tu lista con la de un/a compañero/a. ■

El día de María

1. Antes de irse a la universidad, se acordó de la tarea que no hizo para su clase de historia.
2. Se duchó.
3. Se maquilló.
4. Llegó a la clase de historia y se quitó el abrigo.
5. Se vistió.
6. Se secó.
7. Se levantó.

El día de Tomás

1. Se acostó tarde.
2. Se levantó rápidamente a las ocho.
3. Se despertó tarde.
4. No se durmió inmediatamente.
5. Se divirtió con sus amigos.
6. Después de las clases se fue con los amigos para pasar el fin de semana en la playa.
7. Se fue para la clase de química.

Capítulo Preliminar
A. La hora, pág. 18.

 8-27 **Un día normal** Escribe por lo menos **cinco** actividades que haces normalmente y a qué hora las haces. Usa verbos reflexivos. Después, comparte tu lista con un/a compañero/a. ■

 8-28 **Para conocerte mejor** Túrnense para hacerse esta entrevista y conocer mejor sus hábitos. ■

MODELO
    E1: ¿Qué te pones para ir al cine?
    E2: *Me pongo los jeans con una camiseta. ¿Y tú? ¿Qué te pones?*
    E1: *Generalmente me pongo pantalones con una blusa o un suéter.*
    E2: ¿Qué…?

1. ¿Qué te pones cuando sales con esa "persona especial"?
2. Cuando estás durmiéndote, ¿te acuerdas de las cosas que no hiciste durante el día?
3. ¿Cómo te diviertes?
4. Si tienes tiempo, ¿con quién(es) te reúnes?
5. ¿Cuándo te pones nervioso/a?
6. ¿Cuándo te sientes feliz?

 8-29 **Mímica** Hagan mímica (*charades*) en grupos de cuatro. Túrnense para escoger un verbo reflexivo para representar al grupo. El grupo tiene que adivinar qué verbo es. Sigan jugando hasta que cada estudiante represente **cuatro** verbos diferentes. ■

 8-30 **¿Conoces bien a tus compañeros?** Trabaja en grupos de cuatro para hacer esta actividad. ■

Paso 1   Un/a compañero/a debe salir de la sala de clase por un momento. Los otros estudiantes escriben **cinco** preguntas sobre la vida diaria del/de la compañero/a, usando los verbos reflexivos.

MODELO   *¿A qué hora te despiertas?*
    ¿Te duchas todos los días?

Paso 2   Antes de entrar el/la compañero/a, el grupo de estudiantes debe adivinar cuáles van a ser las respuestas a esas preguntas.

MODELO   *Se despierta a las siete.*
    Sí, se ducha todos los días.

Paso 3   Entra el/la compañero/a y los otros le hacen las preguntas.

Paso 4   Comparen las respuestas del grupo con las del/de la compañero/a. ¿Tenían razón? Pueden repetir la actividad con los otros miembros del grupo.

NOTA CULTURAL

Los centros comerciales   en Latinoamérica

08-36

Ir de compras en Latinoamérica se asocia muchas veces con los mercados al aire libre donde se vende la artesanía y la comida típica de la región. Es cierto que estos lugares existen y son muy populares, sobre todo con los turistas. Pero en las últimas décadas ha surgido (*has emerged*) la cultura del centro comercial y los grandes almacenes en las sociedades latinoamericanas.

jorisvo/Shutterstock

Los grandes centros comerciales, como los Unicentros en El Salvador y los centros Sambil en Venezuela, las tiendas de Falabella en Chile, Argentina y Perú, y los almacenes Liverpool en México, son buenos ejemplos de mercados modernos que atraen a la población latina de varias clases económicas. Estas tiendas son modernas y ofrecen de todo a los clientes que buscan una gran variedad de productos como, por ejemplo, ropa, artículos y aparatos domésticos y muebles.

La gente va a los centros comerciales para pasear, mirar y entretenerse (*to entertain oneself*). En muchos hay hipermercados donde se puede comprar comida y artículos diversos para el hogar. Los centros comerciales son lugares para citas, para pasar el tiempo, para ir al cine, para reunirse con amigos, para observar a la gente, para ojear las vitrinas (*window shop*) y para enterarse de las últimas tendencias de la moda. Verdaderamente, estos centros han cambiado (*have changed*) mucho el estilo de vida de la gente hoy en día.

Preguntas

1. Antes de leer "Los centros comerciales en Latinoamérica", ¿qué entendías tú (*did you understand*) por "mercado latinoamericano"? ¿Qué imagen tenías (*did you used to have*)?
2. ¿Qué hace la gente en los centros comerciales latinoamericanos? ¿Cómo se comparan estas actividades con las de los centros comerciales estadounidenses?

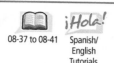

08-37 to 08-41   Spanish/
English
Tutorials

El imperfecto Sharing about situations in the past and how things used to be

In **Capítulo 7** you learned how to express certain ideas and notions that happened in the past with the preterit. Spanish has another past tense, **el imperfecto,** that *expresses habitual or ongoing past actions, provides descriptions,* or *describes conditions.*

	-ar: hablar	-er: comer	-ir: vivir
yo	hablaba	comía	vivía
tú	hablabas	comías	vivías
Ud.	hablaba	comía	vivían
él, ella	hablaba	comía	vivía
nosotros/as	hablábamos	comíamos	vivíamos
vosotros/as	hablabais	comíais	vivíais
Uds.	hablablan	comían	vivían
ellos/as	hablaban	comían	vivían

Cuando Pepe vivía en la playa, nadaba en el mar todas las mañanas.

Estrategia

Focus on the forms and when to use the *imperfecto.* Note that the *-er* and *-ir* forms are exactly the same, and that they have accents in every form. Also note that in the *-ar* verbs the *nosotros/nosotras* form has an accent.

There are only *three irregular verbs* in the imperfect: **ir, ser,** and **ver.**

	ir	ser	ver
yo	iba	era	veía
tú	ibas	eras	veías
Ud.	iba	era	veía
él, ella	iba	era	veía
nosotros/as	íbamos	éramos	veíamos
vosotros/as	ibais	erais	veíais
Uds.	iban	eran	veían
ellos/as	iban	eran	veían

The imperfect is used to:

1. provide background information, set the stage, or express a condition that existed

Llovía mucho.
Era una noche oscura y nublada.
Estábamos en el segundo año de la universidad.
Adriana **estaba** enferma y no **quería** levantarse.

It was raining a lot.
It was a dark and cloudy night.
We were in our second year of college.
Adriana was ill and didn't want to get up / get out of bed.

Fíjate

Repeated actions are usually expressed in English with *used to…* or *would…*

2. describe habitual or often repeated actions

Íbamos al centro comercial todos los viernes. Nos **divertíamos** mucho.
Cuando **era** pequeño, Lebron **jugaba** al básquetbol por lo menos dos horas al día.
Mis padres siempre **se vestían muy bien** los domingos para ir a la iglesia.

We went (used to go) to the mall / shopping district every Friday. We had a lot of fun.
When he was little, Lebron played (used to play) basketball for at least two hours a day.
My parents always dressed very well on Sundays to go to church.

(continued)

Some words or expressions for describing habitual and repeated actions are:

a menudo	often	muchas veces	many times
casi siempre	almost always	mucho	a lot
frecuentemente	frequently	normalmente	normally
generalmente	generally	siempre	always
mientras	while	todos los días	every day

3. express *was* or *were* + *-ing*

¿**Dormías**?

Me duchaba cuando Juan llamó.

Alberto **leía** mientras Alicia **escuchaba** música.

Were you sleeping?

I was showering when Juan called.

Alberto was reading while Alicia was listening to music.

4. tell time in the past

Era la una y yo todavía **estudiaba**.

Eran las diez y los niños **dormían**.

It was 1:00 and I was still studying.

It was 10:00 and the children were sleeping.

 8-31 **La práctica** Repitan el juego de la actividad **7-8** en la página 264, esta vez para practicar el imperfecto. ■

 8-32 **Cuando era joven** Completa el párrafo sobre Eva Perón para saber cómo pudo ser su vida cuando era joven. Después, compara tus respuestas con las de un/a compañero/a. ■

ayudar	encantar	gustar	poder	querer
preferir	sentirse	ser	tener	trabajar

Pictorial Press Ltd/Alamy

María Eva Duarte, como primero se llamaba, nació en una provincia de Buenos Aires en el año 1919. Cuando (1) _____ seis o siete años su padre murió. Eva y sus cuatro hermanos (2) _____ muy tristes y la vida (3) _____ muy difícil para ellos porque les faltaban dinero y comida. La madre (4) _____ como costurera (*seamstress*) y los niños la (5) _____ en la casa. Nos imaginamos que a Eva le (6) _____ el verano cuando (7) _____ estar en casa con sus hermanos. No le (8) _____ las muñecas y (9) _____ inventar juegos o imaginar situaciones diferentes. Parece que desde el principio (*from the start*) Eva (10) _____ ser actriz.

Workbooklet

8-33 En el colegio... ¿Qué hacías cuando estabas en el colegio? ¿Con qué frecuencia? Escribe una equis (**X**) en la columna apropiada de cada hilera (*row*). Luego, compara tus respuestas con las de un/a compañero/a. ■

MODELO E1: *¿Escuchabas música de Cristina Aguilera?*

E2: *No, nunca escuchaba música de Cristina Aguilera. / Sí, a veces escuchaba música de Cristina Aguilera.*

	TODOS LOS DÍAS	MUCHAS VECES	A VECES	NUNCA
1. escuchar música de Cristina Aguilera				
2. nadar en la playa				
3. leer obras de Shakespeare				
4. bañarse por la noche				
5. acostarse temprano				
6. dormirse en las clases				
7. ponerse nervioso/a antes de un examen				
8. reunirse con los amigos				
9. vestirse como querías				
10. querer ir a la escuela				
11. levantarse muy tarde				
12. no hacer nada por la noche				

Capítulo 3. La casa, pág. 98;
Los colores, pág. 111.

8-34 Mi primera casa ¿Cómo era tu primera casa o la casa de tu amigo/a? Descríbesela a un/a compañero/a dándole por lo menos **cinco** detalles. Luego, cambien de papel. ■

MODELO *Mi primera casa estaba en una ciudad pequeña. Tenía dos dormitorios. La cocina era amarilla. El comedor blanco y la sala azul eran pequeños. Tenía solamente (only) un baño.*

Linda Johnsonbaugh/Shutterstock

8-35 ¡Cómo cambia la vida!

Miren el dibujo y escriban **siete** oraciones que contesten la pregunta "¿cómo era la vida en los años setenta?". Usen verbos como **tener, estar, ser, haber, ayudar, limpiar** y **jugar.** ¡Sean creativos! ■

Workbooklet

 8-36 **Preguntas personales** Cuando tenían dieciséis años, ¿qué hacían tus compañeros/as de clase? Circula por la clase para preguntárselo. ■

MODELO   E1:   ¿Jugabas al fútbol con los amigos?

            E2:   *Sí, jugaba todos los días después de salir del colegio.*

            E3:   *Sí, jugaba con el equipo del colegio.*

            E4:   *No, nunca jugaba al fútbol. No me gustaba.*

	ESTUDIANTE 1:	ESTUDIANTE 2:	ESTUDIANTE 3:
1. ¿Te quedabas en casa los fines de semana?			
2. ¿Qué hacías los fines de semana?			
3. ¿Manejabas (*Did you drive*)?			
4. ¿Tenías coche (*car*)?			
5. ¿Trabajabas?			
6. ¿Qué hacías cuando hacía mal tiempo?			
7. ¿Qué hacías cuando hacía buen tiempo?			
8. ¿Qué hacías cuando tenías dinero?			
9. ¿Qué hacías cuando no tenías dinero?			
10. ¿Qué hacías para divertirte?			

ESCUCHA

 En el centro comercial

08-42 to 08-43

Estrategia		
Guessing meaning from context	You do not need to know every word to understand a listening passage or to get the gist of a conversation. Think about	the overall message, then use the surrounding words or sentences to guess at meaning.

8-37 Antes de escuchar

Beatriz, la prima de Marisol, es estudiante de intercambio en Buenos Aires. Va de compras con su "hermana" argentina, Luz. Están en la tienda Zara, comprando ropa. ■

1. ¿Cómo es la tienda Zara?
2. ¿Piensas que ir de compras a Zara en Buenos Aires es igual que ir de compras a Zara en Nueva York (o en cualquier otra ciudad)?

Digital Vision/Thinkstock

Beatriz y Luz van de compras.

8-38 A escuchar

Completa las siguientes actividades. ■

1. Escucha la conversación entre Beatriz y Luz y después selecciona la opción que mejor conteste la pregunta.

¿De qué se trata (*What is the gist of*) la conversación?

_____ a. A Beatriz no le gustan las blusas de la tienda y tampoco la tienda. Jamás va de compras allí.

_____ b. A Beatriz le encanta el dependiente. Vive cerca de Luz.

_____ c. A Luz le gustan los perros negros. Alguien tiene un perro que se llama Toro o posiblemente Goro.

2. Escucha una vez más y termina las siguientes oraciones.

   a. Marisol y Beatriz visitaron una de las tiendas Zara… (dónde y cuándo)
   b. Marisol y Beatriz no compraron nada porque…
   c. Luz no quiere comprar la blusa de seda o la falda de lana porque…
   d. Beatriz reconoce (*recognizes*) al dependiente porque…

3. ¿Qué significa "dependiente"?

 ### 8-39 Después de escuchar

En grupos de tres, realicen (*act out*) la escena entre Beatriz, Luz y el dependiente. ■

¡CONVERSEMOS!

08-44

8-40   **Los modelos**   Crea un desfile de moda (*fashion show*) con un/a compañero/a. Describe la ropa que lleva tu compañero/a. Si quieres, trae fotos de ropa de unas revistas y descríbela como si fueras un comentarista de moda para *Style.com*. Incluye **por lo menos diez** oraciones. ■

lev radin/Shutterstock

8-41   **¿Qué llevaban?**   Piensa en la ropa que tus amigos, tu familia y tú llevaban cuando eran más jóvenes. ¿Cómo se compara el estilo de antes con el estilo de ahora? Describe con detalles la ropa que se llevaba en **por lo menos diez** oraciones. ■

iofoto/Shutterstock

ESCRIBE

08-45

Un email

Estrategia	It is common when learning a language not to know or remember the exact word(s) you need to communicate an idea. Thinking of another way to express something is called *circumlocution*— essentially using several words to describe something simple.	For example, if you don't know or remember the word for "tía," you could say "la hermana de mi padre." If you can't remember the word for "cine," you could get your point across by writing "todos los sábados íbamos al centro para ver una película."
Circumlocution		

8-42 **Antes de escribir** ¿Qué te gustaba hacer de niño/a? ¿Te levantabas temprano para jugar con tus amigos? ¿Tus padres te dejaban comer caramelos y otros dulces a menudo? Haz una lista de las **ocho** cosas que más te gustaba hacer cuando eras niño/a, usando "circumlocution" cuando sea necesario. ■

8-43 **A escribir** Organiza tus ideas y escribe un email a tu hermano/a (o a tu mejor amigo/a), recordando las cosas que hacías en tu niñez. ■

8-44 **Después de escribir** Tu profesor/a va a leer los emails a la clase para ver si ustedes pueden adivinar quiénes los escribieron. ■

¿Cómo andas? II

	Feel confident	Need to review
Having completed **Comunicación II**, I now can . . .		
• provide details about clothing (p. 309)	☐	☐
• relate daily routines (p. 312)	☐	☐
• consider shopping practices in the Spanish-speaking countries (p. 316)	☐	☐
• share about situations in the past and how things used to be (p. 317)	☐	☐
• guess the meanings of unfamiliar words, when listening, from the context (p. 321)	☐	☐
• communicate about clothing and fashion (p. 322)	☐	☐
• write an e-mail, practicing circumlocution (p. 323)	☐	☐

08-46 to 08-48

Les presento mi país

Jack Hollingsworth/ Thinkstock

María Graciela Martelli Paz

Mi nombre es María Graciela Martelli Paz y vivo en Rosario, una ciudad cerca de Buenos Aires. Realmente soy porteña (*una persona de Buenos Aires*) porque nací allí. Mi primer apellido es italiano porque mis abuelos paternos eran de Nápoles. Muchos argentinos tienen apellidos italianos a causa de la gran inmigración europea a fines del siglo diecinueve. **¿De qué herencia sos vos, che?** Mi país es grande y la geografía es muy variada: desde la montaña más alta del hemisferio occidental, el Cerro Aconcagua, hasta la ciudad más sureña (*del sur*) del mundo, Ushuaia. También tenemos lugares naturales como los glaciares, las pampas, la región de la Patagonia, las cataratas del Iguazú y unas playas hermosas, como la de Mar del Plata. **¿Qué regiones y riquezas naturales hay en tu país?**

las cataratas del Iguazú en la frontera con Brasil y Argentina

Larry Lee Photography/Corbis

Dale Mitchell/Shutterstock

el tango en San Telmo, un antiguo barrio en la capital

Demetrio Carrasco/Dorling Kindersley

galerías Pacífico en la calle Florida

ALMANAQUE

Nombre oficial:	República de Argentina
Gobierno:	República
Población:	41.343.201 (2010)
Idioma:	español
Moneda:	Peso argentino ($)

¿Sabías que...?

• **El lunfardo** es un dialecto o jerga que tuvo su origen en los barrios de Buenos Aires a finales del siglo XIX. Es la lengua del tango y también la jerga de las prisiones a principios del siglo XX. Se forman palabras diciendo las sílabas al revés (*reversing the syllables*): "tango" en lunfardo es *gotán*.

Preguntas

1. ¿Cuáles son tres de las distintas regiones geográficas del país? Cuando es verano en Argentina, ¿en qué estación estamos aquí? ¿Por qué?
2. ¿Dónde puedes ir de compras en Buenos Aires?
3. ¿Qué tiene Argentina en común con otros países de Sudamérica?

 Amplía tus conocimientos sobre Argentina en MySpanishLab.

324

348

Uruguay

08-46 to 08-47, 08-49

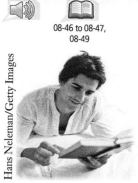

Hans Neleman/Getty Images

Francisco Tomás
Bacigalupe Bustamante

Les presento mi país

Mi nombre es Francisco Tomás Bacigalupe Bustamante, aunque de pequeño me llamaban Paquito. Soy de Montevideo, la capital de Uruguay. Mi país es pequeño, pero también es tranquilo y bonito. La mayoría de la población, el ochenta por ciento, vive en los centros urbanos. El clima es templado (no hace mucho calor ni mucho frío) y es perfecto para nuestras playas increíbles. Cuando era niño las playas eran nuestro destino favorito para ir de vacaciones. **¿Dónde ibas tú de vacaciones?** Tenemos mucho en común con nuestros vecinos los argentinos: el tango, la yerba mate, los gauchos y una dieta que contiene mucha carne. También comemos mucha pizza y pasta, debido a nuestra herencia italiana. **¿Qué comida de otros países te gusta comer?**

Brand X Pictures/Thinkstock

Punta del Este es un balneario (*resort*) muy turístico.

D. Heining-Boynton, HBPHOTOPRO.COM

El chivito es un plato típico uruguayo.

BRASIL

ARGENTINA

Salto

Río Uruguay

URUGUAY

Melo

Colonia   San José

Montevideo   Punta del Este

OCÉANO ATLÁNTICO

SF photo/Shutterstock

el puerto de Montevideo

ALMANAQUE

Nombre oficial: República Oriental del Uruguay

Gobierno: República democrática

Población: 3.510.386 (2010)

Idiomas: español (oficial); portuñol/brasilero

Moneda: Peso uruguayo ($U)

¿Sabías que...?

• Debido al índice de alfabetización (*literacy*), el clima agradable y templado, la belleza del paisaje y la hospitalidad de la gente, a Uruguay se le conoce como "la Suiza de América".

Preguntas

1. ¿Dónde vive la mayoría de los uruguayos?
2. Muchos uruguayos son de herencia italiana. ¿En qué se ve esta herencia?
3. ¿Qué tiene en común Uruguay con su país vecino Argentina?

Amplía tus conocimientos sobre Uruguay en MySpanishLab.

325

08-52 to 08-53

Ambiciones siniestras

EPISODIO 8

Pearson Education

Lectura

Estrategia

The new strategy *guessing meaning from context* is especially useful to beginning language students. It is much easier to focus on what you can understand and make logical guesses about the new information than to try to focus on what you cannot understand and attempt to look up every word. Only look up a word if it interferes with your ability to comprehend the sentence, question, or the main idea.

Estrategia   Guessing meaning from context

Before consulting a dictionary, always try to guess the meaning of an unfamiliar word from the context. Look closely at the surrounding words and sentences to help you determine the meaning. Even without an exact translation, you can get the general idea of what the word means.

8-45 **Antes de leer** En el **Episodio 7**, los protagonistas seguían preocupados por Eduardo y tampoco sabían dónde estaba Alejandra. Para prepararte bien para el **Episodio 8**, contesta las siguientes preguntas basadas en el **Episodio 7**. ■

1. ¿Cómo se sentía Marisol? ¿Manolo? Explica.
2. ¿Por qué era importante resolver el rompecabezas?
3. ¿Cuáles eran las dudas que tenían?

8-46 **A leer** Completa las siguientes actividades. ■

1. Al empezar el episodio, sabemos que Marisol estaba "preocupada". Cuando ella fue a su computadora *"Tenía varios mensajes, pero inmediatamente vio uno del hombre del concurso. Empezó a <u>temblar</u> sin saber por qué"*.

   ¿Qué significa la palabra "temblar"? ¿Cómo podía sentirse Marisol? ¿feliz?, ¿asustada? Creemos que Marisol se puso nerviosa, entonces "temblar" es más una reacción de miedo, ¿no? En realidad, "temblar" significa "*to tremble*".
2. Lee el episodio y subraya (*underline*) las palabras que no conoces. Intenta adivinar el significado, según el contexto. (Sigue el proceso indicado en el apartado 1.) Después, compara tus palabras con las de tu compañero/a.

 ## ¿Quién fue?

Eran las ocho y Marisol estaba en la cama, preocupada y confusa. No quería levantarse. No tenía ganas de arreglarse… no podía comer porque no tenía hambre ni para sus dulces favoritos.

Sonó el teléfono pero Marisol decidió no contestarlo. Prefería escuchar un mensaje que hablar con alguien en estos momentos. Nada: nadie dejó un mensaje. Decidió levantarse e ir a la computadora para leer su correo electrónico. Tenía varios mensajes, pero inmediatamente vio uno del hombre del concurso. Empezó a temblar sin saber por qué. Por fin lo abrió y leyó:

326

Para: Cisco, Manolo, Lupe y Marisol
De: Sr. Verdugo
Asunto: Otra oportunidad

tamaño [medio ▼] **B** *I* <u>U</u> T

Jóvenes: Me parece que uno de Uds. resolvió el rompecabezas muy rápido, demasiado rápido. Además, ¿saben que también tengo a otro concursante? Alejandra no fue muy inteligente.... Bueno, basta ya de información que no les incumbe°. Les voy a dar otra oportunidad, esta vez para salvar a los dos. Aquí tienen el nuevo rompecabezas. Les advierto° que no deben trabajar juntos. Si lo hacen, me voy a enterar°. Mucho cuidado si quieren ver a sus amigos:

Conocida por su altura
No llores por mí
Envuelta en blanco
La más grande de las Américas

you do not need to know
warn
find out

nightmare
She had nothing to do with that /
behaving /
was hiding / was

Marisol no podía creerlo. ¡Qué pesadilla°! ¿Quién resolvió el primer rompecabezas? Ella no tuvo nada que ver con eso°. ¿Y qué pasó con Lupe en estos últimos días? Estaba portándose° muy rara y misteriosamente. Dijo que las cosas no eran importantes, pero sí, lo son. Parecía que escondía° algo. ¡Podía ser que este último mensaje fuera° de ella! En ese momento sonó el teléfono.

—Marisol, soy Manolo. Encontré tu número en el Internet.

—Manolo, gracias por llamar —respondió Marisol —Tengo que hablar contigo. Tengo mucho miedo. ¿Recibiste el nuevo rompecabezas? ¿Fuiste tú quien solucionó el primer rompecabezas? —le preguntó.

—Sí, —explicó Manolo, —recibí el nuevo pero no, no fui yo quien solucionó el primero —explicó Manolo.

—¿Sabes qué? —empezó a decir Marisol—. Creo que es Lupe quien nos manda los emails. Creo que ella es el «Sr. Verdugo» —le dijo muy convencida.

—¿Sí? —respondió Manolo—, y yo creía que era Cisco. Él tiene mucho talento con las computadoras. Me da mucho miedo. Creo que Cisco sí sabe lo que pasa con Eduardo y no nos dice nada. Temo que él sea el culpable°.

I'm afraid he may be the guilty one

approach

—No sé —le refutó Marisol—. No lo sé. Hay cosas muy misteriosas con Lupe también. Siempre está en Internet y cuando me acerco° a ella, cierra su computadora y me dice que no está haciendo nada. ¿Qué hacemos? —le preguntó.

—Tal vez debemos llamar a la policía —contestó Manolo—, pero ¿qué decimos? No sabemos nada en concreto ni de Eduardo ni de Alejandra. Vamos a pensarlo bien. ¿Y si es una broma° de mal gusto? Te llamo pronto.

joke

—Bueno —respondió Marisol angustiada—. Adiós.

Marisol, temblando de nuevo, volvió a sus mensajes. Miró la lista y vio una dirección que no reconoció: muchasuerte@comando.com. Abrió el mensaje y gritó°.

screamed

327

8-47 **Después de leer** Contesta las siguientes preguntas. ■

1. ¿Qué hora era? ¿Qué hacía Marisol al empezar el episodio?
2. ¿Cuál era el nuevo rompecabezas?
3. ¿Qué amenaza (*threat*) había al final de su mensaje?
4. ¿Quién llamó por teléfono?
5. ¿Cuáles eran las dudas de Manolo?, ¿y de Marisol?

08-54 to 08-55

Video

8-48 **Antes del video** En la segunda parte del episodio vas a saber quién resolvió el rompecabezas, pero vas a tener más dudas sobre algunos de los protagonistas. Manolo va a hablar de algo peligroso (*dangerous*). Y finalmente, ¿quién tiene una pistola? ■

Eso es todo lo que necesito.

Cisco, te lo digo en serio, esto puede ser muy peligroso.

Oye, Manolo. Perdón pero tengo que irme.

Episodio 8

«El misterio crece»

Relájate y disfruta el video.

8-49 **Después del video** Contesta las siguientes preguntas. ■

1. ¿Qué hacía Lupe mientras hablaba con Manolo?
2. ¿Quién resolvió el primer rompecabezas? ¿Cuál era la respuesta?
3. Según Lupe, ¿quién debía saber algo sobre Eduardo?
4. ¿Qué ocurrió justo antes de colgar (*just prior to hanging up*) los teléfonos?
5. ¿Por qué se puso nervioso Manolo al final del episodio?
6. ¿A quién vimos al final del episodio?

328

Y por fin, ¿cómo andas?

	Feel confident	Need to review
Having completed this chapter, I now can . . .		
Comunicación I		
• describe clothing (p. 294)	☐	☐
• pronounce *ll* and *ñ* correctly (MSL / SAM)	☐	☐
• state to whom and for whom things are done (p. 299)	☐	☐
• express likes, dislikes, needs, etc. (p. 302)	☐	☐
• convey information about people and things (p. 305)	☐	☐
Comunicación II		
• provide details about clothing (p. 309)	☐	☐
• relate daily routines (p. 312)	☐	☐
• share about situations in the past, and how things used to be (p. 317)	☐	☐
• guess the meanings of unfamiliar words, when listening, from the context (p. 321)	☐	☐
• communicate about clothing and fashion (p. 322)	☐	☐
• write an e-mail, practicing circumlocution (p. 323)	☐	☐
Cultura		
• recount information about a Spanish clothing company (p. 298)	☐	☐
• consider shopping practices in Spanish-speaking countries (p. 316)	☐	☐
• share important facts about this chapter's featured countries: Argentina and Uruguay (pp. 324–325)	☐	☐
Ambiciones siniestras		
• deduce the meanings of unfamiliar words in a reading passage and explain the significance of the latest e-mail from Sr. Verdugo (p. 326)	☐	☐
• reveal secrets regarding Lupe (p. 328)	☐	☐
Comunidades		
• use Spanish in real-life contexts (SAM)	☐	☐

VOCABULARIO ACTIVO

La ropa	Clothing
el abrigo	overcoat
la bata	robe
la blusa	blouse
el bolso	purse
las botas (pl.)	boots
los calcetines (pl.)	socks
la camisa	shirt
la camiseta	T-shirt
la chaqueta	jacket
el cinturón	belt
el conjunto	outfit
la corbata	tie
la falda	skirt
la gorra	cap
los guantes	gloves
el impermeable	raincoat
los jeans (pl.)	jeans
las medias (pl.)	stockings; hose
la moda	fashion
los pantalones (pl.)	pants
los pantalones cortos (pl.)	shorts
el paraguas	umbrella
el pijama	pajamas
las prendas	articles of clothing
la ropa interior	underwear
las sandalias (pl.)	sandals
el sombrero	hat
la sudadera	sweatshirt
el suéter	sweater
los tenis (pl.)	tennis shoes
el traje	suit
el traje de baño	swimsuit; bathing suit
el vestido	dress
las zapatillas (pl.)	slippers
los zapatos (pl.)	shoes

Algunos verbos	Some verbs
llevar	to wear; to take; to carry
prestar	to loan; to lend

Algunos verbos como *gustar*	Verbs similar to gustar
encantar	to love; to like very much
fascinar	to fascinate
hacer falta	to need; to be lacking
importar	to matter; to be important
molestar	to bother

Las telas y los materiales	Fabrics and materials
el algodón	cotton
el cuero	leather
la lana	wool
el poliéster	polyester
la seda	silk
la tela	fabric

Algunos adjetivos	Some adjectives
ancho/a	wide
atrevido/a	daring
claro/a	light (colored)
cómodo/a	comfortable
corto/a	short
de cuadros	checked
de lunares	polka-dotted
de rayas	striped
elegante	elegant
estampado/a	print; with a design or pattern
estrecho/a	narrow; tight
formal	formal
incómodo/a	uncomfortable
informal	casual
largo/a	long
liso/a	solid-colored
oscuro/a	dark

Otra palabra útiles	Another useful word
el/la modelo	model

Un verbo	A verb
quedarle bien / mal	to fit well / poorly

Algunos verbos reflexivos	Some reflexive verbs
acordarse de (o → ue)	to remember
acostarse (o → ue)	to go to bed
afeitarse	to shave
arreglarse	to get ready
bañarse	to bathe
callarse	to get / keep quiet
cepillarse (el pelo, los dientes)	to brush (one's hair, teeth)
despertarse (e → ie)	to wake up; to awaken
divertirse (e → ie → i)	to enjoy oneself; to have fun
dormirse (o → ue → u)	to fall asleep
ducharse	to shower
irse	to go away; to leave
lavarse	to wash oneself
levantarse	to get up; to stand up
llamarse	to be called
maquillarse	to put on make up
peinarse	to comb one's hair
ponerse (la ropa)	to put on (one's clothes)
ponerse (nervioso/a)	to get (nervous)
probarse (o → ue) la ropa	to try on clothing
quedarse	to stay; to remain
quitarse (la ropa)	to take off (one's clothes)
reunirse	to get together; to meet
secarse	to dry off
sentarse (e → ie)	to sit down
sentirse (e → ie → i)	to feel
vestirse (e → i → i)	to get dressed

Answers to ¡Explícalo tú! (Inductive Grammar Answers)

2. Los pronombres de complemento indirecto

1. Who is buying the clothing?
   Mi madre.

2. Who is receiving the clothing?

   Mi madre **me** compra mucha ropa.
   I am receiving the clothes.
   Mi madre **te** compra mucha ropa.
   You are receiving the clothes.
   Mi madre **le** compra mucha ropa a usted.

   You are receiving the clothes.
   Mi madre **le** compra mucha ropa a mi hermano.

   My brother is receiving the clothes.
   Mi madre **nos** compra mucha ropa.
   We are receiving the clothes.
   Mi madre **os** compra mucha ropa.

   You all are receiving the clothes.
   Mi madre **les** compra mucha ropa a ustedes.

   You all are receiving the clothes.
   Mi madre **les** compra mucha ropa a mis hermanos.
   My brothers are receiving the clothes.

¿Me (i.o.) traes la falda gris (d.o.)?	*Will you bring me the gray skirt?*
Su novio le (i.o.) regaló la chaqueta mas formal (d.o.).	*Her boyfriend gave her the more formal jacket.*
Mi hermana me (i.o.) compró la blusa elegante (d.o.).	*My sister bought me the elegant blouse.*
Nuestra compañera de cuarto nos (i.o.) lavó la ropa (d.o.).	*Our roommate washed our clothes for us.*

4. Los pronombres de complemento directo e indirecto usados juntos

1. You know that direct and indirect objects come after verbs. Where do you find direct and indirect object pronouns?
   before verbs or attached to infinitives or present participles

2. Reading from left to right, which pronoun comes first (direct or indirect)? Which pronoun comes second?
   The indirect object pronoun comes first, and the direct object pronoun comes second.

6. Las construcciones reflexivas

In each drawing:

Who is performing / doing the action?

a. La fiesta
b. Alberto
c. Beatriz

d. Raúl y Gloria
e. Alberto
f. Beatriz

Who or what is receiving the action?

a. neighbors
b. daughter
c. car

d. Raúl and Gloria
e. Alberto
f. Beatriz

Which of the drawings and captions demonstrate reflexive verbs?
the bottom row (Raúl y Gloria se despiertan. / Alberto se acuesta. / Beatriz se lava.)

También se dice...

La ropa y la joyería/*Clothing and jewelry*

el albornoz *bathrobe (Spain)*
las alpargatas *espadrille shoes (Spain)*
el anorak *rain-proof coat*
los aretes *earrings*
la bolsa *bag*
la bufanda *scarf*
la capa de agua *raincoat (Puerto Rico)*
la cartera *pocketbook, purse*
el chubasquero *raincoat (Spain)*
el collar *necklace*
la correa *belt*
el gorro *wool cap; hat*
los mahones *jeans (Puerto Rico)*
las pantallas *earrings (Puerto Rico)*
el peine *comb*
la peinilla *comb (Latin America)*
los pendientes *earrings*
la pulsera *bracelet*
la sombrilla *parasol; umbrella*
los vaqueros *jeans*
las zapatillas de tenis *sneakers; tennis shoes (Spain)*

Más palabras útiles/*More useful words*

de buena/mala calidad *good/poor quality*
de goma *(made of) rubber*
de lino *(made of) linen*
de manga corta/larga/media *short/long/half sleeve*

de nilón *nylon*
de oro *(made) of gold*
de plata *(made) of silver*
de platino *platinum*
de puntitos *polka dotted*

Para comprar ropa/*To go clothes shopping*

el escaparate *store window*
el/la dependiente/a *clerk*
la ganga *bargain*
la liquidación *clearance sale*
el maniquí *mannequin*
el mostrador *counter*
la oferta *offer; sale*
la rebaja *sale; discount*
el tacón alto/bajo *high/low heel*
la venta *clearance sale*
la vitrina *store window*
los zapatos planos/de cuña *flat/wedge shoes*

Algunos adjetivos/*Some adjectives*

amplio/a *wide*
apretado/a *tight*

Un verbo reflexivo/*A reflexive verb*

desvestirse (e → i → i) *to get undressed*

Capítulo 9: Estamos en forma

9

Estamos en forma

Todos queremos tener una buena calidad de vida y prolongarla lo más posible. No podemos cambiar nuestra herencia genética transmitida de padres a hijos, pero sí tenemos control sobre decisiones que pueden afectar nuestro estilo de vida: el ejercicio, la dieta, la prevención de accidentes y el uso de sustancias adictivas como el tabaco.

PREGUNTAS

1 ¿Vives una vida sana (*healthy*)? ¿Qué haces (o no haces) para tener una vida más sana?

2 ¿Qué tipo de ejercicio te gusta hacer?

3 ¿Cuáles son algunas de las decisiones específicas que tomamos que pueden afectar nuestra salud (*health*)?

Andresr/Shutterstock

332

Comunicación I

09-01 to 09-07

El cuerpo humano   Describing the human body

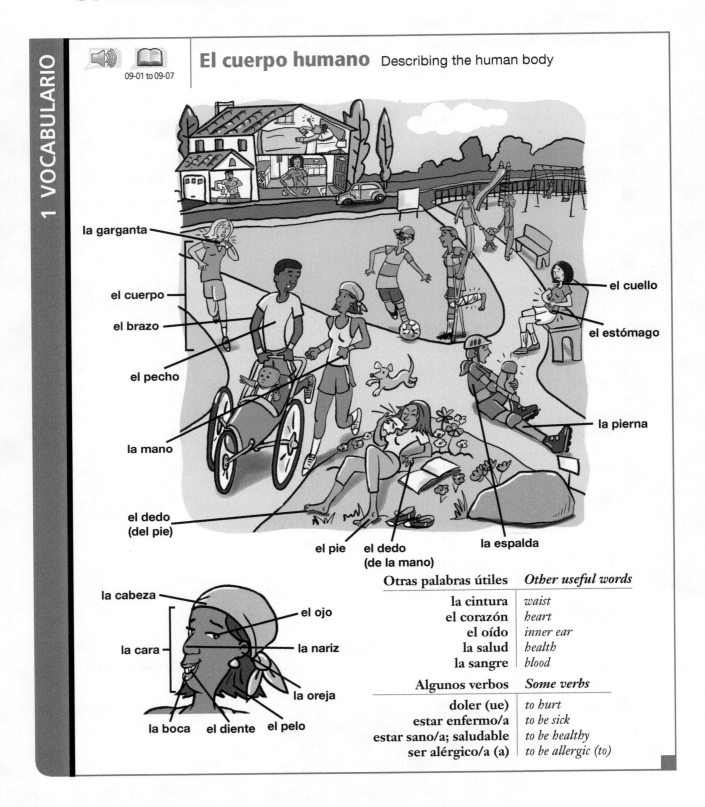

la garganta

el cuerpo

el brazo

el pecho

la mano

el dedo
(del pie)

el cuello

el estómago

la pierna

el pie   el dedo
(de la mano)

la espalda

la cabeza

la cara

el ojo

la nariz

la oreja

la boca   el diente   el pelo

Otras palabras útiles	Other useful words
la cintura	*waist*
el corazón	*heart*
el oído	*inner ear*
la salud	*health*
la sangre	*blood*

Algunos verbos	Some verbs
doler (ue)	*to hurt*
estar enfermo/a	*to be sick*
estar sano/a; saludable	*to be healthy*
ser alérgico/a (a)	*to be allergic (to)*

PRONUNCIACIÓN

¡Hola!

09-08 to 09-11

The letters *d* and *t*

Go to MySpanishLab / Student Activities Manual to learn about the letters *d* and *t*.

9-1 **Simón dice** Escuchen mientras su instructor/a les da las instrucciones de esta actividad. ■

Capítulo 8. La ropa, pág. 294.

9-2 **¿Cómo nos vestimos?** Túrnense para decir qué partes del cuerpo asocian con la ropa indicada. ■

MODELO   E1:   los zapatos

           E2:   *los pies*

1. las botas
2. los guantes
3. los pantalones
4. la gorra
5. la corbata
6. la camiseta
7. los tenis
8. la chaqueta

9-3 **Categorías** Juntos escriban todas las palabras del vocabulario nuevo que corresponden a las siguientes partes del cuerpo. ■

MODELO   E1:   la cabeza

           E2:   *la cara, el pelo,* etc.

1. la cabeza
2. de la cintura para arriba (*from the waist up*)
3. de la cintura para abajo (*from the waist down*)
4. la cara

9-4 **¿Cómo se escribe?** Escribe la primera y la última letra de una de las palabras del vocabulario. Un/a compañero/a tiene que terminarla. Túrnense para practicar la ortografía de por lo menos **ocho** palabras. ■

MODELO   E1:   e _ _ _ _ _ a

           E2:   e s p a l d a

9-5 **¿Qué te duele?** Con una/a compañero/a, creen preguntas y respuestas para ver lo que les duele a las siguientes personas. ■

MODELO   a Ricardo / los brazos

E1:   *¿Qué le duele a Ricardo?*

E2:   *Le duelen los brazos.*

1. A Julia / la cabeza
2. A Marco y a Miguel / las piernas
3. A ti / el estómago
4. A tu primo / la garganta
5. A ustedes / los ojos

 9-6 **Una obra de arte** Miren el cuadro y descríbanlo usando las siguientes preguntas como guía. ■

1. ¿Cuántas personas hay en el cuadro?
2. ¿Cuántas caras hay?
3. ¿Cuántas manos pueden ver?
4. ¿Cuántos ojos pueden ver?
5. ¿Cuántas narices hay?
6. ¿Qué otras cosas ven en el cuadro?
7. Estas personas son…
8. El cuadro representa…

Stephen Schildbach/Getty Images

 9-7 **¿Es un monstruo o una obra de arte?** Su instructor/a va a dibujar un monstruo. Descríbele a un/a compañero/a cómo es el monstruo y él/ella tiene que dibujarlo. Al terminar, cambien de papel para describir un monstruo nuevo. ■

El monstruo tiene…

a la derecha	a la izquierda	encima de	debajo de

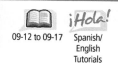

09-12 to 09-17 · Spanish/English Tutorials

Un resumen de los pronombres de complemento directo e indirecto y reflexivos

Sharing about people, actions, and things

> ¡Mamá! ¡La muñeca! ¡Me la robó!

You have already learned the forms, functions, and positioning of the *direct* and *indirect object pronouns*, as well as the *reflexive pronouns*. The following is a review:

LOS PRONOMBRES DE COMPLEMENTO **DIRECTO**	LOS PRONOMBRES DE COMPLEMENTO **INDIRECTO**	LOS PRONOMBRES **REFLEXIVOS**
Direct object pronouns tell *what* or *who* receives the action of the verb. They replace direct object nouns and are used to avoid repetition.	Indirect object pronouns tell *to whom* or *for whom* something is done or given.	Reflexive pronouns indicate that the *subject* of a sentence or clause *receives the action of the verb.*

me	*me*	**me**	*to/for me*	**me**	*myself*
te	*you*	**te**	*to/for you*	**te**	*yourself*
lo, la	*you*	**le (se)**	*to/for you*	**se**	*yourself*
lo, la	*him/her/it*	**le (se)**	*to/for him/her*	**se**	*himself/herself*
nos	*us*	**nos**	*to/for us*	**nos**	*ourselves*
os	*you (all)*	**os**	*to/for you (all)*	**os**	*yourselves*
los, las	*you (all)*	**les (se)**	*to/for you (all)*	**se**	*yourselves*
los, las	*them/you*	**les (se)**	*to/for them/you*	**se**	*themselves/yourselves*

Compré la medicina ayer. **La** compré en la Farmacia Fénix. Tengo que dárse**la** a mi hijo.	**Le** compré la medicina ayer. **Le** voy a dar la medicina esta noche.	**Me** cepillo los dientes tres veces al día.
I bought the medicine yesterday. I bought it it at Fénix Pharmacy. I have to give it to my son.	*I bought him the medicine yesterday. I am going to give him the medicine tonight.*	*I brush my teeth three times a day.*

Remember the following guidelines on position and sequence:

Position

- Object pronouns and reflexive pronouns come **before** the verb.

  El doctor Sánchez **le** dio una inyección a David.   *Dr. Sánchez gave David a shot.*
  Después **se** sintió aliviado.   *Then he felt relieved.*

(continued)

- Object pronouns and reflexive pronouns can also be placed before or be attached to the end of:

  a. **infinitives**

  La enfermera **me** va a llamar. ⎫
  La enfermera va a llamar**me**. ⎭   *The nurse is going to call me.*

  Después **se** va a ir a su casa. ⎫
  Después va a ir**se** a su casa. ⎭   *Then she is going to go home.*

  b. **present participles (-*ando*, -*endo*, and -*iendo*)**

  La está tomando ahora. ⎫   *He is taking it now.*   **Se** está poniendo nervioso. ⎫   *He is getting nervous.*
  Está tomándo**la** ahora. ⎭   Está poniéndo**se** nervioso. ⎭

Sequence

- When a direct (DO) and indirect object (IO) pronoun are used together, ***the indirect object precedes the direct object.***
- If both the direct and the indirect object pronouns begin with the letter "*l*" the indirect object pronoun changes from **le** or **les** to **se,** as in the following example.

Quiero mandar la carta al director ahora.   *I want to send the letter to the director now.*

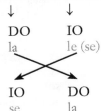

     DO   IO
     la   le (se)

     IO   DO
     se   la

     DO   IO

Se la quiero mandar ahora mismo. ⎫
Quiero mandár**sela** ahora mismo. ⎭   *I want to send it to him right now.*

 Capítulo 1. Los adjetivos descriptivos, pág. 43.

 9-8   **Un animal muy extraño**

Juntos respondan a las siguientes oraciones exclamativas con el pronombre de complemento directo apropiado y un adjetivo. ∎

MODELO   E1:   ¡Mira la nariz!

           E2:   *Sí, la tiene muy grande (pequeña/fea/ bonita…).*

Fíjate

In Spanish, an animal's legs are referred to as *patas. Pierna(s)* is only used for people.

1. ¡Mira la boca!   5. ¡Mira la cabeza!
2. ¡Mira las orejas!   6. ¡Mira el estómago!
3. ¡Mira los dientes!   7. ¡Mira la cara!
4. ¡Mira las patas!   8. ¡Mira el cuello!

Capítulo 8. *Gustar* y verbos
como *gustar*, pág. 302.

 9-9 **Las preferencias** Escribe oraciones completas usando los pronombres de complemento indirecto. Después compara tus oraciones con las de un/a compañero/a. ■

MODELO   A Betty / gustar despertarse temprano
A Betty le gusta despertarse temprano.

1. A mis padres / importar el dinero
2. A mí / molestar las personas irresponsables
3. A Manolo / encantar las novelas de Mario Vargas Llosa
4. A nosotros / hacer falta estudiar mucho más
5. A nuestro/a profesor/a / fascinar el cine japonés

9-10 **En el restaurante** ¿Qué les pasó ayer a Paco y a Pati en el Restaurante Boca Grande? ■

Paso 1   Completa las siguientes oraciones con los pronombres de complemento directo, indirecto o reflexivo apropiados. Después, compara tus respuestas con las de un/a compañero/a.

Paco y Pati se conocieron en el gimnasio hace varias semanas. Anoche decidieron salir juntos. Llegaron al restaurante con mucha hambre. (1) _____ sentaron en una mesa grande al lado de las ventanas. Primero pidieron el menú. El camarero (2) _____ (3) _____ trajo en seguida (inmediatamente). Después, (4) _____ recomendó unos platos muy ricos. Paco pidió un bistec para él y a Pati (5) _____ pidió pollo asado con ajo. ¡Pati no (6) _____ podía creer! ¡Paco ni (7) _____ preguntó qué quería! Ella (8) _____ sentía muy incómoda —ningún hombre, excepto su padre, (9) _____ había tratado (*had treated*) así antes. Pati (10) _____ calló mientras Paco hablaba de su día, su trabajo y su familia. Cuando por fin el camarero (11) _____ sirvió la comida, Pati miró su plato y (12) _____ levantó gritando. ¡Su plato era del "Menú para niños"!

Paso 2   Digan qué tipo de pronombre usaron en cada oración.

Capítulo 4. *Ir* + *a* + infinitivo, pág. 147;
Capítulo 5. El presente progresivo, pág. 180.

9-11 ¿Quién…? Jacobo está enfermo y no puede levantarse de la cama. Es un poco exigente (*demanding*) y quiere saber quiénes lo van a atender (*wait on him*). Contesta sus preguntas y después comparte tus respuestas con un/a compañero/a. ■

MODELO   ¿Quién va a traerme la tarea? (hermano)
                 Tu hermano te la va a traer. / Tu hermano va a traértela.

AVAVA/Shutterstock

1. ¿Quién va a traerme los libros que pedí? (Patricia)
2. ¿Quién está comprándome la medicina que necesito? (Marcelo)
3. ¿Quién me va a limpiar el cuarto? (Guadalupe y Lina)
4. ¿Quién me está lavando la ropa? (tu madre)
5. ¿Quién está preparándome la comida? (Tina y Luisa)
6. ¿Quién me va a hacer la tarea? (nadie)

9-12 Hay que ayudar a Pepito Pepito tiene tres años y necesita ayuda para hacerlo todo. Túrnense para formar los pedidos (*requests*) del niño y las respuestas. ■

MODELO   los dedos / limpiar
            E1:   *¿Me los limpias?*
            E2:   *Sí, te los limpio.*

1. el pelo / secar
2. las manos / lavar
3. las orejas / limpiar
4. los dientes / cepillar
5. los ojos / mirar

3 VOCABULARIO

09-18 to 09-23

Algunas enfermedades y tratamientos médicos
Explaining ailments and treatments

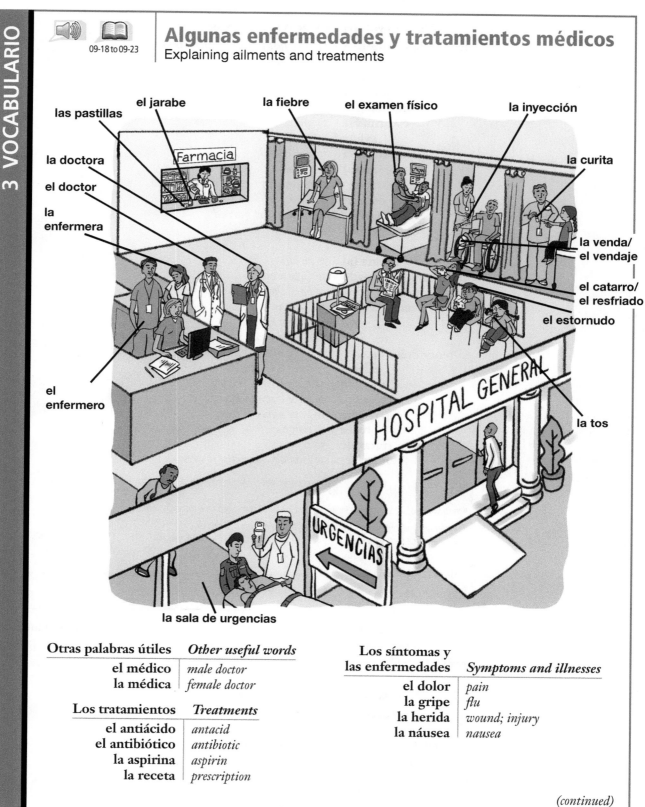

las pastillas
el jarabe
la fiebre
el examen físico
la inyección
la doctora
el doctor
la enfermera
la curita
la venda/ el vendaje
el catarro/ el resfriado
el estornudo
el enfermero
la tos
la sala de urgencias

Otras palabras útiles	Other useful words
el médico	male doctor
la médica	female doctor

Los tratamientos	Treatments
el antiácido	antacid
el antibiótico	antibiotic
la aspirina	aspirin
la receta	prescription

Los síntomas y las enfermedades	Symptoms and illnesses
el dolor	pain
la gripe	flu
la herida	wound; injury
la náusea	nausea

(continued)

Algunos verbos	Some verbs
acabar de + infinitivo	to have just finished + (something)
caer(se)	to fall down
cortar(se)	to cut (oneself)
curar(se)	to cure; to be cured
enfermar(se)	to get sick
estornudar	to sneeze
evitar	to avoid
guardar cama	to stay in bed
lastimar(se)	to get hurt
mejorar(se)	to improve; to get better
ocurrir	to occur
quemar(se)	to burn; to get burned
romper(se)	to break
tener...	
alergia (a)	to be allergic (to)
(un) catarro, resfriado	to have a cold
(la/una) gripe	to have the flu
una infección	to have an infection
tos	to have a cough
un virus	to have a virus
tener dolor de...	
cabeza	to have a headache
espalda	to have a backache
estómago	to have a stomachache
garganta	to have a sore throat
toser	to cough
tratar de	to try to
vendar(se)	to bandage (oneself); to dress (a wound)

Fíjate

A verb with *se* in parentheses indicates that it can be also used as a reflexive verb.

quemar(se): Ayer me quemé. (reflexive)   *Yesterday I burned myself.*
Ayer quemé los papeles viejos.   *Yesterday I burned the old papers.*

9-13 No corresponde ¿Qué palabra o expresión no pertenece (*doesn't belong*) a cada uno de los siguientes grupos de palabras? Túrnense para leer la lista y contestar. ■

MODELO   E1: el estómago, la cara, el ojo, la nariz

E2: *el estómago*

1. el hospital, el doctor, el enfermero, el oído
2. toser, estornudar, la receta, tener catarro
3. el jarabe, la farmacia, las pastillas, quemarse
4. lastimarse, la sala de urgencias, la tos, romperse la pierna
5. la venda, la herida, cortarse, el resfriado

Workbooklet

9-14 **Algunos tratamientos** ¿Adónde tienes que ir para poder curarte o buscar tratamiento para las siguientes condiciones? Pon una equis (**X**) en la columna apropiada. Después, túrnate con un/a compañero/a para decir adónde van. ■

MODELO   un brazo roto (*broken*)

        E1: *Si tengo un brazo roto, voy a la sala de urgencias.*

CONDICIÓN	A LA CAMA	A LA FARMACIA	AL CONSULTORIO DEL MÉDICO	AL HOSPITAL	A LA SALA DE URGENCIAS
1. tos					
2. náusea					
3. (la) gripe					
4. (un) dolor de garganta					
5. una infección de la sangre					
6. una herida en la pierna					
7. (un) catarro					
8. fiebre					

9-15 **¿Por qué?** Túrnense para describir lo que les pasa a estas personas y ofrecer una causa posible de su(s) problema(s). ■

MODELO

Selena

Selena tiene una herida porque se cortó con un cuchillo.

1.

Antonio

2.

Umberto y Ricardo

3.

Juliana y Memo

4.

María Jesús

5.

Rafael

9-16 **El soroche** El verano pasado Nina fue a Bolivia como voluntaria para ayudar a construir una escuela en el altiplano (*high plateau*). ■

El altiplano en los Andes de Bolivia

Paso 1   Juntos terminen la conversación entre Nina y su padre con las palabras de la lista.

corazón	enfermedad	evitar	me duele
mejorar	náusea	pastillas	estómago

NINA: Hola, papá.

PAPÁ: ¡Ay, Nina! ¿Cómo estás, hija? ¿Llegaste bien?

NINA: Sí. Ayer llegamos bien pero hoy me siento enferma. (1) _____ la cabeza. No me duele mucho el (2) _____ pero tengo (3) _____ cuando pienso en la comida —me entran ganas (*I get the urge*) de vomitar.

PAPÁ: Pobrecita. ¿Qué te pasa? ¿Comiste ayer?

NINA: Sí, un poco. Pero desde que (*since*) llegamos no tengo mucha hambre.

PAPÁ: ¿Tienes otros síntomas?

NINA: Sí. El (4) _____ me late (*is beating*) rápidamente y no puedo respirar (*breathe*) muy bien. ¿Crees que tengo alguna (5) _____?

PAPÁ: Nina, me parece que tienes soroche.

NINA: ¿Soroche? ¿Qué es eso?

PAPÁ: Es el mal de altura (*altitude sickness*). Debes empezar a sentirte mejor (*better*) en un par de días. Mientras tanto, necesitas intentar relajarte, tomar mucha agua y (6) _____ el alcohol y el tabaco. También puedes tomar unas (7) _____ de ibuprofeno y beber un té medicinal hecho de (*made from*) hojas de coca (*coca leaves*).

NINA: Gracias, papá. Ya que entiendo qué me ocurre, creo que me voy a (8) _____ pronto.

Paso 2   Ahora, contesten las siguientes preguntas.

1. ¿Qué es el soroche?
2. ¿Cuáles son los síntomas?
3. ¿Qué tratamiento le recomienda su papá?

9-17 **¿Qué debemos hacer?** En grupos de cuatro o cinco, cada estudiante escribe dos enfermedades u otros problemas médicos que tuvo, acaba de tener o que podría (*could*) tener. Después túrnense para compartir la información mientras los compañeros dicen lo que debe hacer. ■

MODELO   E1: *Tengo una pierna rota.*

E2: *Debes ir a la sala de urgencias.*

E3: *Debes guardar cama.*

E4: *Debes tomar medicina para el dolor.*

Workbooklet

9-18 **Para evitar lo inevitable** ¿Cómo tratan de evitar tus compañeros las siguientes enfermedades y condiciones? Circula por la clase para hacerles las siguientes preguntas. Necesitas **tres** respuestas para cada pregunta. ■

MODELO   TÚ: ¿Cómo tratas de evitar el dolor de garganta?

E1: *Bebo mucho jugo de naranja.*

E2: *Llevo una bufanda (scarf) en el cuello.*

E3: *Tomo mucha vitamina C.*

1. ¿Cómo tratas de evitar el dolor de cabeza?	4. ¿Cómo evitas enfermarte?
E1: _____	E1: _____
E2: _____	E2: _____
E3: _____	E3: _____
2. ¿Cómo tratas de evitar el dolor de estómago?	5. ¿Cómo evitas cortarte?
E1: _____	E1: _____
E2: _____	E2: _____
E3: _____	E3: _____
3. ¿Cómo tratas de evitar el dolor de espalda?	6. ¿Cómo evitas caerte?
E1: _____	E1: _____
E2: _____	E2: _____
E3: _____	E3: _____

09-24 to 09-25

NOTA CULTURAL

El agua y la buena salud

¿Sabías que tres cuartas partes de tu peso corporal (*body weight*) son de agua? Tu vida empezó en un mar de líquido amniótico y ahora, como adulto, alrededor del 85 por ciento de la sangre, el 70 por ciento de los músculos y el 22 por ciento de tu cerebro consisten en agua.

Para mantener la buena salud se debe beber por lo menos 2 litros (6 a 8 vasos) de agua al día. El cuerpo elimina de unos 500 a 700 centímetros cúbicos diarios de agua al sudar (*sweat*) y es muy importante reponer esa cantidad y más.

Stockbyte/Getty Images

Los alimentos son una fuente (*source*) importante de agua para el cuerpo, sobre todo las frutas y las verduras. También cuentan otras bebidas además del agua, pero hay que considerar que algunas tienen el efecto contrario. El café y las bebidas alcohólicas deshidratan. Para compensar esta deshidratación hay que beber agua. Por ejemplo, por cada vaso de cerveza se debe tomar otro vaso de agua.

Preguntas

1. ¿Por qué es importante beber tanta (*so much*) agua? ¿Cuántos vasos de agua bebes al día?
2. ¿Qué otros beneficios tiene beber suficiente agua al día?

4 GRAMÁTICA

09-26 to 09-29

¡Qué! y ¡cuánto! Making emphatic and exclamatory statements

¡Qué catarro! ¿Cuándo te refriaste?

Me levanté así (*like this*) esta mañana.

So far you have used **qué** and **cuánto** as interrogative words, but these words can also be used in exclamatory sentences.

—Felipe, ¡**qué** fiebre tienes!
—María, ¡**cuánto** estornudas!

—Mi cabeza, ¡**qué** dolor!
—**Cuánto** lo siento.

Felipe, what a fever you have!
María, you are sneezing so much!

My head—what pain!
I'm so sorry. (How sorry I am.)

—¡**Qué** susto! ¡Se cortó el dedo!
—Se ve muy mal. ¡**Qué** feo!

What a scare! He cut his finger!
It looks really bad. How awful! (It looks awful/ugly.)

—¡**Qué** doctor! Le salvó la vida.
—**Cuánto** se lo agradezco.

What a doctor! He saved his life.
I'm so thankful. (How grateful I am.)

Note that in the examples above, **cuánto** accompanies *verbs* and is masculine and singular. When **cuánto** accompanies *nouns* it must agree with them in gender and number:

—¡**Cuántas** recetas y todavía estoy tosiendo!
—Sí, y ¡**cuántos** estudiantes con la misma infección!

So many prescriptions and I am still coughing!
Yes, and so many students with the same infection!

 9-19 **¿Cómo respondes?** Elige la respuesta apropiada para cada comentario. Después, comparte tus respuestas con un/a compañero/a. ■

1. _____ ¡Ay, el estómago!
2. _____ Su novia se graduó con honores.
3. _____ Pepe me compró veinticuatro rosas rojas.
4. _____ Esta comida es deliciosa.
5. _____ Este doctor es el novio de aquella enfermera.
6. _____ Mi madre preparó tapas para cincuenta personas.
7. _____ Tiene la cara de un monstruo.
8. _____ Tengo que leer dos libros para mi clase de historia y preparar un informe.

a. ¡Qué feo!
b. ¡Cuánto trabajo!
c. ¡Qué inteligente!
d. ¡Cuánto me duele!
e. ¡Cuánto me gusta!
f. ¡Qué interesante!
g. ¡Cuánta comida!
h. ¡Qué romántico!

 9-20 **¡El amor es increíble!** Juntos respondan a estas situaciones. Pueden utilizar las siguientes expresiones o pueden responder con sus propias expresiones. ■

¡Qué (mala) suerte!	¡Qué cruel!	¡Qué dolor!
¡Qué horrible!	¡Qué romántico!	¡Cuánto tiempo!
¡Qué triste!	¡Qué interesante!	

1. Mis padres celebran este mes su aniversario de boda —¡25 años ya!
2. Félix, no te quiero desilusionar (*disappoint*) después de tantos meses juntos, pero quiero salir con otros hombres.
3. Silvia es la mujer más increíble del mundo. Quiero ser más que su novio. Quiero pasar mi vida con ella.
4. Nadie quiere salir conmigo (*with me*). Nadie me mira. Me gusta ir al cine, comer en buenos restaurantes, ir a partidos de básquetbol, bailar —pero no me gusta hacer estas cosas solo (*alone*).
5. Soy muy joven para tener novia. Me divertí contigo (*with you*) anoche en la fiesta pero me divierto con muchas mujeres…
6. Adriano es el hombre perfecto para mí. Es muy respetuoso y me trata bien siempre.

9-21 **¿Qué tiene?** ¿Cómo responden ustedes a las siguientes situaciones? ■

MODELO   E1:   Tito está muy mal porque tiene un dolor terrible de estómago.

E2:   *¡Cuánto le duele!*

E1:   Yo no puedo hablar porque estoy tosiendo mucho.

E2:   *¡Qué tos tienes!*

1. No puedo respirar, me duele la garganta, estornudo todo el tiempo y no tengo hambre.
2. A mi hermano siempre le ocurre algo malo: se cae, se rompe algo…
3. ¡Ay! Necesito un antiácido ahora mismo, por favor.
4. Mi abuelo acaba de salir del hospital después de pasar mucho tiempo allí. No tiene seguro médico (*health insurance*).
5. Tú tienes mucha fiebre y te duele el cuerpo.

¿Cómo andas? I

	Feel confident	Need to review
Having completed **Comunicación I**, I now can . . .		
• describe the human body (p. 334)	☐	☐
• pronounce the letters **d** and **t** (MSL / SAM)	☐	☐
• share about people, actions, and things (p. 337)	☐	☐
• explain ailments and treatments (p. 341)	☐	☐
• relate the importance of water in maintaining good health (p. 346)	☐	☐
• make emphatic and exclamatory statements (p. 349)	☐	☐

Comunicación II

5 GRAMÁTICA

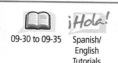
09-30 to 09-35   Spanish/
English
Tutorials

El pretérito y el imperfecto   Narrating in the past

Fuimos a Cuzco y subimos a
Machu Picchu. Hacía buen tiempo.

In **Capítulos 7** and **8** you learned about two aspects of the past tense in Spanish, **el pretérito** and **el imperfecto,** which are not interchangeable. Their uses are contrasted below.

THE **PRETERIT** IS USED:

1. To relate an event or occurrence that refers to *one specific time in the past*
   - **Fuimos** a Cuzco el año pasado.
     We went to Cuzco last year.
   - **Comimos** en el restaurante El Sol y **nos gustó** mucho.
     We ate at El Sol restaurant and liked it a lot.

2. To relate an act *begun or completed in the past*
   - **Empezó** a llover.
     It started to rain.
   - **Comenzaron** los juegos.
     The games began.
   - La gira **terminó.**
     The tour ended.

3. To relate a *sequence of events or actions,* each completed and moving the narrative along toward its conclusion
   - **Llegamos** en avión, **recogimos** las maletas y **fuimos** al hotel.
     We arrived by plane, picked up our luggage, and went to the hotel.
   - Al día siguiente **decidimos** ir a Machu Picchu.
     The next day we decided to go to Machu Picchu.
   - **Vimos** muchos ejemplos de la magnífica arquitectura incaica. Después **anduvimos** un poco por el camino de los incas. **Nos divertimos** mucho.
     We saw many examples of the magnificent Incan architecture. Afterward we walked a bit on the Incan road. We had a great time.

THE **IMPERFECT** IS USED:

1. To express *habitual* or often *repeated actions*
   - **Íbamos** a Cuzco todos los veranos.
     We used to go to Cuzco every summer.
   - **Comíamos** en el restaurante El Sol todos los lunes.
     We used to eat at El Sol Restaurant every Monday.

2. To express *was/were + -ing*
   - **Llovía** sin parar.
     It rained without stopping.
   - **Comenzaban** los juegos cuando llegamos.
     The games were beginning when we arrived.
   - La gira **transcurría** sin ningún problema.
     The tour continued without any problems.

3. To provide *background* information, set the stage, or express a pre-existing condition
   - **Era** un día oscuro. **Llovía** de vez en cuando.
     It was a dark day and it rained once in a while.
   - Los turistas **llevaban** pantalones cortos y lentes de sol.
     The tourists were wearing shorts and sunglasses.
   - El camino **era** estrecho y **había** muchos turistas.
     The path was narrow and there were many tourists.

(continued)

THE **PRETERIT** IS USED:	THE **IMPERFECT** IS USED:
4. To relate an action that took place within a specified or *specific amount (segment) of time* **Caminé** (por) dos horas. *I walked for two hours.* **Hablamos** (por) cinco minutos. *We talked for five minutes.* **Contemplaron** el templo un rato. *They contemplated the temple for a while.* **Viví** en Ecuador (por) seis años. *I lived in Ecuador for six years.* **Fijate** The use of *por* is optional in these cases.	**4.** To *tell time* in the past **Era** la una. *It was 1:00.* **Eran** las tres y media. *It was 3:30.* **Era** muy tarde. *It was very late.* **Era** la medianoche. *It was midnight.*
	5. To describe physical and emotional states or characteristics Después del viaje **queríamos** descansar. Yo **tenía** dolor de cabeza y no **me sentía** muy bien. *After the trip we wanted to rest. I had a headache and did not feel well.*

WORDS AND EXPRESSIONS THAT COMMONLY SIGNAL:

PRETERIT	IMPERFECT
anoche	a menudo
anteayer	cada semana/mes/año
ayer	con frecuencia
de repente (*suddenly*)	de vez en cuando (*once in a while*)
el fin de semana pasado	frecuentemente
el mes pasado	mientras
el lunes pasado/el martes pasado, etc.	muchas veces
esta mañana	siempre
una vez, dos veces, etc.	todos los lunes/martes, etc.
	todas las semanas
	todos los días/meses/años

NOTE: The **pretérito** and the **imperfecto** can be used in the same sentence.

Veían la televisión cuando **sonó** el teléfono.

They were watching television when the phone rang.

In the preceding sentence, an action was going on (**veían**) when it was interrupted by another action (**sonó el teléfono**).

9-22 **Una (muy) breve historia de los incas** ¿Qué sabes sobre los incas? Completa los siguientes pasos. ∎

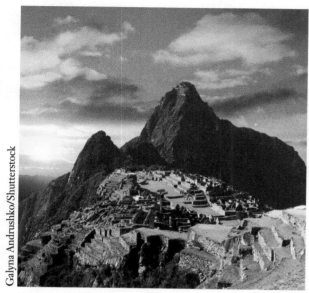

Galyna Andrushko/Shutterstock

Machu Picchu, la ciudad perdida de los incas

El imperio de los incas

Paso 1 Lee el siguiente fragmento.

El imperio de los incas fue uno de los imperios más importantes de las civilizaciones precolombinas. Se encontraba (*It was located*) en lo que es hoy Perú, Bolivia, el norte de Chile y parte de Ecuador. El imperio se dividía en tres partes iguales: una tercera parte pertenecía (*pertained/belonged to*) a los indígenas y pasaba de padre a hijo; otra tercera parte era del Inca, o sea, del Gobierno; la otra tercera parte pertenecía a la Iglesia.

Los incas adoraban al hijo del Sol. Según la leyenda (*legend*), el hijo cayó en algún lugar cerca del lago Titicaca. Con él llegó su hermana y según la leyenda, ellos eran los padres de todos los incas. Esta civilización practicaba sacrificios de animales y algunas veces sacrificios humanos. También le ofrecían objetos preciosos y joyas (*jewels*) al Sol. El último cacique (o jefe político) famoso de los incas fue Atahualpa.

Paso 2 Subrayen los verbos.

Paso 3 Digan cuáles son **pretéritos** y cuáles son **imperfectos** y expliquen por qué se usaron cada uno de estos tiempos verbales.

9-23 **Un cuento de hadas** En grupos de tres o cuatro personas, pongan las siguientes oraciones en orden cronológico para terminar el cuento de Ricitos de Oro (*Goldilocks*). Después, analicen los usos **del pretérito** y **el imperfecto** dentro del cuento y expliquen por qué usaron cada uno de estos tiempos verbales. ∎

Regissercom/Shutterstock

Había una vez una niña muy curiosa. Un día, mientras caminaba por el bosque, encontró una casa muy bonita. En la casa vivían tres osos. Mientras los osos no estaban…

_____ Los osos la asustaron (*scared her*).
_____ Entró en el dormitorio de los osos.
_____ Mientras ella dormía entraron los osos.
_____ La niña se levantó y salió corriendo de la casa.
_____ Tenía sueño.
_____ Buscó una cama.
_____ La niña entró en la casa.
_____ Vio que una cama era muy grande, otra era muy pequeña y la otra tenía el tamaño perfecto.
_____ Encontraron a la niña dormida en la cama.
_____ Se acostó.

Capítulo 8. Las construcciones reflexivas, pág. 312.

9-24 **En el consultorio** Completa el siguiente pasaje con la forma correcta **del pretérito** o **el imperfecto** de cada verbo entre paréntesis. Después, comparte las respuestas con un/a compañero/a y explícale por qué usaste el pretérito o el imperfecto. ∎

Ayer en el consultorio del Dr. Fuentes (1. haber) _____ mucha actividad. Muchos pacientes (2. esperar) _____ al médico y yo no (3. encontrar) _____ dónde sentarme. Dos horas (4. pasar) _____ lentamente. (5. Ser) _____ las once cuando por fin la recepcionista me (6. llamar) _____ y la enfermera (7. salir) _____ para buscarme. Juntas (8. entrar) _____ al cuarto donde (9. estar) _____ el médico. El Dr. Fuentes (10. levantarse) _____ y me (11. mirar) _____ con mucha curiosidad. (12. Empezar) _____ a examinarme y a hacerme preguntas.

Yo (13. ponerse) _____ nerviosa y (14. callarse) _____. Sólo (15. esperar) _____ un examen anual típico pero las preguntas (16. ser) _____ demasiado específicas. Por ejemplo, me (17. preguntar) _____ si (18. sentirse) _____ mareada (*faint*) por la mañana y si (19. comer) _____ bien cuando (20. tener) _____ hambre.

Por fin (21. darse cuenta [*to realize*]: yo) _____ de lo que (22. ocurrir) _____. ¡El Dr. Fuentes (23. pensar) _____ que yo (24. estar) _____ embarazada (*pregnant*)! Por lo visto la enfermera (25. equivocarse [*to be mistaken*]) _____ y ¡le (26. dar) _____ al médico la información de otra paciente!

9-25 **En el pasado** Termina las siguientes oraciones. Después, compártelas con un/a compañero/a. ■

MODELO   Cuando era niño/a…

E1: *Cuando era niño, hacía ejercicio todos los días. Y tú, ¿qué hacías?*

E2: *Cuando era niña, siempre jugaba en el parque con mi hermana.*

1. Cuando era niño/a…
2. Cuando tenía dieciséis años, frecuentemente…
3. Una vez el verano pasado…

4. Ayer tenía ganas de _____ pero…
5. Anoche…
6. Cuando vivía con mis padres, todas las semanas…

 9-26 **Nuestro cuento** En grupos de tres, van a contar una historia (en el pasado) basada en los dibujos. Al terminar van a compartir sus historias con los otros miembros de la clase. ■

Estrategia

In this variation of "Cinderella," remember to use the *imperfect* for *description* and *background* information. Use the *preterit* for *sequences of actions.*

La Cenicienta

Workbooklet

9-27 **Y en el hospital** Imagina que trabajas como enfermero/a en la sala de urgencias de un hospital. Un día entra un joven de unos veinte años con unos síntomas raros. ■

Paso 1 Llena el siguiente formulario médico para el joven enfermo como si fueras un/a enfermero/a.

FORMULARIO MÉDICO

Por favor complete este formulario con la mayor precisión posible. Toda la infomación en este formulario es confidencial y será utilizada en caso de emergencia. Por favor escriba legiblemente.

HISTORIA MÉDICA

Nombre _____
Dirección _____
Ciudad y estado _____
Código postal _____
Número de teléfono _____
Edad _____
Fecha de nacimiento _____
Sexo _____ Peso _____ Altura _____
Grupo sanguíneo _____

1. ¿Está bajo tratamiento por alguna enfermedad? Explique._____
_____

2. ¿Toma algún tipo de medicamento? _____
_____

3. ¿Tiene algún tipo de alergia?_____
_____

4. ¿Ha tenido cirugía alguna vez?_____
_____

CONDICIONES MÉDICAS

Por favor marque cualquier enfermedad que haya tenido en el pasado y la fecha en que comenzó.

_____artritis	_____asma	_____dolor de espalda
_____mareos	_____tos crónica	_____dolor de pecho
_____diabetes	_____epilepsia	_____fracturas
_____dolor de cabeza	_____hernia	_____presión alta

¿Ha tenido otra condición que no hemos mencionado?_____
_____

Paso 2 Crea **seis** preguntas para determinar cuál es su problema, según el modelo.

MODELO   E1:   ¿Dar / todos sus datos / en recepción?

          E2:   *¿Dio todos sus datos en recepción?*

1. ¿Cuándo / llegar / la sala de urgencias?
2. ¿Cuándo / empezar / a dolerle?
3. ¿Qué / hacer / cuando / empezar / a dolerle?
4. ¿Quién / estar / con Ud.?
5. ¿Cómo / sentirse / cuando / acostarse / anoche?
6. ¿Qué / causar / el dolor?

Paso 3 Crea un diálogo con un/a compañero/a entre el joven y el/la enfermero/a usando las preguntas que escribiste.

9-28 La última vez que nos enfermamos Túrnense para describir la última vez que ustedes, un amigo, o un pariente se enfermaron. ◼

- ¿Cuándo fue?
- ¿Cómo se sentían?
- ¿Cuáles fueron los síntomas?
- Si fueron al médico, ¿qué les hizo? ¿Qué les dijo?
- ¿Les recetó (recetar = *to prescribe*) algo? ¿Cuánto pagaron por la visita? Si no fueron al médico, ¿qué hicieron para curarse?
- ¿Cuánto tiempo duró (durar = *to last*) la enfermedad?

> **Fíjate**
>
> Use the term *médico* when referring to the profession of a doctor. Use *doctor* for the title of the person.
> *El doctor Ramírez es un médico excelente.*

Getty Images/Thinkstock

 9-29 ¿Y ayer? Descríbele a un/a compañero/a tu día de ayer en por lo menos **cinco** oraciones. ◼

MODELO *Ayer hacía mal tiempo cuando me desperté. No quería levantarme, pero por fin salí de la cama y fui a mi clase de español. El profesor nos dio mucha tarea. Luego fui a la biblioteca. Estudiaba cuando llegó mi mejor amigo Jeff.*

> **Fíjate**
>
> When the preterit and imperfect are used together in narratives in which events are retold, you will notice that the *imperfect* provides the background information such as the time, weather, and location. The *preterit* relates the specific events that occurred.

Capítulo 5. El mundo del cine, pág. 184.

9-30 Luces, cámara, acción ¿Te gustan las películas? ¿Vas al cine a menudo? Cuéntale (*Narrate*) a un/a compañero/a una película que hayas visto (*you have seen*) últimamente. Usa por lo menos **siete** oraciones. ¡Recuerda! Generalmente **el imperfecto** se usa para la descripción y **el pretérito** para la acción. ◼

BananaStock/Thinkstock

NOTA CULTURAL

Las farmacias en el mundo hispanohablante

09-36

En Latinoamérica, las farmacias son, por la mayor parte, dispensarios de medicina únicamente. El farmacéutico (*pharmacist*) muchas veces ofrece consejos sobre los medicamentos (medicinas). Es fácil conseguir muchos tipos de medicina sin receta en las farmacias. Por ejemplo, puedes ir a la farmacia, describir los síntomas que tienes (como tos y fiebre) y pedir que te den unos antibióticos. Todo ello sin consultar al médico. Muchos países tienen *farmacias de turno* o *de guardia* que atienden al público las veinticuatro horas del día.

En algunos países (como Argentina, Chile y Perú) hay un nuevo tipo de farmacia al estilo estadounidense, que vende de todo. Estas farmacias pertenecen a grandes cadenas (Farmacity en Argentina, FASA en Chile, Inka Farma en Perú) que atraen a los consumidores con una gran variedad de productos, aparte de los medicamentos.

TheThirdMan/Shutterstock

Preguntas

1. ¿Qué es una "farmacia de turno" o "farmacia de guardia"? ¿Existe este sistema en los Estados Unidos?
2. ¿Qué diferencias hay entre las farmacias hispanas tradicionales y las de los Estados Unidos?

6 GRAMÁTICA

09-37 to 09-40   ¡Hola! Spanish Tutorial

Expresiones con *hacer* Explaining how long something has been going on and how long ago something occurred

The verb **hacer** means *to do* or *to make*. You have also used **hacer** in idiomatic expressions dealing with weather. There are some additional special constructions with **hacer** that deal with time. **Hace** is used:

1. **to discuss an action that began in the past but is still going on in the present.**

> hace + *period of time* + **que** + *verb in the present tense*

Hace cuatro días **que** tengo la gripe.   *I've had the flu for four days (and still have it).*
Hace dos años **que** soy enfermera.   *I've been a nurse for two years.*

2. **to ask how long something has been going on.**

> cuánto (tiempo) + **hace** + **que** + *verb in present tense*

¿Cuántos años **hace que** estudias medicina?   *How many years have you been studying medicine?*
¿Cuánto tiempo **hace que** estudias medicina?   *How long have you been studying medicine?*
¿Cuántos meses **hace que** tu abuela guarda   *How many months has your grandmother been staying*
  cama?   *in bed?*
¿Cuánto tiempo **hace que** tu abuela guarda cama?   *How long has your grandmother been staying in bed?*

3. **in the preterit to tell how long ago something happened.**

> hace + *period of time* + **que** + *verb in the preterit*

Hace cuatro años **que** empecé a estudiar medicina.   *I began to study medicine four years ago.*
Hace seis años **que** me mudé aquí para estudiar.   *I moved here six years ago to study.*

or

> *verb in the preterit* + **hace** + *period of time*

Empecé a estudiar medicina **hace** cuatro años.   *I began to study medicine four years ago.*
Me mudé aquí **hace** seis años.   *I moved here six years ago.*

Note that in this construction **hace** can either precede or follow the rest of the sentence. When it follows, **que** is not used.

4. **to ask how long ago something happened.**

> cuánto (tiempo) + **hace** + **que** + *verb in preterit*

¿Cuánto tiempo **hace que** empezaste a estudiar   *How long ago did you begin to study medicine?*
  medicina?
¿Cuánto tiempo **hace que** te enfermaste?   *How long ago did you get sick?*

9-31 **¿Qué pasa?** Juntos completen el diálogo entre Julián, Mari Carmen y su mamá con las palabras apropiadas. ■

> Julián, ¡ese sofá es horrible!

MAMÁ: Julián (1) ¿ _____ tiempo hace (2) _____ vives en esta casa?

JULIÁN: Bueno, creo que (3) _____ unos dos años que vivo aquí.

MAMÁ: Y (4) ¿ _____ _____ _____ que tienes ese sofá? Está muy sucio.

JULIÁN: No sé, mamá. Fue un regalo de un amigo. Lo tenía en su apartamento.

MAMÁ: Creo que (5) _____ por lo menos diez años (6) _____ tiene esas manchas (*stains*) negras. ¡Es horrible!

JULIÁN: Mamá, (7) _____ media hora (8) _____ criticas mi casa y…

MARI CARMEN: ¡Mamá! (9) ¡ _____ cinco minutos (10) _____ te estoy llamando! ¡Tráeme agua!

Workbooklet

9-32 **Firma aquí** Circula por la clase hasta encontrar a un estudiante que pueda contestar afirmativamente tus preguntas. ■

Fíjate

Note that *cuánto* agrees with the amount of time: *cuánto tiempo; cuántas semanas/horas; cuántos años/días.*

MODELO empezar a estudiar español hace menos de (*less than*) un año

E1: *¿Empezaste a estudiar español hace menos de un año?*

E2: *No, empecé a estudiar español hace dos años.*

E1: (a otro estudiante) *¿Empezaste a estudiar español hace menos de un año?*

E3: *Sí, empecé a estudiar español hace seis meses.*

E1: *Muy bien. Firma (Sign) aquí por favor.*

_____ *Janet* _____

1. empezar a estudiar español hace menos de un año	_____
2. graduarse de la escuela secundaria (*high school*) hace dos años	_____
3. conocer a su mejor amigo/a hace muchos años	_____
4. ver una película de terror hace dos o tres semanas	_____
5. ir a un concierto hace uno o dos meses	_____
6. tomar café hace una hora	_____
7. comer en un restaurante elegante hace unos días	_____
8. hacer ejercicio hace unas horas	_____
9. hablar con alguien de su familia hace una semana	_____
10. enfermarse hace una semana	_____

9-33 **Conversando** Habla con varios compañeros de clase utilizando las siguientes preguntas para guiar la conversación. ▪

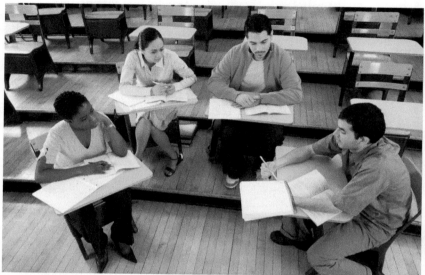

Creatas/Jupiterimages/Thinkstock

1. ¿Cuánto tiempo hace que vives en este estado (*state*)? ¿Dónde vivías antes?
2. ¿Cuánto tiempo hace que estudias en esta universidad? ¿En qué año te gradúas?
3. ¿Cuánto tiempo hace que conoces a tu mejor amigo/a? ¿Dónde lo/la conociste?
4. ¿Cuánto tiempo hace que viste a tus padres? ¿Volviste a casa o te visitaron?
5. ¿Cuánto tiempo hace que fuiste al médico? ¿Qué te recomendó?

ESCUCHA

09-41 to 09-43

Síntomas y tratamientos

 9-34 **Antes de escuchar** Marisol no se siente bien y llama a su madre para pedirle consejo. Cuando tú no te sientes bien, ¿qué haces generalmente: llamas al médico, hablas con un/a amigo/a, llamas a tu madre u otro pariente o te cuidas solo/a (*take care of yourself*)? ■

Pearson Education

Marisol llama a su madre.

 9-35 **A escuchar** Completen las siguientes actividades. ■

1. La conversación entre Marisol y su madre se divide en tres partes. Escucha la primera parte y después escoge la pregunta que mejor resuma (*summarizes*) lo que escuchaste. Repite el proceso con cada parte.

   PRIMERA PARTE
   a. ¿Por qué llama Marisol a su madre?
   b. ¿Cuáles son los síntomas de Marisol?
   c. ¿Qué hizo Marisol cuando se levantó?

   SEGUNDA PARTE
   a. ¿Con quiénes salió Marisol anoche?
   b. ¿A Marisol le gustan las galletas?
   c. ¿Qué comió Marisol anoche?

   TERCERA PARTE
   a. ¿Debe ir a clase?
   b. ¿Debe comer mucho hoy?
   c. ¿Qué puede hacer Marisol para sentirse mejor?

2. Escucha una vez más para averiguar si escogiste las preguntas apropiadas. Compáralas con las de un/a compañero/a. Expliquen por qué son las mejores preguntas.

3. Ahora escucha la conversación por última vez para contestar las siguientes preguntas.
   a. ¿Por qué llama Marisol a su madre?
   b. ¿Cuáles son sus síntomas?
   c. ¿Qué comió Marisol anoche?
   d. ¿Cuál es el consejo de su mamá?

 9-36 **Después de escuchar** Realicen la escena entre Marisol y su madre. ■

¡CONVERSEMOS! 09-44

 9-37 **Los pacientes** Tienes un trabajo como voluntario/a en un hospital. Describe a tres pacientes (ficticios) con quienes estuviste ayer. Tu compañero/a te hace las siguientes preguntas para guiar tu descripción: ■

1. ¿Cómo son?
2. ¿Cuáles son las enfermedades o condiciones de los pacientes?
3. ¿Qué tratamientos recibieron?

Incluye por lo menos **diez** oraciones en tu descripción.

Creatas Images/Thinkstock

 9-38 **¿Qué hicieron?** Piensa en alguien que conoces que antes no vivía una vida sana, pero que recientemente cambió su vida. Descríbele a tu compañero/a de clase qué hacía antes y qué hizo para cambiar. Piensa bien si debes usar **el pretérito** o **el imperfecto** para explicar su situación. Tu compañero/a te va a hacer preguntas para clarificar y recibir más información. ■

Andresr/Shutterstock

ESCRIBE

Un resumen

09-45

When writing a summary in Spanish about things that occurred in the past, you must choose appropriately between the preterit and the imperfect. For example, if you are relating a chain or sequence of events—actions that occurred one after the other—you will most likely need to use the preterit. If you are describing situations, what used to happen, or what was going on when something else happened, you will most likely use the imperfect. At this stage of your learning, it is a good idea to bookmark the list of words and expressions that commonly signal the preterit and the imperfect on page 350 to also help guide you.

9-39 **Antes de escribir** Piensa en el Episodio 8 de **Ambiciones siniestras.** Haz una lista de los **ocho** acontecimientos (*events*) más importantes de *¿Quién fue?* y *El misterio crece.* ◼

9-40 **A escribir** Escribe un resumen del Episodio 8 de **Ambiciones siniestras,** utilizando tu lista e incorporando un poco de descripción sobre los personajes y la escena: dónde estaban, qué hacían, cómo se sentían, etc. ◼

9-41 **Después de escribir** Comparte tu resumen con un/a compañero/a. ¿Tienen el mismo contenido? Enfóquense en los verbos. ¿Usaron de manera correcta el pretérito y el imperfecto? ◼

¿Cómo andas? II

	Feel confident	Need to review
Having completed **Comunicación II,** I now can . . .		
• narrate in the past (p. 349)	☐	☐
• consider pharmacies in Spanish-speaking countries and how they differ from those in the United States (p. 356)	☐	☐
• explain how long something has been going on and how long ago something occurred (p. 356)	☐	☐
• ask myself questions when listening to organize and summarize what I hear (p. 360)	☐	☐
• communicate about ailments and healthy living (p. 361)	☐	☐
• write a summary, sequencing past events (p. 362)	☐	☐

09-46 to 09-47

Maria Teijeiro/Photodisc/ Thinkstock

Diana Ávila Peralta

arno Gonzalez Zarraonandia/ hutterstock.com

Les presento mi país

Mi nombre es Diana Ávila Peralta y soy de Ayacucho, Perú. Estudio historia en la Universidad Nacional Mayor de San Marcos en Lima y mientras estudio, vivo con unos parientes en Miraflores, un barrio de la capital. **¿Dónde viven los estudiantes de tu universidad generalmente?** Quiero ser profesora porque me fascina la historia de mi país y quiero compartir mi pasión con otras personas. Hay muchas ruinas de la civilización incaica en Perú. **¿Qué sabes de la historia de tu país y sus pueblos antiguos?** Perú es un país de extremos geográficos: tenemos la costa, al nivel del mar, los Andes, montañas impresionantes, cañones profundos, la selva y los principios del río Amazonas con flora y fauna magníficas. ¡Puedes mantenerte en forma caminando por estas regiones!

Las líneas de Nazca

terekhov igor/Shutterstock

Loros en la selva amazónica

Maria Veras/Shutterstock
Miraflores, en las afueras de Lima, Perú

ALMANAQUE

Nombre oficial: República del Perú
Gobierno: República constitucional
Población: 29.907.003 (2010)
Idiomas: español (oficial); quechua (oficial); idiomas indígenas
Moneda: Nuevo sol (S/)

¿Sabías que...?

• Las líneas de Nazca, que se encuentran en un desierto del sur del país, son un enigma. Consisten en una serie de dibujos de diferentes animales, plantas y flores, y figuras geométricas que se reconocen solamente desde el aire.

• Hay casi 3,5 millones de llamas en los Andes.

Preguntas

1. ¿Por qué Diana quiere ser profesora?
2. ¿Por qué se dice que Perú es un país de geografía muy variada?
3. ¿Qué otros países comparten algunas de las características geográficas de Perú?

 Amplía tus conocimientos sobre Perú en MySpanishLab.

363

09-46, 09-48

Les presento mi país

Andresr/Shutterstock

Jorge Gustavo
Salazar

Mi nombre es Jorge Gustavo Salazar y soy de Sucre, una de las dos capitales de mi país y la sede (*headquarters*) constitucional donde se mantiene el Tribunal Supremo de Bolivia. La Paz, la capital administrativa, es la capital más alta del mundo, a unos 3.650 m.s.n.m. en los Andes. **¿A qué altura está tu ciudad?** La gente indígena constituye más del cincuenta por ciento de la población del país, y muchos viven en el altiplano, un área cerca del lago Titicaca, que es el lago navegable más alto del mundo. En el altiplano se encuentran las ruinas de una civilización antigua preincaica, anterior a los aymara, que pueblan la región hoy en día. **¿Hay ruinas de antiguas civilizaciones cerca de donde tú vives?**

Fíjate

The abbreviation *m.s.n.m.* means *metros sobre nivel del mar,* or meters above sea level.

En las islas flotantes del lago Titicaca viven algunos indígenas.

Paul Clarke/Shutterstock

Una mujer aymara con ropa tradicional

Jarno Gonzalez Zarraonandia/ Shutterstock.com

Unas chullpas en el altiplano

gary yim/Shutterstock

ALMANAQUE

Nombre oficial: República de Bolivia
Gobierno: República
Población: 9.947.418 (2010)
Idiomas: español (oficial); quechua (oficial); aymara (oficial)
Moneda: Boliviano (Bs)

¿Sabías que...?

- La papa, nativa de Sudamérica, es un alimento básico en Bolivia. Se cultivan más de doscientos tipos de papa en el país.
- Aunque no tiene salida al mar, Bolivia tiene una fuerza marina: la Armada Boliviana.

Preguntas

1. ¿Por qué crees que Bolivia tiene tres idiomas oficiales?
2. ¿Qué distinción tiene La Paz como capital?
3. ¿Qué riesgo para la salud (*health risk*) comparten Bolivia y Perú?

 Amplía tus conocimientos sobre Bolivia en MySpanishLab.

364

Ecuador

09-46, 09-49

Andresr/Shutterstock

Yolanda Pico Briones

Les presento mi país

Mi nombre es Yolanda Pico Briones y soy de Quito, la capital de Ecuador. Mi país tiene tres diferentes tipos de geografía: la costa, la sierra y el oriente o la selva. La población, principalmente mestiza e indígena, se concentra en la sierra y la costa. **¿Dónde vive la mayoría de la población en tu país?** Uno de los grupos indígenas de Ecuador son los tsáchilas, también llamados "los colorados", debido a la costumbre de los hombres de pintarse (*dye*) el pelo de color rojo. Los chamanes (*shamans*) de esta tribu tienen gran conocimiento de las plantas medicinales y, por lo tanto, tienen mucho poder en la comunidad. **¿Es popular la medicina alternativa donde tú vives?**

nouseforname/Shutterstock

Las islas Galápagos

Un sombrero panamá

Jacqueline Abromeit/Shutterstock

Sofia/Shutterstock

Las plantas medicinales son importantes en la medicina alternativa.

ALMANAQUE

Nombre oficial: República del Ecuador
Gobierno: República
Población: 14.790.608 (2010)
Idiomas: español (oficial), quechua y otros idiomas indígenas
Moneda: El dólar estadounidense ($)

¿Sabías que...?

- El famoso sombrero panamá es en realidad de Ecuador.
- El volcán Cotopaxi se considera el volcán activo más alto del mundo.

Preguntas

1. ¿Cuál es una costumbre de los tsáchilas?
2. ¿Qué tiene Ecuador en común geográficamente con Perú y Bolivia?
3. ¿En qué otros países se encuentra un gran porcentaje de mestizos e indígenas?

Amplía tus conocimientos sobre Ecuador en MySpanishLab.

365

Ambiciones siniestras

EPISODIO 9

Pearson Education

Lectura

Estrategia	Asking yourself questions

Just as with listening, it is helpful to learn to ask yourself check questions as you read, which help you summarize and organize information.

9-42 **Antes de leer** En el **Episodio 8** Marisol y Manolo hablan de las dudas que tienen sobre Lupe y Cisco. Teniendo esto en cuenta, contesta las siguientes preguntas. ■

- ¿Es posible que Lupe sea (*is*) el Sr. Verdugo?
- ¿Por qué actúa Cisco de manera tan misteriosa?
- Si resuelven el nuevo rompecabezas, ¿van a poder salvar (*save*) a Alejandra y a Eduardo?

9-43 **A leer** Completa los siguientes pasos. ■

Paso 1 Lee el primer párrafo y elige la pregunta que mejor lo resuma (*summarizes it*).
a. ¿Dónde están los protagonistas?
b. ¿Cómo están Eduardo y Alejandra?
c. ¿Qué saben Manolo, Cisco, Marisol y Lupe de Eduardo y Alejandra?

Paso 2 Ahora lee el segundo párrafo y elige la pregunta que mejor lo resuma.
a. ¿Por qué tienen miedo Manolo, Cisco, Marisol y Lupe?
b. ¿Por qué Manolo, Cisco, Marisol y Lupe participaron en el concurso?
c. ¿Por qué desaparecieron Eduardo y Alejandra?

Paso 3 Continúa leyendo el episodio pero ahora, en vez de elegir la mejor pregunta, tú vas a escribir una pregunta para cada sección indicada (secciones de 3 a 9). Al terminar, compara tus preguntas con las de tus compañeros.

 # ¡Qué mentira!

[1] En distintas partes del país hay cuatro estudiantes universitarios muy preocupados. Todavía no saben ni dónde ni cómo están Eduardo y Alejandra. Sólo saben que desaparecieron y que un tal Verdugo tiene algo que ver con todo eso°.

has something to do with it
lie

[2] El concurso —¡Qué mentira°!— ¿Cómo pudieron creerlo? Este tipo de cosas tan increíbles generalmente terminan siendo falsas. Para Manolo, Cisco, Marisol y Lupe es mucho más serio. Hay dos desaparecidos° ya y los otros con el miedo de no saber si les va a pasar lo mismo a ellos. El Sr. Verdugo les dijo que no hablaran° con nadie —especialmente

missing
not to talk

366

would hurt all of them con la policía— o les haría daño a todos°. Así que todos los días se levantan y se acuestan con miedo.

scared [3] Hoy Manolo se despertó asustado° y se levantó inmediatamente. Durmió mal anoche y ahora le duele todo el cuerpo. Decidió tomar tres aspirinas y volvió a acostarse. Pocos minutos después, sonó el teléfono celular. Era Cisco.

[4] —¿Manolo? ¿Estás levantado?

—Sí —respondió Manolo— hace media hora. ¿Qué pasa?

—Acabamos de recibir otro mensaje. Este hombre está loco —explicó Cisco.

—Voy a leer el mensaje y te llamo más tarde —le dijo Manolo.

They hung up [5] Colgaron°. Otra llamada. Esta vez fue Marisol.

—¿Manolo? Tienes que leer el último mensaje. No sé qué hacer…

—Mira Marisol, voy a leerlo ahora mismo. Ya me llamó Cisco hace unos minutos. Llama tú a Lupe y dentro de diez minutos te llamo. ¿Está bien? ¿Estás en tu teléfono celular?

—Sí. Bueno, te espero.

turned on [6] Manolo encendió° la computadora y leyó:

capable

dial [9] Con un gran suspiro, Manolo buscó su teléfono y empezó a marcar°… De pronto dejó de
threw it marcar, se quedó mirando el teléfono un momento y lo tiró° con fuerza contra la pared…

367

9-44 **Después de leer** Contesta las siguientes preguntas. ■

1. ¿Por qué se levantan y se acuestan con miedo nuestros protagonistas?
2. ¿Cómo se sentía Manolo cuando se levantó?
3. ¿Quiénes llamaron a Manolo? ¿Por qué?
4. Además de un rompecabezas, ¿qué información nueva contiene el mensaje?
5. En tu opinión, ¿qué fue lo más aterrador (*frightening*) de todo lo que dijo el mensaje?

Video

09-53 to 09-54

9-45 **Antes del video** ¿Por qué crees que Manolo tiró el teléfono contra la pared? ¿Los protagonistas van a poder descifrar ese nuevo rompecabezas? ¿Van a trabajar juntos esta vez? ¿Van a poder salvar a Eduardo y a Alejandra? ■

Pearson Education

Sin embargo, creo que ya tenemos una pista (*clue*).

Pearson Education

Todo este lío (*mess*) con los rompecabezas me tiene bastante nerviosa.

Pearson Education

Tengo que confesar algo.

Episodio 9

«No llores por mí»

Relájate y disfruta el video.

9-46 **Después del video** Contesta las siguientes preguntas. ■

1. ¿Dónde estaban Marisol y Lupe?
2. ¿Qué hacían ellas?
3. ¿Qué información tenía Marisol que creía que podía ayudar con la primera pista?
4. ¿Cómo respondió Lupe a su idea?
5. ¿Por qué decidieron ellas llamar a Cisco y a Manolo?
6. ¿Qué dijo Cisco sobre la segunda pista, "No llores por mí"?
7. ¿Qué propuso Manolo sobre las dos últimas pistas?
8. ¿Cuántas horas tenían para terminar de descifrar el rompecabezas?
9. ¿Cómo terminó el episodio?

368

Y por fin, ¿cómo andas?

	Feel confident	Need to review
Having completed this chapter, I now can . . .		

Comunicación I

- describe the human body (p. 334) ☐ ☐
- pronounce the letters **d** and **t** (MSL / SAM) ☐ ☐
- share about people, actions, and things (p. 337) ☐ ☐
- explain ailments and treatments (p. 341) ☐ ☐
- make emphatic and exclamatory statements (p. 346) ☐ ☐

Comunicación II

- narrate in the past (p. 349) ☐ ☐
- explain how long something has been going on and how long ago something occurred (p. 356) ☐ ☐
- ask myself questions when listening to organize and summarize what I hear (p. 360) ☐ ☐
- communicate about ailments and healthy living (p. 361) ☐ ☐
- write a summary, sequencing past events (p. 362) ☐ ☐

Cultura

- relate the importance of water in maintaining good health (p. 346) ☐ ☐
- consider pharmacies in Spanish-speaking countries and how they differ from those in the United States (p. 356) ☐ ☐
- list important information about this chapter's featured countries: Peru, Bolivia, and Ecuador (pp. 363–365) ☐ ☐

Ambiciones siniestras

- create check questions to facilitate comprehension when reading, and give details about the new e-mail message (p. 366) ☐ ☐
- discover the progress the characters are making in deciphering the new riddle (p. 368) ☐ ☐

Comunidades

- use Spanish in real-life contexts (SAM) ☐ ☐

VOCABULARIO ACTIVO

El cuerpo humano	The human body
la boca	mouth
el brazo	arm
la cabeza	head
la cara	face
la cintura	waist
el corazón	heart
el cuello	neck
el cuerpo	body
el dedo (de la mano)	finger
el dedo (del pie)	toe
el diente	tooth
la espalda	back
el estómago	stomach
la garganta	throat
la mano	hand
la nariz	nose
el oído	inner ear
el ojo	eye
la oreja	ear
el pecho	chest
el pelo	hair
el pie	foot
la pierna	leg

Algunos verbos	Some verbs
doler (ue)	to hurt
estar enfermo/a	to be sick
estar sano/a; saludable	to be healthy
ser alérgico/a (a)	to be allergic (to)

Otras palabras útiles	Other useful words
la salud	health
la sangre	blood

Algunas enfermedades y tratamientos médicos	Illnesses and medical treatments
el antiácido	antacid
el antibiótico	antibiotic
la aspirina	aspirin
el catarro / el resfriado	cold
la curita	adhesive bandage
el/la doctor/a	doctor
el dolor	pain
el/la enfermero/a	nurse
el estornudo	sneeze
el examen físico	physical exam
la farmacia	pharmacy
la fiebre	fever
la gripe	flu
la herida	wound; injury
el hospital	hospital
la inyección	shot
el jarabe	cough syrup
el/la médico/a	doctor
la náusea	nausea
las pastillas	pills
la receta	prescription
la sala de urgencias	emergency room
la tos	cough
la venda / el vendaje	bandage

Algunos verbos	Some verbs
acabar de + *infinitivo*	to have just finished + (something)
caer(se)	to fall down
cortar(se)	to cut (oneself)
curar(se)	to cure; to be cured
enfermar(se)	to get sick
estornudar	to sneeze
evitar	to avoid
guardar cama	to stay in bed
lastimar(se)	to get hurt
mejorar(se)	to improve; to get better
ocurrir	to occur
quemar(se)	to burn; to get burned
romper(se)	to break
tener...	
alergia (a)	to be allergic (to)
(un) catarro, resfriado	to have a cold
(la/una) gripe	to have the flu
una infección	to have an infection
tos	to have a cough
un virus	to have a virus
tener dolor de...	to have a...
cabeza	headache
espalda	backache
estómago	stomachache
garganta	sore throat
toser	to cough
tratar de	to try to
vendar(se)	to bandage (oneself); to dress (a wound)

También se dice...

El cuerpo humano/ *The human body*

la arteria *artery*
el cabello *hair*
la cadera *hip*
la ceja *eyebrow*
el cerebelo *cerebellum*
el cerebro *brain*
la cintura *waist*
el codo *elbow*
la costilla *rib*
la frente *forehead*
el hombro *shoulder*
el hueso *bone*
el labio *lip*
la lengua *tongue*
las mejillas *cheeks*
la muñeca *wrist*
el músculo *muscle*
el muslo *thigh*
los nervios *nerves*
la pestaña *eyelash*
la piel *skin*
el pulmón *lung*
la rodilla *knee*
el talón *heel*
el trasero *buttocks (Spain)*
el tobillo *ankle*
la uña *nail*
las venas *veins*

Algunas enfermedades/ *Some illnesses*

el alcoholismo *alcoholism*
la alta tensión *high blood pressure*
el ataque del corazón *heart attack*
la baja tensión *low blood pressure*
el cáncer *cancer*
la depresión *depression*
la diabetes *diabetes*
el dolor de cabeza *headache*
el/la drogadicto/a *drug addict*
la hipertensión *high blood pressure*
el infarto *heart attack*
la inflamación *inflammation*
el mareo *dizziness*
la narcomanía *drug addiction*
la presión alta/baja *high/low blood pressure*

la quemadura *burn*
el sarampión *measles*
el SIDA *AIDS*
la varicela *chicken pox*

Otros verbos útiles/ *Other useful verbs*

contagiarse de *to catch (an illness)*
desmayarse *to faint*
desvanecerse *to faint*
doblarse *to sprain*
enyesar *to put on a cast*
fracturar(se) *to break; to fracture*
hacer gárgaras *to gargle*
hinchar *to swell*
pegársele *to catch something*
recetar *to prescribe*
respirar *to breathe*
sacar la sangre *to draw blood*
tomarle la presión *to take someone's blood pressure*
tomarle el pulso *to take someone's pulse*
tomarle la temperatura *to check someone's temperature*
torcerse *to sprain*
vomitar *to vomit*

Otras palabras útiles/ *Other useful words*

las alergias *allergies*
el antihistamínico *antihistamine*
la camilla *stretcher*
la cura *cure*
la dosis *dosage*
la enfermedad *illness*
las gotas para los ojos *eyedrops*
los medicamentos *medicines*
las muletas *crutches*
operar *to operate*
el/la paciente *patient*
la penicilina *penicillin*
el pulso *pulse*
las pruebas médicas *medical tests*
la radiografía *X-ray*
el resultado *result*
retorcerse *to sprain*
el termómetro *thermometer*
la tirita *bandage*
la vacuna *vaccination*

Capítulo 10: ¡Viajemos!

10 ¡Viajemos!

¿Te gusta viajar (*travel*)? ¿Adónde? ¿Cómo? ¿Cuándo? Exploremos muchas opciones. ¡Viajemos!

PREGUNTAS

1 Cuando viajas, ¿adónde vas generalmente?

2 ¿Cuándo viajas? ¿Por qué?

3 En el futuro, ¿adónde quieres ir?

Bryan Busovicki/Shutterstock

Comunicación I

Los medios de transporte Discussing modes of transportation

10-01 to 10-08

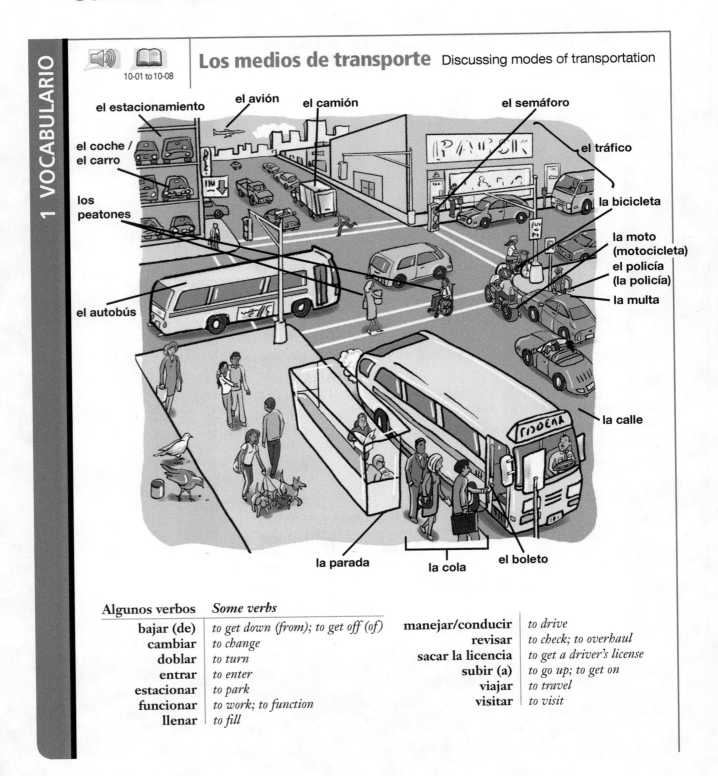

el estacionamiento
el avión
el camión
el semáforo
el coche / el carro
el tráfico
los peatones
la bicicleta
la moto (motocicleta)
el policía (la policía)
la multa
el autobús
la calle
la parada
la cola
el boleto

Algunos verbos	Some verbs		
bajar (de)	to get down (from); to get off (of)	manejar/conducir	to drive
cambiar	to change	revisar	to check; to overhaul
doblar	to turn	sacar la licencia	to get a driver's license
entrar	to enter	subir (a)	to go up; to get on
estacionar	to park	viajar	to travel
funcionar	to work; to function	visitar	to visit
llenar	to fill		

el tanque

el limpiaparabrisas

el motor

el parabrisas

el baúl

el tren

el volante

la gasolinera

Estación
Santa Fe

la llanta

el taxi

Otras palabras útiles	*Other useful words*
el aire acondicionado	*air conditioning*
la autopista	*highway; freeway*
el barco	*boat*
la calefacción	*heat*
la licencia (de conducir)	*driver's license*
la llave	*key*
el metro	*subway*
el ruido	*noise*
el taller mecánico	*auto repair shop*

PRONUNCIACIÓN

10-09 to 10-12

The letters *b* and *v*

Go to MySpanishLab / Student Activities Manual to learn about the letters *b* and *v*.

Workbooklet

10-1 ¿Qué tienen en común? Escriban características específicas de cada medio de transporte en cada uno de los círculos pequeños. En el círculo grande del centro, escriban lo que todos estos medios de transporte tienen en común. Después comparen su diagrama con los de otros compañeros. ■

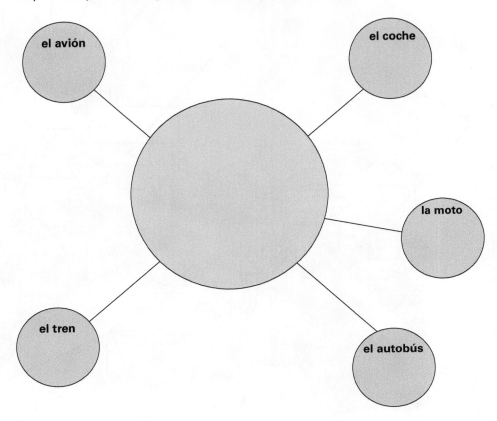

10-2 ¿Es verdad? Decide si las siguientes oraciones son ciertas (**C**) o falsas (**F**). Si son falsas, corrígelas (*correct them*). Compara tus respuestas con las de un/a compañero/a. ■

MODELO   Un carro tiene seis llantas.

    E1: *Un carro tiene seis llantas.*

    E2: *Falso. Un carro tiene cuatro llantas.*

1. Hay semáforos en las autopistas.
2. Para llegar a la universidad yo puedo tomar el autobús o ir a pie.
3. Ir en avión es más rápido que ir en tren.
4. Un coche no puede funcionar sin limpiaparabrisas.
5. Hay que cambiar el aceite de un coche cada 100.000 millas.
6. Puedes llenar el tanque con gasolina en la gasolinera.
7. Usamos la calefacción en el verano.
8. Si manejamos muy rápido el policía nos puede dar una llave.

10-3 **¿Cómo vas?** Completa los siguientes pasos. ▪

Paso 1   Pon una equis (X) en la columna apropiada. Después, pregúntale a un/a
compañero/a qué medios de transporte usa él/ella.

¿QUÉ USAS...?	A MENUDO	A VECES	NUNCA
bicicleta			
autobús			
avión			
carro			
tren			

MODELO   E1:   *¿Qué medio de transporte usas a menudo?*

E2:   *Uso el autobús a menudo. ¿Y tú?*

E1:   *Uso el carro.*

E2:   *¿Qué medio de transporte usas a veces?*

E1:   *Uso la bicicleta a veces. ¿Y tú?*

Paso 2   Túrnense para hacerse y contestar las siguientes preguntas.

¿Qué medio de transporte usas...

1. más?
2. menos?
3. para ir a la universidad?
4. para ir al centro comercial?
5. para ir a visitar a tus amigos?
6. para ir a la casa de tus padres o de unos parientes?
7. para ir a Los Ángeles?
8. para ir a Caracas, Venezuela?
9. para ir a Europa?

 10-4 **Cinco preguntas** En grupos de tres o cuatro
estudiantes, escriban **cinco** preguntas interesantes relacionadas con
Los medios de transporte. Después, para cada pregunta, deben
escoger a una persona de otro grupo para contestarla. ▪

MODELO   GRUPO 1:   *¿Cambiaste el aceite del coche la semana pasada?*

GRUPO 2 (PHILIP):   *No, no cambié el aceite la semana pasada, pero tengo que cambiarlo pronto.*

GRUPO 1:   *¿Viajaste a México el verano pasado?*

GRUPO 2 (GENA):   *Sí, fui a Cancún con mi familia.*

Andresr, 2010/used under license from
www.Shutterstock.com

Workbooklet

10-5 Firma aquí Circula por la clase hasta encontrar a un estudiante que pueda contestar afirmativamente a tu pregunta. **¡OJO!** Debes usar **el pretérito** en la mayoría de las preguntas. ■

Ramona Heim/Shutterstock

MODELO manejar un camión el verano pasado

E1: *¿Manejaste un camión el verano pasado?*

E2: *Sí, manejé un camión el verano pasado.*

E1: *Pues, firma aquí.*

Rosario

manejar un camión el verano pasado	ir a una gasolinera esta mañana	saber manejar un barco
tener más de tres llaves contigo	ir a la universidad por la autopista.	tener un coche sin (*without*) calefacción
perder las llaves alguna vez	viajar a algún lugar exótico durante las últimas vacaciones	recibir una multa el año pasado
tener un accidente de coche en los últimos dos años	llevar el coche al taller mecánico el mes pasado	viajar en tren el año pasado

 10-6 ¡No funciona! Necesitan llevar su coche a un mecánico. Hagan los papeles del conductor y el mecánico. Tienen que descubrir qué problema tiene el coche, hablar de posibles soluciones y decidir cuánto tiempo se necesita para repararlo. ■

2 GRAMÁTICA

10-13 to 10-18 Spanish/English Tutorials

Los mandatos informales
Influencing others and giving advice

¡A la derecha, Pepe! Dobla a la derecha, no a la izquierda...

When you need to give orders, advise, or ask people to do something, you use commands. If you are addressing a friend or someone you normally address as **tú,** you use informal commands. You have been responding to **tú** commands since the beginning of *¡Anda! Curso elemental*: **escucha, escribe, abre tu libro en la página,** etc.

1. The affirmative *tú* command form is the same as the *él, ella, Ud.* form of the present tense of the verb:

Infinitive		Present tense	Affirmative *tú* command
llen**ar**	él, ella, Ud.	llena	llena
le**er**	él, ella, Ud.	lee	lee
ped**ir**	él, ella, Ud.	pide	pide

Llen**a** el tanque.	*Fill the tank.*
Dobl**a** a la derecha.	*Turn to the right.*
Conduc**e** con cuidado.	*Drive carefully.*
Pid**e** permiso.	*Ask permission.*

There are eight common verbs that have irregular affirmative *tú* commands:

decir	→	**di**	ir	→	**ve**	salir	→	**sal**	tener	→	**ten**
hacer	→	**haz**	poner	→	**pon**	ser	→	**sé**	venir	→	**ven**

Sé respetuoso con los peatones.	*Be respectful of pedestrians.*
Ten cuidado al conducir.	*Be careful when driving.*
Ven al aeropuerto con tu pasaporte.	*Come to the airport with your passport.*
Pon las llaves en la mesa.	*Put the keys on the table.*

(continued)

2. To form the negative *tú* (informal) commands:

1. Take the **yo** form of the present tense of the verb.
2. Drop the **-o** ending.
3. Add *-es* for **-ar** verbs, and add *-as* for **-er** and **-ir** verbs.

Infinitive	Present tense		Negative *tú* command
llen**ar**	yo llen**ø**	+ es	no llen**es**
le**er**	yo le**ø**	+ as	no le**as**
ped**ir**	yo pid**ø**	+ as	no pid**as**

No llen**es** el tanque. *Don't fill the tank.*
No dobl**es** a la derecha. *Don't turn to the right.*
No conduz**cas** muy rápido. *Don't drive very fast.*
No pid**as** permiso. *Don't ask permission.*

Verbs ending in **-car, -gar,** and **-zar** have a spelling change in the negative **tú** command. These spelling changes are needed to preserve the sounds of the infinitive endings.

Infinitive	Present tense		Negative *tú* command
sa**car**	yo sa**co**	c → qu	no sa**ques**
lle**gar**	yo lle**go**	g → gu	no lle**gues**
empe**zar**	yo empie**zo**	z → c	no empie**ces**

3. Object and reflexive pronouns are used with *tú* commands in the following ways:

a. They are *attached* to the ends of *affirmative* commands. When the command is made up of more than two syllables after the pronoun(s) is/are attached, a written accent mark is placed over the stressed vowel.

Se me pinchó una llanta. **¡Cámbiamela!** *I got a flat tire. Change it for me!*
Tu bicicleta no funciona. **Revísala.** *Your bike does not work. Check it.*
Me gusta tu coche. **Préstamelo.** *I like your car. Lend it to me.*
Es tarde. **Duérmete** mientras conduzco. *It's late. Sleep while I drive.*

b. They are placed *before negative* **tú** commands.

No se nos pinchó una llanta. *We don't have a flat tire.*
¡No **me la** cambies! *Don't change it for me!*

Tu bicicleta funciona. *Your bicycle works.*
No **la** revises. *Don't check it.*

No me gusta tu coche. *I don't like your car.*
No **me lo** prestes. *Don't lend it to me.*

Es tarde. No **te duermas** mientras conduces. *It's late. Don't fall asleep while you drive.*

10-7 **¿Qué diría el profesor?** Túrnense para decir cuál de los dos mandatos diría (*would say*) un/a profesor/a de una escuela de conducir. ■

MODELO a. Toma apuntes mientras hablo.
 b. No tomes apuntes mientras hablo.
 E1: *Toma apuntes mientras hablo.*

1. a. Estudia las reglas (*rules*) en el manual de conducir.   b. No estudies las reglas.
2. a. Ven tarde a la clase.   b. No vengas tarde a la clase.
3. a. Lee el manual con cuidado.   b. No leas el manual con cuidado.
4. a. Practica fuera de la clase.   b. No practiques fuera de la clase.
5. a. Ponte nervioso/a.   b. No te pongas nervioso/a.
6. a. Conduce con cuidado.   b. No conduzcas con cuidado.
7. a. Sal de la clase antes de tiempo.   b. No salgas de la clase antes de tiempo.
8. a. Trae tu manual a clase.   b. No traigas tu manual a clase.

 10-8 **Hazlo, por favor** Túrnense para expresar mandatos afirmativos y negativos usando los pronombres de complemento directo. ■

Capítulo 5. Los pronombres de complemento directo, pág. 189.

MODELO esperar el autobús
 E1: *¡Espéralo!*
 E2: *¡No lo esperes!*

Estrategia

For activities like **10-8** you can take turns by having one student do the even-numbered items while the other does the odd-numbered ones. Or, one can give the affirmative commands while the other gives the negatives; then switch roles.

1. tomar el autobús
2. prestarme las llaves
3. conducir el carro
4. usar la calefacción
5. hacer ruido
6. limpiar el parabrisas
7. subir la ventana
8. estacionar el coche en el garaje
9. buscar un estacionamiento

 10-9 **El sobrinito** Tu hermana está enferma y necesita ir al médico. Tú tienes que quedarte en su casa con Abel, su hijo de cuatro años. Dile lo que puede y no puede hacer en las siguientes situaciones. ■

MODELO Abel quiere comer un plato de donas (*donuts*).
 ¡No comas todas las donas!

Abel quiere...

1. mirar un programa de *Sesame Street*
2. llamar por teléfono a Big Bird
3. dibujar en la pared
4. limpiar su cuarto
5. mirar una película de terror
6. poner el gato (*cat*) en la lavadora
7. beber una Coca-Cola
8. dormir la siesta

10-10 ¡Ayúdame! ¡Tu compañero/a de apartamento te vuelve loco/a! ■

Paso 1 Usa los siguientes verbos para decirle lo que debe y no debe hacer y compara tus respuestas con las de un/a compañero/a.

MODELO no poner tus libros en mi cama
No pongas tus libros en mi cama.

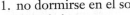

1. no dormirse en el sofá
2. sacar la basura
3. no comer en la sala
4. no beber de mi vaso
5. decirme la verdad siempre
6. no vestirse en la cocina
7. tener más paciencia con mi gato
8. no invitar siempre a los amigos después de las once de la noche

Creatas Images/Thinkstock

Paso 2 Para cada mandato negativo que dieron juntos, den otra alternativa.

MODELO E1: *No pongas tus libros en mi cama.*

E2: *Ponlos en la mesa.*

 10-11 ¡Una fiesta! Tu compañero/a y tú organizan una fiesta para sus amigos. Tienen mucho que hacer: limpiar el apartamento, organizar la música, comprar y preparar la comida, vestirse, etc. Un amigo se ofrece a ayudarles. Hagan una lista de las cosas que él puede hacer. ■

MODELO

1. Organiza los CD.

Stockbyte/Thinkstock

 10-12 El transporte Revisa el vocabulario de **Los medios de transporte**. Escoge seis de los verbos y haz una lista de mandatos afirmativos y negativos, usando los verbos. ¡Sé creativo! Después, comparte tu lista con un/a compañero/a. ■

MODELO revisar → *Revisa el motor de tu coche.*

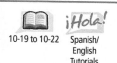

10-19 to 10-22 Spanish/English Tutorials

Los mandatos formales
Giving orders and instructions

When you need to influence others by making a request, giving advice, giving instructions, or giving orders to people you normally treat as **Ud.** or **Uds.**, you are going to use a different set of commands: **formal** commands. The forms of these commands are similar to the negative **tú** command forms.

1. To form the *Ud.* and *Uds.* commands:

1. Take the **yo** form of the present tense of the verb.

2. Drop the **-o** ending.

3. Add *-e(n)* for **-ar** verbs, and add *-a(n)* for **-er** and **-ir** verbs.

Infinitive	Present tense		*Ud.* commands	*Uds.* commands
limpi**ar**	yo limpi**ø**	+ e(n)	(no) limpi**e**	(no) limpi**en**
le**er**	yo le**ø**	+ a(n)	(no) le**a**	(no) le**an**
ped**ir**	yo pid**ø**	+ a(n)	(no) pid**a**	(no) pid**an**

Llene el tanque. **Llénelo.**
No limpie el parabrisas. **No lo limpie.**
Conduzca el camión. **Condúzcalo.**
No ponga esa gasolina cara en el coche.
No la ponga en el coche.
Traiga su licencia. **Tráigala.**
No busquen sus llaves. **No las busquen.**

Fill up the tank. Fill it.
Don't clean the windshield. Don't clean it.
Drive the truck. Drive it.
Don't put that expensive gasoline in the car.
Don't put it in the car.
Bring your license. Bring it.
Don't look for your keys. Don't look for them.

¡Explícalo tú!

1. Where do the object pronouns appear in affirmative commands? Where do they appear in negative commands? In what order?

2 Why are there written accents added to some of the commands and not to others?

✓ Check your answers to the preceding questions at the end of this chapter.

2. Verbs ending in *-car, -gar,* and *-zar* have a spelling change in the *Ud.* and *Uds.* commands. These spelling changes are needed to preserve the sounds of the infinitive endings.

Infinitive	Present tense		*Ud/Uds.* commands
sa**car**	yo sa**c**o	c → qu	sa**qu**e(n)
lle**gar**	yo lle**g**o	g → gu	lle**gu**e(n)
empe**zar**	yo empie**z**o	z → c	empie**c**e(n)

(continued)

3. These verbs also have irregular forms for the *Ud./Uds.* commands:

dar	→	**dé(n)**	ir	→	**vaya(n)**	ser →	**sea(n)**
estar	→	**esté(n)**	saber	→	**sepa(n)**		

Finally, compare the forms of the *tú* and *Ud./Uds.* commands:

	Tú commands affirmative	negative	*Ud./Uds.* commands affirmative	negative
hablar	habla	no hables	hable(n)	no hable(n)
comer	come	no comas	coma(n)	no coma(n)
pedir	pide	no pidas	pida(n)	no pida(n)

Capítulo 8. Las construcciones reflexivas, pág. 312.

10-13 Consejos Dos estudiantes de intercambio (*exchange students*) van a llegar a tu universidad y necesitan tu ayuda con lo que deben y no deben hacer antes de venir a los Estados Unidos. Hazles una lista con tus consejos y comparte la lista con un/a compañero/a. ■

MODELO   E1: acostarse temprano la noche antes de viajar
         E2: *Acuéstense temprano la noche antes de viajar.*

1. levantarse temprano el día del viaje
2. preparar el equipaje (*luggage*) el día anterior
3. llevar ropa cómoda
4. no ponerse nervioso/a
5. evitar el alcohol
6. tener su pasaporte a mano (*on hand*)
7. sentarse en el asiento correcto
8. dormirse en el avión

Capítulo 9. Un resumen de los pronombres de complemento directo, indirecto y reflexivos, pág. 337.

10-14 **La multa** Termina el diálogo entre Mayra y el policía. Después presenta la escena con un/a compañero/a. ■

MAYRA: Buenas noches. ¿Iba muy rápido, señor policía?

POLICÍA: Sí, señorita. (1) _____ (mostrarme) su licencia, por favor.

MAYRA: Aquí la tiene (*here you go*), señor. Sé que la foto es muy mala.

POLICÍA: No (2) _____ (preocuparse). Ahora, (3) _____ (contarme), señorita: ¿A qué velocidad (*speed*) iba?

MAYRA: Pues… la verdad es que no estoy segura. (4) _____ (decírmelo) usted.

POLICÍA: Iba a ochenta kilómetros por hora y el límite aquí es sesenta y cinco.

MAYRA: ¡Ay! ¡Mi padre me va a matar! Por favor, no (5) _____ (darme) una multa. Lo siento. Le aseguro que voy a manejar mucho más lento ahora.

POLICÍA: No es mi decisión. Es la ley (*law*).

MAYRA: Entonces, por lo menos no (6) _____ (escribir) ochenta kilómetros por hora en la multa. (7) _____ (poner) setenta, por favor.

POLICÍA: No puedo hacer eso. Bueno, (8) _____ (tomarla).

MAYRA: (*silencio*)

POLICÍA: Y no (9) _____ (manejar) tan rápido en el futuro. (10) _____ (tener) más cuidado.

Stockbyte/Thinkstock

10-15 **El transporte rápido** El Transmilenio es un sistema de transporte masivo de pasajeros (*passengers*) en autobús que permite llegar rápidamente a cualquier (*any*) lugar de la ciudad de Bogotá. Lee las siguientes reglas del Transmilenio y completa la lista con mandatos formales. Luego, compártela con un/a compañero/a. ■

| entrar | llevar | pagar | pararse (*to stand*) |
| permitir | respetar | evitar | transitar (*to enter/exit*) |

MODELO Siempre *evite* correr.

• Instrucciones para el uso adecuado (*suitable*) del sistema:

1. Cuando espere al autobús, _____ detrás de la línea amarilla de seguridad.
2. Antes de entrar, _____ que salgan los pasajeros.
3. _____ con su tarjeta al entrar.
4. Al usar las rampas, túneles o plataformas, _____ por la derecha.
5. No _____ paquetes (*packages*) grandes ni mascotas (*pets*).
6. No _____ en el autobús bebiendo o fumando ni en estado de embriaguez (*intoxication*).
7. _____ las sillas azules que son para personas con discapacidad, mujeres embarazadas, niños pequeños y ancianos.

gary yim/Shutterstock

¿Cómo nos movemos?

  10-23

El saber manejar un auto no suele ser tan importante en los países hispanohablantes como en los Estados Unidos. Por lo general, la gente camina más y usa el transporte público, ya sea el autobús, el metro o el taxi. Las personas que sí quieren conducir generalmente tienen que tomar un curso en una escuela privada de conducir.

En Colombia, por ejemplo, para obtener (get) una licencia de conducir es necesario:

- tener 16 años.
- saber leer y escribir.
- aprobar un examen teórico o presentar un certificado de aptitud en conducción (driving) emitido por una escuela aprobada (approved) por el Ministerio de Educación Nacional en coordinación con el Ministerio de Transporte.
- presentar un certificado de aptitud física y mental expedido por (completed by) un médico.

Robert Kneschke/Shutterstock

Una de las escuelas de conducir más conocidas en Colombia es Conducir Colombia. Los cursos y los precios varían según la experiencia previa del estudiante. Hay cursos básicos de diez clases por unos ciento cincuenta y nueve dólares hasta cursos avanzados de catorce clases por unos doscientos dólares.

Preguntas

1. ¿Sabes conducir? ¿Cuándo aprendiste? ¿Quién te enseñó? ¿Cuándo sacaste la licencia de conducir?
2. Según la lectura, ¿crees que es generalmente más fácil o más difícil obtener una licencia en Colombia que en los Estados Unidos? Explica.

 Capítulo 8. Los pronombres de complemento indirecto, pág. 299; Los pronombres de complemento directo e indirecto usados juntos, pág. 305.

10-16 **La gasolinera** Ustedes acaban de llegar a una gasolinera con taller mecánico. Túrnense para decirle al mecánico lo que necesitan. ■

MODELO   No pueden abrir el baúl.
          Ábranos el baúl, por favor. / Ábranoslo, por favor.

1. Necesitan gasolina.
2. El parabrisas está sucio.
3. El limpiaparabrisas no funciona.
4. El motor tiene un ruido extraño.
5. Las llantas necesitan aire.
6. El aceite está sucio.

Noel Hendrickson/Thinkstock

👥👥 **10-17** ¿Cómo contestaría tu profe de español? Túrnense para hacer los papeles de profesor/a (P) y estudiante (E). ■

Capítulo 2. La sala de clase, pág. 65.

> **MODELO** E: ¿Debemos hacer la tarea para mañana?
>
> P: *Sí, hagan la tarea para mañana. / Sí, háganla para mañana.*

1. ¿Debemos traer el cuaderno a la clase?
2. ¿Podemos llegar cinco minutos tarde?
3. ¿Hay que hablar en español todo el tiempo?
4. ¿Tenemos que tomar un examen pasado mañana?
5. ¿Podemos usar nuestros apuntes durante el examen?
6. ¿Está bien si no venimos a clase mañana?
7. ¿Podemos desayunar en la sala de clase?
8. ¿Buscamos la lectura en el Internet?
9. ¿Empezamos la tarea en clase?
10. ¿Podemos salir temprano?

👥👥 **10-18** ¡A su servicio! Ustedes son compañeros/as de apartamento y acaban de ganar el concurso ¡A su servicio! Reciben como premio la ayuda de Jaime, un mayordomo (*butler*), por una semana. Díganle **ocho** cosas que quieren que haga (*you want him to do*) para ayudarlos hoy con los quehaceres. Después, díganle **tres** cosas que no debe hacer. ■

Capítulo 3. La casa, pág. 100; Los muebles y otros objetos de la casa, pág. 108; Los quehaceres de la casa, pág. 111.

MODELO *Jaime, saque la basura, por favor.*

Thomas Northcut/Thinkstock

¿Cómo andas? I

Having completed **Comunicación I,** I now can . . .	Feel confident	Need to review
• discuss modes of transportation (p. 374)	☐	☐
• pronounce the letters **b** and **v** (MSL / SAM)	☐	☐
• influence others and give advice (p. 379)	☐	☐
• give orders and instructions (p. 383)	☐	☐
• list some public transportation options and discuss procedures for getting a driver's license (p. 386)	☐	☐

Comunicación II

4 VOCABULARIO

El viaje Sharing about travel

10-24 to 10-29

la playa

las montañas

el lago

Agencia de Viajes Mundotur

MÉXICO

PERÚ

Parque

el parque de atracciones

la agente de viajes

el agente de viajes

el pasaporte

el boleto de ida y vuelta

PASAPORTE

el aeropuerto

la estación de autobuses

el cuarto individual

arreglar / hacer la maleta

la maleta

la propina

el barco

el cuarto doble

el botones

Otras palabras útiles	Other useful words	Algunos verbos útiles	Some useful verbs
la agencia de viajes	*travel agency*	caminar, ir a pie	*to walk; to go on foot*
la estación de tren	*train station*	dejar	*to leave*
el extranjero	*abroad*	ir de vacaciones	*to go on vacation*
la recepción	*front desk*	ir de viaje	*to go on a trip*
la reserva	*reservation*	irse del hotel	*to leave the hotel; to check out*
el sello	*postage stamp*	registrarse (en el hotel)	*to check in*
la tarjeta postal	*postcard*	volar (o → ue)	*to fly; to fly away*
las vacaciones	*vacation*		
los viajeros	*travelers*		
el vuelo	*flight*		

Workbooklet

10-19 **Categorías** Tienes tres minutos para escribir todas las palabras que pertenecen (*pertain*) a las siguientes categorías. No debes repetir palabras. Después, compara tus listas con las de un/a compañero/a. Date un punto por cada palabra que tienes que tu compañero/a no tiene. ■

EL AEROPUERTO	EL HOTEL	LAS VACACIONES

10-20 **La competencia** En grupos de cuatro o cinco estudiantes, escriban la oración más larga (y lógica) posible usando las palabras nuevas de **El viaje**. ■

Workbooklet

Capítulo 7. El pretérito, pág. 263.

10-21 **¿Quiénes lo hacen?** Circula por la clase hasta encontrar a un/a estudiante que pueda contestar afirmativamente a tu pregunta. **¡OJO!** Debes usar el pretérito (P) en algunas de las preguntas. ■

MODELO ¿Quién…?

siempre dejar una buena propina para el/la camarero/a (*housekeeper*) cuando va a un hotel

TIFFANY: *¿Siempre dejas una buena propina para el camarero cuando vas a un hotel?*

ROB: *Sí, siempre dejo una buena propina.*

TIFFANY: *Pues, firma aquí.*

_____ *Rob* _____

¿QUIÉN…?		
siempre dejar una buena propina para el/la camarero/a cuando va a un hotel	ir a un parque de atracciones el año pasado	viajar al extranjero
ir a la playa el verano pasado	volar en avión	recibir tarjetas postales
quedarse en un hotel elegante una vez	esquiar en las montañas	tener más de dos maletas

10-22 **Antes de ir** Tu amigo tiene que ir a Venezuela para una reunión (*meeting*) de negocios. Dale **cinco** consejos sobre lo que debe o no debe hacer para prepararse para el viaje y compara tu lista con la de tu compañero/a. ■

MODELO 1. *Busca tu pasaporte.*

John Foxx/Thinkstock

10-23 **Un joven increíble** Su profesor/a les va a dar información sobre Jordan Romero, un alpinista mexicoamericano muy interesante. Luego, van a preparar una entrevista entre Jordan y un/a reportero/a. Completen los siguientes pasos. ■

Paso 1 Preparen una lista de preguntas para Jordan.

MODELO 1. *¿Cuándo y dónde naciste?*

2. *¿Cuándo empezaste a hacer alpinismo?*

Paso 2 Inventen respuestas lógicas a las preguntas.

MODELO E1: *¿Cuándo y dónde naciste?*

E2: *Nací en Bear Lake, California, el doce de julio del año 1996.*

Paso 3 Hagan los papeles de Jordan y el/la reportero/a.

10-24 **Las mejores vacaciones** Piensa en tus mejores vacaciones al contestar las siguientes preguntas. Después, circula por la clase para entrevistar a tus compañeros/as. ■

1. ¿Adónde fuiste?
2. ¿Cómo viajaste?
3. ¿Dónde te quedaste?
4. ¿Cuánto tiempo estuviste allí?

5. ¿Qué hiciste durante aquellas vacaciones especiales?
6. ¿A quién le mandaste una tarjeta postal?, ¿una tarjeta electrónica?

NOTA CULTURAL

Venezuela, país de aventuras

10-30

Lysithee/Shutterstock

Venezuela, país de aventuras

¿Es Ud. aventurero/a? En Venezuela tenemos muchas oportunidades para conocer nuestro país a base de la aventura. Le proponemos (propose) una excursión de dos días en el Canaima. El primer día le ofrecemos un paseo en barco por la laguna Ucaima y una visita al Salto Ucaima. La excursión del segundo día le permite conocer el Salto Ángel, donde podemos nadar al pie de la cascada (waterfall).

Si le gusta hacer trekking, puede disfrutar de una excursión a los tepuyes (una palabra

indígena que significa "montaña"). Se puede subir el Pico Humboldt; a unos 4.942 m.s.n.m. es el segundo pico del país. Una excursión de este tipo está dentro de los considerados "deportes extremos" que se pueden practicar.

Robert WrÁfÁªblewski/Shutterstock

Si quiere combinar la aventura con una estancia en un hotel de lujo (luxury), debe considerar La isla de Margarita. Está situada al norte de Caracas a sólo treinta y cinco minutos en avión o a un par de horas en ferry. Allí puede disfrutar de todos los deportes de agua, pescar, jugar al golf y explorar las numerosas y variadas playas. Por la noche hay restaurantes, clubes de baile, bares y casinos. Para informarse mejor, póngase en contacto hoy con su agencia de viajes preferida.

Attila JANDI/Shutterstock

Preguntas

1. ¿Qué puedes hacer durante la excursión en el Canaima?, ¿en la excursión a los tepuyes?, ¿en la isla de Margarita?
2. De las aventuras que ofrece Venezuela, ¿cuál prefieres? ¿Por qué?
3. ¿Eres aventurero/a? ¿Cuál es la aventura más atrevida que has tenido (you have had)?

5 GRAMÁTICA

 ¡Hola!

10-31 to 10-33 Spanish/English Tutorials

Otras formas del posesivo
Stating what belongs to you and others

¿Dónde están tus llaves? Tengo las mías aquí.

Pues, las llaves mías deben estar en el carro.

In **Capítulo 1**, you learned how to say *my, your, his, ours,* etc. (**mi/s, tu/s, su/s, nuestro/a/os/as, vuestro/a/os/as, su/s**). In Spanish you can also show possession with the long (or stressed) forms, the equivalents of the English *of mine, of yours, of his, of hers, of ours,* and *of theirs*.

	Singular		Plural	
	Masculine	Feminine	Masculine	Feminine
mío	mía	míos	mías	*mine*
tuyo	tuya	tuyos	tuyas	*yours* (fam.)
suyo	suya	suyos	suyas	*his, hers, yours* (for.), *theirs* (form.)
nuestro	nuestra	nuestros	nuestras	*ours*
vuestro	vuestra	vuestros	vuestras	*yours* (fam.)

Study the following examples.

Mi coche funciona bien.
Nuestros boletos cuestan mucho.
¿Dónde están **tus** llaves?
Su multa es de $100.

El coche mío funciona bien.
Los boletos nuestros cuestan mucho.
¿Dónde están **las llaves tuyas**?
La multa suya es de $100.

El mío funciona bien.
Los nuestros cuestan mucho.
¿Dónde están **las tuyas**?
La suya es de $100.

¡Explícalo tú!

Compare the possessives in the sentences above.

1. What is the position of each possessive in the left-hand column? the middle column?
2. How do the possessive adjectives and pronouns agree?
3. What do the sentences in the column on the right mean? What has been removed from each previous sentence?

 Check your answers to the preceding questions at the end of this chapter.

*Note that the third-person forms (**suyo/a/os/as**) can have more than one meaning. To avoid confusion, you can use:

el coche suyo

article + *noun +* de *+ subject pronoun:*
el coche de él/ella
el coche de Ud.
el coche de ellos/ellas
el coche de Uds.

10-25 **Entre hermanos**

Cambia todos los posesivos a la forma nueva (larga) en la conversación entre Marco y Mari. Después compara los cambios con los de un/a compañero/a. ■

Digital Vision/Thinkstock

MODELO El problema que tienes con tu coche es serio.
El problema que tienes con el coche tuyo es serio.

MARCO: Mari, parece que tu llanta pierde aire.

MARI: Ah, ¿sí? Tampoco funciona bien mi coche.

MARCO: Pues, mi mecánico es muy bueno.

MARI: Gracias, pero pienso llevar el coche a nuestro mecánico. Hace muchos años que Tom y yo lo conocemos.

MARCO: ¿Él tiene su negocio en la calle Bolívar?

MARI: Sí, y trabaja con uno de sus hermanos.

MARCO: ¿Puedes usar uno de sus coches mientras arregla el tuyo?

MARI: Sí, pero prefiero sacar tu BMW del garaje. Nunca lo manejas.

MARCO: Escucha, hermana. Ese BMW es un tesoro (*treasure*) y nadie lo maneja.

 Capítulo 8. La ropa, pág. 294; Las telas y los materiales, pág. 309.

 10-26 **¡Problemas!** Están de viaje con algunos de sus mejores amigos. El hotel les lavó la ropa pero ahora ustedes no saben de quiénes son las prendas. Túrnense para hacer y contestar las preguntas de Ana, quien está intentando organizar la ropa. ■

MODELO E1 (ANA): Los calcetines rojos, ¿son tuyos? (de Felipe)
E2: *No, son de Felipe.*
Los calcetines son suyos.

1. Los pantalones cortos azules, ¿son tuyos? (de Tina)
2. La camisa de rayas, ¿es mía? (de Susana)
3. Los calcetines estampados, ¿son tuyos? (mío)
4. La chaqueta negra, ¿es tuya? (de Felipe)
5. El suéter de algodón, ¿es tuyo? (mío)
6. Las camisetas blancas, ¿son tuyas? (de Tina)

10-27 Personalmente… Termina las siguientes oraciones sobre tu mejor amigo/a y tú y después compártelas con un/a compañero/a. ■

1. El mejor amigo mío…
2. La casa suya…
3. La especialidad mía…
4. La materia favorita suya…
5. El restaurante favorito nuestro…
6. A los otros amigos nuestros les encanta(n)…

6 GRAMÁTICA

10-34 to 10-39   Spanish/ English Tutorials

El comparativo y el superlativo
Comparing people, places, and things

El comparativo

No tengo tantas maletas como tú.

Just as English does, Spanish uses comparisons to specify which of two people, places, or things has a lesser, equal, or greater degree of a particular quality.

1. The formula for comparing unequal things follows the same pattern as in English:

más + *adjective/adverb/noun* + **que**	*more … than*
menos + *adjective/adverb/noun* + **que**	*less … than*

El Hotel Hilton es **más** caro **que** el Motel 6.   *The Hilton is **more** expensive **than** Motel 6.*
El Motel 6 hace reservas **más** rápidamente **que** el Hotel Hilton.   *Motel 6 makes reservations **faster than** the Hilton.*
En esta ciudad hay **menos** hoteles **que** moteles.   *In this city there are **fewer** hotels **than** motels.*

- When comparing numbers, **de** is used instead of **que:**

    El Hilton de Bogotá tiene **más de** doscientos cuartos.   *The Bogotá Hilton has **more than** two hundred rooms.*

2. The formula for comparing two or more *equal* things also follows the same pattern as in English:

tan + *adjective/adverb* + **como**	*as … as*
tanto(a/os/as) + *noun* + **como**	*as much/many … as*

La agencia de viajes Mundotur es **tan** conocida **como** Meliá.   *The Mundotur travel agency is **as** well known **as** Meliá.*
Estos vuelos son **tan** caros **como** esos.   *These flights are **as** expensive **as** those.*
Mi coche va **tan** rápido **como** un Ferrari.   *My car is **as** fast **as** a Ferrari.*
No tengo **tantas** maletas **como** tú.   *I don't have **as many** suitcases **as** you (do).*
No hay **tanto** tráfico **como** ayer.   *There isn't **as much** traffic **as** yesterday.*

El superlativo

1. To compare three or more people or things, use the superlative. The formula for expressing the superlative is:

el, la, los, las (*noun*) + **más/menos** + *adjective* (+ **de**)

La agencia de viajes Viking es **la** agencia **más** popular **de** nuestro pueblo.	*The Viking Travel Agency is the most popular (travel) agency in our town.*
—¿Es el aeropuerto Hartsfield de Atlanta **el** aeropuerto **más** concurrido **de** los Estados Unidos?	*Is Atlanta's Hartsfield Airport the busiest airport in the United States?*
—Sí, ¡y el aeropuerto de mi ciudad es **el menos** concurrido!	*Yes, and my city's airport is the least busy!*

2. The following adjectives have irregular comparative and superlative forms.

Adjective		Comparative		Superlative	
bueno/a	*good*	**mejor**	*better*	**el/la mejor**	*the best*
malo/a	*bad*	**peor**	*worse*	**el/la peor**	*the worst*
joven	*young*	**menor**	*younger*	**el/la menor**	*the youngest*
viejo/a	*old*	**mayor**	*older*	**el/la mayor**	*the eldest*

Comparative:

Mi clase de español es **mejor que** mis otras clases.	*My Spanish class is better than my other classes.*

Superlative:

Mi clase de español es **la mejor de** mis clases.	*My Spanish class is the best (one) of my classes.*

10-28 **¿Cierto o falso?** ¿Qué sabes de la geografía? Indica si las siguientes oraciones son ciertas (**C**) o falsas (**F**); si son falsas, corrígelas. Después, comparte tus oraciones con las de un/a compañero/a siguiendo el modelo. ■

MODELO   México es más grande que Uruguay.

E1:   *¿Es México más grande que Uruguay?*

E2:   *Sí. México es mucho más grande que Uruguay. ¿Es Chile tan grande como Argentina?*

E1:   *No. Chile es más pequeño que Argentina, pero creo que es tan grande como Venezuela.*

1. México es más pequeño que Colombia.
2. Venezuela es casi tan grande como Colombia.
3. Panamá es más grande que Venezuela.
4. De estos países, Panamá es el más pequeño.
5. Colombia es más grande que los Estados Unidos.
6. Caracas es tan grande como México, D.F.

 Capítulo 1. Los adjetivos descriptivos, pág. 43.

 10-29 **¡Así son!** Cada persona tiene su opinión. Vamos a descubrir sus opiniones. ■

Paso 1   Con un/a compañero/a, hagan una lista de tres o cuatro adjetivos para describir a la persona de cada categoría.

MODELO   persona de la clase

E1:   *alto/a, interesante*

E2:   *cómico/a, simpático/a*

1. actriz de la televisión
2. actor del cine
3. jugador de fútbol/béisbol/tenis/etc.
4. cantante de rock/jazz/ópera
5. profesor/a de la universidad
6. persona de la política

Paso 2   Ahora creen preguntas y luego respuestas para cada categoría.

E1:   *¿Quién es la persona más alta de la clase?*

E2:   *Catalina es la persona más alta de la clase.*

Workbooklet

Estrategia

You can also use the following expressions to express your opinions: *Pienso que…, Creo que…, Estoy de acuerdo, No estoy de acuerdo,* and *En mi opinión…*

10-30 ¿El mejor o el peor?

Circula por la clase para averiguar qué opinan los estudiantes sobre "los mejores" y "los peores". Necesitas al menos **dos** opiniones para cada categoría. ■

MODELO   E1: *¿Cuál es el mejor supermercado?*
           E2: *En mi opinión, Whole Foods es el mejor supermercado. Y tú, ¿qué piensas?*
           E1: *Creo que el mejor supermercado es Kroger.*

	ESTUDIANTE 1	ESTUDIANTE 2
1. el mejor supermercado		
el peor supermercado		
2. el mejor almacén		
el peor almacén		
3. el mejor restaurante		
el peor restaurante		
4. el mejor aeropuerto		
el peor aeropuerto		
5. el mejor hotel		
el peor hotel		
6. el mejor parque de atracciones		
el peor parque de atracciones		
7. la mejor playa		
la peor playa		
8. el mejor lugar para la luna de miel (*honeymoon*)		
el peor lugar para la luna de miel		
9. la mejor aerolínea (*airline*)		
la peor aerolínea		
10. el mejor coche		
el peor coche		

10-31 Adivina, adivinanza

Trae un objeto personal a la clase y escribe **cuatro** oraciones sobre él, usando las formas comparativas. No digas el nombre de tu objeto. Lee las oraciones en grupos de cuatro o cinco estudiantes para ver si los compañeros pueden adivinar (*guess*) lo que es. ■

Estrategia

One way to approach **10-31** is to arrange your clues from most general to most specific.

MODELO   un bolígrafo

           E1: 1. Es más grande que un anillo.
                2. Es tan importante como un libro.
                3. Es menos largo que mi zapato.
                4. Seguramente ustedes lo usan tanto como yo.
                5. Es tan útil como un lápiz.

           E2: *¡Es un bolígrafo!*

10-32 **El transporte** Habla con un/a compañero/a sobre todos los medios de transporte que usan o han usado (*have used*) y compárenlos, pensando en los aspectos positivos y negativos de cada uno. ◼

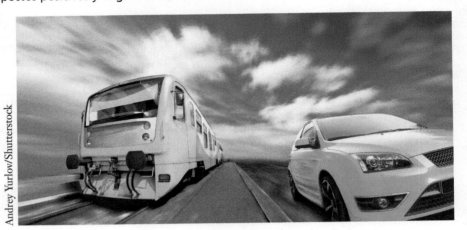

Andrey Yurlov/Shutterstock

MODELO

E1: *Uso el coche más que el metro pero el metro es más rápido que el coche.*

E2: *Nunca voy en metro porque no hay metro en mi ciudad. Voy mucho en autobús porque es más barato que un taxi y es más rápido que mi bicicleta.*

 Capítulo 7. El pretérito, pág. 263; Algunos verbos irregulares en el pretérito, pág. 272; Capítulo 8. El imperfecto, pág. 317; Capítulo 9. El pretérito y el imperfecto, pág. 349.

 10-33 **Los mejores recuerdos (*memories*)** Escoge uno de los siguientes temas y descríbele la situación a un/a compañero/a. Debes mencionar cuándo y dónde ocurrió, quiénes estaban contigo y qué pasó. Túrnense. ◼

1. el mejor regalo que recibí
2. el mejor regalo que regalé (*gave*)
3. el mejor día de mi vida
4. el peor día de mi vida
5. las mejores vacaciones que tomé
6. las peores vacaciones que tomé

ESCUCHA

10-40 to 10-41

Las vacaciones

10-34 **Antes de escuchar** Los amigos de Manolo están en una fiesta. Oyen por casualidad una conversación entre varias personas sobre algunos viajes que ya tomaron y otros viajes que quieren tomar en el futuro. ■

1. ¿Cuáles fueron tus viajes más memorables?
2. ¿Hay un viaje en particular que le puedes recomendar a un/a amigo/a?
3. ¿A dónde quieres ir en tu próximo viaje?

Stockbyte/Getty Images

Memo, Cristina y Rosa hablan de unos viajes interesantes.

10-35 **A escuchar**

Paso 1 Escucha la conversación entre Memo, Cristina y Rosa para tener una idea general de lo que dicen.

Paso 2 Cristina habla de Venezuela. Escucha otra vez y apunta todos los verbos que puedas que ella usa. ¿Cuál es el tiempo verbal que usa más? Entonces, es un viaje que...
a. hizo ya.
b. va a hacer.
c. quiere hacer.

Paso 3 Escucha una vez más para poder completar la siguiente actividad.
1. ¿Quién sale mañana para Colombia? Escribe los verbos que usa esta persona para hablar de su viaje.
2. ¿Habla Rosa de un viaje que hizo ya, va a hacer o quiere hacer? ¿Cómo lo sabes?

10-36 **Después de escuchar** En grupos de tres o cuatro estudiantes, hablen de dos o tres lugares turísticos diferentes que conozcan (*you know*). ¿Qué tienen en común? ■

¡CONVERSEMOS!

10-42

 10-37 **Ayudante indispensable**

Tu jefe/a viaja mucho para el negocio y necesita que tú le hagas los arreglos (*make the arrangements*) para su próximo viaje a Colombia. Crea un itinerario para tu jefe/a y dile lo que necesita hacer y cuándo, usando por lo menos **siete** mandatos. Tu compañero/a de clase va a ser el/la jefe/a y tiene que responder a tus arreglos, usando mandatos cuando sea necesario. ¿Van a usar mandatos formales o informales? ■

Dmitriy Shironosov/Shutterstock

10-38 **¡Buen viaje!** Tienes fondos (*funds*) sin límite para tus próximas vacaciones. Planea un viaje para tu compañero/a de clase y tú. Después, descríbele el viaje a tu compañero/a y dile qué necesita hacer y cuándo, usando por lo menos **siete** mandatos. Tu compañero/a tiene que responder, también usando mandatos cuando sea necesario. ¿Van a usar mandatos formales o informales? ■

nito/Shutterstock

ESCRIBE

Un reportaje

10-43

Linking words help you connect ideas and sentences so you can communicate more effectively. As you write your travel review, practice linking your ideas and sentences. Linking words you know include *y, o, pero, porque, que, cuando, antes de, después de, durante, para empezar, entonces, antes, después, de repente, finalmente, al final, por fin,* and *mientras.*

10-39 Antes de escribir Escoge un lugar turístico de Colombia o Venezuela e investígalo en el Internet. Toma apuntes sobre los aspectos que encuentres más interesantes del lugar. ■

10-40 A escribir Organiza tus ideas y escribe un reportaje para una revista turística que incluya como mínimo la siguiente información: ■

1. dónde está
2. cómo llegar allí
3. qué actividades se pueden hacer
4. dónde uno puede quedarse (hotel de lujo, etc.)

5. el precio del viaje
6. este lugar es más interesante que…
7. este lugar es más/menos barato que…
8. este lugar es el más _____ porque…

10-41 Después de escribir Presenta tu reportaje a los compañeros de clase. Después de todas las presentaciones deben votar para elegir los **tres** lugares que desean visitar. ■

¿Cómo andas? II

Having completed **Comunicación II,** I now can . . .	Feel confident	Need to review
• share about travel (p. 388)	☐	☐
• investigate travel and tourism opportunities in Venezuela (p. 391)	☐	☐
• state what belongs to me and others (p. 392)	☐	☐
• compare people, places, and things (p. 394)	☐	☐
• focus on linguistic cues (p. 399)	☐	☐
• communicate about travel plans (p. 400)	☐	☐
• write and present a report using linking words (p. 401)	☐	☐

10-44 to 10-46

Les presento mi país

Stockbyte/Getty Images

Rosa María Gutiérrez Murcia

Mi nombre es Rosa María Gutiérrez Murcia y soy de Medellín, la segunda ciudad de Colombia. El setenta y cinco por ciento de la población colombiana se concentra en los centros urbanos y las regiones montañosas del país. En Medellín disfrutamos del único sistema de metro del país que proporciona transporte a la gente que vive en las afueras de la ciudad. **¿Qué tipos de transporte público hay en tu pueblo o ciudad?** Bogotá tiene el sistema más extenso de ciclorrutas (caminos para bicicletas) del país; gracias a él, la gente puede circular y disfrutar de los espacios públicos y verdes de la capital. Mi país es muy bello y tiene muchas atracciones para los turistas. Además, es el único país de Sudamérica que tiene costa en el Océano Pacífico y en el Mar Caribe.

gary yim/Shutterstock

Bogotá, Colombia

La Catedral de Sal de Zipaquirá

max blain/Shutterstock

El Museo del Oro en Bogotá

javarman/Shutterstock

Mar Caribe
Barranquilla
Cartagena   Calamar
PANAMÁ
Bucaramanga   VENEZUELA
OCÉANO   Medellín
PACÍFICO   Zipaquirá   Río Meta
Bogotá
Buenaventura
Cali   Río Guaviare
COLOMBIA
Mitú
ECUADOR
Río Caquetá
PERÚ   BRASIL
Río Putumayo
CORDILLERA DE LOS ANDES
Río Magdalena
BRASIL

ALMANAQUE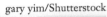

Nombre oficial: República de Colombia
Gobierno: República
Población: 44.205.293 (2010)
Idioma: español
Moneda: Peso colombiano (COP/$)

¿Sabías que...?

- En Zipaquirá, Colombia, hay una catedral única. ¡La catedral está situada a 600 pies adentro de una montaña de sal!
- Simón Bolívar es conocido por ser *El Libertador*. Se considera un héroe en Colombia, Venezuela, Ecuador, Perú, Panamá y Bolivia, entre otros países hispanoamericanos.

Preguntas

1. ¿Qué tiene Colombia que no tiene ningún otro país del continente?
2. ¿Cómo se comparan los medios de transporte de Medellín y Bogotá con los de tu área?
3. ¿Qué tienen en común Colombia, Perú y Chile?

 Amplía tus conocimientos sobre Colombia en MySpanishLab.

402

Venezuela

10-44 to 10-45,
10-47

Rido/Shutterstock

Joaquín Navas Posada

Les presento mi país

Mi nombre es Joaquín Navas Posada y soy de Maracaibo, Venezuela. Hace dos años que vivo con mi hermano mayor y su esposa en la capital, Caracas, porque estudio arte en la Universidad Central de Venezuela. Mi hermano es ingeniero y trabaja en la industria petrolera. Venezuela es miembro de la Organización de Países Exportadores de Petróleo, conocida como la OPEP. **¿Qué papel tiene Venezuela en la OPEP?** Me encanta vivir con mi hermano porque es el mejor cocinero de Venezuela y sabe preparar todas las comidas tradicionales venezolanas como las arepas, las hallacas y el pabellón criollo. ¡Qué ricos! Vivir en la capital, es decir, en la costa, es muy agradable, porque hay mucho que hacer, tanto para nosotros como para los turistas.

Caracas tiene cuatro millones de habitantes.

Alexander Chaikin/Shutterstock

Las arepas, un plato típico venezolano

D. Heining-Boynton,
HBPHOTOPRO.COM

Andriy Markov/Shutterstock

La industria petrolera es muy importante para la economía venezolana.

Mar Caribe · OCÉANO ATLÁNTICO · Esmeralda · Isla de Margarita · Maracaibo · Caracas · Barcelona · Barquisimeto · Tucupita · Mérida · Barinas · *Río Orinoco* · *Río Apure* · San Fernando de Apure · Ciudad Bolívar · VENEZUELA · GUYANA · COLOMBIA · *Río Orinoco* · BRASIL

ALMANAQUE

Nombre oficial: República Bolivariana de Venezuela

Gobierno: República federal

Población: 27.223.228 (2010)

Idiomas: español (oficial); lenguas indígenas

Moneda: Bolívar (BOB)

¿Sabías que...?

- El Salto Ángel, a unos 978 metros de altura, es la catarata más alta del mundo. El agua cae desde la cima del Auyan-tepuy, que está en el Parque Nacional Canaima, en el sureste del país.
- En Mérida hay una heladería que ha figurado en el libro Mundial de Récords Guinness por el mayor número de helados: tienen más de 600 sabores. Por costumbre hay 110 sabores disponibles diariamente.

Preguntas

1. ¿Dónde vive Joaquín? ¿Le gusta? Explica.
2. ¿Cuál es la base principal de la economía venezolana actualmente?
3. La bandera de Venezuela es muy parecida a la de Colombia y a la de Ecuador. ¿Por qué piensas que es así? ¿En qué se diferencian las banderas y a qué se deben estas diferencias?

 Amplía tus conocimientos sobre Venezuela en MySpanishLab.

403

Ambiciones siniestras

EPISODIO 10

Pearson Education

Lectura

If you have attempted to guess the meanings of unfamiliar words from context and are still
having problems understanding, you may want to skip unfamiliar words and follow these steps:

1. Identify the subject and main verb of each sentence.
2. Find descriptions of the subject in the sentence(s).
3. Identify words and phrases that indicate time and place, cause and effect.
4. Ignore words set off by commas.
5. Summarize the content of each paragraph and look for information to fill in gaps.

10-42   Antes de leer   En preparación para el **Episodio 10**, contesta las
siguientes preguntas basadas en el **Episodio 9.** ■

1. ¿Crees que Manolo, Cisco, Lupe y Marisol pueden solucionar el nuevo rompecabezas?
2. ¿Crees que van a poder salvar a Eduardo y Alejandra si lo solucionan?
3. ¿Qué le pasa a Marisol? ¿Está enferma?
4. En tu opinión, ¿qué tiene que confesar Cisco?

10-43   A leer   Completa las siguientes actividades. ■

1. Lee superficialmente el episodio y subraya las palabras que no conoces.
2. A continuación hay unas oraciones de la lectura con posibles palabras problemáticas
   subrayadas. Léelas y responde.
   a. *Cisco estaba _destrozado_. —Me siento responsable por todo —les dijo.*
      - El sujeto de la primera oración es _____ y el verbo es _____. La palabra _destrozado_
        describe a _____.
      - Por las tres oraciones que siguen sabemos que Cisco se siente:
        1. muy bien   2. muy mal   3. regular
   b. *En medio de su _remordimiento_ Manolo lo interrumpió.*
   Si dividimos esa oración en dos partes, "En medio de su remordimiento" y
   "Manolo lo interrumpió":
      - ¿Cuál es la parte más importante para la comprensión de la lectura?
   c. *"Cisco, ¿no te dijo nada?" _imploró_ Manolo.*
      - ¿Por qué no es crítico saber lo que significa "imploró" en esta oración?
   d. *Aquí les mando como documento _adjunto_ el resto de lo que encontré en la
      computadora de Eduardo el día que desapareció.*
      - La palabra "adjunto" es:
        1. un sustantivo (*noun*).   2. un verbo.   3. un adjetivo.
      - Si ignoras la palabra, ¿puedes entender la oración?
3. Lee el episodio otra vez, empleando esa estrategia con cualquier otra palabra que no
   comprendas (*you do not understand*).

404

¿Qué sabía?

had told them

Cisco les confesó todo a Manolo, Marisol y Lupe en la videoconferencia. Les dijo que sabía más del caso de lo que les había dicho°. Les mandó el email de Eduardo el cual descubrió el día que éste desapareció.

Enviar | Enviar más tarde | Guardar | Añadir ficheros | Responder | Responder a todos | Firma | Contactos | Nombres de control | Imprimir

Para: Sr. Verdugo
De: Eduardo
Asunto: Concurso

tamaño | medio | B | I | U | T

Sr. Verdugo:

Sé quién es y qué está haciendo. No hay ningún concurso –todo es una mentira. Lo que no sé es por qué está jugando con nosotros. ¿Cómo nos encontró? ¿Por qué nosotros?

No se preocupe. Estoy convencido de que voy a poder encontrar todas las respuestas y pienso contárselo todo a las autoridades. No va a poder seguir con sus juegos.

Eduardo

Cisco estaba destrozado.

—Me siento responsable por todo —les dijo—. Me pregunto por qué no fui a la policía en seguida. ¡Soy el hombre más tonto del mundo!

En medio de su remordimiento Manolo lo interrumpió.

—¿Qué sabía Eduardo? Era obvio por su mensaje que sabía que el concurso era
how he found out fraudulento, pero me pregunto cómo se enteró°. ¿Cómo y dónde descubrió esa información? ¿Cuándo empezó a tener dudas? Cisco, ¿no te dijo nada? —imploró Manolo.

Cisco se quedó mirando la pantalla por varios minutos antes de responder:

—Aquí les mando como documento adjunto el resto de lo que encontré en la computadora de Eduardo el día que desapareció. Les tengo que confesar que yo también tuve dudas e investigué varias ideas que tenía sobre el concurso. Descubrí que era una conspiración
to defraud Ponzi para estafar° a la gente. El Sr. Verdugo buscaba jóvenes inteligentes que le ayudaran
evil con su malvado° plan. Eduardo encontró los papeles con mis apuntes que tenía al lado de mi computadora y desapareció con ellos. Yo iba a contactar a las autoridades pero cuando Eduardo se fue con toda mi información, yo tenía que reproducirlo todo. Sin las pruebas°,
proof ¿quién me iba a creer? Lo siento mucho, perdónenme…

Manolo, Marisol y Lupe escucharon atentamente y recibieron el documento adjunto de Cisco casi al mismo tiempo en sus computadoras y lo leyeron. Marisol fue la primera en responder:

—Me pregunto si Eduardo pudo hablar con las autoridades antes de desaparecer. ¿Se fue en su coche en busca del Sr. Verdugo? ¿Sabía adónde tenía que ir? ¿Qué piensan?

—Eso es precisamente lo que yo estaba pensando —Manolo les respondió—. —Y algo más: ¿qué tenía que ver Alejandra con todo esto? No podemos olvidarnos de ella.

La única persona que no respondió fue Lupe. Ella también recibió los mensajes y seguía la teleconferencia entre ellos sin participar. De repente abrió otra ventana en su pantalla y empezó a escribir algo muy detallado. Al mismo tiempo, tomó su teléfono celular y
dial empezó a marcar°…

405

10-44 **Después de leer** Contesta las siguientes preguntas. ■

1. Por fin, ¿qué les confesó Cisco a Marisol, Manolo y Lupe?
2. Si no había (*If there wasn't*) ningún concurso, ¿en qué consistía "el juego" del Sr. Verdugo?
3. ¿Cuáles eran las preguntas que tenían Manolo y Marisol ahora?
4. ¿Quién no dijo nada?
5. ¿Qué hizo Lupe al final del episodio?

  # Video

10-52 to 10-54

10-45 **Antes del video** ¿Qué habrá hecho Eduardo (*What must Eduardo have done*) con la información sobre la conspiración Ponzi? ¿Qué escribe Lupe en la computadora y a quién llama? En la segunda parte del episodio vas a saber quién resuelve el rompecabezas y vas a ver una confrontación entre Marisol y Lupe. ■

Pearson Education

¡Marisol, no salgas de tu casa! ¡Estás en peligro!

Pearson Education

Chicos, tenemos buenas noticias.

Pearson Education

Hace mucho tiempo que descubrí que tú no eres la persona que dices ser.

 ## «Falsas apariencias»

Episodio 10

Relájate y disfruta el video.

10-46 **Después del video** Contesta las siguientes preguntas. ■

1. ¿Quién resuelve el rompecabezas?
2. ¿Cómo responde Lupe cuando Marisol le dice que va a ir a su casa?
3. ¿Por qué tiene miedo Marisol?
4. ¿Qué hacen Lupe y Marisol con la respuesta del rompecabezas?
5. ¿Qué quiere hacer Cisco?
6. ¿Qué prueba (*proof*) tiene Marisol de que Lupe no es quien dice ser?
7. ¿Cómo termina el episodio?

406

Y por fin, ¿cómo andas?

Having completed this chapter, I now can . . .

	Feel confident	Need to review
Comunicación I		
• discuss modes of transportation (p. 374)	☐	☐
• pronounce the letters **b** and **v** (MSL / SAM)	☐	☐
• influence others and give advice (p. 379)	☐	☐
• give orders and instructions (p. 383)	☐	☐
Comunicación II		
• share about travel (p. 388)	☐	☐
• state what belongs to me and others (p. 392)	☐	☐
• compare people, places, and things (p. 394)	☐	☐
• focus on linguistic cues (p. 399)	☐	☐
• communicate about travel plans (p. 400)	☐	☐
• write and present a report using linking words (p. 401)	☐	☐
Cultura		
• list some public transportation options and discuss procedures for getting a driver's license (p. 386)	☐	☐
• investigate travel and tourism opportunities in Venezuela (p. 391)	☐	☐
• impart important facts about this chapter's featured countries: Colombia and Venezuela (pp. 402–403)	☐	☐
Ambiciones siniestras		
• determine when it is appropriate to skip unfamiliar words and to discover the truth about what Cisco knows (p. 404)	☐	☐
• confirm that Lupe is not who she appears to be (p. 406)	☐	☐
Comunidades		
• use Spanish in real-life contexts (SAM)	☐	☐

El transporte	Transportation
el autobús	bus
el avión	airplane
la bicicleta	bicycle
el camión	truck
el carro / el coche	car
el metro	subway
la moto(cicleta)	motorcycle
el taxi	taxi
el tren	train

Algunas partes de un vehículo	Parts of a vehicle
el aire acondicionado	air conditioning
el baúl	trunk
la calefacción	heat
el limpiaparabrisas	windshield wiper
la llanta	tire
la llave	key
el motor	motor; engine
el parabrisas	windshield
el tanque	gas tank
el volante	steering wheel

Otras palabras útiles	Other useful words
la autopista	highway; freeway
el boleto	ticket
la calle	street
la cola	line (of people)
el estacionamiento	parking
la gasolinera	gas station
la licencia (de conducir)	driver's license
la multa	traffic ticket; fine
la parada	bus stop
el peatón	pedestrian
el/la policía	policeman/policewoman
el ruido	noise
el semáforo	traffic light
el taller mecánico	auto repair shop
el tráfico	traffic

Algunos verbos útiles	Some useful verbs
arreglar / hacer la maleta	*to pack a suitcase*
bajar (de)	*to get down (from); to get off (of)*
cambiar	*to change*
caminar, ir a pie	*to walk; to go on foot*
dejar	*to leave*
doblar	*to turn*
entrar	*to enter*
estacionar	*to park*
funcionar	*to work; to function*
ir de vacaciones	*to go on vacation*
ir de viaje	*to go on a trip*
irse del hotel	*to leave the hotel; to check out*
llenar	*to fill*
manejar / conducir	*to drive*
registrarse (en el hotel)	*to check in*
revisar	*to check; to overhaul*
sacar la licencia	*to get a driver's license*
subir (a)	*to go up; to get on*
viajar	*to travel*
visitar	*to visit*
volar (o → ue)	*to fly; to fly away*

El viaje	The trip
el aeropuerto	*airport*
la agencia de viajes	*travel agency*
el/la agente de viajes	*travel agent*
el barco	*boat*
el boleto de ida y vuelta	*round-trip ticket*
la estación (de tren, de autobús)	*(train, bus) station*
el extranjero	*abroad*
la maleta	*suitcase*
el pasaporte	*passport*
la reserva	*reservation*
el sello	*postage stamp*
la tarjeta postal	*postcard*
las vacaciones	*vacation*
los viajeros	*travelers*
el vuelo	*flight*

El hotel	The hotel
el botones	*bellman*
el cuarto doble	*double room*
el cuarto individual	*single room*
la recepción	*front desk*

Algunos lugares	Some places
el lago	*lake*
las montañas	*mountains*
el parque de atracciones	*theme park*
la playa	*beach*

Answers to ¡Explícalo tú! (Inductive Grammar Answers)

3. Los mandatos formales

1. Where do the object pronouns appear in affirmative commands?
   attached to the command
   In negative commands?
   before the command and not attached

   In what order?
   i.o. / d.o.
2. Why are there written accents on some of the commands and not on others?
   because some commands would change pronunciation without the accent marks

5. Otras formas del posesivo

1. What is the position of each possessive in the left-hand column? the middle column?
   before the noun; after the noun
2. How do the possessive adjectives and pronouns agree?
   They agree in number and gender with the nouns they describe or replace.
3. What do the sentences mean in the column on the right?
   Mine works fine; Ours cost a lot; Where are yours? His/hers/yours is $100.

   What have you removed from the previous sentence?
   the noun

También se dice...

El transporte y otras palabras/Transportation and other words

el aparcamiento *parking lot*
el atasco *traffic jam*
el billete *ticket*
el camino *dirt road*
el camión *bus (Mexico)*
la camioneta *pickup truck; van; station wagon*
el carnet *driver's license (Spain)*
la carretera *highway*
enviar *to send; to dispatch*
la goma *tire (Latin America)*
la guagua *bus (Caribbean)*
el guía *steering wheel*
el paso de peatones *crosswalk*
el seguro del coche *car insurance*
el tiquete *ticket*
la velocidad *speed*

Algunas partes de un vehículo/Some parts of a car

el acelerador *accelerator; gas pedal*
el cinturón de seguridad *seat belt*
el claxon *horn*
el espejo retrovisor *rearview mirror*
los frenos *brakes*
las luces *lights*

el maletero *car trunk (Spain)*
el parachoques *bumper*
la transmisión *transmission*

Un verbo útil/A useful verb

perderse *to get lost*

El viaje/Travel

los cheques de viajero *traveler's checks*
la dirección *address*
el equipaje *luggage*
la estampilla *(postage) stamp*
la oficina de turismo *tourist office*
el paquete *package*
el pasaje de ida y vuelta *round-trip ticket*
los pasajes *(travel) tickets*
el sobre *the envelope*

El hotel/The hotel

el/la camarero/a *service maid*
el/la guardia de seguridad *security guard*
el/la portero/a *doorman/woman*
el/la recepcionista *receptionist*
el servicio *room service (cleaning)*
el/la telefonista *telephone operator*

Capítulo 11: El mundo actual

11 El mundo actual

¿Qué peligros existen hoy en día para el medio ambiente (*environment*)? Hay más de 5.000 especies de animales en peligro (*danger*) de extinción, el 70% del aire en las ciudades está contaminado, y las selvas (*jungles*), las cuales contienen más del 50% de todas las especies de plantas y animales existentes, se reducen drásticamente cada año.

PREGUNTAS

1 ¿Dónde hay selvas tropicales?

2 ¿Puedes nombrar algunos animales que están en peligro de extinción?

3 ¿Dónde está contaminado el aire en los Estados Unidos?

James Thew/Shutterstock

410

OBJETIVOS	CONTENIDOS	
COMUNICACIÓN I		
To describe animals and their habitats	**1** Animals	412
To pronounce words following the rules for accentuation and stress	**Pronunciación:** Review of word stress and accent marks	MSL / SAM
To share details about the environment	**2** The environment	416
To comment on what is necessary, possible, probable, and improbable	**3** The subjunctive	419
To engage in additional communication practice	**Heritage Language**	SAM
COMUNICACIÓN II		
To discuss government and current affairs	**4** Politics	426
To express time, deadlines, movement, destination, means, purpose, etc.	**5** **Por** and **para**	429
To specify location and other information	**6** Prepositions and pronouns that follow them	432
To provide more information about location, time, and other subjects	**7** Infinitives that follow prepositions	436
To listen to a radio announcement and practice using visual organizers to enhance comprehension	**ESCUCHA:** A political announcement **Estrategia:** Using visual organizers	438
To communicate about world issues	**¡Conversemos!**	439
To employ persuasive writing to create a public announcement	**ESCRIBE:** A public service announcement **Estrategia:** Persuasive writing	440
To engage in additional communication practice	**Heritage Language**	SAM
CULTURA		
To describe El Yunque, the rain forest of Puerto Rico	**NOTA CULTURAL** El Yunque: tesoro tropical	419
To relate specific facts about politics in the Spanish-speaking world	**NOTA CULTURAL** La política en el mundo hispano	428
To share important facts about Cuba, Puerto Rico, and the Dominican Republic	**CULTURA** Cuba, Puerto Rico, and La República Dominicana	441–443
To explore further the chapter's cultural themes	**MÁS CULTURA**	SAM
AMBICIONES SINIESTRAS		
To use visual organizers when reading, and explain who Lupe really is	**EPISODIO 11** **Lectura:** *Celia* **Estrategia:** *Using visual organizers*	444
To relate what happened to Eduardo and Alejandra	**Video:** *El desenlace*	446
COMUNIDADES		
To use Spanish in real-life contexts	**Experiential Learning:** El medio ambiente **Service Learning:** En tu comunidad	SAM SAM

411

Comunicación I

1 VOCABULARIO

11-01 to 11-05

Los animales Describing animals and their habitats

Los animales de la granja

Otras palabras útiles	*Other useful words*	Algunos verbos	*Some verbs*
los animales de la granja	*farm animals*	cuidar	*to take care of*
los animales domésticos /	*domesticated animals;*	preocuparse (por)	*to worry about;*
las mascotas	*pets*		*to concern oneself with*
la granja / la finca	*farm*		

Los animales salvajes

el elefante
la montaña
la cueva
el río
el oso
el león
el pájaro / el ave
las hormigas
la serpiente

Otras palabras útiles	Other useful words
los animales salvajes	*wild animals*
los animales en peligro de extinción	*endangered species*
el bosque	*forest*
el océano	*ocean*
peligroso/a	*dangerous*
la selva	*jungle*

PRONUNCIACIÓN

11-06 to 11-10

Review of Word Stress and Accent Marks

Go to MySpanishLab / Student Activities Manual to review word stress and accent marks.

Workbooklet

11-1 **La fauna** Organiza los animales del vocabulario con un/a compañero/a según las siguientes categorías: **insecto, reptil, mamífero, ave** y **anfibio.** ■

INSECTO	REPTIL	MAMÍFERO	AVE	ANFIBIO

Pan Xunbin/Shutterstock

11-2 ¿Dónde viven? Digan en qué lugar viven los siguientes animales. ■

1. _____   a. la selva

2. _____   b. un lago

3. _____   c. una granja

4. _____   d. el bosque

5. _____   e. un hoyo

6. _____   f. un árbol

11-3 ¿Qué sabemos? Termina las siguientes oraciones con lo que sabes de los animales y dónde viven. Después compara tus oraciones con las de un/a compañero/a. ■

Capítulo 10, El comparativo y el superlativo, pág. 394.

MODELO Los insectos más molestos son…

Los insectos más molestos son las moscas y los mosquitos.

1. Los animales de la granja más grandes son…
2. Los animales de la granja más pequeños son…
3. Los animales domésticos más comunes en mi familia y entre mis amigos son…
4. El animal salvaje más peligroso es…
5. El animal salvaje más grande es…
6. Los animales del bosque más interesantes son…

Capítulo 8, *Gustar* y verbos como *gustar*, pág. 302.

11-4 **Las preferencias** Completa los siguientes pasos. ■

Estrategia

When you write in Spanish you are not expected to be as articulate as you are in your native language. Try to limit, as much as possible, your responses to the vocabulary you know, and as always, you can circumlocute (see *Capítulo 8, Escribe* section).

Paso 1   Escribe los nombres de los **tres** animales que más te gustan y de los **tres** que menos te gustan y explica por qué. Usa verbos como **gustar, fascinar, encantar, hacer falta** y **molestar.** Después, comparte tus respuestas con un/a compañero/a.

MODELO   *El animal que más me gusta es el caballo porque es muy fuerte y me encanta montar a caballo* (go horseback riding). *También me gustan los gatos y los perros porque puedo tenerlos en casa. Los tres animales que menos me gustan son… porque…*

Paso 2   Presenten sus respuestas a los compañeros de la clase. ¿Cuál es el animal que más les gusta? ¿Y el que menos les gusta?

Workbooklet

11-5 **¿Qué opinas?** Circula por la clase para averiguar (*find out*) con quiénes asocian tus compañeros las siguientes actividades. ■

Estrategia

Remember that when completing signature search activities like **11-5,** it is important to move quickly around the room, trying to get as many different signatures as possible, while asking and answering all questions in Spanish.

MODELO   tener miedo de las serpientes

E1:   *Hola Sarah. ¿Quién tiene miedo de las serpientes?*

E2:   *Hola Tomás. Mi madre tiene mucho miedo de las serpientes.*

kaarsten/Shutterstock

¿QUIÉN...?		
tener miedo de las serpientes E1: La madre de Sarah E2: _____ E3: _____	ver un oso el año pasado E1: _____ E2: _____ E3: _____	gustarle los perros E1: _____ E2: _____ E3: _____
tener un animal doméstico E1: _____ E2: _____ E3: _____	odiar los insectos E1: _____ E2: _____ E3: _____	saber ordeñar (*to milk*) una vaca E1: _____ E2: _____ E3: _____
ver un elefante o un león E1: _____ E2: _____ E3: _____	gustarle cuidar animales E1: _____ E2: _____ E3: _____	tener un caballo E1: _____ E2: _____ E3: _____

11-6 **Una encuesta** ¿Qué experiencias tienen ustedes con los animales? ■

Paso 1   Háganse preguntas sobre los siguientes animales.

MODELO   los perros

> E1: *Sarah, ¿tienes perros?*
>
> E2: *Sí, tengo dos perros. Se llaman Duke y Spot. ¿Y ustedes?*
>
> E3: *Sí, en mi casa tenemos dos perros grandes. Se llaman Sissie y Pepper. Son viejos porque ya tienen ocho años.*
>
> E4: *Nosotros no tenemos perrros. Tenemos dos gatos que se llaman Snuggles y Lucky.*
>
> E1: *Tengo un perro pequeño. Es chihuahua y se llama Bullet…*

1. los perros
2. los gatos
3. las ranas

4. los caballos
5. los pájaros
6. las serpientes

7. los osos
8. las vacas
9. ¿?

Paso 2   Organicen las respuestas y compártanlas con los otros grupos.

MODELO   *En nuestro grupo todos tenemos perros menos Jack. Los perros se llaman Duke, Spot, Sissie, Pepper y Bullet. Jack tiene dos gatos…*

2 VOCABULARIO

11-11 to 11-18

El medio ambiente   Sharing details about the environment

Los desastres

la inundación · la contaminación · el huracán · el derrame de petróleo · el terremoto · el tornado · la tormenta · el incendio · el tsunami

El reciclaje

las cajas de cartón

las botellas

el aluminio

el vidrio

el periódico

el plástico

el papel

sembrar

las latas

plantar

El planeta	The planet
el cielo	sky; heaven
la naturaleza	nature
el recurso natural	natural resource
la selva (tropical)	jungle; (tropical) rain forest
la tierra	land; soil
la Tierra	Earth

Otras palabras útiles	Other useful words
el aire	air
la basura	garbage
la calidad	quality
la ecología	ecology
puro/a	pure
el vertedero	dump
vivo/a	alive; living

Los desastres	Disasters
la destrucción	destruction
el efecto invernadero	global warming
la lluvia ácida	acid rain
la tragedia	tragedy

Algunos verbos	Some verbs
botar	to throw away
contaminar	to pollute
evitar	to avoid
hacer daño	to (do) damage; to harm
matar	to kill
proteger	to protect
reciclar	to recycle
reforestar	to reforest
reutilizar	to reuse

 11-7 **Asociaciones** Túrnense para decir qué asocian con cada una de las siguientes palabras o expresiones. ■

MODELO   E1: reutilizar

             E2: *reciclar*

1. la basura
2. hacer daño
3. el recurso natural
4. puro
5. proteger
6. la lluvia ácida

11-8 **¿Qué es...?** Aquí tienen las definiciones. ¿Cuáles son las palabras? ■

MODELO   E1: lo opuesto de contaminado

E2: *puro*

1. plantar árboles donde antes los había
2. el estudio de la protección del medio ambiente
3. un lugar designado donde botamos la basura
4. no botar; buscar un uso nuevo para una lata, botella, etc.
5. estas plantas grandes protegen la Tierra de la potencia del sol
6. ensuciar el agua o el aire
7. lo opuesto de muerto
8. el posible resultado de la contaminación del aire

 11-9 **Hay que reciclar** ¿Qué hacen tu familia, tu comunidad y tu universidad para proteger el medio ambiente? Explícale a un/a compañero/a quién hace qué para proteger el medio ambiente. Después, cambien de papel. ■

MODELO   *Yo voy a la universidad en bicicleta para evitar la contaminación del aire. Mi familia y yo reciclamos el plástico. Mi pueblo ofrece programas de prevención contra incendios. La universidad dio un seminario sobre el efecto invernadero y la destrucción de la capa de ozono.*

 11-10 **Entrevista** Circula por la clase haciéndoles a tus compañeros las siguientes preguntas. ■

1. ¿Cuáles son los recursos naturales más importantes donde vivimos?
2. ¿Dónde está el vertedero más cerca de aquí?
3. ¿Qué haces con tu basura?

4. ¿Dónde podemos reciclar en nuestra universidad?
5. ¿Qué reciclamos en nuestra universidad?
6. ¿Cómo es la calidad del aire donde vivimos?

11-11 **El reportaje** ¿Cómo podemos proteger el medio ambiente? ■

Paso 1   Escribe un párrafo de **seis** a **ocho** oraciones sobre qué podemos hacer en el futuro para proteger el medio ambiente. Puedes usar las ideas de la siguiente lista.

- sembrar muchas plantas
- reciclar y/o reutilizar el plástico, el vidrio, el papel y el cartón
- usar carros eléctricos
- proteger los animales en peligro de extinción
- apoyar las instituciones de conservación de los recursos naturales

- proteger la selva tropical
- reforestar los bosques
- usar el carro lo menos posible
- usar energía solar
- no prender (*turn on*) a menudo el aire acondicionado

MODELO   *Para evitar la destrucción de los bosques y la selva tropical, no debemos cortar más árboles. En el futuro, debemos plantar más árboles para reforestar el bosque...*

 Paso 2   Después, en grupos pequeños, comparen sus oraciones y juntos escriban un reportaje corto con sus recomendaciones para proteger el medio ambiente.

El Yunque: tesoro tropical

11-19 to 11-20

El Bosque Nacional del Caribe también se conoce como El Bosque Lluvioso de El Yunque, en honor al dios bondadoso (*kind*) indígena Yuquiyú. El Yunque es el único bosque lluvioso tropical que pertenece al Sistema de Bosques Nacionales de los Estados Unidos. Más de 100 billones de galones de agua de lluvia caen anualmente en el bosque sobre el monte El Toro (a 1.076 metros).

Colin D. Young/Shutterstock

El Yunque es el bosque nacional más viejo y pequeño de las Américas. Sin embargo, cuenta con la mayor diversidad de flora. Hay más de 240 especies de árboles en un área de poco más de 11.760 hectáreas (28,000 acres). Además, sirve de refugio a muchas especies de pájaros incluyendo la cotorra o loro (*parrot*) puertorriqueño, el cual está en peligro de extinción. Después del huracán Hugo en el año 1989 quedaron solo veinte loros. En esa época se empezó un programa para salvarlos y hoy en día existen unos ochenta y cinco. La ranita (rana pequeña) llamada *coquí* es original de Puerto Rico y hay muchas clases diferentes de coquíes en el Yunque.

El Bosque Nacional del Caribe es el lugar de Puerto Rico más frecuentado por los turistas. También lo frecuentan mucho las familias puertorriqueñas durante los fines de semana para pasar el día.

Preguntas
1. ¿Por qué es tan importante El Yunque?
2. ¿Cuáles son algunas de las características del Yunque que lo hacen tan especial?

11-21 to 11-25   ¡Hola! Spanish/English Tutorials

El subjuntivo Commenting on what is necessary, possible, probable, and improbable

In Spanish, *tenses* such as the present, past, and future are grouped under two different moods, the **indicative** mood and the **subjunctive** mood.

Up to this point you have studied tenses grouped under the *indicative* mood (with the exception of commands) to report what happened, is happening, or will happen. The *subjunctive* mood, on the other hand, is used to express doubt, insecurity, influence, opinion, feelings, hope, wishes, or desires that can be happening now, have happened in the past, or will happen in the future. In this chapter you will learn the present tense of the *subjunctive mood*.

Es una lástima que no quieran reciclar el plástico, el vidrio, el aluminio y el papel.

(continued)

Present subjunctive

To form the subjunctive, take the **yo** form of the present indicative, drop the final **-o,** and add the following endings.

Present indicative	*yo* form		Present subjunctive
estudiar	estudiø	+ e	estudi**e**
comer	comø	+ a	com**a**
vivir	vivø	+ a	**viv**a

	estudiar	comer	vivir
yo	estudi**e**	com**a**	viv**a**
tú	estudi**es**	com**as**	viv**as**
Ud.	estudi**e**	com**a**	viv**a**
él, ella	estudi**e**	com**a**	viv**a**
nosotros/as	estudi**emos**	com**amos**	viv**amos**
vosotros/as	estudi**éis**	com**áis**	viv**áis**
Uds.	estudi**en**	com**an**	viv**an**
ellos/as	estudi**en**	com**an**	viv**an**

Irregular forms

- Verbs with irregular **yo** forms maintain this irregularity in all forms of the present subjunctive. Note the following examples.

	conocer	hacer	poner	venir
yo	conozca	haga	ponga	venga
tú	conozcas	hagas	pongas	vengas
Ud.	conozca	haga	ponga	venga
él, ella	conozca	haga	ponga	venga
nosotros/as	conozcamos	hagamos	pongamos	vengamos
vosotros/as	conozcáis	hagáis	pongáis	vengáis
Uds.	conozcan	hagan	pongan	vengan
ellos/as	conozcan	hagan	pongan	vengan

- Verbs ending in **-car, -gar,** and **-zar** have a spelling change in all present subjunctive forms, in order to maintain the sound of the infinitive.

			Present indicative	Present subjunctive
buscar	c → qu		yo bus**c**o	bus**qu**e
pagar	g → gu		yo pa**g**o	pa**gu**e
empezar	z → c		yo empie**z**o	empie**c**e

	buscar	pagar	empezar
yo	busque	pague	empiece
tú	busques	pagues	empieces
Ud.	busque	pague	empiece
él, ella	busque	pague	empiece
nosotros/as	busquemos	paguemos	empecemos
vosotros/as	busquéis	paguéis	empecéis
Uds.	busquen	paguen	empiecen
ellos/as	busquen	paguen	empiecen

Stem-changing verbs

In the present subjunctive, stem-changing **-ar** and **-er** verbs make the same vowel changes that they do in the present indicative: **e → ie** and **o → ue.**

	pensar (e → ie)	poder (o → ue)
yo	piense	pueda
tú	pienses	puedas
Ud.	piense	pueda
él, ella	piense	pueda
nosotros/as	pensemos	podamos
vosotros/as	penséis	podáis
Uds.	piensen	puedan
ellos/as	piensen	puedan

The pattern is different with the **-ir** stem-changing verbs. In addition to their usual changes of **e → ie**, **e → i**, and **o → ue**, in the **nosotros** and **vosotros** forms the stem vowels change **ie → i** and **ue → u**.

	sentir (e → ie, i)	dormir (o → ue, u)
yo	sienta	duerma
tú	sientas	duermas
Ud.	sienta	duerma
él, ella	sienta	duerma
nosotros/as	sintamos	durmamos
vosotros/as	sintáis	durmáis
Uds.	sientan	duerman
ellos/as	sientan	duerman

(continued)

The **e → i** stem-changing verbs keep the change in all forms.

	pedir (e → i, i)
yo	pida
tú	pidas
Ud.	pida
él, ella	pida
nosotros/as	pidamos
vosotros/as	pidáis
Uds.	pidan
ellos/as	pidan

Irregular verbs in the present subjunctive

• The following verbs are irregular in the subjunctive.

	dar	**estar**	**saber**	**ser**	**ir**
yo	dé	esté	sepa	sea	vaya
tú	des	estés	sepas	seas	vayas
Ud.	dé	esté	sepa	sea	vaya
él, ella	dé	esté	sepa	sea	vaya
nosotros/as	demos	estemos	sepamos	seamos	vayamos
vosotros/as	deis	estéis	sepáis	seáis	vayáis
Uds.	den	estén	sepan	sean	vayan
ellos/as	den	estén	sepan	sean	vayan

Dar has a written accent on the first- and third-person singular forms (**dé**) to distinguish them from the preposition **de.** All forms of **estar,** except the **nosotros** form, have a written accent in the present subjunctive.

Using the subjunctive

One of the uses of the subjunctive is with fixed expressions that communicate opinion, doubt, probability, and wishes. They are always followed by the subjunctive.

¡Es increíble que este capítulo sea el último!

Opinion

Es bueno / malo / mejor que…	*It's good / bad / better that . . .*
Es importante que…	*It's important that . . .*
Es increíble que…	*It's incredible that . . .*
Es una lástima que…	*It's a pity that . . .*
Es necesario que…	*It's necessary that . . .*
Es preferible que…	*It's preferable that . . .*
Es raro que…	*It's rare that . . .*

Doubt and probability

Es dudoso que...	It's doubtful that . . .
Es imposible que...	It's impossible that . . .
Es improbable que...	It's unlikely that . . .
Es posible que...	It's possible that . . .
Es probable que...	It's likely that . . .

Wishes and hopes

Ojalá (que)...   Let's hope that . . . / Hopefully . . .

Es necesario que protejamos los animales en peligro de extinción.

It's necessary that we protect endangered species.

Es una lástima que algunas personas no quieran reciclar el plástico, el vidrio, el aluminio y el papel.

It's a shame that some people don't want to recycle plastic, glass, aluminum, and paper.

Ojalá (que) haya menos destrucción del medio ambiente en el futuro.

Let's hope that there is less destruction of the environment in the future.

> **Fíjate**
>
> The expression *Ojalá* (*que*) comes from the Arabic expression meaning *May it be Allah's will*. The conjunction *que* is optional in this expression.

> **Fíjate**
>
> The subjunctive of *hay* is *haya*.

¡Explícalo tú!

1. What is the difference between the subjunctive and the indicative moods?
2. What other verb forms look like the subjunctive?
3. Where does the subjunctive verb come in relation to the word **que**?

✓ Check your answers to the preceding questions at the end of this chapter.

 11-12 **¡Corre!** Escuchen mientras su profesor/a les explica cómo jugar con las formas de los verbos en el subjuntivo. ∎

 11-13 **Opciones** Túrnense para crear oraciones completas usando los sujetos indicados en cada frase. ∎

MODELO   Es preferible que ella / nosotros / tú (reciclar el vidrio)

    E1: *Es preferible que ella recicle el vidrio.*

    E2: *Es preferible que nosotros reciclemos el vidrio.*

    E3: *Es preferible que tú recicles el vidrio.*

1. Es dudoso que tú / Marta y yo / ella (reutilizar las botellas de plástico)
2. Es necesario que el gobierno / ellos / Uds. (reforestar los bosques)
3. Ojalá que ellos / él / nosotros (conservar las selvas tropicales)
4. Es posible que yo / tú / Uds. (poder evitar la lluvia ácida)
5. Es importante que mi país / los jóvenes / nosotros (respetar la naturaleza)
6. Es una lástima que papá / tú / tus hermanos (botar basura por las calles)

11-14 **El cocodrilo** Completa el siguiente párrafo con la forma correcta del verbo apropiado en el subjuntivo. Después, compara tus respuestas con las de un/a compañero/a. ■

Jupiterimages/Getty Images/Thinkstock

El cocodrilo cubano

| estar | proteger | haber | matar |
| poder | existir | ser | vivir |

Es raro que los cocodrilos (1) _____ en el hemisferio occidental. ¡Siempre pienso en el continente de África como hábitat para este animal! Es una lástima que el cocodrilo americano y el cocodrilo cubano (2) _____ en peligro de extinción. Es bueno que el cocodrilo americano (3) _____ en varias partes del hemisferio (Florida, algunas islas del Caribe y varias zonas costeras del Golfo de México y el océano Pacífico), porque así tiene menos peligro de extinción que el cocodrilo cubano, el cual (*which*) existe solamente en el sureste de Cuba. Es posible que el cocodrilo americano (4) _____ peligroso para los humanos. Son tan grandes que pueden atacar y comer animales de gran tamaño cuando se acercan a beber agua. Es improbable que el cocodrilo cubano (5) _____ a una persona porque es mucho más pequeño y prefiere aves, pequeños mamíferos, peces y otros animales acuáticos. Es increíble que el cocodrilo americano (6) _____ caminar distancias cortas, lo que significa que puede matar fuera del agua también. Es necesario que nosotros (7) _____ estos reptiles y ojalá que (8) _____ muchos más en el futuro.

Workbooklet

 11-15 **Mis mejores consejos...** Completa el cuadro con tus mejores consejos. Después, comparte tu información con un/a compañero/a. ■

PARA PROTEGER LOS RÍOS Y LOS OCÉANOS	PARA EVITAR LA CONTAMINACIÓN DEL AIRE	PARA MANTENER LAS CALLES LIMPIAS
1. Es importante que no botemos la basura en los ríos.	1.	1.
2.	2.	2.
3.	3.	3.

 11-16 **¿Para quién es necesario que...?** Túrnense para hacer y contestar las preguntas sobre las siguientes situaciones usando las expresiones de la pág. 422. ■

George Doyle/Thinkstock

MODELO   estudiar esta noche

E1: *Es probable que estudie esta noche. ¿Y tú?*

E2: *Tengo que estudiar, pero es posible que vaya al cine.*

1. estudiar este fin de semana
2. comer menos comida rápida
3. arreglar su cuarto
4. gastar menos dinero
5. buscar un/a nuevo/a compañero/a de cuarto
6. dormir más
7. sacar mejores notas
8. comprar un coche nuevo
9. reciclar más

11-17 **Posibles determinaciones** ¿Cuáles pueden ser tus determinaciones (*resolutions*) para el próximo año? Descríbelas y después compártelas con un/a compañero/a. ■

MODELO   *Es mejor que no coma tanto chocolate el próximo año, pero es dudoso que pueda evitarlo. ¡Me fascina el chocolate! Es importante que haga más ejercicio. Es una lástima que no me guste hacerlo.*

 11-18 **Es importante que...** Juntos escojan una de las siguientes situaciones para desarrollar en forma de diálogo. Usando las expresiones que acaban de (*have just*) aprender, den consejos según la situación. Después, presenten el diálogo a los compañeros de clase. ■

Situación A:

La doctora Pérez es especialista en nutrición. María Cecilia es una joven universitaria de dieciocho años que va a hacerle una consulta a la doctora sobre cómo mejorar el cutis (*complexion*).

Situación C:

El sargento López está enamorado de la linda Carolina, pero es tan tímido que nunca la invita a salir con él. Su amiga Carmen trata de ayudarlo.

Situación B:

Bruno quiere comprar un carro usado y le pide a su amigo Manolo, quien trabaja en una agencia de carros, que le ayude.

Situación D:

Patricio se mata estudiando para el examen de matemáticas. Un día antes del examen se da cuenta (*he notices*) de que no tenía un examen de matemáticas, ¡sino de español! Va a su consejero para ver qué le aconseja.

¿Cómo andas? I

	Feel confident	Need to review
Having completed **Comunicación I,** I now can . . .		
• describe animals and their habitats (pp. 412–413)	☐	☐
• pronounce words following the rules for accentuation and stress (MSL / SAM)	☐	☐
• share details about the environment (p. 416)	☐	☐
• describe El Yunque, the rain forest of Puerto Rico (p. 419)	☐	☐
• comment on what is necessary, possible, probable, and improbable (p. 419)	☐	☐

Comunicación II

11-26 to 11-29

La política Discussing government and current affairs

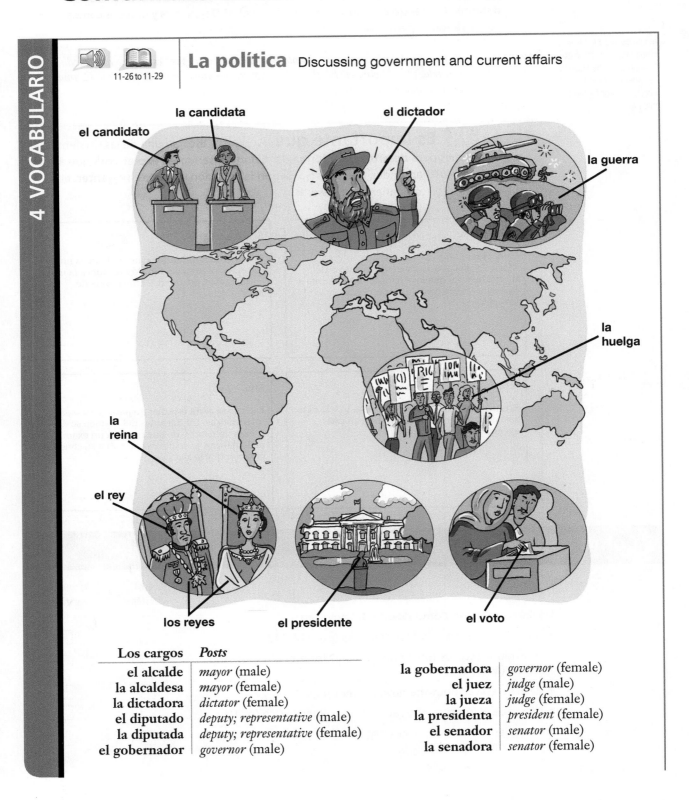

el candidato

la candidata

el dictador

la guerra

la huelga

la reina

el rey

los reyes

el presidente

el voto

Los cargos	Posts		
el alcalde	*mayor* (male)	la gobernadora	*governor* (female)
la alcaldesa	*mayor* (female)	el juez	*judge* (male)
la dictadora	*dictator* (female)	la jueza	*judge* (female)
el diputado	*deputy; representative* (male)	la presidenta	*president* (female)
la diputada	*deputy; representative* (female)	el senador	*senator* (male)
el gobernador	*governor* (male)	la senadora	*senator* (female)

Las administraciones y los regímenes	*Administrations and regimes*
el congreso	*congress*
la democracia	*democracy*
la dictadura	*dictatorship*
el estado	*state*
el gobierno	*government*
la ley	*law*
la monarquía	*monarchy*
la presidencia	*presidency*

Las cuestiones políticas	*Political matters*
el bienestar	*well-being; welfare*
la corte	*court*
la defensa	*defense*
la delincuencia	*crime*
el desempleo	*unemployment*
la deuda (externa)	*(foreign) debt*
el impuesto	*tax*
la inflación	*inflation*
el juicio	*trial*

Algunos verbos	*Some verbs*
apoyar	*to support*
combatir	*to fight; to combat*
elegir	*to elect*
estar en huelga	*to be on strike*
llevar a cabo	*to carry out*
luchar	*to fight; to combat*
meterse en política	*to get involved in politics*
resolver (o → ue)	*to resolve*
votar	*to vote*

 11-19 **Al revés** Generalmente ustedes reciben las definiciones y tienen que advinar la palabra o expresión. Esta vez van a elegir **seis** palabras o expresiones de **La política** y escribir las definiciones. ■

MODELO   el impuesto
El dinero que tenemos que pagar al gobierno cuando compramos algo. Es un porcentaje del costo.

  11-20 **Batalla** Completa cada parte del cuadro con el nombre de un lugar o una persona según la descripción. Después, compara tus respuestas con las de un/a compañero/a. Dense un punto por cada acierto (*match*). ■

Workbooklet

1. una reina	5. un país con alta inflación	9. el nombre del segundo presidente de los Estados Unidos
2. un estado en el Noreste	6. un país con baja inflación	10. el nombre de un senador de tu estado
3. un país con monarquía	7. una ciudad de los Estados Unidos con mucha delincuencia (*crime*)	11. el nombre de una guerra muy larga
4. un rey	8. un alcalde	12. un/a juez/a de la Corte Suprema de los Estados Unidos

Capítulo 7, El pretérito, pág. 263; Capítulo 7, Algunos verbos irregulares en el pretérito, pág. 272.

11-21 Reportando

Imagínense que son periodistas y tienen que hacer un reportaje sobre unas charlas y discursos de unos políticos. Formen oraciones lógicas, añadiendo otras palabras cuando sea necesario. ∎

MODELO   encuesta / mostrar / el 65% de las personas / no votar / elecciones
La encuesta mostró que el 65% de las personas no votaron en las elecciones.

1. alcalde / no resolver / problemas / huelgas
2. jefe / partido politico / decir / (él) meterse en política / para combatir / alta inflación
3. senadora / confirmar / senado / votar por / nuevos impuestos
4. reyes / preocuparse por / bienestar / personas / provincias
5. presidente / dedicarse a / luchar contra / delincuencia, desempleo, deuda externa

NOTA CULTURAL

La política en el mundo hispano

11-30

La historia política de Latinoamérica es la historia de la lucha dramática del ser humano contra fuerzas destructivas como la colonización, el imperialismo, la esclavitud y el genocidio en siglos anteriores y, en épocas más recientes, la pobreza, la corrupción, el nepotismo, la división rígida de clases y el militarismo. Muchos países hispanohablantes han sufrido severas dictaduras o democracias débiles e ineficaces. Esta lucha ahora se traduce en la búsqueda de una relación más justa con el mundo desarrollado y en particular con los Estados Unidos.

En décadas recientes, España ha surgido como un país moderno y avanzado, con un rey progresista y amante de la democracia. Latinoamérica, a su vez, experimentó un periodo de paz y esperanza en la segunda mitad del siglo XX. La guerra que azotó (*whipped*) a Centroamérica en la década de los ochenta acabó y, aunque sus efectos aún se sienten y la recuperación es lenta en algunos países, el estándar de vida en Centroamérica ha aumentado (*has grown*), así como el comercio y el deseo de fortalecer las instituciones democráticas.

stocklight,2009/Used under license from Shutterstock

Evo Morales, elegido por segunda vez el 6 de diciembre del año 2009, es el primer presidente indígena de Bolivia.

Preguntas

1. ¿Cuáles fueron algunos de los problemas en la historia política de los países hispanos?
2. ¿Qué cambios han experimentado (*have they experienced*) muchos de los países hispanos en los últimos quince o veinte años?

11-22 **¿Qué sabes de...?** Juntos contesten las siguientes preguntas para mostrar sus conocimientos políticos. ■

1. ¿En qué año fue la última campaña para la presidencia de los Estados Unidos?
2. ¿Cómo se llama el/la gobernador/a de tu estado?
3. ¿Quién fue un/a dictador/a infame? ¿De qué país? ¿Cuándo fue dictador/a?
4. ¿Qué países tienen un rey o una reina? ¿Cómo se llaman?
5. ¿Cuántos senadores hay en el senado de los Estados Unidos?
6. ¿Cuántos jueces hay en la Corte Suprema de los Estados Unidos?

 11-23 **El futuro político** Escribe algunas ideas sobre lo que debe pasar en el futuro en tu ciudad, estado, país o en el mundo. Después, en grupos de tres, escriban un párrafo colectivo para la clase. Usen las expresiones que requieren el subjuntivo cuando sea posible. ■

MODELO   *Es necesario que los partidos políticos no combatan tanto entre sí* (among themselves). *También es importante que el presidente resuelva problemas económicos como la inflación. Es dudoso que podamos bajar la deuda nacional porque todos quieren dinero para sus programas.*

Jupiterimages/Thinkstock

 11-24 **Los partidos políticos** En grupos de cinco o seis estudiantes van a crear un partido político nuevo. Tienen que determinar el nombre del partido y el programa (*platform*). Después, presenten sus partidos a los otros grupos y juntos decidan cuál(es) de los partidos mejor representa(n) las opiniones de la clase. ■

Por y para Expressing time, deadlines, movement, destination, means, purpose, etc.

11-31 to 11-34

As you have seen, Spanish has two main words to express *for*: **por** and **para**. They have distinct uses and are not interchangeable.

¿Por cuánto tiempo ocupa el presidente la presidencia?

(continued)

POR is used to express:

1. Duration of time (*during, for*)

El presidente ocupa la presidencia **por** cuatro años consecutivos.

The president holds the presidency for four consecutive years.

El alcalde habló **por** más de media hora.

The mayor spoke for more than a half hour.

2. Movement or location (*through, along, past, around*)

Los candidatos andan **por** la calle y hablan con la gente.

The candidates are going through the streets talking with the people.

El rey saluda **por** la ventana.

The king is waving through the window.

3. Motive (*on account of, because of, for*)

Decidimos meternos en política **por** nuestros hijos. Queremos asegurarles un futuro mejor.

We decided to get involved in politics because of our children. We want to assure them a better future.

En resumen, nos dijeron que hay que reciclar **por** el futuro de nuestro planeta.

In short, they told us that we must recycle for the future of our planet.

4. Exchange (*in exchange for*)

Gracias **por** su ayuda, señora Presidenta.

Thank you for your help, Madam President.

Limpiaron el vertedero **por** diez mil dólares.

They cleaned the dump for ten thousand dollars.

5. Means (*by*)

Los diputados discutieron los resultados de las elecciones **por** teléfono.

The representatives argued about the election results over the phone.

¿Los reyes van a viajar **por** barco o **por** avión?

Are the king and queen going to travel by ship or by plane?

PARA is used to express:

1. Point in time or a deadline (*for, by*)

Es dudoso que todos los problemas se solucionen **para** el final de su presidencia.

It is doubtful that all problems will be solved by the end of her presidency.

Es importante que bajemos los impuestos **para** el próximo año.

It is important that we lower taxes by next year.

2. Destination (*for*)

La reina sale hoy **para** Puerto Rico.

The queen leaves for Puerto Rico today.

Los diputados se fueron **para** el Capitolio.

The representatives left for the Capitol.

3. Recipients or intended person or persons (*for*)

Mi hermano escribe discursos **para** la gobernadora.

My brother writes speeches for the governor.

Necesitamos un avión **para** el dictador.

We need a plane for the dictator.

4. Comparison (*for*)

Para un hombre que sabe tanto de la política, no tiene ni idea sobre la delincuencia de nuestras calles.

For a man who knows so much about politics, he has no idea about the crime on our streets.

La tasa de desempleo es bastante baja **para** un país en desarrollo.

The unemployment rate is quite low for a developing country.

5. Purpose or goal (*to, in order to*)

Para recibir más votos, la candidata necesita proponer soluciones **para** los problemas con la deuda externa.

(In order) to receive more votes, the candidate needs to propose solutions for the problems with foreign debt.

Hay que luchar contra la contaminacón **para** proteger el medio ambiente.

One needs to fight pollution to protect the environment.

11-25 **Los políticos** Hoy en día, los políticos son muy activos y están en todas partes. Completen las oraciones de manera lógica. ■

MODELO   La candidata Dávila tuvo una entrevista y habló por…
La candidata Dávila tuvo una entrevista y habló por tres horas.

1. El alcalde dijo que se metió en política para…
2. Las diputadas Meana y Caballero dijeron que hay que elegir a un gobernador nuevo para…
3. Nuestro presidente les dio las gracias a las organizadoras por…
4. El dictador se comunicó por…
5. Después del discurso el rey salió para…
6. La senadora, acompañada por _____, caminó por…

 11-26 **Razones** Túrnense para decir para quiénes están haciendo ustedes las siguientes cosas. ■

Capítulo 5: El presente progresivo, pág. 180.

MODELO   comprar / libro sobre la inflación
E1:   *¿Para quién estás comprando el libro sobre la inflación?*
E2:   *Estoy comprando el libro para mis padres.*

1. hacer / campaña
2. escribir / discurso
3. pedir / donación (*contribution*)

4. buscar / empleo
5. circular / peticiones
6. proteger / el medio ambiente

11-27 **Mi hermana Leonor** Mi hermana Leonor me dio una gran sorpresa para mi cumpleaños. ■

Paso 1   Para saber qué pasó, completa cada espacio en blanco del siguiente párrafo con **por** o **para**.

Leonor, mi hermana, estuvo en mi casa (1) _____ un mes el verano pasado. Vino (2) _____ mi cumpleaños. Leonor llegó con tres maletas y una enorme caja misteriosa. El día de mi cumpleaños me dijo que (yo) tenía que estar lista (3) _____ las cinco de la tarde. Efectivamente, a las cinco en punto estaba sentada en la sala cuando vi (4) _____ la ventana a un grupo de amigos. Venían con un trío de guitarras. ¡Era una serenata (5) _____ mí! ¡Qué emoción tan grande! La serenata comenzó y Leonor bajó (6) _____ la escalera con una caja.
    —Es (7) _____ ti —me dijo. La abrí y ¡qué sorpresa! Era una hamaca de yute (*jute hammock*) de la República Dominicana, donde Leonor había vivido (*had lived*) (8) _____ varios meses.
    —¡Una hamaca (9) _____ el patio —exclamé— (10) _____ leer y dormir al sol! ¡Qué delicia! —Y en seguida pregunté:— Pero, Leonor, ¿cómo trajiste esta hamaca desde Santo Domingo? ¿La trajiste (11) _____ avión o la mandaste (12) _____ correo?
    Leonor se rió y me contestó: —(13) _____ una hermana como tú, todo es posible. Me la traje en avión. (14) _____ ser una caja tan grande la verdad es que no me causó tantos problemas. ¡Feliz cumpleaños!

Paso 2   Comparte tus respuestas con un/a compañero/a y explícale por qué usaste **por o para** en cada una.

Preguntas personales Túrnense para contestar las siguientes preguntas. ∎

Capítulo 7, El préterito, pág. 263; Algunos verbos irregulares en el pretérito, pág 272; Capítulo 8, El imperfecto, pág. 317.

1. ¿Por cuánto tiempo viste las noticias en la televisión anoche?
2. ¿Por cuánto tiempo estudiaste anoche?
3. ¿Qué veías por la ventana de tu cuarto cuando eras joven?
4. Cuando estabas en la escuela primaria, ¿ibas al colegio en autobús, carro o a pie?
5. ¿Por quién votaste la primera vez que pudiste votar?
6. ¿Qué puede hacer un estudiante universitario para ser más activo en la política?
7. ¿Sabes si hay un centro de reciclaje por aquí? ¿Por dónde voy para llegar allí?
8. ¿Qué necesitamos hacer para evitar la contaminación?

6 GRAMÁTICA

11-35 to 11-37 · Spanish/English Tutorials · ¡Hola!

Las preposiciones y los pronombres preposicionales
Specifying location and other information

Besides the prepositions **por** and **para,** there is a variety of useful prepositions and prepositional phrases, many of which you have already been using throughout *¡Anda! Curso elemental.* Study the following list to review the ones you already know and to acquaint yourself with those that may be new to you.

> Sin duda, su apoyo es esencial. Con ustedes podemos hacer grandes cambios sin dificultades.

a	*to; at*	**después de**	*after*
a la derecha de	*to the right of*	**detrás de**	*behind*
a la izquierda de	*to the left of*	**en**	*in*
acerca de	*about*	**encima de**	*on top of*
(a)fuera de	*outside of*	**enfrente de**	*across from; facing*
al lado de	*next to*	**entre**	*among; between*
antes de	*before (time/space)*	**hasta**	*until*
cerca de	*near*	**lejos de**	*far from*
con	*with*	**para**	*for; in order to*
de	*of; from; about*	**por**	*for; through; by; because of*
debajo de	*under; underneath*	**según**	*according to*
delante de	*in front of*	**sin**	*without*
dentro de	*inside of*	**sobre**	*over; about*
desde	*from*		

El centro de reciclaje está **a la derecha del** supermercado.

The recycling center is to the right of the supermarket.

La alcadesa va a hablar **acerca de** los problemas que tenemos con la protección del cocodrilo cubano.

The mayor is going to speak about the problems we are having with the protection of the Cuban crocodile.

Vimos un montón de plástico **encima del** papel.

We saw a mountain of plastic on top of the paper.

Quieren sembrar flores **enfrente del** vertedero.

They want to plant flowers in front of the dump.

El proyecto no puede tener éxito **sin** el apoyo del gobierno local.

The project cannot be successful without the support of the local government.

Los pronombres preposicionales

Study the list of pronouns that are used following prepositions.

mí	me	nosotros/as	us
ti	you	vosotros/as	you
usted	you	ustedes	you
él	him	ellos	them
ella	her	ellas	them

Para mí, es muy importante resolver el problema de la lluvia ácida.

For me, it's really important to solve the problem of acid rain.

¿Qué candidato está sentado **enfrente de ti**?

Which candidate is seated in front of you?

Se fueron de la huelga **sin nosotros**.

They left the strike without us.

Trabajamos **con ellos** para proteger el medio ambiente.

We work with them to protect the environment.

Note that **con** has two special forms:

1. con + mí = **conmigo** *with me*
—¿Vienes **conmigo** al discurso?
Are you coming with me to the speech?

2. con + ti = **contigo** *with you*
—Sí, voy **contigo**.
Yes, I'm going with you.

👥 **11-29** **Hablando del candidato** Termina la conversación entre Celia y Manolo sobre el candidato Carlos Arroyo con los pronombres preposicionales apropiados y después comparte tus respuestas con un/a compañero/a. ∎

CELIA: Manolo, ¿qué opinas tú de (1) _____?

MANOLO: Pues, te digo que para (2) _____ está muy claro. El señor Arroyo no piensa en (3) _____ ni en nuestros problemas.

CELIA: Sí, siempre está con las personas ricas e influyentes (*influential*), tratando de conseguir dinero de (4) _____ para su campaña.

MANOLO: También creo que vive parte del año aquí y parte en la costa. Para (5) _____ eso significa que quiere ser nuestro líder pero no quiere vivir con (6) _____. ¿Y para (7) _____, Celia?

CELIA: Creo que tienes razón. Me gusta hablar con _____ (8) porque me haces pensar en las cosas que no son tan obvias.

Jupiterimages/Thinkstock

11-30 **Descríbemelo** Juntos describan el dibujo usando las siguientes preposiciones. ■

MODELO *El gato está al lado del árbol.*

1. al lado de
2. a la derecha de
3. a la izquierda de
4. cerca de

5. debajo de
6. delante de
7. detrás de
8. lejos de

 11-31 **Una política joven** Completa el párrafo sobre Martina Peña, una candidata nueva en el mundo político, con las preposiciones de la lista. Después compara tu párrafo con el de un/a compañero/a. ■

Jupiterimages/Thinkstock

a	antes de	con (2 veces)	de
después de	entre	sobre	sin

(1) _____ meterse en la política. Martina compartió sus ideas (2) _____ mucha gente. (3) _____ otras personas se reunió (4) _____ políticos importantes y, (5) _____ ellos, aprendió mucho (6) _____ el bienestar, los derechos humanos, la violencia, el desempleo y la inflación. (7) _____ escuchar todo lo que tenían que decir, ella volvió (8) _____ su casa y empezó a convertir sus ideas en discursos. El próximo paso fue buscar apoyo y dinero. Sabía perfectamente que (9) _____ ese apoyo no iba a ser posible ganar las elecciones.

11-32 ¿Dónde están?

Con un/a compañero/a, expliquen dónde están los siguientes lugares en El Viejo San Juan en Puerto Rico, usando siempre las preposiciones apropiadas. ■

MODELO   E1: ¿Dónde está el Campo del Morro?

E2: Está entre el Castillo y La Casa Blanca, al lado del Cementerio de San Juan.

1. La Fortaleza, casa del gobernador
2. El Capitolio, edificio de las oficinas de los senadores y representantes
3. La Plaza de Armas
4. El Castillo de San Felipe del Morro
5. La Casa Blanca, casa de la familia de Juan Ponce de León
6. La Alcaldía / El Ayuntamiento, edificio donde el alcalde tiene sus oficinas
7. Correos
8. El Banco Popular
9. La puerta de San Juan
10. La catedral de San Juan

Capítulo 2. En la universidad, pág. 74.

11-33 La universidad Túrnense para explicar dónde están los siguientes lugares en su universidad. ■

MODELO   La biblioteca está detrás del centro estudiantil.

1. la biblioteca
2. el gimnasio
3. el centro estudiantil
4. la librería

5. la cafetería
6. tu cuarto o residencia estudiantil
7. el centro de salud
8. el estadio de fútbol

 11-34 ¿Con quién...? Decide quién hace las siguientes actividades contigo y después comparte las respuestas con un/a compañero/a. ■

MODELO   E1: ¿Quién... habla contigo por teléfono todos los días?

E2: Mi madre habla conmigo por teléfono todos los días.

¿Quién...?

1. viene a clase contigo
2. se sienta contigo en la sala de clase
3. hace las actividades de clase contigo
4. estudia contigo fuera de clase
5. almuerza o cena contigo
6. sale contigo por la tarde (para ir al cine / bar / club de baile, etc.)

El infinitivo después de preposiciones
Providing more information about location, time, and other subjects

11-38 to 11-40

In Spanish, if you need to use a verb immediately after a preposition, it must always be in the **infinitive** form. Study the following examples:

Antes de reciclar las latas debes limpiarlas.	*Before recycling the cans, you should clean them.*
Después de pisar la hormiga la niña empezó a llorar.	*After stepping on the ant, the little girl began to cry.*
Es fácil decidir **entre reciclar** y **botar**.	*It is easy to decide between recycling and throwing away.*
Necesitamos trabajar con personas de todos los países **para proteger** mejor la Tierra.	*We need to work with people from all countries in order to better protect the Earth.*
Ganaste el premio **por estar** tan interesado en el medio ambiente.	*You won the prize for being so interested in the environment.*
No podemos vivir **sin trabajar** juntos.	*We cannot live without working together.*

 Capítulo 10. El viaje, pág. 388.

 De viaje Forma oraciones lógicas usando **antes de** o **después de**. Después, compártelas con un/a compañero/a. ■

MODELO   E1:   salir / hacer la maleta

E2:   *Antes de salir, necesito hacer la maleta. / Antes de salir, tengo que hacer la maleta.*

1. comprar el boleto / ir al banco
2. pasar por recepción / ir al cuarto
3. llegar al aeropuerto / mostrar el pasaporte
4. hacer la maleta / lavar la ropa
5. ir de vacaciones / dejar el gato con mis padres

Fíjate

The sentences for **11-35** can be written two ways. Start the sentence with *antes de + infinitive* or *después de + infinitive* and finish the sentence, as in *Antes de salir necesito hacer la maleta.* Or end the sentence with the prepositional phrase, e.g., *Necesito hacer la maleta antes de salir.*

11-36 **Lo que pasó con el perro** Termina las siguientes oraciones de forma lógica según el modelo. Después, comparte tus respuestas con un/a compañero/a. ■

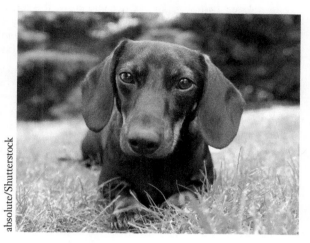

absolute/Shutterstock

MODELO   E1:   Es importante que sepas que el perro se escapó para…

               E2:   *Es importante que sepas que el perro se escapó para jugar con esa perra bonita del vecino.*

1. Es mejor que busquemos el perro antes de…
2. Es probable que el perro nos evite para…
3. Es posible que el perro tenga hambre después de…
4. Sí, es raro que no venga para…
5. Es dudoso que se vaya con otra persona después de…
6. Ojalá que lo encontremos sin…

 11-37 **Mis decisiones** Termina las siguientes oraciones y después compártelas con un/a compañero/a. ■

MODELO   E1:   No me voy de aquí sin…

               E2:   *No me voy de aquí sin terminar la tarea.*

1. Necesito pensar en el futuro antes de…
2. Quiero hablar con mis padres / mi mejor amigo sobre…
3. Voy a buscar un trabajo después de…
4. Tengo que escoger entre…
5. Me quedo en este lugar hasta…
6. Después pienso ir a _____ para…

ESCUCHA

Un anuncio político

11-41 to 11-43

Estrategia	Once you know the topic or gist of a passage, it may be helpful to mentally organize what you are about to hear.	Determine whether a list, chart, or diagram could be useful in helping you keep track of the information.
Using visual organizers		

11-38 Antes de escuchar Fania Marte Lozada tiene un anuncio político en la radio. ■

Fania Marte Lozada, candidata

1. ¿Qué es un anuncio político?
2. ¿Escuchaste alguna vez un anuncio político de un candidato en la radio o viste uno de estos anuncios en la televisión?
3. ¿Qué información contiene generalmente un anuncio de este tipo?

11-39 A escuchar Completa los siguientes pasos. ■

1. Escucha el anuncio para sacar la idea general.
2. Decide de qué forma quieres organizar la información (*list, chart, diagram,* etc.).
3. Escucha otra vez para completar tu diagrama o lista con la información esencial.
4. Escucha una vez más para añadir algunos detalles.

11-40 Después de escuchar En grupos de tres o cuatro, compartan su información y juntos decidan si la Dra. Marte Lozada sería (*would be*) una buena alcaldesa. Expliquen. ■

¡CONVERSEMOS!

11-44

 11-41 **Nuestro mundo**

Junto con un/a compañero/a, creen una conversación entre un ciudadano y un candidato sobre los problemas más críticos del medio ambiente y las posibles soluciones y fondos (*funding*). Necesitan incluir por lo menos **diez** oraciones y usar el **subjuntivo por lo menos cinco veces.** Después, presenten la entrevista para los compañeros de la clase. ▪

Stephen Coburn/Shutterstock

 11-42 **La política** Tu companero/a y tú son reporteros de noticias. Juntos creen un reportaje sobre algún aspecto de la política del mundo y de lo que pasó hoy. Incluyan por lo menos **diez** oraciones. ▪

George Doyle/Thinkstock

ESCRIBE

11-45

Un anuncio de servicio público

Estrategia	In writing a public announcement, your goal is to influence the listeners to support your cause and become better environmentalists. To create the most effective announcement, consider the elements of persuasive writing: appeal to reason, emotions, and good character (ethical, morals, and concern for the well-being of the	audience); define any key terms that may not be clear; reference an authority and/or supporting evidence to back your claims; and anticipate counterarguments and address them. You must develop a rational argument, making sure the conclusion logically follows the claims you make.
Persuasive writing		

11-43 **Antes de escribir** Vas a crear un anuncio de publicidad para la radio sobre algún aspecto de la protección del medio ambiente. Debe durar (*last*) unos quince segundos. Decide de qué quieres hablar y haz una lista de los puntos más importantes que quieres incluir. ▪

11-44 **A escribir** Organiza tus ideas y escribe un anuncio. Debe estar dirigido (*directed*) a los adultos jóvenes. ▪

 11-45 **Después de escribir** Presenta tu anuncio a los compañeros de clase. ▪

¿Cómo andas? II

	Feel confident	Need to review
Having completed **Comunicación II**, I now can . . .		
• discuss government and current affairs (p. 426)	☐	☐
• relate specific facts about politics in the Spanish-speaking world (p. 428)	☐	☐
• express time, deadlines, movement, destination, means, purpose, etc. (p. 429)	☐	☐
• specify location and other information (p. 432)	☐	☐
• provide more information about location, time, and other subjects (p. 436)	☐	☐
• listen to a radio announcement and practice using visual organizers to enhance comprehension (p. 438)	☐	☐
• communicate about world issues (p. 439)	☐	☐
• employ persuasive writing to create a public announcement (p. 440)	☐	☐

Cultura

Cuba

11-46 to 11-47

Riser/DreamPictures
Alicia Ortega Mujica

Les presento mi país

Mi nombre es Alicia Ortega Mujica y soy de La Habana, la capital de Cuba. La mayoría de los cubanos tenemos herencia española, africana o una mezcla (*mixture*) de las dos. La influencia africana se nota sobre todo en la música cubana, especialmente en la salsa. Celia Cruz, "la reina de la salsa", siempre alababa estas raíces africanas en sus canciones. **¿Qué influencia africana se siente en la música de tu país?** Antes, la economía cubana dependía mayormente de la producción de azúcar, pero ahora el turismo es muy importante y el gobierno invierte recursos para desarrollar esa infraestructura a fin de (*in order to*) atraer más visitantes al país.

Heidi Grassley/Dorling Kindersley

La Plaza de la Revolución

El ajiaco, un plato típico cubano

Paolo Pulga/Dorling Kindersley

Jeff Whyte/Shutterstock

El Gran Teatro de La Habana y El Ballet Nacional de Cuba

FLORIDA

BAHAMAS

Matanzas
La Habana   Santa Clara
Morón   OCÉANO ATLÁNTICO
Pinar del Río   CUBA
Isla de la   Camagüey   Nuevitas
Juventud   Holguín
Cienfuegos   Manzanillo
ISLAS   Santiago de Cuba
CAIMANES   Guantánamo
Mar Caribe   JAMAICA

ALMANAQUE

Nombre oficial: República de Cuba
Gobierno: Estado/Régimen comunista
Población: 11.477.459 (2010)
Idioma: español
Moneda: Peso cubano (CUP) y Peso convertible (CUC)

¿Sabías que...?

- El zunzuncito, el pájaro más pequeño del mundo, es endémico (*common*) de Cuba. Mide menos de seis centímetros y pesa menos de dos gramos. Es una especie de colibrí (*hummingbird*).

Preguntas

1. ¿Cuál es la composición étnica de la población cubana?
2. ¿Cuáles son las bases principales de la economía cubana?
3. ¿Qué tipo de música es popular en Cuba? ¿Es popular en otras partes del mundo?

 Amplía tus conocimientos sobre Cuba en MySpanishLab.

441

Cultura

Puerto Rico

11-46, 11-48

Les presento mi país

Pablo Colón Padín

Mi nombre es Pablo Colón Padín y soy de San Germán, Puerto Rico, conocido como la Ciudad de las Lomas (*hills*). Actualmente soy estudiante del Recinto Universitario de Mayagüez, donde han asistido, entre muchos otros, algunos ingenieros de NASA. **¿Te interesan los estudios del espacio y de los planetas?** El Observatorio de Arecibo, sitio del radiotelescopio de un solo plato más grande del mundo, está a unas setenta millas de mi universidad. También se puede estudiar una naturaleza muy diversa en mi isla: desde un área de cuevas del norte hasta El Yunque, bosque lluvioso del este. Puerto Rico es territorio de los Estados Unidos pero la cuestión de la independencia y la estadidad (*statehood*) se siguen debatiendo. **¿Qué opinas tú de esta cuestión?**

El radiotelescopio del Observatorio de Arecibo
Lawrence Roberg/Shutterstock

Vista de San Juan, la capital

OCÉANO ATLÁNTICO

Mar Caribe

El coquí, el famoso símbolo de Puerto Rico

ALMANAQUE

Nombre oficial: Estado Libre Asociado de Puerto Rico

Gobierno: Territorio de los Estados Unidos; Estado Libre Asociado

Población: 3.978.702 (2010)

Idiomas: español e inglés

Moneda: Dólar estadounidense ($)

¿Sabías que...?

- Puerto Rico tiene tres bahías fosforescentes habitadas por millones de microorganismos (dinoflagelados) que emanan (*emanate*) luz cuando son alborotados (*stirred up*). Se puede observar este fenómeno por la noche. ¡Qué maravilla!

Preguntas

1. ¿Qué evidencia del desarrollo avanzado de las ciencias hay en Puerto Rico?
2. Describe la variedad natural de la isla.
3. ¿Hay otros países de Centroamérica que tienen bosques lluviosos?

 Amplía tus conocimientos sobre Puerto Rico en MySpanishLab.

442

La República Dominicana

11-46, 11-49

Blend Images/Shutterstock

Amparo Burgos Báez

Les presento mi país

Mi nombre es Amparo Burgos Báez y soy de la República Dominicana, que comparte la isla de La Española con Haití. Mi país es muy montañoso y áspero (*rough*), con cuatro sistemas principales de cordilleras (*mountain ranges*), pero también tiene unas playas increíbles de arena fina y agua cristalina. **¿Prefieres las montañas o la playa?** Uno de nuestros platos más típicos es *la bandera dominicana,* que consiste en arroz, habichuelas rojas, carne, ensalada y tostones (*plantain chips*)… Si nos visitas, vas a escuchar el merengue y la bachata con sus ritmos contagiosos. Otras aficiones del país son los deportes acuáticos y el béisbol. **¿Sabes qué jugadores dominicanos juegan para equipos estadounidenses?**

Santa María La Menor, la primera catedral del Nuevo Mundo

rj lerich/Shutterstock

rj lerich/Shutterstock

Los cigarros dominicanos son de los mejores del mundo.

OCÉANO ATLÁNTICO

Puerto Plata

Santiago

Samaná

HAITÍ

Cotuí

Punta Cana

LA REPÚBLICA DOMINICANA

San Juan

Santo Domingo

La Romana

Barahona

San Pedro de Macoris

Mar Caribe

Demetrio Carrasco/Rough Guides/DK Images

El merengue, la música nacional

ALMANAQUE

Nombre oficial: La República Dominicana
Gobierno: Democracia representativa
Población: 9.823.821 (2010)
Idioma: español (oficial)
Moneda: Peso dominicano ($RD)

¿Sabías que…?

• Cristóbal Colón descubrió la isla en su primer viaje y la nombró La Española. Santo Domingo fue la primera ciudad europea fundada en el Nuevo Mundo y hoy en día casi la mitad de la población vive ahí, en la capital.

• La mayoría de los beisbolistas hispanos en las Grandes Ligas son dominicanos.

Preguntas

1. ¿Cómo es la geografía dominicana y qué tiene de especial?
2. ¿Qué es "la bandera dominicana"?
3. ¿Qué tienen en común la República Dominicana y los otros países del Caribe que has estudiado?

Amplía tus conocimientos sobre la República Dominicana en MySpanishLab.

443

EPISODIO 11

Pearson Education

Ambiciones siniestras

Lectura

11-52

11-52

Estrategia Using visual organizers

After you have read a text, it may be useful to create a visual organizer for the information contained therein. In *¡Anda! Curso elemental,* you have already worked with timelines, semantic maps (or web diagrams), charts, and Venn diagrams in completing activities. Try these organizers as you read.

11-46 **Antes de leer** En el **Episodio 10** tuvimos una confesión de Cisco y surgieron más dudas sobre Lupe. Parece que tiene secretos. Teniendo esto en cuenta, contesta las siguientes preguntas. ■

1. ¿Quién es Lupe?
2. ¿Cuáles pueden ser sus secretos?
3. ¿Está en peligro Marisol?

11-47 **A leer** Complete the following steps. ■

1. Skim the episode and think about which visual organizer(s) would best summarize what you learn about Lupe.
2. Create the visual organizer(s), then read the passage carefully to gather all the information you can to complete your organizer. Finally, share it with your classmates. Did you all create the same type of visual organizer? Which one(s) proved to be most beneficial?

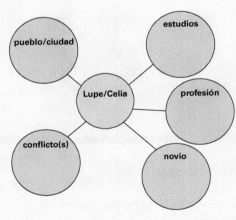

Celia

stayed there
sighed

Marisol tenía una cara de terror. Lupe se quedó° mirando la pistola que tenía en la mano. Por fin la puso en la mesa y suspiró° lentamente.

hurt

—Bueno —dijo Lupe—. Veo que es necesario que te lo cuente todo ahora. Pensaba hacerlo, pero no en este momento. Creía que te protegía… No quise hacerle daño° a nadie, Marisol. Me mandaron aquí para ayudar.

444

—¿Protegerme? ¿Ayudarme? —respondió Marisol—. No sé qué creer. No sé quién eres. No sé qué quieres de mí… de nosotros.

—Marisol, no soy estudiante. Soy agente del FBI.

—¿Cómo? ¿Cómo que eres una agente? No lo comprendo —dijo Marisol—. Te ves tan joven.

—Yo sé que no he sido° honesta —respondió Lupe—. No estoy nada orgullosa de las falsas apariencias y de tantas mentiras°. A veces tengo la sensación de que mi vida es una mentira… pero después pienso en las personas a las que estoy ayudando.

I haven't been lies

—¿A quiénes estás ayudando? —preguntó Marisol—. Estoy desilusionada… muy desilusionada.

—Escuche —imploró Lupe.

—¿Escuche? —preguntó Marisol, incrédula—. ¿Ahora me tratas de «usted»? ¡Éramos amigas! Confiaba en ti.

—Bueno, Marisol. *Te* lo cuento todo pero tienes que dejarme hablar —dijo Lupe.

—Te escucho… ojalá que sea la verdad —respondió Marisol con voz desesperada.

Entonces se sentaron juntas y Lupe empezó a explicárselo todo:

—Mi nombre verdadero es Celia Cortez y soy de Los Ángeles. Me gradué hace ocho años de la Universidad de Georgetown con una especialidad en ciencias políticas. Mientras estaba en el último año, conocí a un hombre increíble y me enamoré de él en seguida. Era el hombre más inteligente, más atractivo, más interesante que había conocido jamás°. Tenía un trabajo muy bueno con el gobierno federal. Era mi mejor amigo… Decidimos casarnos en cuanto me graduara°. Una noche dábamos un paseo por el centro de Washington cuando me dijo que tenía que contarme algo muy importante, que no había sido° totalmente honesto conmigo. Me dijo entonces que trabajaba para el FBI, no para el Departamento de Estado como yo pensaba. Le pregunté por qué decidió contármelo todo aquella noche y me respondió que era porque estaba involucrado° en un trabajo que requería que saliera° de Washington por varias semanas. Me explicó que no iba a poder estar en contacto conmigo mientras tanto. Sin preguntar, imaginaba que iba encubierto°. Nunca pensé en el peligro que le podía esperar. Yo era muy joven y realmente no sabía nada de su trabajo. Dos semanas después recibí la llamada que cambió mi vida por completo: mi amor estaba muerto°. Lo mataron. Yo estaba perdida…

that I had ever met

as soon as I graduated

he had not been

involved required that he leave undercover

dead

—Ay Lupe… perdón, Celia —respondió Marisol—. Lo siento. ¿Qué hiciste entonces?

—Me gradué y fui a trabajar para la misma agencia para conocer mejor quién era él, para poder saber más de su vida y para sentirme más unida a él. Eso fue, como te dije, hace ocho años.

Sonó el teléfono celular de Celia. Contestó y se quedó escuchando sin decir nada. Cortó y le dijo a Marisol:

—Perdona. Es muy importante que hable con esta persona. Tengo que salir ahora pero después vuelvo para contestar tus preguntas. Y no te preocupes por Eduardo y Alejandra. Todo eso fue una mentira también.

445

11-48 **Después de leer** Contesta las siguientes preguntas. ■

1. ¿Cómo se llama Lupe en realidad?
2. ¿De dónde es?
3. ¿Dónde estudió y cuál era su especialidad?
4. ¿Cuál es su trabajo ahora?
5. ¿Cuándo y dónde conoció a su novio?
6. ¿Qué le pasó al novio?
7. ¿Qué hizo ella después?
8. ¿Cómo termina la lectura?

  11-53 to 11-54

Video

11-49 **Antes del video** ¿Qué crees que sabe Celia del Sr. Verdugo? ¿De Eduardo y Alejandra? ¿Quién llama a Celia? ¿Adónde va ella? En la segunda parte del episodio vas a encontrar todas las respuestas, y más. ■

Pearson Education

Buenas tardes. Soy la agente Celia Cortez.

Pearson Education

Llegamos demasiado tarde. Todos se fueron.

Pearson Education

Eduardo, ¿estás bien?

 Episodio 11

«El desenlace»

Relájate y disfruta el video.

11-50 **Después del video** Contesta las siguientes preguntas. ■

1. ¿Dónde estaba Celia cuando empezó el episodio del video?
2. ¿Adónde fueron?
3. ¿A quién(es) encontraron allí?
4. ¿Qué les pasó a Eduardo y Alejandra cuando desaparecieron?
5. ¿Quién escribió los rompecabezas? ¿Por qué?
6. ¿Cómo termina **Ambiciones siniestras**?

446

Y por fin, ¿cómo andas?

	Feel confident	Need to review
Having completed this chapter, I now can . . .		

Comunicación I

- describe animals and their habitats (pp. 412–413) ☐ ☐
- pronounce words following the rules for accentuation and stress (MSL / SAM) ☐ ☐
- share details about the environment (p. 416) ☐ ☐
- comment on what is necessary, possible, probable, and improbable (p. 419) ☐ ☐

Comunicación II

- discuss government and current affairs (p. 426) ☐ ☐
- express time, deadlines, movement, destination, means, purpose, etc. (p. 429) ☐ ☐
- specify location and other information (p. 432) ☐ ☐
- provide more information about location, time, and other subjects (p. 436) ☐ ☐
- listen to a radio announcement and practice using visual organizers to enhance comprehension (p. 438) ☐ ☐
- communicate about world issues (p. 439) ☐ ☐
- employ persuasive writing to create a public announcement (p. 440) ☐ ☐

Cultura

- describe El Yunque, the rain forest of Puerto Rico (p. 419) ☐ ☐
- relate specific facts about politics in the Spanish-speaking world (p. 428) ☐ ☐
- share important facts about Cuba, Puerto Rico, and the Dominican Republic (pp. 441–443) ☐ ☐

Ambiciones siniestras

- use visual organizers when reading, and explain who Lupe really is (p. 444) ☐ ☐
- relate what happened to Eduardo and Alejandra (p. 446) ☐ ☐

Comunidades

- use Spanish in real-life contexts (SAM) ☐ ☐

VOCABULARIO ACTIVO

Algunos animales — *Some animals*

el caballo	*horse*
el cerdo	*pig*
el conejo	*rabbit*
el elefante	*elephant*
la gallina	*chicken; hen*
el gato	*cat*
la hormiga	*ant*
el insecto	*insect*
el león	*lion*
la mosca	*fly*
el mosquito	*mosquito*
el oso	*bear*
el pájaro / el ave	*bird*
el perro	*dog*
el pez (*pl.*, los peces)	*fish*
la rana	*frog*
la rata	*rat*
el ratón	*mouse*
la serpiente	*snake*
el toro	*bull*
la vaca	*cow*

Algunos verbos — *Some verbs*

cuidar	*to take care of*
preocuparse (por)	*to worry about; to concern oneself with*

Las cuestiones políticas — *Political issues*

el bienestar	*well-being; welfare*
la defensa	*defense*
la delincuencia	*crime*
el desempleo	*unemployment*
la deuda (externa)	*(foreign) debt*
el impuesto	*tax*
la inflación	*inflation*

Otras palabras útiles — *Other useful words*

los animal domésticos / las mascotas	*domesticated animals; pets*
los animales en peligro de extinción	*endangered species*
los animales salvajes	*wild animals*
el árbol	*tree*
el bosque	*forest*
la cueva	*cave*
la finca	*farm*
la granja	*farm*
el hoyo	*hole*
el lago	*lake*
la montaña	*mountain*
el océano	*ocean*
peligroso/a	*dangerous*
el río	*river*
la selva	*jungle*

El medio ambiente — *The environment*

el aluminio	*aluminum*
la botella	*bottle*
la caja (de cartón)	*(cardboard) box*
la contaminación	*pollution*
el derrame de petróleo	*oil spill*
el huracán	*hurricane*
el incendio	*fire*
la inundación	*flood*
la lata	*can*
el periódico	*newspaper*
el plástico	*plastic*
el terremoto	*earthquake*
la tormenta	*storm*
el tornado	*tornado*
el tsunami	*tsunami*
el vidrio	*glass*

Algunos verbos — *Some verbs*

apoyar	*to support*
botar	*to throw away*
combatir	*to fight; to combat*
contaminar	*to pollute*
cuidar	*to take care of*
elegir	*to elect*
estar en huelga	*to be on strike*
evitar	*to avoid*
hacer daño	*to (do) damage; to harm*
llevar a cabo	*to carry out*
luchar	*to fight; to combat*
matar	*to kill*
meterse en política	*to get involved in politics*
plantar	*to plant*
proteger	*to protect*
reciclar	*to recycle*
reforestar	*to reforest*
reutilizar	*to reuse*
resolver (o → ue)	*to resolve*
sembrar (e → ie)	*to sow*
votar	*to vote*

La política — *Politics*

el alcalde / la alcaldesa	*mayor*
el/la candidato/a	*candidate*
el/la dictador/a	*dictator*
el/la diputado/a	*deputy; representative*
el/la gobernador/a	*governor*
la guerra	*war*
la huelga	*strike*
el/la juez/a	*judge*
el juicio	*trial*
el/la presidente/a	*president*
el rey / la reina	*king / queen*
el/la senador/a	*senator*

Las preposiciones — *Prepositions*

See page 432.

Las administraciones y los regímenes — *Administrations and regimes*

el congreso	*congress*
la corte	*court*
la democracia	*democracy*
la dictadura	*dictatorship*
el estado	*state*
el gobierno	*government*
la ley	*law*
la monarquía	*monarchy*
la presidencia	*presidency*
la provincia	*province*
la región	*region*
el senado	*senate*

Las elecciones — *Elections*

la campaña	*campaign*
el discurso	*speech*
la encuesta	*survey; poll*
el partido político	*political party*
el voto	*vote*

Otras palabras útiles — *Other useful words*

el aire	*air*
la basura	*garbage*
la calidad	*quality*
la capa de ozono	*ozone layer*
el cielo	*sky; heaven*
el desastre	*disaster*
la destrucción	*destruction*
la ecología	*ecology*
el efecto invernadero	*global warming*
la lluvia ácida	*acid rain*
la naturaleza	*nature*
el planeta	*planet*
puro/a	*pure*
el recurso natural	*natural resource*
la selva tropical	*jungle; (tropical) rain forest*
la Tierra	*Earth*
la tierra	*land; soil*
la tragedia	*tragedy*
el vertedero	*dump*
vivo/a	*alive; living*

Answers to ¡Explícalo tú! (Inductive Grammar Answers)

3. El subjuntivo

1. What is the difference between the subjunctive and the indicative moods?
   The subjunctive expresses concepts such as doubts, emotions, wishes, and desires. The indicative reports events and happenings.
2. What other verb forms look like the subjunctive?
   The *Usted* and *Ustedes* (formal) commands.
3. Where does the subjunctive verb come in relation to the word **que?**
   after the word *que*

También se dice...

Algunos animales/*Some animals*

la abeja *bee*
la ardilla *squirrel*
la ballena *whale*
la cabra *goat*
el cangrejo *crab*
el ciervo *deer*
el cochino *pig*
la culebra *snake*
el dinosaurio *dinosaur*
la foca *seal*
el gallo *rooster*
el gorila *gorilla*
la iguana *iguana*
la jirafa *giraffe*
el lobo *wolf*
el loro *parrot*
la mariposa *butterfly*
el marrano *pig*
el mono *monkey*
el nido *nest*
la oveja *sheep*
la paloma *pigeon; dove*
el pato *duck*
el puerco *pig*
el pulpo *octopus*
el puma *puma*
el rinoceronte *rhinoceros*
el saltamontes *grasshopper*
el tiburón *shark*
el tigre *tiger*
la tortuga *turtle*
el venado *deer*
el zorro *fox*

El medio ambiente/*The environment*

el aerosol *aerosol*
el agua subterránea *ground water*

la Antártida *Antarctica*
el Ártico *the Arctic*
la atmósfera *atmosphere*
el aumento *increase*
el bióxido de carbono *carbon dioxide*
el carbón *coal*
el central nuclear *nuclear plant*
el clorofluorocarbono *chlorofluorocarbon*
el combustible fósil *fossil fuel*
la cosecha *crop; harvest*
la descomposición *decomposition*
el desperdicio de patio *yard waste*
el ecosistema *ecosystem*
la energía *energy*
la energía eólica (molinos de viento) *wind power (windmills)*
la industria *industry*
insoportable *unbearable; unsustainable*
el medio ambiente *environment*
el oxígeno *oxygen*
el país *country*
el pesticida *pesticide*
el petróleo *petroleum*
la piedra *rock; stone*
las placas solares *solar panels*
la planta eléctrica *power plant*
el plomo *lead*
el polvo *dust*
el rayo de sol *ray of sunlight*
el rayo ultravioleta *ultraviolet ray*
el riesgo *risk*

Algunos verbos/*Some verbs*

atrapar *to trap*
conseguir *to achieve*
corroer *to corrode*
dañar *to damage*
desarrollar *to evolve; to develop*

descongelarse *to melt; melt down*
destruir *to destroy*
hacer huelga *to go on strike*
hundirse *to sink*
luchar en contra *to fight against*
prevenir *to prevent*
realizar *to achieve*
tirar *to throw away (Spain)*

La política/*Politics*

la constitución *constitution*
la ciudadanía *citizenship*
el/la ciudadano/a *citizen*
el/la congresista *congressman/woman*
el gobierno *the government*

la monarquía constitucional *constitutional monarchy*
el paro general *general strike*
el/la primer/a ministro/a *prime minister*
el/la secretario/a de estado *secretary of state*

Las cuestiones políticas/*Political issues*

el aborto *abortion*
el abuso de menores *child abuse*
el derecho de trabajadores *workers' rights*
la eutanasia *euthanasia*
el genocidio *genocide*
la inmigración ilegal *illegal immigration*
la pena capital *death penalty*
la seguridad social *social security*
la violencia doméstica *domestic violence*

Capítulo 12: Y por fin, ¡lo sé!

12

Y por fin, ¡lo sé!

This final chapter is designed for you to see just how much Spanish you have acquired thus far. The *major points* of **Capítulos 7–11** are recycled in this chapter. No new vocabulary is presented.

All learners are different in terms of what they have mastered and what they still need to practice. Take the time with this chapter to determine what you feel confident with, and what you personally need to work on. And remember, language learning is a process. Like any skill, learning Spanish requires practice, review of the basics, and then more practice!

Before we begin revisiting the important grammar concepts, go to the end of each chapter, to the **Vocabulario activo** summary sections, and review the vocabulary that you have learned. Doing so now will help you successfully and creatively complete the following recycling activities. Consult the **Vocabulario activo** pages as needed as you progress through this chapter.

450

OBJETIVOS

COMUNICACIÓN

To communicate preferences regarding food and clothing

To relate ideas about past experiences and your daily routine

To convey information about people and things

To express ideas on topics such as health, travel, animals, the environment, and politics

To make requests and give advice using commands

To articulate desires and opinions on a variety of topics

CULTURA

To share information about Chile, Paraguay, Argentina, Uruguay, Perú, Bolivia, Ecuador, Venezuela, Colombia, Cuba, Puerto Rico, and La República Dominicana

To compare and contrast the countries you learned about in **Capítulos 7–11**

AMBICIONES SINIESTRAS

To go behind the scenes of **Ambiciones siniestras**

COMUNIDADES

To use Spanish in real-life contexts (SAM)

Galyna Andrushko/Shutterstock

Salim October /Shutterstock

451

Organizing Your Review

There are processes used by successful language learners for reviewing a world language. The following tips can help you organize your review. There is no one correct way, but these are some suggestions that will best utilize your time and energy.

❶ Reviewing Strategies

1. Make a list of the *major* topics you have studied and need to review, dividing them into categories: *vocabulary, grammar,* and *culture.* These are the topics where you need to focus the majority of your time and energy.
   Note: The two-page chapter openers can help you determine the *major* topics.
2. Allocate a minimum of an hour each day over a period of days to review. Budget the majority of your time with the major topics. After beginning with the major grammar and vocabulary topics, review the secondary/supporting grammar topics and the culture. Cramming the night before a test is *not* an effective way to review and retain information.
3. Many educational researchers suggest that you start your review with the most recent chapter, or for this review, **Capítulo 11.** The most recent chapter is the freshest in your mind, so you tend to remember the concepts better, and you will experience quick success in your review.
4. Spend the most amount of time on concepts in which you determine *you* need to improve. Revisit the self-assessment tools from **Y por fin, ¿cómo andas?** in each chapter to see how you rated yourself. Those tools are designed to help you become good at self-assessing what *you* need to work on the most.

❷ Reviewing Grammar

1. When reviewing grammar, begin with the *major* points, that is, begin with the *preterit, imperfect, pronouns (direct, indirect, and reflexive), commands,* and the *subjunctive.* After feeling confident using the major grammar points correctly, then proceed with the additional grammar points and review them.
2. Good ways to review include redoing activities in your textbook, redoing activities in your Student Activities Manual, and (re)doing activities on MySpanishLab.

❸ Reviewing Vocabulary

1. When studying vocabulary, it is usually most helpful to look at the English word, and then say or write the word in Spanish. Make a special list of words that are difficult for you to remember, writing them in a small notebook or in an electronic file. Pull out the notebook every time you have a few minutes (in between classes, waiting in line at the grocery store, etc.) to review the words. The **Vocabulario activo** pages at the end of each chapter will help you organize the most important words of each chapter.
2. Saying vocabulary (which includes verbs) out loud helps you retain the words better.

❹ Overall Review Technique

1. Get together with someone with whom you can practice speaking Spanish. It is always good to structure the oral practice. If you need something to spark the conversation, take the drawings from each vocabulary presentation in *¡Anda! Curso elemental* and say as many things as you can about each picture. Have a friendly challenge to see who can make more complete sentences or create the longest story about the pictures. This will help you build your confidence and practice stringing sentences together to speak in paragraphs.
2. Yes, it is important for you to know "mechanical" pieces of information such as verb endings, or how to take a sentence and replace the direct object with a pronoun. *But,* it is *much more important* for you to be able to take those mechanical pieces of information and put them all together, creating meaningful and creative samples of your speaking and writing on the themes of **Capítulos 7–11.** Also remember that **Capítulos 7–11** are built upon previous knowledge that you acquired in the beginning chapters of *¡Anda! Curso elemental.*
3. You are on the road to success if you can demonstrate that you can speak and write in paragraphs, using a wide variety of verbs and vocabulary words correctly. Keep up the good work!

Comunicación

Capítulo 7

👥 **12-1** **¡Fiesta!** Decidieron tener una fiesta y tienen que trabajar mucho para prepararlo todo. Organícense, siguiendo el modelo y utilizando **el pretérito**, para organizar la fiesta. ▪

MODELO   ¿Comprar / tú / las bebidas?
  E1: *¿Compraste las bebidas?*
  E2: *Sí, las compré ayer.*

> **Estrategia**
>
> Before beginning each activity, make sure that you have reviewed carefully the concepts in each given chapter so that you are able to move through the activities seamlessly as you put it all together.

Jupiterimages/Brand X Pictures/Thinkstock

Blaj Gabriel/Shutterstock

Stockbyte/Thinkstock

1. ¿Pedir / ustedes / los mariscos?
2. ¿Preparar / tu compañero / los perros calientes?
3. ¿Comprar / tu amiga / el pastel?
4. ¿Limpiar / tú / la sala?

5. ¿Lavar / ustedes / los manteles?
6. ¿Encontrar / Manuel y Manuela / las servilletas?
7. ¿Traer/ Jorge / los CD?
8. ¿Invitar / tú / al profesor?

👥 **12-2** **Después de la fiesta** ¡La fiesta de la actividad **12-1** fue un éxito! Describan lo que pasó en la fiesta y qué hicieron cuando se fueron los invitados. Sean creativos y usen por lo menos **siete** oraciones. ▪

MODELO   *¡Nuestra fiesta fue un éxito! Vinieron muchos invitados. La gente bailó, comió y se divirtió mucho. Escuchamos música salsa y rock. Después, tuvimos que pasar la aspiradora…*

Catalin Petolea/Shutterstock

12-3 **La semana pasada** Túrnense para describir qué hicieron y adónde fueron **la semana** pasada, usando por lo menos **siete** oraciones en **el pretérito** con verbos diferentes. ∎

l	m	m	j	v	s	d
estudiar, ver una película	ir al médico	ir al concierto de Juanes			ir al café Chulo	

MODELO   *La semana pasada hice muchas cosas. Por ejemplo, vi una película en la televisión. Estudié mucho también. Conduje a la universidad el martes en vez de tomar el autobús porque tuve que ir al médico por la tarde. El miércoles por la noche mi amigo y yo fuimos al concierto de Juanes. Dormí muy poco toda la semana…*

Rúbrica

Estrategia

You and your instructor can use this rubric to assess your progress for activities **12-1** through **12-3**.

All aspects of our lives benefit from self-reflection and self-assessment. Learning Spanish is an aspect of our academic and future professional lives that benefits greatly from just such a self-assessment. Also coming into play is the fact that as college students, you personally are being held accountable for your learning and are expected to take ownership for your performance. Having said that, we instructors can assist you greatly by letting you know what we will expect of you. It will help you determine how well you are doing with the recycling of **Capítulo 7**. This rubric is meant first and foremost for you to use as a self-assessment, but you also can use it to peer-assess. Your instructor may use the rubric to assess your progress as well.

	3 EXCEEDS EXPECTATIONS	2 MEETS EXPECTATIONS	1 APPROACHES EXPECTATIONS	0 DOES NOT MEET EXPECTATIONS
Duración y precisión	• Has at least 8 sentences and includes all the required information. • May have errors, but they do not interfere with communication.	• Has 5–7 sentences and includes all the required information. • May have errors, but they rarely interfere with communication.	• Has 4 sentences and includes some of the required information. • Has errors that interfere with communication.	• Supplies fewer sentences and little of the required information in *Approaches Expectations*. • If communicating at all, has frequent errors that make communication limited or impossible.
Gramática nueva del *Capítulo 7*	• Makes excellent use of the chapter's new grammar (e.g., direct object pronouns and the preterit). • Uses a wide variety of verbs when appropriate.	• Makes good use of the chapter's new grammar (e.g., direct object pronouns and the preterit). • Uses a variety of verbs when appropriate.	• Makes use of some of the chapter's new grammar (e.g., direct object pronouns and the preterit). • Uses a limited variety of verbs when appropriate.	• Uses little, if any, of the chapter's new grammar (e.g., direct object pronouns and the preterit). • Uses few, if any, of the chapter's verbs.

(continued)

	3 EXCEEDS EXPECTATIONS	2 MEETS EXPECTATIONS	1 APPROACHES EXPECTATIONS	0 DOES NOT MEET EXPECTATIONS
Vocabulario nuevo del *Capítulo 7*	• Uses many of the new vocabulary words (e.g., foods, food preparation, and the restaurant).	• Uses a variety of the new vocabulary words (e.g., foods, food preparation, and the restaurant).	• Uses some of the new vocabulary words (e.g., foods, food preparation, and the restaurant).	• Uses few, if any, new vocabulary words (e.g., foods, food preparation, and the restaurant).
♻ **Gramática y vocabulario reciclado de los capítulos anteriores**	• Does an excellent job using recycled grammar and vocabulary to support what is being said. • Uses a wide array of recycled verbs. • Uses some recycled vocabulary, but focuses predominantly on new vocabulary.	• Does a good job using recycled grammar and vocabulary to support what is being said. • Uses an array of recycled verbs. • Uses some recycled vocabulary, but focuses predominantly on new vocabulary.	• Does an average job using recycled grammar and vocabulary to support what is being said. • Uses a limited array of recycled verbs. • Uses mostly recycled vocabulary and some new vocabulary.	• If speaking at all, relies almost completely on a few isolated words. • Usage of previously learned grammar is inconsistent.
Esfuerzo	• Clearly the student made his/her best effort.	• The student made a good effort.	• The student made an effort.	• Little or no effort went into the activity.

Capítulo 8

12-08 to 12-14

Capítulo 8

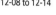 **12-4** **La boda del siglo** David y Adriana se casan. Tu compañero/a y tú están invitados y están planeando cómo vestirse. Túrnense para hablar del evento siguiendo el modelo. ▪

MODELO   tú / prestar / a mí / pantalones / amarillo

       E1:   *¿Me prestas tus pantalones amarillos?*

       E2:   *Sí, te los presto. / No, no te los presto.*

1. tú / prestar / a mí / zapatos / negro
2. tú / prestar / a Julieta / blusa / azul / seda
3. ellas / prestar / a Mariela / falda / corto / atrevido
4. Raúl y Rafa / prestar / a Leo / el cinturón / de cuero / negro
5. Ud. / prestar / a Jaime / coche / nuevo

Stockbyte/Thinkstock

12-5 **La recomendación fue...** ¿Cuáles fueron sus recomendaciones a las siguientes personas? Túrnense para formar preguntas y contestar según el modelo. ■

Monkey Business Images/Shutterstock

MODELO tú / las blusas de Kohls (a tus primas)

E1: *¿Les recomendaste las blusas de Kohls a tus primas?*

E2: *No, no se las recomendé. / Sí, se las recomendé.*

1. ellos / los museos de arqueología (a tu profesor/a)
2. tú / el café Starbucks (a tus padres)
3. tu hermano / el hotel Ritz (a su amiga que no tiene dinero)
4. nosotros / la música de Shakira (a unos compañeros)
5. yo / la película *Shrek* (a mis primos de cinco años)
6. ustedes / las novelas de Gabriel García Márquez (a sus tíos)
7. tú / la clase de español (a tu mejor amigo/a)

Estrategia

You can elaborate on your answers as to why you recommended or did not recommend something by adding **porque** and a short explanation. In the model, you could say *No, no se las recomendé porque son muy caras.*

Workbooklet

12-6 **Una encuesta** Usa las siguientes expresiones para crear una encuesta de **diez** preguntas. Hazles las preguntas a diez personas diferentes y comparte tus resultados con la clase. ■

Phil Date/Shutterstock

PREGUNTA	ME ENCANTA(N)	ME MOLESTA(N)	ME IMPORTA(N)	ME HACE(N) FALTA	ME FASCINA(N)
¿Te gustan los animales salvajes? ¿Cuáles?					Erika: Sí, me fascinan los tigres.
¿Te gusta la ropa elegante?		Alex: No, me molesta. Prefiero la ropa informal.			

12-7 **¿Qué hiciste ayer?** Escribe un párrafo sobre lo que hiciste ayer. Incluye por lo menos **diez** actividades usando un mínimo de **siete** verbos reflexivos. Después, léeselo a un/a compañero/a. ■

MODELO *Ayer me levanté a las seis de la mañana. Me duché en tres minutos. Me puse los pantalones rojos con rayas blancas…*

 12-8 **Para conocerte mejor** Cuando tenías quince años, ¿qué hacías en las siguientes situaciones? ■

Paso 1 Contesta las siguientes preguntas.

MODELO E1: ¿Qué hacías por las tardes, después de salir del colegio?

E2: *Yo jugaba al tenis. ¿Qué hacías tú?*

E1: *Hacía la tarea y ayudaba a mi madre con los quehaceres de la casa.*

1. ¿Qué te ponías cuando salías con esa "persona especial"?
2. Antes de dormirte, ¿pensabas en tu día?
3. ¿Tenías un perro?
4. ¿Cómo te divertías?
5. ¿Siempre te acordabas de hacer toda la tarea?
6. Si tenías tiempo, ¿con quién(es) te reunías?
7. ¿Dónde te gustaba sentarte en el cine, adelante o atrás? ¿Por qué?
8. ¿Qué querías ser de mayor?
9. ¿En qué situaciones te ponías nervioso/a?
10. ¿Cuándo te sentías feliz?

> **Estrategia**
>
> Being a good listener is an important life skill. Repeating what your classmate said gives you practice in demonstrating how well you listened.

Paso 2 Escucha las respuestas de tu compañero/a. ¿Cuántas preguntas contestaron ustedes de manera similar? ¿De manera diferente?

12-9 **Mi primera casa** ¿Cómo era tu primera casa o la de un/a amigo/a de tu infancia? Descríbesela a un/a compañero/a en por lo menos **diez** oraciones incluyendo todos los detalles posibles (los muebles, los colores, etc.). ■

MODELO   *Mi primera casa estaba en una ciudad pequeña. Tenía dos dormitorios. La cocina era amarilla. El comedor y la sala eran pequeños. Tenía solamente* (only) *un baño…*

Comstock/Thinkstock   photobank.ch/Shutterstock   Horst Petzold/Shutterstock

Estrategia
You and your instructor can use this rubric to assess your progress for activities **12-4** through **12-9**.

Rúbrica

	3 EXCEEDS EXPECTATIONS	2 MEETS EXPECTATIONS	1 APPROACHES EXPECTATIONS	0 DOES NOT MEET EXPECTATIONS
Duración y precisión	• Has at least 8 sentences and includes all the required information. • May have errors, but they do not interfere with communication.	• Has 5–7 sentences and includes all the required information. • May have errors, but they rarely interfere with communication.	• Has 4 sentences and includes some of the required information. • Has errors that interfere with communication.	• Supplies fewer sentences and little of the required information in *Approaches Expectations*. • If communicating at all, has frequent errors that make communication limited or impossible.
Gramática nueva del *Capítulo 8*	• Makes excellent use of the chapter's new grammar (e.g., the imperfect, object pronouns, reflexive verbs, and verbs like *gustar*). • Uses a wide variety of verbs when appropriate.	• Makes good use of the chapter's new grammar (e.g., the imperfect, object pronouns, reflexive verbs, and verbs like *gustar*). • Uses a variety of verbs when appropriate.	• Makes use of some of the chapter's new grammar (e.g., the imperfect, object pronouns, reflexive verbs, and verbs like *gustar*). • Uses a limited variety of verbs when appropriate.	• Uses little, if any, of the chapter's new grammar (e.g., the imperfect, object pronouns, reflexive verbs, and verbs like *gustar*). • Uses few, if any, of the chapter's verbs.
Vocabulario nuevo del *Capítulo 8*	• Uses many of the new clothing-related vocabulary words.	• Uses a variety of the new clothing-related vocabulary words.	• Uses some of the new clothing-related vocabulary words.	• Uses few, if any, new clothing-related vocabulary words.

(continued)

	3 EXCEEDS EXPECTATIONS	2 MEETS EXPECTATIONS	1 APPROACHES EXPECTATIONS	0 DOES NOT MEET EXPECTATIONS
Gramática y vocabulario reciclado de los capítulos anteriores	• Does an excellent job using recycled grammar and vocabulary to support what is being said. • Uses a wide array of recycled verbs. • Uses some recycled vocabulary, but focuses predominantly on new vocabulary.	• Does a good job using recycled grammar and vocabulary to support what is being said. • Uses an array of recycled verbs. • Uses some recycled vocabulary, but focuses predominantly on new vocabulary.	• Does an average job using recycled grammar and vocabulary to support what is being said. • Uses a limited array of recycled verbs. • Uses mostly recycled vocabulary and some new vocabulary.	• If speaking at all, relies almost completely on a few isolated words. • Usage of previously learned grammar is inconsistent.
Esfuerzo	• Clearly the student made his/her best effort.	• The student made a good effort.	• The student made an effort.	• Little or no effort went into the activity.

Capítulo 9

12-15 to 12-21

Capítulo 9

12-10 **Un diálogo** Imaginen que trabajan como voluntarios con un médico. Creen un diálogo entre el médico y el paciente con respecto a sus síntomas y su tratamiento. Escriban por lo menos **catorce** oraciones. ■

Tony Magdaraog/Shutterstock

MODELO

E1 (MÉDICO): *¿Cómo está? ¿Qué le duele?*

E2 (PACIENTE): *Creo que tengo catarro o un virus. Me duele todo.*

E1: *¿Tiene fiebre? ¿Tose? ¿Estornuda?*

E2: *No, no tengo fiebre pero sí tengo tos. Y sí, estornudo mucho. ¡También me quemé!*

E1: *¿Se quemó? ¿Cómo?*

E2: *…*

12-11 **¡Me enfermé!** ¿Cuándo fue la última vez que se enfermaron? ¿Qué hicieron? ¿Qué pasó? ■

Paso 1   Descríbele a un/a compañero/a tu última enfermedad en por lo menos **diez** oraciones.

MODELO   *Hace dos semanas que me enfermé. Tuve gripe y guardé cama por una semana. Mi madre me llevó al médico porque me dolía el cuerpo y tenía fiebre…*

Paso 2   Describe en tus propias (*own*) palabras la enfermedad de tu compañero/a de clase.

Rúbrica

Estrategia
You and your instructor can use this rubric to assess your progress for activities **12-10** through **12-11**.

	3 EXCEEDS EXPECTATIONS	2 MEETS EXPECTATIONS	1 APPROACHES EXPECTATIONS	0 DOES NOT MEET EXPECTATIONS
Duración y precisión	• Has at least 8 sentences and includes all the required information. • May have errors, but they do not interfere with communication.	• Has 5–7 sentences and includes all the required information. • May have errors, but they rarely interfere with communication.	• Has 4 sentences and includes some of the required information. • Has errors that interfere with communication.	• Supplies fewer sentences and little of the required information in *Approaches Expectations*. • If communicating at all, has frequent errors that make communication limited or impossible.
Gramática nueva del *Capítulo 9*	• Makes excellent use of the chapter's new grammar (e.g., preterit and imperfect). • Uses a wide variety of verbs when appropriate.	• Makes good use of the chapter's new grammar (e.g., preterit and imperfect). • Uses a variety of verbs when appropriate.	• Makes use of some of the chapter's new grammar (e.g., preterit and imperfect). • Uses a limited variety of verbs when appropriate.	• Uses little, if any, of the chapter's new grammar (e.g., preterit and imperfect). • Uses few, if any, of the chapter's verbs.
Vocabulario nuevo del *Capítulo 9*	• Uses many of the new vocabulary words (e.g., the body and medical terms).	• Uses a variety of the new vocabulary words (e.g., the body and medical terms).	• Uses some of the new vocabulary words (e.g., the body and medical terms).	• Uses few, if any, new vocabulary words (e.g., the body and medical terms).
⊕ **Gramática y vocabulario reciclado de los capítulos anteriores**	• Does an excellent job using recycled grammar and vocabulary to support what is being said. • Uses a wide array of recycled verbs. • Uses some recycled vocabulary, but focuses predominantly on new vocabulary.	• Does a good job using recycled grammar and vocabulary to support what is being said. • Uses an array of recycled verbs. • Uses some recycled vocabulary, but focuses predominantly on new vocabulary.	• Does an average job using recycled grammar and vocabulary to support what is being said. • Uses a limited array of recycled verbs. • Uses mostly recycled vocabulary and some new vocabulary.	• If speaking at all, relies almost completely on a few isolated words. • Usage of previously learned grammar is inconsistent.
Esfuerzo	• Clearly the student made his/her best effort.	• The student made a good effort.	• The student made an effort.	• Little or no effort went into the activity.

Capítulo 10

12-22 to 12-27

Capítulo 10

 12-12 **Los días de vacaciones** ¿Qué hiciste durante las últimas vacaciones? Descríbele a tu compañero/a, en por lo menos **diez** oraciones y usando una variedad de verbos y vocabulario, tus últimas vacaciones. Incluye las siguientes palabras: ■

todos los días	todas las noches	generalmente	normalmente
un día	una vez	una mañana	nunca

Cedric Weber/Shutterstock

Galyna Andrushko/Shutterstock

Comstock/Getty Images

MODELO *Durante las últimas vacaciones nosotros fuimos a Punta Cana. Fue la primera vez que visitamos la República Dominicana. Todos los días íbamos a la playa. Allí nadábamos…*

12-13 **Mis vacaciones favoritas** ¿Adónde fuiste y cómo fueron tus vacaciones favoritas? Descríbeselas a un/a compañero/a en por lo menos **siete** oraciones usando el pretérito y una variedad de verbos. ■

¡Chile es lo máximo!

¡Qué maravilla!

MODELO *Mis vacaciones en Argentina fueron mis mejores vacaciones. Fuimos a la playa, donde mi familia y yo anduvimos muchas horas. Bebí mate por primera vez…*

12-14 **Y también...** Imagina que tienes un hijo y que, por primera vez, él va a salir solo con sus amigos y se va a llevar el coche. ¿Qué le aconsejas? Túrnense para hacer **mandatos informales** con los siguientes verbos. ■

MODELO   E1: leer / el manual
          E2: *Lee el manual.*

1. conducir / con cuidado
2. llevar / el permiso
3. tener cuidado / los peatones
4. llenar el tanque / gasolina
5. no mandar / mensajes de texto
6. no perder / llaves
7. no abrir / ventanas / si llueve
8. no estacionarse / en lugares prohibidos
9. no doblar a la izquierda / sin mirar
10. no comer ni beber / en el coche
11. limpiar / parabrisas
12. no ir / muy rápido

12-15 **¡Me molestas!** ¿En tu vida hay alguien que te está volviendo loco/a (*is driving you crazy*)? Túrnense para decirle a tu compañero/a lo que debe y no debe hacer. Pueden usar las palabras y expresiones de la lista y otras también. ¡Sean creativos! ■

Estrategia

Organize your thoughts in chronological order, and use transitions in your paragraphs. Consider words like *primero, segundo, tercero, próximo, después,* and *finalmente.*

guardar tu comida	tener más paciencia
no dejar la ropa sucia en el piso	no estornudar
lavar los platos	mejorarte
sacar la basura	cuidarte
no invitar siempre a tus amigos	no ponerte mi ropa

MODELO   *Raúl, por favor, ¡me estás volviendo loca! Primero, guarda tu comida en el refrigerador, no la pongas en el sofá. Segundo, ¡no estornudes encima de la comida! Ponte el abrigo porque hace frío. Cuídate, por favor...*

 12-16 **En la gasolinera** Están en una gasolinera. Túrnense para decirle al empleado (*attendant*) lo que necesitan. ■

MODELO   *Ponga aire en las llantas, por favor. También, abra el baúl, por favor. Yo no puedo abrirlo...*

Tatagatta/Shutterstock

George Doyle/Stockbyte/Thinkstock

12-17 **¡Por fin!** ¡Este es el momento que esperabas! ¡Por fin ustedes son los profesores de español! Túrnense para decirles a sus estudiantes por lo menos **ocho** cosas que deben o no deben hacer. ¡Sean creativos! ■

MODELO   *Hagan la tarea para mañana. También, hablen en español durante toda la clase...*

 12-18 **Comparando** Estás planeando unas vacaciones. Dile a tu compañero/a cuáles son, en tu opinión, los mejores y los peores servicios y destinos. Usa comparaciones y superlativos. Crea por lo menos **diez** oraciones. ■

MODELO   *El aeropuerto de Austin es más pequeño que el aeropuerto de Dallas, pero en mi opinión es mejor porque no es muy grande. Para mí, la agencia Travel Experts es la mejor porque saben preparar unos viajes estupendos. Por ejemplo, la playa de Ixtapa en México es tan bonita como la playa de Cancún, y los hoteles no cuestan tanto como los hoteles de Cancún...*

Rúbrica

Estrategia

You and your instructor can use this rubric to assess your progress for activities **12-12** through **12-18**.

	3 EXCEEDS EXPECTATIONS	2 MEETS EXPECTATIONS	1 APPROACHES EXPECTATIONS	0 DOES NOT MEET EXPECTATIONS
Duración y precisión	• Has at least 8 sentences and includes all the required information. • May have errors, but they do not interfere with communication.	• Has 5–7 sentences and includes all the required information. • May have errors, but they rarely interfere with communication.	• Has 4 sentences and includes some of the required information. • Has errors that interfere with communication.	• Supplies fewer sentences and little of the required information in *Approaches Expectations*. • If communicating at all, has frequent errors that make communication limited or impossible.
Gramática nueva del *Capítulo 10*	• Makes excellent use of the chapter's new grammar (e.g., formal and informal commands, the comparative and superlative). • Uses a wide variety of verbs when appropriate.	• Makes good use of the chapter's new grammar (e.g., formal and informal commands, the comparative and superlative). • Uses a variety of verbs when appropriate.	• Makes use of some of the chapter's new grammar (e.g., formal and informal commands, the comparative and superlative). • Uses a limited variety of verbs when appropriate.	• Uses little, if any, of the chapter's new grammar (e.g., formal and informal commands, the comparative and superlative). • Uses few, if any, of the chapter's verbs.

(continued)

	3 EXCEEDS EXPECTATIONS	2 MEETS EXPECTATIONS	1 APPROACHES EXPECTATIONS	0 DOES NOT MEET EXPECTATIONS
Vocabulario nuevo del *Capítulo 10*	• Uses many of the new travel-related vocabulary words.	• Uses a variety of the new travel-related vocabulary words.	• Uses some of the new travel-related vocabulary words.	• Uses few, if any, new travel-related vocabulary words.
⊕ Gramática y vocabulario reciclado de los capítulos anteriores	• Does an excellent job using recycled grammar and vocabulary to support what is being said. • Uses a wide array of recycled verbs. • Uses some recycled vocabulary, but focuses predominantly on new vocabulary.	• Does a good job using recycled grammar and vocabulary to support what is being said. • Uses an array of recycled verbs. • Uses some recycled vocabulary, but focuses predominantly on new vocabulary.	• Does an average job using recycled grammar and vocabulary to support what is being said. • Uses a limited array of recycled verbs. • Uses mostly recycled vocabulary and some new vocabulary.	• If speaking at all, relies almost completely on a few isolated words. • Usage of previously learned grammar is inconsistent.
Esfuerzo	• Clearly the student made his/her best effort.	• The student made a good effort.	• The student made an effort.	• Little or no effort went into the activity.

Capítulo 11

12-28 to 12-32

   12-19 **Mis deberes** Siempre hay algo que podemos hacer para mejorar. Dile a tu compañero/a por lo menos **diez** cosas que debes hacer ahora o que te propones (*you intend*) hacer en el futuro. Usa **el subjuntivo** cuando sea necesario. ■

MODELO *Primero, es necesario que estudie más en el futuro. También es importante que no coma tanto chocolate, pero es dudoso que pueda evitarlo. Entonces, es importante que compre cosas saludables. Pero, ¡qué lástima! ¡Me fascina el chocolate! Pues, como me gusta tanto, es importante que haga más ejercicio. ¡Es una lástima que no me guste hacerlo!*

12-20 **Mi casa ideal** ¿Cómo esperas que sea tu casa en diez años? ■

Pattie Steib/Shutterstock

Vadym Andrushchenko/ Shutterstock

Galina Barskaya/Shutterstock

Paso 1 Descríbesela a un/a compañero/a con todo detalle (los cuartos, los muebles, los colores, etc.). Incluye por lo menos **cinco** preposiciones diferentes en la descripción.

MODELO *Espero que mi casa tenga cinco dormitorios. Al lado de la puerta quiero que haya una sala y una cocina detrás de la sala. ¡Ojalá que tenga una cocina muy grande!*

Paso 2 Repite lo que tu compañero/a te dijo. Es importante que uses y practiques las preposiciones.

> **Estrategia**
>
> You may want to draw the floor plan of your house and label the rooms. That way, it will be easier to talk about where each room is located in relation to other rooms. When working with a partner, you might want to draw your partner's house as you hear it described, taking note of the prepositions he/she has mentioned.

Rúbrica

> **Estrategia**
>
> You and your instructor can use this rubric to assess your progress for activities **12-19** through **12-20**.

	3 EXCEEDS EXPECTATIONS	2 MEETS EXPECTATIONS	1 APPROACHES EXPECTATIONS	0 DOES NOT MEET EXPECTATIONS
Duración y precisión	• Has at least 8 sentences and includes all the required information. • May have errors, but they do not interfere with communication.	• Has 5–7 sentences and includes all the required information. • May have errors, but they rarely interfere with communication.	• Has 4 sentences and includes some of the required information. • Has errors that interfere with communication.	• Supplies fewer sentences and little of the required information in *Approaches Expectations*. • If communicating at all, has frequent errors that make communication limited or impossible.
Gramática nueva del *Capítulo 11*	• Makes excellent use of the chapter's new grammar (e.g., the subjunctive and prepositions). • Uses a wide variety of verbs when appropriate.	• Makes good use of the chapter's new grammar (e.g., the subjunctive and prepositions). • Uses a variety of verbs when appropriate.	• Makes use of some of the chapter's new grammar (e.g., the subjunctive and prepositions). • Uses a limited variety of verbs when appropriate.	• Uses little, if any, of the chapter's new grammar (e.g., the subjunctive and prepositions). • Uses few, if any, of the chapter's verbs.

(continued)

	3 EXCEEDS EXPECTATIONS	2 MEETS EXPECTATIONS	1 APPROACHES EXPECTATIONS	0 DOES NOT MEET EXPECTATIONS
Vocabulario nuevo del *Capítulo 11*	• Uses many of the new vocabulary words (e.g., animals, the environment, and politics).	• Uses a variety of the new vocabulary words (e.g., animals, the environment, and politics).	• Uses some of the new vocabulary words (e.g., animals, the environment, and politics).	• Uses few, if any, new vocabulary words (e.g., animals, the environment, and politics).
Gramática y vocabulario reciclado de los capítulos anteriores	• Does an excellent job using recycled grammar and vocabulary to support what is being said. • Uses a wide array of recycled verbs. • Uses some recycled vocabulary, but focuses predominantly on new vocabulary.	• Does a good job using recycled grammar and vocabulary to support what is being said. • Uses an array of recycled verbs. • Uses some recycled vocabulary, but focuses predominantly on new vocabulary.	• Does an average job using recycled grammar and vocabulary to support what is being said. • Uses a limited array of recycled verbs. • Uses mostly recycled vocabulary and some new vocabulary.	• If speaking at all, relies almost completely on a few isolated words. • Usage of previously learned grammar is inconsistent.
Esfuerzo	• Clearly the student made his/her best effort.	• The student made a good effort.	• The student made an effort.	• Little or no effort went into the activity.

 Un poco de todo

12-33 to 12-41

12-21 **Nuestro medio ambiente y más aún** Creen juntos un reportaje (*report*) para la televisión sobre uno de los siguientes temas. ■

TEMAS

1. el medio ambiente
2. la política
3. el tiempo
4. el arte, la música, los deportes y otros eventos

withGod/Shutterstock

12-22 ¿Cómo eres?
Conoces un poco a los estudiantes de los países que estudiamos en los capítulos anteriores. ¿Qué más quieres saber de ellos? Escribe por lo menos **diez** preguntas que quieras hacerles. Usa **el pretérito, el imperfecto** y **el subjuntivo** en tus preguntas. ■

MODELO
1. ¿Qué estudiaste el semestre pasado?
2. ¿Adónde fuiste el verano pasado?
3. ¿Es posible que viajes este verano?
4. ...

Gino Breschi Arteaga

Sandra Manrique Esquivel

María Graciela Martelli Paz

Francisco Tomás Bacigalupe Bustamante

Diana Ávila Peralta

Jorge Gustavo Salazar

Yolanda Pico Briones

Rosa María Gutiérrez Murcia

Joaquín Navas Posada

Alicia Ortega Mujica

Pablo Colón Padín
Jupiterimages, Brand X Pictures/ Thinkstock

Amparo Burgos Báez

Workbooklet

12-23 **¿Sabías que...?** Completa los siguientes pasos. ■

Paso 1   Escribe dos cosas interesantes que no sabías antes pero que aprendiste sobre cada uno de los siguientes países.

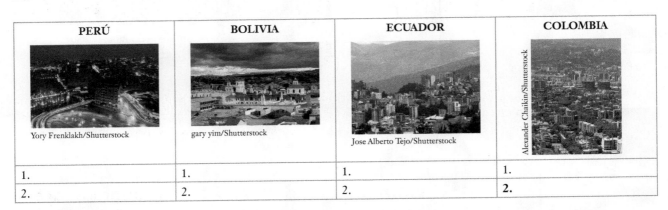

CHILE	PARAGUAY	ARGENTINA	URUGUAY
kwest/Shutterstock	Alexander Chaikin/Shutterstock	javarman/Shutterstock	jorisvo/Shutterstock
1.	1.	1.	1.
2.	2.	2.	**2.**

PERÚ	BOLIVIA	ECUADOR	COLOMBIA
Yory Frenklakh/Shutterstock	gary yim/Shutterstock	Jose Alberto Tejo/Shutterstock	Alexander Chaikin/Shutterstock
1.	1.	1.	1.
2.	2.	2.	**2.**

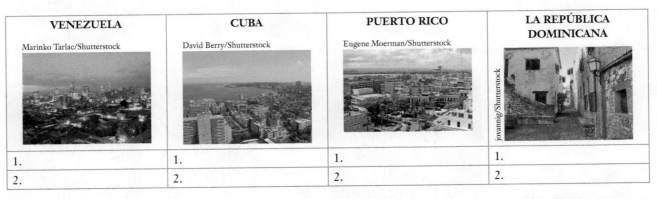

VENEZUELA	CUBA	PUERTO RICO	LA REPÚBLICA DOMINICANA
Marinko Tarlac/Shutterstock	David Berry/Shutterstock	Eugene Moerman/Shutterstock	jovannig/Shutterstock
1.	1.	1.	1.
2.	2.	2.	2.

Paso 2   Compara la información con el lugar donde vives. ¿Qué cosas son similares? ¿Qué diferencias hay?

12-24 **¡A cocinar!** Vas a preparar una cena latina para tus amigos con platos representativos de varios países. Selecciona por lo menos **tres** platos y **una** bebida. Indica el país de origen de cada plato y los ingredientes. Si varios países comparten el plato, menciónalos también. ■

D. Heining-Boynton, HBPHOTOPRO.COM

La parrillada

D. Heining-Boynton, HBPHOTOPRO.COM

El chivito

12-25 **Los símbolos nacionales** Escoge **tres** países distintos y un símbolo para cada uno de ellos. Describe estos símbolos nacionales y habla de cómo y por qué son representativos del país. Después, haz una comparación entre los países y sus símbolos. ■

12-26 **¿El ecoturismo o una expedición antropológica?**
¡Qué suerte! Recibiste la distinción de ser el/la mejor estudiante de español y puedes elegir entre un viaje de ecoturismo o una expedición antropológica. Piensa en lo que aprendiste de cada país y decide adónde quieres ir para divertirte e investigar más. Después, describe el lugar específico que vas a visitar y di por qué, cómo, cuándo, etc. Si hay dos países con lugares similares, compáralos e indica por qué seleccionaste uno en particular. ■

fotum/Shutterstock

thumb/Shutterstock

Episodio 12

12-27 **Tus propias ambiciones siniestras** ¡Ahora te toca a ti! Puedes seleccionar entre las siguientes actividades basadas en **Ambiciones siniestras.** ■

 1. Imagina que eres David Letterman o Cristina y que tienes la oportunidad de entrevistar a los actores de **Ambiciones siniestras.** Prepara la entrevista con un/a compañero/a.

 2. Escribe tu propia versión resumida de **Ambiciones siniestras.** ¿Termina igual que el original? Compara tu versión con la de un/a compañero/a.

 3. Escribe y filma **Ambiciones siniestras II.** Al final, ¿qué pasa con el Sr. Verdugo? Preséntale tu película a la clase.

Y por fin, ¿cómo andas?

	Feel confident	Need to review
Having completed this chapter, I now can . . .		

Comunicación

	Feel confident	Need to review
• communicate preferences regarding food and clothing	☐	☐
• relate ideas about past experiences and my daily routine	☐	☐
• convey information about people and things	☐	☐
• express ideas on topics such as health, travel, animals, the environment, and politics	☐	☐
• make requests and give advice using commands	☐	☐
• articulate desires and opinions on a variety of topics	☐	☐

Cultura

	Feel confident	Need to review
• share information about Chile, Paraguay, Argentina, Uruguay, Perú, Bolivia, Ecuador, Venezuela, Colombia, Cuba, Puerto Rico, and La República Dominicana	☐	☐
• compare and contrast the countries I learned about in **Capítulos 7–11**	☐	☐

Ambiciones siniestras

	Feel confident	Need to review
• go behind the scenes of **Ambiciones siniestras**	☐	☐

Comunidades

	Feel confident	Need to review
• use Spanish in real-life contexts (SAM)	☐	☐

Answers to ¡*Explícalo tú!* (Inductive Grammar Answers)

Major grammar points to be reviewed

1. Past tenses:
   Regular and irregular preterit
   Regular and irregular imperfect
   Uses of the preterit and imperfect

2. Pronouns:
   Direct object
   Indirect object
   Reflexive
   Placement of pronouns

3. Commands:
   Informal affirmative and negative
   Formal affirmative and negative

4. Subjunctive:
   Formation
   Usage

Major vocabulary to be reviewed

1. The *Vocabulario activo* at the end of each chapter

Major cultural information to be reviewed

1. At least two facts about each of the feature countries
2. At least one point about each of the two culture presentations in each chapter

Appendix 2: Verb Charts

Appendix 2

Verb Charts

Regular Verbs: Simple Tenses

Infinitive / Present Participle / Past Participle	Indicative					Subjunctive		Imperative
	Present	Imperfect	Preterit	Future	Conditional	Present	Imperfect	Commands
hablar hablando hablado	hablo hablas habla hablamos habláis hablan	hablaba hablabas hablaba hablábamos hablabais hablaban	hablé hablaste habló hablamos hablasteis hablaron	hablaré hablarás hablará hablaremos hablaréis hablarán	hablaría hablarías hablaría hablaríamos hablaríais hablarían	hable hables hable hablemos habléis hablen	hablara hablaras hablara habláramos hablarais hablaran	habla (tú), no hables hable (usted) hablemos hablad (vosotros), no habléis hablen (Uds.)
comer comiendo comido	como comes come comemos coméis comen	comía comías comía comíamos comíais comían	comí comiste comió comimos comisteis comieron	comeré comerás comerá comeremos comeréis comerán	comería comerías comería comeríamos comeríais comerían	coma comas coma comamos comáis coman	comiera comieras comiera comiéramos comierais comieran	come (tú), no comas coma (usted) comamos comed (vosotros), no comáis coman (Uds.)
vivir viviendo vivido	vivo vives vive vivimos vivís viven	vivía vivías vivía vivíamos vivíais vivían	viví viviste vivió vivimos vivisteis vivieron	viviré vivirás vivirá viviremos viviréis vivirán	viviría vivirías viviría viviríamos viviríais vivirían	viva vivas viva vivamos viváis vivan	viviera vivieras viviera viviéramos vivierais vivieran	vive (tú), no vivas viva (usted) vivamos vivid (vosotros), no viváis vivan (Uds.)

Regular Verbs: Perfect Tenses

	Indicative					Subjunctive	
	Present Perfect	Past Perfect	Preterit Perfect	Future Perfect	Conditional Perfect	Present Perfect	Past Perfect
	he	había	hube	habré	habría	haya	hubiera
	has	habías	hubiste	habrás	habrías	hayas	hubieras
	ha	había	hubo	habrá	habría	haya	hubiera
	hemos	habíamos	hubimos	habremos	habríamos	hayamos	hubiéramos
	habéis	habíais	hubisteis	habréis	habríais	hayáis	hubierais
	han	habían	hubieron	habrán	habrían	hayan	hubieran
	hablado comido vivido	hablado comido vivido	hablado comido vivido	hablado comido vivido	hablado comido vivido	hablado comido vivido	hablado comido vivido

Irregular Verbs

Infinitive / Present Participle / Past Participle	Indicative					Subjunctive		Imperative
	Present	Imperfect	Preterit	Future	Conditional	Present	Imperfect	Commands
andar andando andado	ando andas anda andamos andáis andan	andaba andabas andaba andábamos andabais andaban	anduve anduviste anduvo anduvimos anduvisteis anduvieron	andaré andarás andará andaremos andaréis andarán	andaría andarías andaría andaríamos andaríais andarían	ande andes ande andemos andéis anden	anduviera anduvieras anduviera anduviéramos anduvierais anduvieran	anda (tú), no andes ande (usted) andemos andad (vosotros), no andéis anden (Uds.)
caer cayendo caído	caigo caes cae caemos caéis caen	caía caías caía caíamos caíais caían	caí caíste cayó caímos caísteis cayeron	caeré caerás caerá caeremos caeréis caerán	caería caerías caería caeríamos caeríais caerían	caiga caigas caiga caigamos caigáis caigan	cayera cayeras cayera cayéramos cayerais cayeran	cae (tú), no caigas caiga (usted) caigamos caed (vosotros), no caigáis caigan (Uds.)
dar dando dado	doy das da damos dais dan	daba dabas daba dábamos dabais daban	di diste dio dimos disteis dieron	daré darás dará daremos daréis darán	daría darías daría daríamos daríais darían	dé des dé demos deis den	diera dieras diera diéramos dierais dieran	da (tú), no des dé (usted) demos dad (vosotros), no deis den (Uds.)
decir diciendo dicho	digo dices dice decimos decís dicen	decía decías decía decíamos decíais decían	dije dijiste dijo dijimos dijisteis dijeron	diré dirás dirá diremos diréis dirán	diría dirías diría diríamos diríais dirían	diga digas diga digamos digáis digan	dijera dijeras dijera dijéramos dijerais dijeran	di (tú), no digas diga (usted) digamos decid (vosotros), no digáis digan (Uds.)

Irregular Verbs (continued)

Infinitive / Present Participle / Past Participle	Indicative Present	Imperfect	Preterit	Future	Conditional	Subjunctive Present	Imperfect	Imperative Commands
estar estando estado	estoy estás está estamos estáis están	estaba estabas estaba estábamos estabais estaban	estuve estuviste estuvo estuvimos estuvisteis estuvieron	estaré estarás estará estaremos estaréis estarán	estaría estarías estaría estaríamos estaríais estarían	esté estés esté estemos estéis estén	estuviera estuvieras estuviera estuviéramos estuvierais estuvieran	está (tú), no estés esté (usted) estemos estad (vosotros), no estéis estén (Uds.)
haber habiendo habido	he has ha hemos habéis han	había habías había habíamos habíais habían	hube hubiste hubo hubimos hubisteis hubieron	habré habrás habrá habremos habréis habrán	habría habrías habría habríamos habríais habrían	haya hayas haya hayamos hayáis hayan	hubiera hubieras hubiera hubiéramos hubierais hubieran	
hacer haciendo hecho	hago haces hace hacemos hacéis hacen	hacía hacías hacía hacíamos hacíais hacían	hice hiciste hizo hicimos hicisteis hicieron	haré harás hará haremos haréis harán	haría harías haría haríamos haríais harían	haga hagas haga hagamos hagáis hagan	hiciera hicieras hiciera hiciéramos hicierais hicieran	haz (tú), no hagas haga (usted) hagamos haced (vosotros), no hagáis hagan (Uds.)
ir yendo ido	voy vas va vamos vais van	iba ibas iba íbamos ibais iban	fui fuiste fue fuimos fuisteis fueron	iré irás irá iremos iréis irán	iría irías iría iríamos iríais irían	vaya vayas vaya vayamos vayáis vayan	fuera fueras fuera fuéramos fuerais fueran	ve (tú), no vayas vaya (usted) vamos, no vayamos id (vosotros), no vayáis vayan (Uds.)
oír oyendo oído	oigo oyes oye oímos oís oyen	oía oías oía oíamos oíais oían	oí oíste oyó oímos oísteis oyeron	oiré oirás oirá oiremos oiréis oirán	oiría oirías oiría oiríamos oiríais oirían	oiga oigas oiga oigamos oigáis oigan	oyera oyeras oyera oyéramos oyerais oyeran	oye (tú), no oigas oiga (usted) oigamos oíd (vosotros), no oigáis oigan (Uds.)

Irregular Verbs (continued)

Infinitive Present Participle Past Participle	Indicative					Subjunctive		Imperative
	Present	Imperfect	Preterit	Future	Conditional	Present	Imperfect	Commands
poder pudiendo podido	puedo puedes puede podemos podéis pueden	podía podías podía podíamos podíais podían	pude pudiste pudo pudimos pudisteis pudieron	podré podrás podrá podremos podréis podrán	podría podrías podría podríamos podríais podrían	pueda puedas pueda podamos podáis puedan	pudiera pudieras pudiera pudiéramos pudierais pudieran	
poner poniendo puesto	pongo pones pone ponemos ponéis ponen	ponía ponías ponía poníamos poníais ponían	puse pusiste puso pusimos pusisteis pusieron	pondré pondrás pondrá pondremos pondréis pondrán	pondría pondrías pondría pondríamos pondríais pondrían	ponga pongas ponga pongamos pongáis pongan	pusiera pusieras pusiera pusiéramos pusierais pusieran	pon (tú), no pongas ponga (usted) pongamos poned (vosotros), no pongáis pongan (Uds.)
querer queriendo querido	quiero quieres quiere queremos queréis quieren	quería querías quería queríamos queríais querían	quise quisiste quiso quisimos quisisteis quisieron	querré querrás querrá querremos querréis querrán	querría querrías querría querríamos querríais querrían	quiera quieras quiera queramos queráis quieran	quisiera quisieras quisiera quisiéramos quisierais quisieran	quiere (tú), no quieras quiera (usted) queramos quered (vosotros), no queráis quieran (Uds.)
saber sabiendo sabido	sé sabes sabe sabemos sabéis saben	sabía sabías sabía sabíamos sabíais sabían	supe supiste supo supimos supisteis supieron	sabré sabrás sabrá sabremos sabréis sabrán	sabría sabrías sabría sabríamos sabríais sabrían	sepa sepas sepa sepamos sepáis sepan	supiera supieras supiera supiéramos supierais supieran	sabe (tú), no sepas sepa (usted) sepamos sabed (vosotros), no sepáis sepan (Uds.)
salir saliendo salido	salgo sales sale salimos salís salen	salía salías salía salíamos salíais salían	salí saliste salió salimos salisteis salieron	saldré saldrás saldrá saldremos saldréis saldrán	saldría saldrías saldría saldríamos saldríais saldrían	salga salgas salga salgamos salgáis salgan	saliera salieras saliera saliéramos salierais salieran	sal (tú), no salgas salga (usted) salgamos salid (vosotros), no salgáis salgan (Uds.)

Irregular Verbs (continued)

Infinitive / Present Participle / Past Participle	Indicative Present	Indicative Imperfect	Indicative Preterit	Indicative Future	Conditional	Subjunctive Present	Subjunctive Imperfect	Imperative Commands
ser siendo sido	soy eres es somos sois son	era eras era éramos erais eran	fui fuiste fue fuimos fuisteis fueron	seré serás será seremos seréis serán	sería serías sería seríamos seríais serían	sea seas sea seamos seáis sean	fuera fueras fuera fuéramos fuerais fueran	sé (tú), no seas sea (usted) seamos sed (vosotros), no seáis sean (Uds.)
tener teniendo tenido	tengo tienes tiene tenemos tenéis tienen	tenía tenías tenía teníamos teníais tenían	tuve tuviste tuvo tuvimos tuvisteis tuvieron	tendré tendrás tendrá tendremos tendréis tendrán	tendría tendrías tendría tendríamos tendríais tendrían	tenga tengas tenga tengamos tengáis tengan	tuviera tuvieras tuviera tuviéramos tuvierais tuvieran	ten (tú), no tengas tenga (usted) tengamos tened (vosotros), no tengáis tengan (Uds.)
traer trayendo traído	traigo traes trae traemos traéis traen	traía traías traía traíamos traíais traían	traje trajiste trajo trajimos trajisteis trajeron	traeré traerás traerá traeremos traeréis traerán	traería traerías traería traeríamos traeríais traerían	traiga traigas traiga traigamos traigáis traigan	trajera trajeras trajera trajéramos trajerais trajeran	trae (tú), no traigas traiga (usted) traigamos traed (vosotros), no traigáis traigan (Uds.)
venir viniendo venido	vengo vienes viene venimos venís vienen	venía venías venía veníamos veníais venían	vine viniste vino vinimos vinisteis vinieron	vendré vendrás vendrá vendremos vendréis vendrán	vendría vendrías vendría vendríamos vendríais vendrían	venga vengas venga vengamos vengáis vengan	viniera vinieras viniera viniéramos vinierais vinieran	ven (tú), no vengas venga (usted) vengamos venid (vosotros), no vengáis vengan (Uds.)
ver viendo visto	veo ves ve vemos veis ven	veía veías veía veíamos veíais veían	vi viste vio vimos visteis vieron	veré verás verá veremos veréis verán	vería verías vería veríamos veríais verían	vea veas vea veamos veáis vean	viera vieras viera viéramos vierais vieran	ve (tú), no veas vea (usted) veamos ved (vosotros), no veáis vean (Uds.)

Stem-Changing and Orthographic-Changing Verbs

Infinitive / Present Participle / Past Participle	Indicative Present	Indicative Imperfect	Indicative Preterit	Indicative Future	Indicative Conditional	Subjunctive Present	Subjunctive Imperfect	Imperative Commands
almorzar (ue) (c) / almorzando / almorzado	almuerzo	almorzaba	almorcé	almorzaré	almorzaría	almuerce	almorzara	
	almuerzas	almorzabas	almorzaste	almorzarás	almorzarías	almuerces	almorzaras	almuerza (tú), no almuerces
	almuerza	almorzaba	almorzó	almorzará	almorzaría	almuerce	almorzara	almuerce (usted)
	almorzamos	almorzábamos	almorzamos	almorzaremos	almorzaríamos	almorcemos	almorzáramos	almorcemos
	almorzáis	almorzabais	almorzasteis	almorzaréis	almorzaríais	almorcéis	almorzarais	almorzad (vosotros), no almorcéis
	almuerzan	almorzaban	almorzaron	almorzarán	almorzarían	almuercen	almorzaran	almuercen (Uds.)
buscar (qu) / buscando / buscado	busco	buscaba	busqué	buscaré	buscaría	busque	buscara	
	buscas	buscabas	buscaste	buscarás	buscarías	busques	buscaras	busca (tú), no busques
	busca	buscaba	buscó	buscará	buscaría	busque	buscara	busque (usted)
	buscamos	buscábamos	buscamos	buscaremos	buscaríamos	busquemos	buscáramos	busquemos
	buscáis	buscabais	buscasteis	buscaréis	buscaríais	busquéis	buscarais	buscad (vosotros), no busquéis
	buscan	buscaban	buscaron	buscarán	buscarían	busquen	buscaran	busquen (Uds.)
corregir (i, i) (j) / corrigiendo / corregido	corrijo	corregía	corregí	corregiré	corregiría	corrija	corrigiera	
	corriges	corregías	corregiste	corregirás	corregirías	corrijas	corrigieras	corrige (tú), no corrijas
	corrige	corregía	corrigió	corregirá	corregiría	corrija	corrigiera	corrija (usted)
	corregimos	corregíamos	corregimos	corregiremos	corregiríamos	corrijamos	corrigiéramos	corrijamos
	corregís	corregíais	corregisteis	corregiréis	corregiríais	corrijáis	corrigierais	corregid (vosotros), no corrijáis
	corrigen	corregían	corrigieron	corregirán	corregirían	corrijan	corrigieran	corrijan (Uds.)
dormir (ue, u) / durmiendo / dormido	duermo	dormía	dormí	dormiré	dormiría	duerma	durmiera	
	duermes	dormías	dormiste	dormirás	dormirías	duermas	durmieras	duerme (tú), no duermas
	duerme	dormía	durmió	dormirá	dormiría	duerma	durmiera	duerma (usted)
	dormimos	dormíamos	dormimos	dormiremos	dormiríamos	durmamos	durmiéramos	durmamos
	dormís	dormíais	dormisteis	dormiréis	dormiríais	durmáis	durmierais	dormid (vosotros), no durmáis
	duermen	dormían	durmieron	dormirán	dormirían	duerman	durmieran	duerman (Uds.)
incluir (y) / incluyendo / incluido	incluyo	incluía	incluí	incluiré	incluiría	incluya	incluyera	
	incluyes	incluías	incluiste	incluirás	incluirías	incluyas	incluyeras	incluye (tú), no incluyas
	incluye	incluía	incluyó	incluirá	incluiría	incluya	incluyera	incluya (usted)
	incluimos	incluíamos	incluimos	incluiremos	incluiríamos	incluyamos	incluyéramos	incluyamos
	incluis	incluíais	incluisteis	incluiréis	incluiríais	incluyáis	incluyerais	incluid (vosotros), no incluyáis
	incluyen	incluían	incluyeron	incluirán	incluirían	incluyan	incluyeran	incluyan (Uds.)

Stem-Changing and Orthographic-Changing Verbs (continued)

Infinitive / Present Participle / Past Participle	Indicative Present	Imperfect	Preterit	Future	Conditional	Subjunctive Present	Imperfect	Imperative Commands
llegar (gu) / llegando / llegado	llego / llegas / llega / llegamos / llegáis / llegan	llegaba / llegabas / llegaba / llegábamos / llegabais / llegaban	llegué / llegaste / llegó / llegamos / llegasteis / llegaron	llegaré / llegarás / llegará / llegaremos / llegaréis / llegarán	llegaría / llegarías / llegaría / llegaríamos / llegaríais / llegarían	llegue / llegues / llegue / lleguemos / lleguéis / lleguen	llegara / llegaras / llegara / llegáramos / llegarais / llegaran	llega (tú), no llegues / llegue (usted) / lleguemos / llegad (vosotros), no lleguéis / lleguen (Uds.)
pedir (i, i) / pidiendo / pedido	pido / pides / pide / pedimos / pedís / piden	pedía / pedías / pedía / pedíamos / pedíais / pedían	pedí / pediste / pidió / pedimos / pedisteis / pidieron	pediré / pedirás / pedirá / pediremos / pediréis / pedirán	pediría / pedirías / pediría / pediríamos / pediríais / pedirían	pida / pidas / pida / pidamos / pidáis / pidan	pidiera / pidieras / pidiera / pidiéramos / pidierais / pidieran	pide (tú), no pidas / pida (usted) / pidamos / pedid (vosotros), no pidáis / pidan (Uds.)
pensar (ie) / pensando / pensado	pienso / piensas / piensa / pensamos / pensáis / piensan	pensaba / pensabas / pensaba / pensábamos / pensabais / pensaban	pensé / pensaste / pensó / pensamos / pensasteis / pensaron	pensaré / pensarás / pensará / pensaremos / pensaréis / pensarán	pensaría / pensarías / pensaría / pensaríamos / pensaríais / pensarían	piense / pienses / piense / pensemos / penséis / piensen	pensara / pensaras / pensara / pensáramos / pensarais / pensaran	piensa (tú), no pienses / piense (usted) / pensemos / pensad (vosotros), no penséis / piensen (Uds.)
producir (zc) (j) / produciendo / producido	produzco / produces / produce / producimos / producís / producen	producía / producías / producía / producíamos / producíais / producían	produje / produjiste / produjo / produjimos / produjisteis / produjeron	produciré / producirás / producirá / produciremos / produciréis / producirán	produciría / producirías / produciría / produciríamos / produciríais / producirían	produzca / produzcas / produzca / produzcamos / produzcáis / produzcan	produjera / produjeras / produjera / produjéramos / produjerais / produjeran	produce (tú), no produzcas / produzca (usted) / produzcamos / producid (vosotros), no produzcáis / produzcan (Uds.)
reír (i, i) / riendo / reído	río / ríes / ríe / reímos / reís / ríen	reía / reías / reía / reíamos / reíais / reían	reí / reíste / rio / reímos / reísteis / rieron	reiré / reirás / reirá / reiremos / reiréis / reirán	reiría / reirías / reiría / reiríamos / reiríais / reirían	ría / rías / ría / riamos / riáis / rían	riera / rieras / riera / riéramos / rierais / rieran	ríe (tú), no rías / ría (usted) / riamos / reíd (vosotros), no riáis / rían (Uds.)

Stem-Changing and Orthographic-Changing Verbs (continued)

Infinitive Present Participle Past Participle	Indicative					Subjunctive		Imperative
	Present	Imperfect	Preterit	Future	Conditional	Present	Imperfect	Commands
seguir (i, i) (ga) siguiendo seguido	sigo sigues sigue seguimos seguís siguen	seguía seguías seguía seguíamos seguíais seguían	seguí seguiste siguió seguimos seguisteis siguieron	seguiré seguirás seguirá seguiremos seguiréis seguirán	seguiría seguirías seguiría seguiríamos seguiríais seguirían	siga sigas siga sigamos sigáis sigan	siguiera siguieras siguiera siguiéramos siguierais siguieran	sigue (tú), no sigas siga (usted) sigamos seguid (vosotros), no sigáis sigan (Uds.)
sentir (ie, i) sintiendo sentido	siento sientes siente sentimos sentís sienten	sentía sentías sentía sentíamos sentíais sentían	sentí sentiste sintió sentimos sentisteis sintieron	sentiré sentirás sentirá sentiremos sentiréis sentirán	sentiría sentirías sentiría sentiríamos sentiríais sentirían	sienta sientas sienta sintamos sintáis sientan	sintiera sintieras sintiera sintiéramos sintierais sintieran	siente (tú), no sientas sienta (usted) sintamos sentid (vosotros), no sintáis sientan (Uds.)
volver (ue) volviendo vuelto	vuelvo vuelves vuelve volvemos volvéis vuelven	volvía volvías volvía volvíamos volvíais volvían	volví volviste volvió volvimos volvisteis volvieron	volveré volverás volverá volveremos volveréis volverán	volvería volverías volvería volveríamos volveríais volverían	vuelva vuelvas vuelva volvamos volváis vuelvan	volviera volvieras volviera volviéramos volvierais volvieran	vuelve (tú), no vuelvas vuelva (usted) volvamos volved (vosotros), no volváis vuelvan (Uds.)

Maps

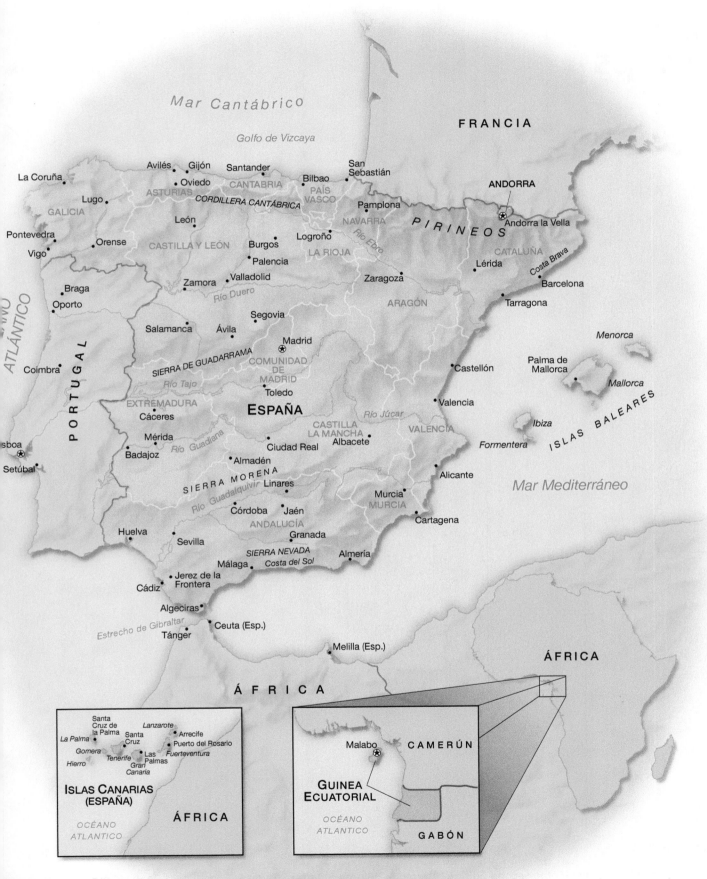

Mar Cantábrico

Golfo de Vizcaya

FRANCIA

La Coruña
Avilés Gijón Santander
Oviedo CANTABRIA Bilbao
San Sebastián
ANDORRA
Lugo
ASTURIAS
PAÍS VASCO
Pamplona
Andorra la Vella
León CORDILLERA CANTÁBRICA NAVARRA P I R I N E O S
GALICIA
Pontevedra
Orense CASTILLA Y LEÓN Burgos Logroño Río Ebro CATALUÑA Lérida Costa Brava
Vigo LA RIOJA Zaragoza Barcelona
Palencia
Zamora Valladolid ARAGÓN Tarragona
Braga
Oporto Río Duero
Segovia Menorca
Salamanca Ávila Castellón Palma de Mallorca
Coimbra Madrid Mallorca
PORTUGAL SIERRA DE GUADARRAMA COMUNIDAD DE MADRID Río Tajo
Toledo Valencia Ibiza ISLAS BALEARES
ESPAÑA
sboa EXTREMADURA Río Júcar Formentera
Cáceres CASTILLA LA MANCHA VALENCIA Mar Mediterráneo
Setúbal Mérida Ciudad Real Albacete
Río Guadiana
Badajoz Almadén Alicante
SIERRA MORENA Linares Murcia
Río Guadalquivir Córdoba Jaén MURCIA Cartagena
ANDALUCÍA
Huelva Granada
Sevilla SIERRA NEVADA Almería
Málaga Costa del Sol
Cádiz Jerez de la Frontera
Algeciras Estrecho de Gibraltar Ceuta (Esp.)
Tánger Melilla (Esp.)
ÁFRICA
ÁFRICA

OCÉANO ATLÁNTICO

Santa Cruz de la Palma Lanzarote
La Palma Santa Cruz Arrecife
Gomera Tenerife Las Palmas Puerto del Rosario
Hierro Gran Canaria Fuerteventura
ISLAS CANARIAS (ESPAÑA)
ÁFRICA
OCÉANO ATLÁNTICO

Malabo CAMERÚN
GUINEA ECUATORIAL
OCÉANO ATLÁNTICO GABÓN

España y África

Mar Caribe

OCÉANO
ATLÁNTICO

Barranquilla •Maracaibo •Caracas
Cartagena• •Barquisimeto
CORDILLERA DE LOS ANDES
VENEZUELA
Río Orinoco
Medellín• Georgetown• Paramaribo•
Manizales• •Bogotá Salto GUYANA SURINAM •Cayenne
Cali• COLOMBIA Ángel GUAYANA
FRANCESA
(Francia)

Quito•
ECUADOR Ecuador
Guayaquil• Río Amazonas
Cuenca• Iquitos• Manaus• •Belém

Islas
Galápagos Fortaleza•
(Ec.)
Cajamarca•
Trujillo• Río Branco• B R A S I L Recife•
PERÚ
Machu
Picchu• •Salvador
Lima• •Cuzco
Ayacucho• BOLIVIA Brasília•
Arequipa• Lago •La Paz
Titicaca
Cochabamba• •Santa Cruz
Arica• •Sucre Belo
Iquique• •Potosí Horizonte
PARAGUAY
Antofagasta• São Paulo• •Río de Janeiro
•Salta Asunción• Santos• Trópico de Capricornio
Salto
Iguazú
San Miguel•
CHILE de Tucumán Pôrto Alegre•
ARGENTINA
Coquimbo• •Córdoba •Rivera
Río Uruguay
Rosario•
Valparaíso• Mendoza• URUGUAY
Santiago• Buenos Aires•
La Plata• •Montevideo OCÉANO
Concepción• Río de la Plata ATLÁNTICO
Bahía Blanca•

Puerto Montt•

OCÉANO
PACÍFICO

Estrecho de
Magallanes Islas
Malvinas
(Br.)
Punta Arenas•
TIERRA DEL FUEGO
Cabo de Hornos

mérica del Sur

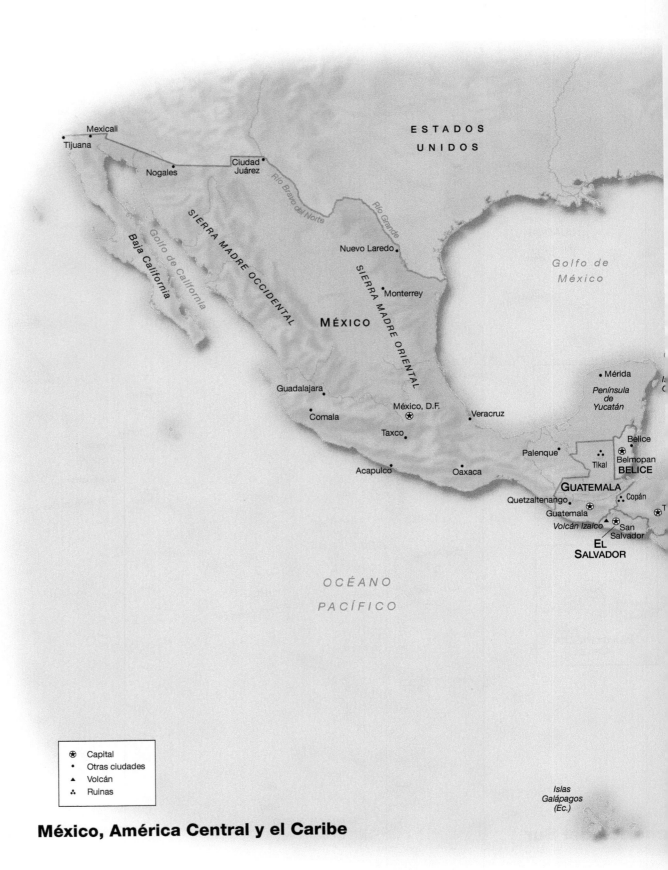

ESTADOS
UNIDOS

Mexicali
Tijuana
Nogales
Ciudad Juárez
Río Bravo del Norte
Río Grande

Golfo de California
Baja California

SIERRA MADRE OCCIDENTAL

Nuevo Laredo

Monterrey

SIERRA MADRE ORIENTAL

MÉXICO

Golfo de México

Mérida
Península de Yucatán

Guadalajara

México, D.F.
Veracruz

Comala
Taxco

Palenque
Belice
Tikal
Belmopan
BELICE

Acapulco
Oaxaca

GUATEMALA
Copán

Quetzaltenango
Guatemala
Volcán Izalco
San Salvador

EL SALVADOR

OCÉANO
PACÍFICO

⊛	Capital
•	Otras ciudades
▲	Volcán
∴	Ruinas

Islas
Galápagos
(Ec.)

México, América Central y el Caribe

OCÉANO
ATLÁNTICO

Estrecho de la Florida

LAS BAHAMAS

⊛ •Matanzas

CUBA

Cienfuegos •

Camagüey

Guantánamo

Santiago
de Cuba

Kingston ⊛

JAMAICA

REPÚBLICA
DOMINICANA

HAITÍ

Port-au-
Prince ⊛

Santo
Domingo

Mayagüez •

• Ponce

San
Juan ⊛

PUERTO
RICO

Islas
Vírgenes

Antillas Menores

Antigua

Guadalupe

Dominica

Martinica
Santa Lucía

Barbados

San Vicente

Granada

Mar Caribe

Curaçao

Aruba

Bonaire

Isla
Margarita

Trinidad y
Tobago

⊛ Caracas

JA

ragua

Canal de
Panamá

OSTA
RICA

Colón

PANAMÁ ⊛ • Panamá

Golfo
de
Panamá

Río Orinoco

VENEZUELA

GUYANA

COLOMBIA

⊛ Bogotá

Río Magdalena

BRASIL

ECUADOR

PERÚ

523

Index